Arqueologia
i política

Francisco Gracia Alonso

Arqueologia i política

**La gestió de Martín Almagro Basch
al capdavant del Museu Arqueològic
Provincial de Barcelona
(1939-1962)**

Universitat de Barcelona

Publicacions i Edicions

Universitat de Barcelona. Dades catalogràfiques

Gracia Alonso, Francisco, 1960-

Arqueologia i política : la gestió de Martín Almagro
Basch al capdavant del Museu Arqueològic Provincial
de Barcelona (1939-1962)

Notes. Bibliografia
ISBN 978-84-475-3628-3

1. Museu Arqueològic de Barcelona
2. Almagro Basch, Martín, 1911-1984   3. Política cultural
4. 1939-1962

© Publicacions i Edicions de la Universitat de Barcelona
   Adolf Florensa, s/n
   08028 Barcelona
   Tel.: 934 035 530
   Fax: 934 035 531
   comercial.edicions@ub.edu
   www.publicacions.ub.edu

FOTOGRAFIA DE LA COBERTA	Martín Almagro Basch durant l'expedició científica al Sàhara espanyol (1944)
ISBN	978-84-475-3628-3
DIPÒSIT LEGAL	B-28.933-2012
IMPRESSIÓ I ENQUADERNACIÓ	Gráficas Rey

Aquesta edició ha rebut el suport dels projectes d'investi-
gació GRAP 2009SGR243 i HAR2011-28142.

Índex

Abreviatures

ACCHIS-CSIC	Archivo del Centro de Ciencias Humanas y Sociales del CSIC (Madrid)
AFUE	Archivo de la Fundación Universitaria Española (Madrid)
AGA	Archivo General de la Administración (Alcalá de Henares)
AGE	Archivo General de Educación (Alcalá de Henares)
AGMA	Archivo General Militar de Ávila (Ávila)
AHDB	Arxiu Històric de la Diputació de Barcelona (Barcelona)
AHPS	Archivo Histórico Provincial de Segovia (Segòvia)
AHUB	Arxiu Històric de la Universitat de Barcelona (Barcelona)
AMAAEE	Archivo General del Ministerio de Asuntos Exteriores y Cooperación (Madrid)
ANC	Arxiu Nacional de Catalunya (Sant Cugat del Vallès)
BA	Bundesarchiv Deutschland (Berlín)
BC	Biblioteca de Catalunya (Barcelona)
CDRE	Centro de Documentación de la Residencia de Estudiantes (Madrid)
IF	Institut de France (París)
IPCE	Instituto del Patrimonio Cultural de España (Madrid)
MAC	Museu d'Arqueologia de Catalunya (Barcelona-Empúries)
MAN	Musée des Antiquités Nationales (Saint-Germain-en-Laye)
MSI-MO	Museo de San Isidro - Museo de los Orígenes (Madrid)

Agraïments

Un treball d'aquestes característiques, en què és imprescindible la consulta dels fons documentals d'un elevat nombre de centres de recerca, només pot ser endegat amb la col·laboració de moltes persones que, donant proves de la seva professionalitat i els seus coneixements, han facilitat la nostra tasca de recerca. Hem d'esmentar especialment Xavier Llovera i Ramon Buxó, director i tècnic respectivament del Museu d'Arqueologia de Catalunya, pel seu ajut en la consulta de la correspondència de Martín Almagro, del fons de la quarta zona del Servei de Defensa del Patrimoni Artístic Nacional (SDPAN), així com de l'arxiu fotogràfic del museu. També agraïm a Pere Izquierdo Tugas, antic director del MAC, la bona disposició en la meva consulta dels documents inèdits que constitueixen el llegat d'Emili Gandia. Teresa Díaz i Leticia García ens van facilitar l'accés als fons de l'SDPAN conservats a l'Instituto del Patrimonio Cultural de España (Madrid); Salvador Castro Quero facilità la nostra feina amb el fons Martínez Santa Olalla del Museo de los Orígenes (Madrid) i Alberto González va fer el mateix amb el fons Pérez de Barradas de la mateixa institució. Pilar Casado Liso és sempre un ajut indispensable pel seu cabal de coneixements en qualsevol consulta a l'arxiu del Ministeri d'Afers Estrangers i Cooperació (Madrid); Miguel Jiménez, antic director del Centro de Documentación de la Residencia de Estudiantes (Madrid), i el personal d'aquesta entitat ens facilitaren l'accés als fons de la Junta de Ampliación de Estudios i al fons Bosch-Gimpera; Evelia Vega ens ajudà amb els fons de l'Archivo General de Educación (Alcalá de Henares) i David Gonzalbo va fer el mateix amb els de l'Archivo General de la Administración (Alcalá de Henares); Concha Papí ens ajudà reiteradament en la consulta dels fons dipositats a l'arxiu del Museu Arqueològic Nacional (Madrid); Pilar Benito ens guià entre els documents del llegat Pedro Sainz Rodríguez a la Fundación Universitaria Española; Jean Leclant i Fabienne Queyroux ens acolliren amb una exquisida amabilitat i ens facilitaren l'accés als fons de l'Académie des Inscriptions et Belles Lettres i l'Institut de France (París), mentre que Agnès Billy ens ajudà amb la correspondència del Musée des Antiquités Nationales - Musée d'Archéologie Nationale (Saint-Germain-en-Laye). De la mateixa manera volem expressar el nostre reconeixement als responsables i al personal de sala de l'Archivo del Centro de

Ciencias Humanas y Sociales del CSIC (Madrid); de l'Arxiu Històric de la Diputació de Barcelona; de l'Archivo Histórico Provincial de Segovia; de l'Arxiu Històric de la Universitat de Barcelona; de l'Arxiu Nacional de Catalunya (Sant Cugat del Vallès); del Budesarchiv Deutschland (Berlín), i de la Biblioteca Nacional de Catalunya (Barcelona).

En l'origen d'aquest treball hi ha Francesc Vilanova Vila-Abadal, que em va invitar amablement a participar el juny de 2010 en el seminari «La política cultural del primer franquisme a l'Ajuntament de Barcelona i la Diputació Provincial», que tingué lloc a la Fundació Carles Pi i Sunyer d'Estudis Autonòmics i Locals, i ha fet suggeriments interessants al meu text. També Alfredo Mederos (Universitat Autònoma de Madrid) va llegir un primer esborrany d'aquest original i va aportar observacions destacables sobre la figura de Martín Almagro, i Gisela Ripoll, companya de la Universitat de Barcelona, revisà els textos relatius al seu pare, Eduard Ripoll, i ens va indicar la seva visió de les relacions entre els investigadors catalans i Almagro. Els errors que es puguin identificar en la versió definitiva no són en cap cas responsabilitat seva.

Com en altres ocasions, Laia Font, membre del Grup de Recerca en Arqueologia Protohistòrica (GRAP-UB), ens ajudà amb eficàcia i professionalitat en l'obtenció i tractament de dades quan la confecció del treball depassà amb escreix els objectius i els límits del projecte inicial i, en conseqüència, el temps disponible per dur-lo a terme.

Personalment, Glòria i Andrea han hagut de patir absències i jornades de treball prolongades per culminar aquest estudi sense endarrerir altres responsabilitats professionals.

Introducció

Martín Almagro Basch, sens dubte un dels arqueòlegs més influents a Espanya al llarg de la segona meitat del segle XX, és una figura controvertida. Hi ha poques aproximacions crítiques a la seva figura i obra,[1] més enllà de les visions hagiogràfiques pròpies dels volums d'homenatge i les necrològiques,[2] en què sovint es destaca la seva innegable capacitat de treball i el seu caràcter fort: «trabajador incansable. Como científico era un hombre disciplinado, disciplina que imponía a sus colaboradores y alumnos, con una extraordinaria capacidad de organización que quedó reflejada en todo cuanto salió de sus manos [...] su temperamento era enérgico, con dotes de mando. Muchas veces dominante pero siempre tremendamente humano, afable, sensible y emotivo. De genio fuerte e impulsivo no cejaba cuando se proponía llevar a cabo una empresa, aunque para ello tuviera que salvar muchas contrariedades que pronto olvidaba»;[3] aquesta mena de valoracions, però, no tenen en compte els aspectes més foscos o controvertits de la seva biografia. En altres casos es tracta de referències merament enunciatives i curosament asèptiques.[4] La culminació de les visions laudatòries, amb inclusió d'errors de fons i judicis sense fonament, és l'entrada que li va dedicar el *Diccionario biográfico español* de la Real Academia de la Historia l'any 2010, escrita per Martín Almagro Gorbea,[5] en què es van incloure afirmacions com ara: «principal discípulo de Obermaier [...] finalizada la guerra, emprendió la tarea de reactivar la Arqueología Española en las difíciles circunstancias políticas y económicas de aquellos duros años [...] intervino en 1939 en la recuperación de los bienes saqueados y sacados de España por la República [...] con él se formaron los componentes de la llamada Escuela de Barcelona de la segunda mitad del siglo XX que conforman una generación muy representativa de la prehistoria y arqueología españolas al aplicar en sus cátedras el modelo de trabajo de M. Almagro Basch, que a su vez procedía

1 DÍAZ-ANDREU, 1993.
2 CUADRADO, 1984; RIPOLL, 1984a; RIPOLL, 1984b.
3 ATRIÁN, 1984.
4 DÍAZ-ANDREU, 2009, pàg. 73-75; PASAMAR ALZURIA i PEIRÓ MARTÍN, 2002, pàg. 70-72.
5 ALMAGRO GORBEA, 2010, pàg. 31-35.

de Obermaier [...]. Gracias al prestigio que logró para la prehistoria, esta disciplina se incluyó como asignatura obligatoria en la enseñanza de Historia en todas las universidades españolas», per citar-ne algunes de les més representatives. Totes aquestes afirmacions, però, són errònies, ja que el principal deixeble d'Obermaier sens dubte va ser Antonio García y Bellido; és impossible que Almagro prengués consciència de poder reorganitzar l'arqueologia espanyola l'any 1939 des del Museu de Barcelona, quan els centres de decisió eren a Madrid; la seva intervenció en la tornada de les col·leccions del Museu va consistir, després que li fossin lliurades per l'SDPAN, a traslladar-les de Madrid a Barcelona, però no va participar en les gestions fetes a Ginebra i París, ni tampoc es pot afirmar que el trasllat de les obres fos un saqueig; l'existència d'una Escola de Barcelona després de 1939 és discutible i, en tot cas, molt allunyada de l'esperit inicial del terme forjat en època de Bosch Gimpera; i l'acceptació de la prehistòria com a matèria a la Universitat va ser el resultat d'una petició col·lectiva d'un seguit de catedràtics, entre els quals destacà Lluís Pericot per les seves bones relacions amb el ministre Joaquín Ruiz-Giménez. Una història oficial en què, sens dubte per error, se li atribueix la direcció del Museu Arqueològic des de l'any 1936, com si la guerra no hagués tingut lloc. En altres estudis, molt notables per diferents raons, els problemes fan referència a les dades concretes de la seva biografia, en especial pel que fa a les dates en què ocupà els diferents càrrecs que exercí al llarg de la seva vasta carrera professional i la manera com es gestaren algunes de les seves principals actuacions.[6]

Però per la raó que sigui és difícil trobar escrits no ja crítics, sinó tan sols ponderats. En els perfils més recents, traçats per Gonzalo Ruiz Zapatero[7] i Francisco Gracia Alonso, Almagro Basch és descrit pel primer investigador com una persona llesta que dominava l'art de treure profit de totes les circumstàncies polítiques gràcies al seu pragmatisme, mentre que el segon presenta alhora els seus mèrits científics i les seves accions moralment més reprovables,[8] dues visions que tendeixen a equilibrar actes que des d'una perspectiva actual poden qualificar-se com a qüestionables —però que en aquell moment entraven dins de la lògica de l'Espanya de la primera postguerra, com ara l'ús de mà d'obra forçada en les excavacions d'Empúries—, amb els seus innegables èxits en la recerca. Un voluminós treball de camp i gabinet que el va convertir, a mitjan dècada de 1950, en el principal referent internacional de l'arqueologia espanyola, al costat de Lluís Pericot, dos historiadors propers, en una relació no gens

---

6 Cruz Berrocal *et al.*, 2005, esp. pàg. 30-32.
7 Ruiz Zapatero, 2010, pàg. 447-453.
8 Gracia Alonso, 2011b, pàg. 388-391.

fàcil, a la gran figura de la prehistòria espanyola anterior a la guerra civil: Pere Bosch Gimpera.

Almagro arribà a Barcelona l'any 1939 formant part dels vencedors de la guerra. La recompensa als seus serveis a la causa franquista des de les files de Falange i més tard com a oficial de complement —alferes provisional d'infanteria—, va ser la direcció del Museu d'Arqueologia, rebatejat com a Museu Arqueològic Provincial de Barcelona. Almagro va ser nomenat per a aquest càrrec directament pel ministre d'Educació Nacional, Pedro Sainz Rodríguez, sense comptar amb l'opinió dels nous gestors de la Diputació Provincial que, encapçalats pel comte del Montseny, tenien orgànicament el control del museu. Un càrrec al qual en cap cas hauria pogut aspirar sense la convulsió de la guerra, i per al qual no tenia experiència prèvia malgrat ser membre del Cos Facultatiu d'Arxivers, Bibliotecaris i Arqueòlegs (CFABA), atès que el seu currículum científic era molt curt pel que fa a publicacions i intervencions arqueològiques. El personal tècnic que restà sota les seves ordres al museu, encapçalat per Alberto del Castillo, Josep Colominas i Josep de Calassanç Serra Ràfols, podia presentar uns fulls de serveis molt més extensos, però tot i ser considerats afins als vencedors, tenien tots, aquell any 1939, el doble estigma de ser deixebles de Bosch i haver treballat per institucions de marcat caràcter catalanista, com la Universitat Autònoma o el Servei d'Investigacions Arqueològiques gestionat primer per l'Institut d'Estudis Catalans i més tard per la Generalitat.

El pragmatisme d'Almagro es va fer palès ben aviat. Tot i atacar la figura de Bosch professionalment i políticament, va saber recolzar-se en els seus deixebles per tirar endavant la reinstal·lació del museu, i per aconseguir estabilitzar-se com a catedràtic a la Universitat amb el suport de Pericot i del protector d'aquest, Juan de Contreras y López de Ayala, marquès de Lozoya, el totpoderós director general de Belles Arts del Ministeri d'Educació Nacional (MEN). Gràcies als seus contactes polítics i a les seves relacions socials, en pocs mesos Almagro aconseguí un lloc preeminent entre els intel·lectuals franquistes a Barcelona, però, a diferència d'altres, no negligí les seves oportunitats i, aprofitant els recursos que la Diputació de Barcelona abocà a les excavacions d'Empúries, aconseguí una envejable projecció científica nacional i internacional en pocs anys, fruit essencialment de les publicacions resultants del seu treball ingent. Durant el temps que romangué plenament a Barcelona, fins que guanyà la càtedra d'història primitiva de l'home a la Universitat de Madrid el 1954, i com a responsable del museu i de les excavacions d'Empúries fins a 1962, exercí un control quasi absolut sobre la recerca arqueològica, que focalitzà cap als seus interessos personals a Empúries; d'aquesta manera s'enfrontà amb la Comissaria General d'Excavacions Arqueològiques (CGEA) i amb el seu cap, Julio Martínez Santa Olalla, fins al punt de ser qualificat pels amics d'aquest últim, i en especial per Serra Ràfols, amb el renom d'«El Virrei» pel seu poder i ànsia de control. Ningú des de Bosch Gimpera havia pogut treballar amb tanta autonomia, i cap arqueòleg després de la seva marxa pogué assolir el mateix poder.

Convé reflexionar, però, quina va ser la tasca d'Almagro a Catalunya i la transcendència de la seva obra.

1

La política cultural
de la Diputació de Barcelona
en acabar la guerra civil

La victòria dels franquistes a la guerra civil va suposar, com no podia ser de cap altra manera, un retrocés en les estructures socials i culturals creades a Catalunya al llarg del període republicà, bé com a fruit de negociacions amb el govern de l'Estat en aplicació de l'articulat de l'Estatut d'Autonomia de 1932, o com a continuïtat del marc institucional derivat de la tasca cultural endegada per la Mancomunitat. Per als vencedors es tractava de fer *tabula rasa* i facilitar el retorn al sistema vigent cap a la fi de la dictadura de Primo de Rivera, basat en el control de l'Estat i l'acció de les diputacions provincials, tanmateix com si els fets de l'abril de 1931 no haguessin succeït mai. El «problema català» era en la ment dels militars sollevats i del govern de Burgos un dels mals que, segons la seva opinió, calia eradicar en benefici dels ideals d'unitat i glòria de la pàtria comuna:

> [...] el Alzamiento nacional significó en el orden político, la ruptura con todas las instituciones que implicasen negación de los valores que se intentaba restaurar. Y es claro que, cualquiera que sea la concepción de la vida local que inspire normas futuras, el Estatuto de Cataluña, en mala hora concedido por la República, dejó de tener validez, en el orden jurídico español, desde el día diecisiete de julio de mil novecientos treinta y seis.

Per això, una de les primeres mesures preses pel govern de Franco en entrar les tropes nacionals a Catalunya va ser la derogació, el 5 d'abril de 1938, de l'Estatut de 1932,[1] declarant que aquesta mesura no suposava un càstig sinó, ben al contrari, un alliberament per als catalans d'un sistema polític nociu, per tal com s'aconseguia «el restablecimiento de un régimen de derecho público que, de acuerdo con el principio de unidad de la Patria, devuelva a aquellas provincias el honor de ser gobernadas en pie de igualdad con sus hermanas del resto de España». A la mateixa llei s'especificà que «se consideran revertidos al Estado la competencia de legislación y ejecución que le corresponde en los

---

1 BOE, núm. 534, del 08-04-1938, pàg. 6674.

territorios de derecho común y los servicios que fueron cedidos a la región catalana en virtud de la Ley de quince de septiembre de mil novecientos treinta
y dos». La recuperació de competències per part de l'Estat va tenir conseqüències directes en la reorganització de les institucions culturals a Catalunya en
acabar la guerra.

Aquest va ser el primer pas i, tot i que els franquistes encara trigaren quasi
un any a assolir el control total del territori català, ningú no es podia enganyar
respecte del futur de les institucions catalanes un cop es consumés la derrota
militar. I, de fet, no calgué esperar que aquesta tingués lloc. Ramón Serrano
Suñer, cervell del govern de Burgos, tenia ja preparat el cos legal per restablir
l'autoritat efectiva de l'Estat a Catalunya molt abans de la derrota republicana.
Així, el 15 de gener de 1939,[2] en plena ofensiva final, però abans de la caiguda
de Barcelona, dictà un seguit de normes transitòries sobre la recuperació administrativa en les províncies catalanes en les quals s'indicà que «las diputaciones
provinciales de Barcelona, Tarragona, Lérida y Gerona entrarán en posesión de
los edificios, instalaciones y establecimientos en que se presten funciones o servicios que desempeñaba la Generalidad de Cataluña y que, conforme al régimen común, son de competencia provincial» (art. 1), mentre que en relació
amb els funcionaris es dictà que «los funcionarios dependientes de la Generalidad en servicios que, en virtud de la Ley de 5 de abril de 1938, pasan al Estado
o a las Diputaciones provinciales si desempeñaban análogos cargos antes de
entrar en vigor el régimen autonómico, continuarán en sus puestos, sin perjuicio de la depuración que proceda. Los ingresados en el servicio con posterioridad a dicho momento, se considerarán cesantes, a las resultas de las disposiciones generales que ulteriormente se adopten, pero podrán ser colocados, con el
caràcter de temporeros o interinos, en sus respectivos servicios, previa investigación sobre su actuación política y social» (art. 4).

És a dir, en aplicació dels decrets citats, el Museu Arqueològic i el Servei
d'Arqueologia de la Generalitat quedaren adscrits a la Diputació Provincial de
Barcelona, de manera que els funcionaris ingressats en l'etapa de la Mancomunitat, la major part del cos tècnic, van continuar en el seu lloc de feina, alhora
que tot el personal ingressat amb la República, especialment de l'àrea de serveis
auxiliars, va passar a la categoria d'interins o temporers. Ambdues categories
quedaven pendents, òbviament, dels processos de depuració que s'endegaren
immediatament després de l'entrada de les tropes nacionals a Barcelona. Les
primeres disposicions de Serrano Suñer es referendaren per una ordre del 15 de

2 BOE, núm. 16, del 17-01-1939, pàg. 291.

febrer que certificà el trasllat de totes les institucions de la Generalitat, inclosos els museus, a les quatre diputacions provincials.[3]

Definit el marc legal general, el govern de Burgos no trigà gaire a especificar els detalls de la confiscació dels serveis dependents fins aleshores de la Generalitat. El 18 de gener, el ministre d'Educació Nacional, Pedro Sainz Rodríguez, dictà una ordre[4] per confiar al Cos Facultatiu d'Arxivers, Bibliotecaris i Arqueòlegs (CFABA) la direcció i gestió dels arxius, biblioteques i museus de Catalunya, especificant que la Jefatura de Archivos y Bibliotecas del MEN havia d'assumir el control de «los Archivos, Bibliotecas y Museos Arqueológicos servidos por el Cuerpo de Archiveros, Bibliotecarios y Arqueólogos, con anterioridad a la concesión de la autonomía a Cataluña, así como de los Archivos, Bibliotecas y museos Arqueológicos dependientes de la Generalidad que, al suprimirse la autonomía, revierten al Estado, y especialmente los siguientes: Archivos de las Audiencias, de Protocolos, Biblioteca de Cataluña, Biblioteca o depósito del Servicio de los Frentes, Bibliotecas Provinciales, Bibliotecas de los Institutos de Segunda Enseñanza, Bibliotecas públicas municipales creadas por la Junta de Intercambio, Bibliotecas populares de la Generalidad, colecciones de libros creadas por el Patronato de Misiones Pedagógicas, Biblioteca de la Escuela de Bibliotecarias, Biblioteca del Museo de Arte, Museo de Arqueología de Barcelona, Museo Arqueológico de Tarragona, Museo de la Fábrica de Tabacos de Tarragona, Museo Arqueológico de San Pedro de Galligans de Gerona, Museo Arqueológico de Ampurias, Museo de Santa Águeda en Barcelona, Gabinete Numismático en Barcelona y demás establecimientos de naturaleza y carácter análogos» (art. 1).

L'ordre també s'ocupà del personal de les entitats esmentades. En aquest cas, i com ja s'havia avançat en el decret de 15 de gener, calia evitar la paràlisi del funcionament i no es procedí a un cessament massiu, sinó, al contrari, al manteniment en el lloc de feina —amb l'excepció del resultat dels imminents processos de depuració— de tots els funcionaris del CFABA destinats a Catalunya, i del personal destinat als serveis i institucions de la Generalitat, sempre que el seu nomenament s'hagués produït en funció d'un procés administratiu i no d'una designació política, i sempre que hagués tingut lloc abans del 15 de setembre de 1932. Per a la resta del personal s'arbitrà la fórmula dels interins com a pas previ i imprescindible abans de dur a terme la reconversió o adaptació de les plantilles.

---

3 BOE, núm. 47, del 16-02-1939, pàg. 898.
4 BOE, núm. 27, del 27-01-1939, pàg. 491-492.

Amb aquestes disposicions, i considerat sempre en un nivell teòric, es resolgué el problema de la continuïtat de funcions en els diferents serveis i equipaments, de manera que es pogué retornar a una certa normalitat en poc temps, o, almenys, això és el que pretenien les normes esmentades. I no era una tasca gens fàcil, perquè les noves corporacions provincials, i especialment la Diputació de Barcelona, que hagué d'assumir la major part dels serveis i competències de la suprimida Generalitat, es trobaren davant d'un panorama desolador: a la manca d'experiència en gestió de bona part dels nous administradors s'hagué d'afegir la manca de recursos econòmics, que només permeté una aparença de funcionament, i la pèrdua de qualsevol possibilitat de dur a terme una actuació independent en els seus teòrics àmbits competencials, ja que diputacions i ajuntaments estaven sota el control dels governs civils i de l'exèrcit d'ocupació, veritables poders reals a Catalunya. Com ha indicat Olívia Gassol, «la Diputació Provincial de Barcelona, escanyada per les circumstàncies mateixes, es limitava a pagar les factures de manteniment, personal i material bàsic. Durant bona part del anys quaranta, va reduir-se a una estructura administrativa subsidiària i, pràcticament, inerme. A les mans de la Diputació, hi van restar només les institucions més fàcils de gestionar, menys compromeses políticament o sense tasques relacionades amb la docència d'alt nivell o la investigació, com ara la Biblioteca de Catalunya, l'Escola de Bibliotecàries, el Museu Marítim o l'escola de Teixits de Punt de Canet de Mar. En la resta de casos, o en va perdre la gestió o la gestió esdevingué tutelada».[5]

També era evident que a la Barcelona de 1939 s'havia de tenir en compte el discurs ideològic dels vencedors per entendre quines eren les prioritats culturals —i, en aquest sentit, Almagro destacà fent un discurs d'acord amb el pensament imperant—, i amb els homes que l'havien d'aplicar. Les idees catalanistes que havien estat en l'arrel del pensament dels responsables de la cultura catalana al llarg del període republicà —en molts casos amb independència de les seves opcions polítiques, ja fossin conservadores, liberals, republicanes o nacionalistes— i que es resumeixen en el discurs de Pere Coromines, president de la Junta de Museus, el 24 de maig de 1936 en la visita oficial que el president Companys féu al Museu d'Art al Palau Nacional, van ser eradicades de soca-rel:

[...] heus aquí una obra que és tota nostra, perquè amb l'esforç sol dels catalans ha estat creada: així es performà el nostre ideal de cultura perquè aquí hi ha el seny i l'esperit del nostres voler. El conjunt de les obres exposades és allò que les

5 Gassol, 2011, pàg. 12.

nostres pares i els nostres avis produïren a còpia de viure, de sofrir i de somiar [...] aquest és l'espill en el qual heu d'emmirallar-vos els qui ara i en l'avenir heu de dir al món el missatge de la cultura catalana.[6]

D'altra banda, temptatives de mantenir vigents algunes institucions com ara l'Institut d'Estudis Catalans, tot i que fos parcialment, van ser ràpidament desestimades. Era una nova visió de la cultura, una visió clarament unificadora al servei de les idees del nou Estat en què no es podia permetre cap mostra del pensament cultural no tan sols de la fase republicana, sinó tampoc de la realitat cultural catalana de tota la primera meitat del segle XX, segons expressà el governador civil de Barcelona, Wenceslao González Oliveros, un home de Serrano Suñer, en el seu discurs de presa de possessió del càrrec l'11 de juliol de 1939:

[...] ante todo, conviene darse cuenta de la extensión e intensidad de un hecho decisivo: la cancelación definitiva de una triste etapa histórica por la fuerza de las armas. El pasado inmediato está irremisiblemente muerto, sin esperanza alguna de resurrección. Lo que ha muerto es aquel Estado siempre en proyecto y tentativa; aquel viejo orden de cosas que en esta zona, como en todas las demás de España, producía reiteradas decepciones y desesperanza que aquí, tal vez por motivos temperamentales, por mayor impaciente dinamismo, degeneraron en lamentables extravíos.[7]

Es dugué a terme, doncs, un desmantellament de la cultura catalana —començant per la llengua— com a part d'un procés unificador. L'art i els museus —la cultura en general— havien de respondre a una concepció específica basada en idees com la glòria de l'Espanya imperial, la tradició, la unitat de la pàtria i la religió, i les interpretacions en el camp de la història i l'arqueologia que diferien d'aquesta línia foren escombrades criticant-ne durament —com féu Almagro— els gestors de l'etapa anterior.

Per fer-ho, calia substituir els buits deixats pels intel·lectuals catalans, represaliats o exiliats, per seguidors del nou règim, que, segons indica Francesc Vilanova,[8] aconseguiren les regnes del poder cultural:

[...] a la Universitat, a la premsa, en el món editorial, en les professions liberals, s'hi va instal·lar una nova fornada de personatges, la majoria d'una joventut nota-

---

6 Gracia Alonso i Munilla, 2011, pàg. 13-15.
7 «El discurso del gobernador civil, señor González Oliveros». *La Vanguardia Española*, edició del 12-07-1939.
8 Vilanova Vila-Abadal, 2010, pàg. 16

ble, que havien d'explicar als catalans «¿qué es lo nuevo?», en què s'havien equivocat tots —els anarquistes i els comunistes, no cal dir-ho; però també les esquerres burgeses i les dretes conservadores i catalanistes—, què calia fer des d'aleshores i, sobretot, com s'havia de confeccionar i llegir el discurs correcte sobre el passat.

Es tractava d'un nou grup d'intel·lectuals que arribaren en molts casos al cim de la seva professió molt abans del que els hauria pertocat sense la guerra civil i que tingueren la bona visió d'aixoplugar-se al costat dels nous amos de la situació per prosperar a la seva ombra i escalar posicions en l'àmbit personal i professional. Uns gestors culturals —vinculats entre si i amb els supervivents de les depuracions— que intentaren acomodar-se a les noves circumstàncies i que no tingueren cap altre discurs que l'escaient en cada moment però que controlaren la Universitat, els museus i les institucions culturals, la producció editorial —si més no per l'autoria dels textos— i fins i tot la difusió de la cultura en actes públics i conferències. En un nombre molt reduït de persones —com ara Almagro o Pericot, per fer referència explícita al camp de la recerca arqueològica— es concentrà un poder quasi absolut per acumulació de càrrecs i prebendes, un poder i una influència que s'allargà sistemàticament durant més de vint anys i que, de fet, directament o indirectament, arribà fins al final del franquisme i encara uns anys més enllà. Sens dubte, tots, amb major o menor intel·ligència, feren contribucions al coneixement històric i a la ciència arqueològica, però no construïren un discurs que servís els interessos del país, sinó els de l'Estat i de la seva política, de la qual en moltes ocasions van ser propagandistes davant dels seus hostes estrangers, científics que aleshores difonien els valors de la «nova Espanya». Els temps en què Bosch Gimpera podia influir des del seu prestigi professional en les idees de construcció d'una nova realitat social havien passat, i cap dels qui va tenir l'oportunitat de fer-ho va voler o no va poder assumir aquesta part del seu llegat.

El panorama dels museus a la ciutat de Barcelona no era gens falaguer. De tots, l'únic que aconseguí reobrir gairebé de seguida, a principi d'agost de 1939, fou precisament l'Arqueològic, malgrat que parcialment i després de recuperar les col·leccions dipositades a Ginebra. La resta de museus, tot i l'arribada el mes de setembre dels fons que van formar part de l'exposició d'art català a París l'any 1937, conservats al castell de Maisons-Laffitte sota la custòdia de Joaquim Folch i Torres,[9] trigaren molt a reobrir les portes, ja fos per man-

---

9 GRACIA ALONSO i MUNILLA, 2011, per als detalls sobre tot l'afer de la sortida dels fons a França i el seu retorn

ca de pressupost, per dificultats en la presentació dels fons, per la manca de personal o per danys en els edificis, com en el cas del Palau Nacional, seu del Museu d'Art, en tan mal estat en acabar la guerra que la Comissió Permanent de l'Ajuntament va haver d'aprovar una partida d'urgència per valor de 9.839 ptes. per fer front a obres impagables.[10] Per controlar la gestió dels museus i col·leccions, l'11 de gener de 1940,[11] la Direcció General de Belles Arts nomenà una nova Junta de Museus en substitució de l'organitzada a corre-cuita a Vitòria el 10 de febrer de 1939 a instàncies d'Eugeni d'Ors[12] per disposar del suport legal necessari amb l'objectiu de reclamar la devolució del tresor artístic català dipositat a París i Ginebra.[13] La nova junta, que depenia orgànicament del Ministeri d'Educació Nacional i tenia com a raó de ser «el buen gobierno de los Museos de Bellas Artes españoles, aconseja la unidad de sistema por el que hayan de regirse para que su eficacia no se vea mermada por disposiciones dispares; pero esta unidad no ha de ser tan rígida que prive de intervenir en ellas a entidades que pusieron esfuerzo y aportaron ayuda económica para su enriquecimiento y esplendor, cualidades con las que se engrandece el acerbo artístico de la Patria, caso que se encuentra en el Museo de Bellas Artes de Barcelona, al que el Ayuntamiento de aquella capital, en primer lugar, y la Diputación Provincial después, ayudan de tan eficaz modo que han logrado en no extenso lapso colocarle en preeminente lugar entre los Museos nacionales».

La Junta era integrada per Antonio María Simarro, president de la Diputació; Miguel Mateu, alcalde de Barcelona; Luis Riviere, gestor provincial de Cultura; José Bonet del Río, ponent de Cultura de la Diputació i delegat provincial de Cultura de la Falange Española Tradicionalista y de las JONS; Manuel Rodríguez Codolá, president de la Comissió Provincial de Monuments Històrics; Luis Monreal, comissari de la zona del Llevant del Servei de Defensa del Patrimoni Artístic Nacional; Martín Almagro Basch, director del Museu Arqueològic; Jesús Martínez Ferrando, director de l'Arxiu de la Corona d'Aragó, i Javier de Salas Bosch, comissari delegat de la Direcció General de Belles Arts i director del Museu de Belles Arts de Catalunya. Tomás Carreras Artau, tinent d'alcalde i regidor de Cultura de l'Ajuntament de Barcelona, substituí Riviere el mes de novembre. La seva jurisdicció no es limitava només als museus de Barcelona, sinó que comprenia també tots els de la província.

10 Fabre, 2003, pàg. 276-277.
11 BOE, núm. 14, del 14-01-1940, pàg. 324-325.
12 BOE, núm. 45, del 14-02-1939, pàg. 861-862.
13 Gracia Alonso i Munilla, 2011, pàg. 332-333.

Per organitzar les seves competències i el seu funcionament intern, el 22 d'octubre de 1942 el Ministeri aprovà un reglament específic redactat per la mateixa junta.[14] En el seu articulat es definí la composició interna, molt similar a l'anterior però amb la diferència que incloïa dos presidents, primer i segon: el president de la Diputació de Barcelona i l'alcalde de la ciutat (art. 2). L'ordre també indicava els museus que passaven a dependre formalment de la Junta: Museu de Belles Arts de Catalunya, Museu d'Art Modern, Museu d'Arqueologia de Barcelona, Museu Històric de la Ciutat de Barcelona, Museu Marítim de Barcelona, Museu Víctor Balaguer de Vilanova i la Geltrú, Cau Ferrat i Maricel de Sitges, Casa Llopis de Sitges, Museu de Tossa de Mar i «cuantos museos u organizaciones anexas dependan en la actualidad de los mismos, así como las que en el futuro se formen por las entidades que integran esa Junta, ya sea por segregación, compra o donación o de otro modo, y los demás que se acojan y sean admitidos en la provincia» (art. 4). Però el més significatiu era l'establiment d'una diferenciació clara entre les dues institucions pel que feia al patrocini —llegiu: control i finançament— dels centres, de manera que quedaven sota les directrius de la Diputació el Museu d'Arqueologia i els centres de Sitges, Vilanova i la Geltrú i Tossa de Mar. Curiosament, en el text de l'ordre ministerial no s'esmentà el Museu d'Empúries, probablement per dues raons: primera, perquè es considerava una extensió del Museu de Barcelona, que encara estava en procés d'instal·lació, ja que no fou inaugurat oficialment fins el 1947, i, segona, perquè no es volia entrar en la dissociació existent entre les corporacions provincials de Girona i Barcelona respecte de la propietat i gestió del jaciment. Sigui quina sigui la raó, el fet indiscutible és que l'element més destacat dels museus dependents de la Diputació de Barcelona, aquell del qual es podria obtenir un major rendiment polític i social, era, sens dubte, el Museu Arqueològic, i aquesta fou una de les claus de l'estreta vinculació d'interessos entre el director Almagro i els responsables de la corporació provincial.

La Junta, tot i les competències que li foren assignades pel reglament, esdevingué un òrgan inoperant, atès que només es reuní dos cops entre els anys 1940 i 1950, cosa que en demostra la paràlisi.[15] Va haver de ser l'Ajuntament de Barcelona qui prengué les regnes de la dinamització dels equipaments culturals a la ciutat, de manera que creà, el 15 de març de 1946, una Junta de Museos del Excelentísimo Ayuntamiento de Barcelona que, en principi, no havia de tenir cap vinculació amb la Diputació ni tampoc amb el Ministeri d'Educació Na-

---

14   BOE, núm. 316, del 12-11-1942, pàg. 9134-9135.
15   SALA, 2008, pàg. 175-176.

cional, un extrem negat per la presència entre els seus membres del comissari de la zona del Llevant (quarta zona) del Patrimoni Artístic Nacional, és a dir, Martín Almagro, que depenia orgànicament, com indicarem més avall, del Comissari General de l'SDPAN i de la Direcció General de Belles Arts. Les funcions de la junta municipal consistien essencialment a col·laborar en l'organització dels museus d'art i a actuar com a òrgan de consulta i representació del moviment artístic de Barcelona. Els integrants de la Junta eren l'alcalde com a president, els tinents d'alcalde, que exercien funcions de vicepresident i vocals, el ja citat comissari de zona de l'SDPAN, i representants d'un munt d'associacions culturals amb seu social a Barcelona, com ara la Reial Acadèmia de Belles Arts de Sant Jordi o el Centre Excursionista de Catalunya, i a les reunions assistien els directors i responsables dels museus de la ciutat. Aquest organisme es reuní per primer cop el 10 de març de 1947, però la seva existència independent va ser molt curta, ja que les pressions de les administracions superiors, el Ministeri i la Diputació, van obligar la corporació municipal a renovar immediatament les funcions de la Junta, esdevinguda ja el 1948 comissió permanent.[16] La inoperància podia ser admesa; els intents d'anar per lliure, no.

Amb tot, l'Ajuntament no s'havia quedat de braços plegats. Sota la direcció del regidor de Cultura, Tomás Carreras Artau, ja el 1940 s'endegà una renovació dels fons museogràfics per permetre la reobertura dels museus i la creació i instal·lació d'altres de nous. El 1940 finalitzà la primera fase de muntatge del Museu de Belles Arts al Palau Nacional, que fou completada el 1942. Es creà el Museu d'Art Modern amb seu a l'edifici que havia ocupat el Parlament de Catalunya al parc de la Ciutadella per encabir les col·leccions de pintura i escultura dels segles XIX i XX, i també el Museu d'Història de la Ciutat, ubicat a la Casa Padellàs, prop de la plaça del Rei, on havia estat traslladada pedra a pedra abans de la guerra després d'obrir-se la gran artèria de comunicació de la Via Laietana; per completar aquesta seu foren adquirits el Saló del Tinell i la Capella de Santa Àgata, que un cop condicionats van ser oberts al públic el 14 d'abril de 1943. Carreras Artau tingué la col·laboració d'Agustí Duran i Sanpere, consolidat en el càrrec de director de l'Arxiu Històric Municipal després de finalitzar el 18 de gener de 1940 el seu procés de depuració polític i administratiu.[17] L'alcalde Miguel Mateu encarregà a Duran la creació d'un Servei d'Investigacions Arqueològiques Municipal (o Servei d'Excavacions) que s'ocupés de la recerca arqueològica a la ciutat de Barcelona i, molt especialment, en el subsòl

16 Sala Tubert, 2008, pàg. 177.
17 Gracia Alonso i Munilla, 2011, pàg. 398-404.

dels edificis emblemàtics d'aquesta ciutat, extrem que Duran desenvolupà amb entusiasme, tot i que topà frontalment amb Almagro, que volia exercir el control absolut de l'arqueologia des del Museu.[18] La col·laboració entre Duran i Carreras Artau permeté en els primers anys de la postguerra la creació el 1942 del Museu d'Indústries i Arts Populars, ubicat al recinte del Poble Espanyol de Montjuïc, i del Museu d'Etnologia i Colonial (1949), el Museu d'Arts Decoratives, ubicat al Palau de la Virreina (1949), i el Museu Frederic Marès, instal·lat al Palau Reial (1946). Poc abans es donà per acabada la primera fase de la reorganització dels museus amb l'obertura dels de Zoologia i Geologia al recinte del Parc de la Ciutadella, i del Gabinet Numismàtic.

Com hem indicat, l'Ajuntament va prendre clarament la iniciativa a la Diputació en la reorganització i la dinamització de la vida cultural de Barcelona —i per extensió també de Catalunya— en funció del que significava la capital com a focus d'atracció d'esdeveniments. Pel que fa a la definició d'una política cultural pròpia que feia la Diputació, ja hem indicat com els tímids intents de mantenir l'activitat de l'Institut d'Estudis Catalans (IEC) van ser tallats de soca-rel després de la destitució de la presidència de José María Milá y Camps, comte del Montseny, arran del discurs que pronuncià el 15 de juny de 1939 quan Serrano Suñer visità la ciutat,[19] tot i no ser una personalitat gens sospitosa de desafecció al règim car en el seu passat figuraven mèrits com haver presidit la comissió liquidadora de la Mancomunitat després del cop de Primo de Rivera el 1923 i la presidència de la mateixa Diputació de Barcelona amb anterioritat a la proclamació de la República. Si Milá s'havia mostrat tebi en relació amb l'IEC, el seu successor, Antonio María Simarro, no dubtà gens i en tancà l'últim vestigi, les Oficines Lexicogràfiques. També val a dir que els nous intel·lectuals al servei del règim, com Fernando Valls Taberner, Juan Pelegrí i Joaquín Gorgot, avalaren amb un informe tècnic —una coartada innecessària— la desaparició de l'IEC:

> [...] el instituto ha quedado actualmente sin personalidad ni función propias, por natural extinción [...] no procede hacer revivir dicho Institut [...] procede la reversión de las instalaciones, material y publicaciones procedentes del mismo, en favor de la Diputación Provincial, para que ésta pueda darle el destino que estime

---

18 Muñoz, 2012, pàg. 14. «Després del 1939, va quedar una mica marginat perquè l'Almagro (nou director del Museu d'Arqueologia), des de la Diputació, s'ho va quedar tot. El meu pare, que pertanyia a l'àmbit municipal, no tenia un pressupost per a obres d'excavació. Quan es feien obres de claveguera al carrer, les anava vigilant i llavors aprofitava per excavar, però sense una planificació que no podia fer. Era una situació bastant precària».

19 Vilanova Vila-Abadal, 2010, pàg. 154-155.

más conveniente dejando expedito el camino para que nuevas iniciativas de este género con más amplios horizontes y alentadas por el espíritu nacional, puedan nacer sin hipotecas anteriores, ni herencias forzosas que limitasen en lo más mínimo la plasmación y desarrollo de las mismas.[20]

Quan els intel·lectuals enterradors de l'IEC —als quals s'afegí, com indicarem més avall, Martín Almagro en l'àmbit de la recerca arqueològica— es referien a noves iniciatives, tenien clarament present un projecte de Guillermo Díaz-Plaja exposat al Ministeri d'Educació Nacional a principis de 1939: l'Instituto Español de Estudios Mediterráneos, del qual va lliurar un avantprojecte detallat a Alfonso García Valdecasas el 15 de juny per ser presentat al ministre d'Educació Nacional; tot i així, García Valdecasas el mostrà a Serrano Suñer, a qui interessà una idea que pretenia combinar l'estudi de la cultura catalana dins el marc de l'Espanya imperial associada a la seva projecció internacional.[21] Serrano declarà al llarg de la seva citada visita a Barcelona que s'estava ocupant personalment del tema de la creació d'un nou i gran centre d'estudis lligat a les idees panllatines que defensava arran de les seves estades a Itàlia i la vinculació amb el feixisme italià.[22] Home afí a Serrano, Wenceslao González Oliveros fou l'encarregat de fer cristal·litzar el projecte, havent de navegar amb cura entre les aigües procel·loses dels qui a Madrid veien la proposta com una reedició de l'IEC i fins i tot com un nou focus de separatisme, malgrat els intents de González de presentar-lo de la millor manera possible.[23]

L'IEEM quedà constituït l'11 de juny de 1940, i tenia com a objectius principals «el estudio, investigación, propulsión y enseñanza de todas las ciencias, artes, industrias, comercio y actividades que por su abolengo produjeron y constituyeron la civilización y cultura universalmente conocidas como mediterráneas [...] el estudio, investigación, enseñanza y propagación de cuanto integra el ideario científico, social, artístico, industrial y mercantil del Nuevo Estado Español [...] cualquier otro género de disciplinas, enseñanzas o actividades que el Patronato juzgue conveniente y adecuado a sus fines». La primera comissió executiva era formada per Ramón Serrano Suñer, Antonio María Simarro, Pere Gual Villalbí, Fernando Valls Taberner i Wenceslao González Oliveros. Però, tot i la força inicial, les influències polítiques dels seus fundadors i

20 Citat a Gassol, 2011, pàg. 14-15.
21 Detalls a Gassol, 2011, pàg. 16 i seg.
22 González Vilalta, 2009; Vilanova Vila-Abadal, 2005; Vilanova Vila-Abadal, 2010.
23 González Oliveros, W. «El Instituto Español de Estudios Mediterráneos». *La Vanguardia Española*, edició del 09-01-1940.

les dotacions econòmiques de què disposà, la tasca de l'IEEM mai no va tenir prou entitat per ser considerada un punt bàsic de la recerca i l'activitat cultural a Barcelona i es va anar fent fonedís amb els anys; val a dir, però, que ja havia complert la seva finalitat inicial: impedir la creació d'un nou nucli de catalanisme —tebi i franquista— entorn del manteniment de la idea de l'Institut d'Estudis Catalans com a centre de cultura.

L'IEEM depenia del Ministeri de Governació i especialment del paper polític de Serrano Suñer, i quan aquest va ser sacrificat políticament el setembre de 1942 els organismes que havia impulsat indubtablement se'n ressentiren. En paral·lel, va ser el Ministeri d'Educació Nacional qui va dur a terme la reorganització de la recerca a Espanya amb la creació, sota la direcció de José Ibáñez Martín i José María Albareda, del Consell Superior d'Investigacions Científiques per llei del 24 de novembre de 1939.[24] La raó de ser de la creació del CSIC era la substitució de la Junta de Ampliación de Estudios (JAE), un organisme detestat per les dretes per les seves vinculacions amb els postulats de la Institución Libre de Enseñanza. Per això el text fundacional exposava idees bàsiques com les següents:

> [...] en las coyunturas más decisivas de su historia concentró la hispanidad sus energías espirituales para crear una cultura universal. Esta ha de ser, también, la ambición más noble de la España del actual momento que, frente a la pobreza y paralización pasadas, siente la voluntad de renovar su gloriosa tradición científica. Tal empeño ha de cimentarse, ante todo, en la restauración de la clásica y cristiana unidad de las ciencias destruida en el siglo XVIII [...] hay que crear un contrapeso frente al especialismo exagerado y solitario de nuestra época, devolviendo a las ciencias su régimen de sociabilidad, el cual supone un franco y seguro retorno a los imperativos de coordinación y jerarquía. Hay que imponer, en suma, al orden de la cultura, las ideas esenciales que han inspirado nuestro Glorioso Movimiento, en las que se conjugan las lecciones más puras de la tradición universal y católica con las exigencias de la modernidad. Al amparo de estos principios urge instaurar una etapa de investigación científica, en la que ésta cumpla, de manera inexorable, sus funciones esenciales: elaborar una aportación a la cultura universal; formar un profesorado rector del pensamiento hispánico; insertar a las ciencias en la marcha normal y progresiva de nuestra historia y en la elevación de nuestra técnica, y vincular la producción científica a los intereses espirituales y materiales de la Patria.[25]

24 BOE, núm. 332, del 28-11-1939, pàg. 6668-6671.
25 BOE, núm. 332, del 28-11-1939, pàg. 6668.

Estat, pàtria i religió apareixien com els elements essencials de l'ideari fundacional. El sistema organitzatiu intern, dissenyat per una ordre ministerial del 9 de març de 1940, preveia la formació de vuit patronats, entre els quals el Marcelino Menéndez y Pelayo, que havia d'agrupar la recerca en l'àmbit de la història i l'arqueologia.

Si bé la seu central del CSIC s'establí a Madrid com no podia ser de cap altra manera, Albareda va impulsar la creació d'un seguit de delegacions territorials per augmentar el control de l'organisme sobre la tasca de recerca que es duia a terme en les principals seus universitàries d'Espanya i va promoure una modificació de la llei fundacional que el 22 de juliol de 1942 autoritzà la creació de delegacions a Barcelona, Saragossa, Sevilla, València i les Canàries. En el cas de la delegació catalana, les propostes d'obtenir una seu pròpia van ser iniciades per Fernando Valls Taberner, nomenat vocal del patronat Marcelino Menéndez y Pelayo el 14 de març de 1940,[26] que maniobrà per aconseguir controlar la representació de la ciència promoguda per l'Estat a través del Ministeri d'Educació Nacional a Catalunya. Cal recordar que Valls Taberner era al mateix temps al capdavant del procés tècnic de supressió de l'IEC i que, com altres investigadors, tenia molt clar que l'Instituto Español de Estudios Mediterráneos que s'estava constituint en paral·lel seria més una eina política que científica.

Les gestions donaren resultat, i el 4 d'octubre de 1941 es constituí a Barcelona la comissió dels patronats Raimundo Lulio i Menéndez y Pelayo a Barcelona, en un acte presidit pel ministre José Ibáñez Martín, que declarà com a objectius essencials de la comissió «laborar para el fomento y divulgación de los estudios históricos desde la Edad media y de los económicos, artísticos y arqueológicos. Se facilitará asimismo la publicación de obras de investigadores particulares. Para esta labor que va a iniciarse, el Consejo Superior de Investigaciones Científicas ha enviado a la Comisión la cantidad de 50.000 pesetas».[27] Ràpidament es crearen les dues primeres seccions, la de Filologia, dirigida per Sebastián Cirac Estopañán, i la de publicació de fonts històriques, que dirigí breument i fins a la seva mort, l'1 d'octubre de 1942, Valls Taberner. El president de la Diputació, Antonio María Simarro, fou nomenat president de la delegació de Barcelona el 21 de novembre de 1942, assabentada la comissió gestora d'aquest organisme l'1 de desembre, i agraí formalment una distinció que era bàsicament honorífica, atès que Simarro no prengué part en la gestió de la

---

26 BOE, núm. 83, del 23-03-1940, pàg. 1994.

27 «La constitución de la Comisión delegada, en Barcelona, del Consejo Superior de Investigaciones Científicas». *La Vanguardia Española*, edició del 05-10-1941, pàg. 6.

delegació del CSIC. Malgrat això, aquest nomenament vinculava de fet la Diputació amb el CSIC per mitjà del seu president i lligava qualsevol actuació possible que volgués fer la corporació provincial en la camp de la recerca, ja que difícilment s'hauria permès una duplicitat.

La conseqüència essencial d'aquest fet serà, com indicarem més avall, que la gestió de la recerca arqueològica que en principi estava lligada al Museu d'Arqueologia i al Servei d'Investigacions Arqueològiques de la Diputació es diversificà, no pel que fa als gestors —ja que Almagro controlà tots els organismes, en alguns casos amb l'ajut de Pericot—, sinó pel que fa al rèdit polític d'unes intervencions i projectes de recerca que continuà pagant majorment la Diputació, però que visualment correspongueren en gran part al CSIC i, no tant, a l'IEEM. Quedà molt clar, doncs, que relegava la Universitat bàsicament a una funció docent; fou l'Estat qui controlà la recerca a Catalunya, enterrant definitivament la línia iniciada sota la Mancomunitat i continuada amb la Generalitat republicana.

En aquest ambient cultural, i essencialment polític, convé fixar el desenvolupament de la gestió de Martín Almagro al capdavant del Museu d'Arqueologia.

2

El Museu d'Arqueologia de Barcelona fins al final de la guerra civil

Utilitzar l'arqueologia com un element didàctic per explicar la història esdevingué un dels elements clau en el procés de creació i organització del Museu d'Arqueologia. Definit a partir de les idees que Bosch Gimpera havia estudiat als museus alemanys arran de les seves estades com a becari de la Junta de Ampliación de Estudios (JAE) a Berlín entre 1911 i 1914,[1] les instal·lacions del museu havien de servir per interpretar el passat i contribuir així a l'augment del coneixement i a la conscienciació de la població envers el seu patrimoni històric i arqueològic, i no només per mostrar-lo.[2] Aquesta concepció era molt avançada per a la museografia espanyola de l'època, estretament vinculada a la idea del museu nacional com a mostra identitària d'un corrent polític i de cohesió social definit en funció d'una acumulació de peces sense rigor didàctic i, en molts casos, científic. Un concepte propi del col·leccionisme europeu del segle XIX, regit per idees artístiques i estilístiques que no prenia en consideració el valor dels objectes com a documents històrics.

El Museu d'Arqueologia que Bosch i els seus col·laboradors volien havia de substituir l'existent a l'antiga residència del governador al parc de la Ciutadella,[3] un equipament al qual el mateix Bosch havia dedicat molts esforços, però que no passava de ser una exposició de materials amb poca —o més aviat nul·la— organització científica, a causa, entre altres motius, del parer del seu director, Joaquim Folch i Torres, que menystenia la prehistòria en benefici de l'arqueologia clàssica.[4] Folch tenia el suport de la Junta de Museus, molt pagada de les funcions que l'Ajuntament i la Diputació li havien atribuït l'any 1907 per gestionar tots els museus d'art i arqueologia de Barcelona. Les idees de Folch es traduïren, després de la proposta feta pel delegat de Cultura de l'Ajuntament, Gonzalo del Castillo, pare del deixeble de Bosch Alberto del Castillo, amb l'ajut d'un altre amic de Bosch, el cap de pressupost de l'Ajuntament, Miquel Vidal i Guardiola, l'any 1925 —que donava suport a una idea de Bosch Gimpera—,

---

1 GRACIA ALONSO, 2011a; DÍAZ-ANDREU, 1996.
2 *La Veu de Catalunya*, edició del 20-09-1915.
3 ROVIRA, 2010; ROVIRA, 1986.
4 BC. Llegat Lluís Pericot. Cartes Bosch-Pericot de dates 01-02-1926 i 13-02-1926.

C. 1920. Sala d'Arqueologia presidida per l'escultura d'Asclepi trobada a les excavacions d'Empúries l'any 1909, al Museu d'Arts Decoratives i Arqueologia instal·lat al Palau del Governador del Parc de la Ciutadella. Fotografia: MAC-Barcelona.

en el fet que els materials arqueològics fossin separats de les altres col·leccions per formar un museu independent, i en l'acceptació de la cessió dels materials prehistòrics, ja que —segons ell— no tenien cap valor artístic, a diferència dels d'època clàssica, que sí que valoraven i que en cap cas estaven disposats a cedir.[5] És un exemple força clar de la visió restrictiva que els membres de la Junta tenien respecte de l'arqueologia com a ciència històrica, amb els seus postulats basats en els principis de la Història de l'Art. L'enfrontament va dur a una ruptura entre Bosch i Folch, a qui Colominas batejà com «el gravat de la Ciutadella», per les marques de la verola al seu rostre.[6] La disputa s'allargà per espai de dos anys, i finalitzà amb la destitució de Folch del seu càrrec pel baró de Viver, alcalde de Barcelona. Segons explicà Bosch a Pericot, els primers satisfets per la caiguda de Folch van ser els mateixos membres de la Junta de Museus, que declararen sentir-se aterrits per les actuacions del director del museu.

5 MARCH, 2008, pàg. 94-95.
6 BC. Llegat Lluís Pericot. Cartes Bosch-Pericot de dates 12-09-1925, 01-02-1926, 08-12-1926, 20-12-1926 i 01-04-1927. Comentaris a GRACIA ALONSO, FULLOLA i VILANOVA, 2002.

La Junta estava, doncs, molt cofoia del que consideraven un museu admirable, com expressà el seu secretari, Manuel Rodríguez Codolá, arran d'una visita guiada per als participants al IV Congrés Internacional d'Arqueologia Clàssica el 1929; Rodríguez indicà que el museu «era una forma de dar a comprender que Barcelona era una ciudad que sabe preocuparse de las cosas del espíritu», i el president de les sessions científiques, José Ramón Mélida y Alinari, catedràtic d'arqueologia a la Universidad Central, afegí que «el Museo era un verdadero milagro del espíritu catalán, puesto que hace pocos años no existía y ahora nos admira por su innegable importancia».[7] En tot cas, una visió molt restrictiva del que hauria de ser un museu.

Els intents d'organitzar un nou museu, tot i els entrebancs, prosseguiren al llarg de la dècada de 1920 i semblà que, amb el final de la dictadura, la possibilitat d'avançar cap a la constitució d'un de nou era factible.[8] Sorgiren, però, noves dificultats, degudes aquest cop a Josep Puig i Cadafalch, president de la Secció Històrico-Arqueològica de l'IEC, que, com a director de les excavacions d'Empúries, es considerava el millor expert en arqueologia de Catalunya, i desitjava tenir un major protagonisme en el disseny del projecte.[9] A mitjan 1930, però, sorgiren noves dificultats. El procés va poder ser reconduït amb la definició de la composició i les funcions del futur patronat fins al punt que a finals de gener de 1931 Bosch creia que, aquest cop sí, Barcelona podria tenir un museu arqueològic digne.[10] L'èxit de les exposicions arqueològiques desenvolupades en el marc de l'Exposició Universal de 1929 va fer decidir les administracions a determinar una seu definitiva per situar un nou museu. Descartat l'edifici del parc de la Ciutadella, que la Generalitat decidí destinar a seu del Parlament de Catalunya, calgué cercar un nou emplaçament. Al llarg de 1931 es consideraren tres possibilitats: uns terrenys a l'avinguda Diagonal propers a la carretera de Madrid, un dels palaus del recinte firal situat al costat de les torres venecianes, i el Palau de les Arts Gràfiques, construït pels arquitectes Raimon Duran i Reynals i Pelai Martínez i Paricio per a l'exposició de 1929. Finalment, es va escollir aquest últim, després d'una acurada avaluació de les possibilitats de remodelació i adaptació feta per Bosch; per fer-ho, però, es va haver d'obtenir el vistiplau de la Junta de Museus, que el 4 de maig de 1932 n'havia aconseguit la cessió de l'Ajuntament per organitzar-hi exposi-

---

7 «Visita al Museo de Arte Decorativa y Arqueología». *La Vanguardia Española*, edició del 26-09-1929, pàg. 6.

8 GRACIA ALONSO, 2011a.

9 IF. Fons Lantier. Ms. 8.022. Carta Bosch-Lantier del 07-06-1930.

10 IF. Fons Lantier. Ms. 8.022. Carta Bosch-Lantier del 21-01-1931.

C. 1929. El Palau de les Arts Gràfiques de l'Exposició Universal del 1929, obra dels arquitectes Raimon Duran i Reynals i Pelai Martínez i Paricio, futura seu del Museu d'Arqueologia després de la remodelació dirigida per Josep Gudiol i Cunill en aplicació de les idees de Bosch Gimpera. Fotografia: MAC-Barcelona.

cions temporals, i que ara retornà els locals. Això va permetre que s'adjudiqués al Patronat del Museu Arqueològic per instal·lar-hi el museu el 18 de novembre de 1932.

Un cop aprovat el projecte, les obres van ser dirigides per Josep Gudiol i Cunill, amb el suport d'un fill de Josep Domènech i Montaner com a contractista. El febrer de 1932 el govern de la Generalitat i l'Ajuntament de Barcelona arribaren a un acord que facilità la constitució del Patronat del Museu d'Arqueologia, encarregat des d'aleshores de vetllar per la continuïtat de les obres. Bosch, com a director del museu, assumí la secretaria del Patronat, que presidiren honoràriament Francesc Macià i Jaume Aiguader, mentre que la presidència efectiva va recaure en el conseller de Cultura, Ventura Gassol. Pere Comas i Calvet, Joaquim Xirau i Palau i Joaquim Pellicer Catalán van ser nomenats vocals en representació de l'Ajuntament; Pere Coromines i Montanya, en representació de la Generalitat; Puig i Cadafalch, de l'IEC; Alexandre Soler i March, de la Junta de Museus de Barcelona; Joaquim Balcells i Pintó, de la Universitat de Barcelona, i Salvador Vilaseca i Anguera en representació de la Societat Catalana d'Etnologia, Arqueologia i Prehistòria. El 3 de juny, el Patronat aprovà la composició de la plantilla tècnica del museu: Bosch quedà confirmat en el seu càrrec, i es van nomenar conservadors Josep Colominas, Josep de Calassanç Serra Ràfols i Alberto del Castillo Yurrita, a més del personal auxiliar i administratiu.[11]

Tot i traçat, el camí no era encara lliure de problemes. El 6 de juliol de 1931, l'Ajuntament de Barcelona, a proposta del regidor Joaquim Xirau i Palau, va demanar al Ministeri d'Instrucció Pública i Belles Arts la reorganització de les col·leccions del Museu Provincial d'Antiguitats, instal·lat a la capella de Santa Àgata, amb la finalitat de poder estructurar les col·leccions barcelonines sota la direcció de la Junta de Museus. Però el que en principi era una demanda de reorganització —petició que ja s'havia fet l'any 1921 i havia estat denegada— va estar a punt de convertir-se en un problema. Un decret del consell de ministres del 3 de març de 1932 va estar a punt de frustrar un cop més l'empresa: per sistematitzar els fons dels museus arqueològics provincials, el Ministeri declarava voler organitzar museus especialitzats, i definia la creació d'un Museu Epigràfic a Barcelona a partir dels materials de Santa Àgata i de tots aquells que s'hi poguessin afegir; indicava també que l'informe tècnic per al projecte quedava encarregat a la Reial Acadèmia de la Història, a la Junta Facultativa del Cos d'Arxivers, Bibliotecaris i Arqueòlegs i al comitè executiu del Patronat per a la Defensa del Patrimoni Artístic. Una decisió que potenciava la creació d'un nou equipament estatal que barrava el pas al projecte del museu arqueològic. Les negociacions entre la Junta de Museus de Barcelona —ferotgement oposada al projecte i que ara veié una oportunitat per dirigir un cop més la situació— i el govern de la República van preveure l'organització al Palau de la Ciutadella d'un nou Museu d'Epigrafia estructurat a partir dels materials de l'antic Museu Provincial d'Antiguitats de la capella de Santa Àgata,[12] projecte plasmat en un decret de 6 d'abril.[13] Afortunadament, la constitució del patronat del museu facilità que els materials, propietat de l'Ajuntament i d'altres institucions, comencessin a ser traslladats amb rapidesa a la nova seu, cosa que feia impossible el nou projecte. El 12 de juliol, Joaquim Borralleras i Grau, secretari de la Junta de Museus, comunicà a Bosch l'acord per al trasllat, i donava un termini fins a finals d'any per fer un inven-

---

11 ANC 66. Fons Bosch Gimpera. 1.1.08. Carta Ventura Gassol-Bosch del 12-07-1932.

12 BORRALLERAS, J. (1932): «El Museu de Santa Àgata». *Butlletí dels Museus d'Art de Barcelona*, 15, pàg. 161-173; FOLCH I TORRES, J. (1932): «El que era i el que serà el museu de Santa Àgata». *Butlletí dels Museus d'Art de Barcelona*, 15, pàg. 173-176.

13 Arxiu MAC-Barcelona. Caixa 1940. *Museu Arqueològic de Catalunya. Dipòsit Santa Àgata*. Decret del 6 de abril de 1932 referent als fons del Museu Provincial d'Antiguitats de Barcelona situat a la capella de Santa Àgata.

C. 1925. Sarcòfags romans exposats a la capella de santa Àgata. Els materials arqueolò-
gics van ser traslladats al nou Museu d'Arqueologia. Fotografia: MAC-Barcelona.

tari acurat com a pas previ per a la cessió definitiva.[14] Entre els anys 1932 i 1935
s'obtingué la donació de diverses col·leccions i se'n compraren d'altres: van
passar a formar part del museu els materials paleolítics procedents de les sor-
reres del Manzanares propietat de José Bento López; la col·lecció de materials
del convent dels Jesuïtes a Sarrià; la col·lecció Damià Mateu de materials pro-
tohistòrics i romans de les Balears; la col·lecció de peces d'Empúries de Ma-
nuel Cazurro Ruiz,[15] i les peces arqueològiques de les col·leccions de Ròmul
Bosch i Catarineu i Lluís Plandiura Folch, cedides per la Junta de Museus;
d'aquesta manera es va formar un fons ampli i representatiu de la prehistòria
i l'arqueologia de tota la Península.

Els treballs d'instal·lació del museu continuaren fins i tot després de la de-
tenció de Bosch arran dels Fets d'Octubre, imputat en un delicte de suport a
la rebel·lió militar per la seva presència al Palau de la Generalitat la tarda del

14 ANC 66. Fons Bosch Gimpera. 1.1.07. Carta Borralleras-Bosch del 12-07-1932.
15 Sobre la dispersió de la col·lecció arqueològica de Manuel Cazurro Ruiz, vegeu PONS PUJOL,
2010, pàg. 20-21.

dia 6 en la seva condició de rector de la Universitat.[16] Una acusació que provocà la solidaritat de bona part dels principals prehistoriadors i arqueòlegs europeus fins que va ser alliberat el mes de desembre. Aquests fets li costaren el cessament com a director —càrrec que recuperà un cop alliberat— i rector, tot i que en aquest cas va haver d'esperar fins a la victòria del Front Popular a les eleccions del febrer de 1936 per reincorporar-se al càrrec.[17]

De nou Bosch a la direcció del museu, les obres avançaren ràpidament; es va posar una atenció especial a les sales dedicades a l'escultura funerària romana, fet que provocà un nou enfrontament amb Puig i Cadafalch perquè Bosch va desautoritzar algunes de les seves teories, especialment les referides al temple romà de Barcelona.[18] El projecte incloïa un discurs expositiu cronològic i temàtic format per les sales de paleolític, neolític i eneolític, edat del bronze, les illes Balears, les cultures etrusca i grega, Empúries, primera edat del ferro, segona edat del ferro, civilització ibèrica i sales romanes; d'aquest projecte, en el moment de la inauguració havien estat terminats els treballs en catorze espais, corresponents a les cultures clàssiques. També es creà l'anomenat «departament secret», «l'entrada al qual, com és de suposar, serà rigorosament condicionada i facultativa. Hi són guardades diferents peces de les distintes èpoques, algunes de les quals, a més, són de gran valor artístic, però que el seu gènere especial no aconsella que siguin ensenyades públicament». Tanmateix el que cridà l'atenció van ser els espais dedicats a magatzems, tallers de restauració, oficines de difusió i sala de conferències, biblioteca i seminari de docència i recerca, tots els elements que constituïen un museu modern i actiu, molt allunyat tant de la presentació de la Ciutadella com del magatzem que era el museu de Santa Àgata.

Finalitzades les tasques d'instal·lació, el 31 d'octubre de 1935 la premsa barcelonina va fer una visita prèvia a la inauguració per informar dels objectius dels responsables del nou museu. Bosch pogué així explicar la gènesi de la creació sense les limitacions de l'acte oficial, donant el merescut crèdit a la Generalitat i a Gassol, però sense oblidar que l'inici de tot el procés es remuntava a la creació per part de l'IEC, el 1915, del Servei d'Investigacions Arqueològiques com a primera institució científica dedicada a l'arqueologia a Catalunya:

---

16 GRACIA ALONSO, 2011a, pàg. 276-289. Centro de Documentación de la Residencia de Estudiantes (CDRE). Fons Bosch Gimpera. Caixa 10. *El "bieni negre". Empresonament, suspensió i reposició.*

17 GRACIA ALONSO, 2011a. CDRE. Fons Bosch Gimpera. Caixa 10. Discurs del 12 de febrer de 1936.

18 MAN. Fons Correspondance. Carta Bosch-Lantier del 16-01-1935.

1935. Instal·lació de les sales dedicades al món romà al Museu d'Arqueologia. La proposta de l'equip de Bosch Gimpera respecte del muntatge dels materials del temple romà de Barcelona provocà una forta discussió amb Puig i Cadafalch. Fotografia: MAC-Barcelona.

[...] el museo reserva muchas sorpresas para los barceloneses; nosotros nos hemos esforzado por hacer un museo a la vez para el gran público y para los hombres de ciencia, que haga accesible la arqueología y que evoque las civilizaciones pasadas no sólo por lo que tienen de interés para el erudito o el artista, sino que dé la impresión de sus pueblos desde el punto de vista humano y, en consecuencia, hemos intentado que la instalación responda a las modernas orientaciones de la técnica de museos [...] la instalación todavía no está acabada, faltan la mayor parte de las secciones prehistóricas, entre las cuales será especialmente interesante la dedicada al arte rupestre, la de la Cataluña neolítica y la de arte ibérico, del cual el museo tiene una de las colecciones más completas y sin duda más científicamente sistematizadas.

Alhora, comunicava els plans de futur que pensava desenvolupar al capdavant de la institució:

Novembre de 1935. Visita a les noves instal·lacions del Museu d'Arqueologia. En la imatge, entre d'altres, d'esquerra a dreta: Josep Colominas, Pere Bosch Gimpera, Josep Puig i Cadafalch, Alberto del Castillo i Julio Martínez Santa Olalla. Fotografia: MAC-Barcelona.

[...] el Museo Arqueológico querría ser un centro de trabajo vivo y de difusión de la cultura relacionado intensamente con otras instituciones similares y, sobre todo, ser un estímulo y una colaboración para los otros museos arqueológicos de Cataluña. En Cataluña contamos con colecciones importantes ubicadas en otras poblaciones, y es necesario emprender la tarea de su dignificación.[19]

Bosch cercava, amb tota seguretat, treure tota la solemnitat possible a l'acte oficial, ja que com a conseqüència de l'empresonament del govern de la Generalitat i la destitució de la corporació municipal, aquells que havien de protagonitzar-lo tenien poc o gens a veure amb els impulsors del nou museu. El 3 de novembre tingué lloc la inauguració, presidida pel conseller de Cultura de la Generalitat, Lluís Duran i Ventosa; l'alcalde accidental de Barcelona, Francesc Jaumar de Bofarull; Puig i Cadafalch com a president del patronat; el coronel Lacanal en re-

19 BOSCH, G. «Una important realització. El Museu d'Arqueologia de Catalunya». *La Publicitat*, edició del 05-11-1935, pàg. 10.

1935, 3 de novembre. Acte d'inauguració del Museu d'Arqueologia. En la presidència, a partir del centre, d'esquerra a dreta: Francesc Jaumar de Bofarull, alcalde de Barcelona; Lluís Duran i Ventosa, conseller de Cultura de la Generalitat; coronel Lacanal i Pere Bosch Gimpera. Fotografia: MAC-Barcelona.

presentació del general de la Quarta Divisió Orgànica; el comte de Güell, president de l'Acadèmia de Belles Arts de Sant Jordi; Jaume Gubern, president del Tribunal de Cassació; Lluís Pomares, president de l'Audiència; el secretari de l'Ajuntament, Pi i Sunyer, i els regidors Coll i Rodés, Saltor, Viza, Pellicena, Culilla i Codolà.[20]

En els parlaments es van posar de manifest les dues visions enfrontades sobre els conceptes de cultura i arqueologia que regien la burgesia barcelonina: la representada per Bosch, orientada a la consolidació d'un museu modern, centre d'investigació i de protecció del patrimoni, i la dels antiquaristes o defensors de l'arqueologia com una part de l'art i entesa com un simple gaudi estètic reservat a determinades classes socials, expressada en les paraules de Bofarull, que indicà:

> [...] su satisfacción por encontrarse entre hombres amantes de nuestra tierra que han ido recogiendo estas joyas para recordar la historia lejana, que cada una de ellas nos refleja elocuentemente, y además porque puede ver que el esfuerzo de todos y cada uno contribuye eficazmente a hacer una Barcelona que sea vista con interés por el turista.[21]

El negoci abans que la ciència. I la política també, atès que Duran i Ventosa indicà:

> [...] estas piedras nos recuerdan a otros hombres que tal vez no eran tan diferentes de nosotros como nuestro orgullo nos hace presumir. Este Museo es la historia de nuestro pueblo, y siempre contará con el apoyo de las autoridades, ofrecimiento que dijo hacer en nombre de Cataluña, seguro de que las futuras generaciones que se sucedan en el gobierno sabrán confirmarlo.

20 «En el antiguo Palacio de las Artes Gráficas. Inauguración del Museo de Arqueología». *Diario de Barcelona,* edició del 05-11-1935.

21 *La Vanguardia,* edició del 05-11-1935, pàg. 10.

Es tractava d'una declaració d'intencions del representant d'una administració que sabia perfectament —com tots els assistents, d'altra banda— que no havia estat en l'origen del projecte i que ara, sense cap tipus de recança, no dubtava a fer-lo seu en vista de l'èxit assolit, i oblidava expressament qualsevol referència al treball fet per les autoritats de Catalunya i l'Ajuntament entre 1931 i 1934.

Amb tot, qui més es va atribuir els llorers va ser Puig i Cadafalch, que aconseguí aparèixer com l'autèntic impulsor del museu; en el seu parlament va oblidar Bosch i els seus col·laboradors, i va citar tot un seguit de persones que havien treballat estretament amb ell a l'IEC, com Francesc Martorell, Agustí Duran i Sanpere i Norbert Font i Sagué. A més, uns quants dies després, Joaquim Folch i Torres va fer una anàlisi a la premsa de l'evolució del procés d'organització del nou museu en què va presentar una col·laboració idíl·lica entre institucions, en la qual ell mateix havia desenvolupat un rol essencial; va destacar també el paper de Puig i Cadafalch i de Josep Maria Gudiol Ricart, sense citar, de nou, la tasca duta a terme per Bosch:

> [...] la reciente inauguración del Museo de Arqueologíía en el que fue el Palacio de las Artes Gráficas de Montjuich viene a cumplir una de las etapas marcadas en el plan de metodización de nuestros museos de arte y arqueología que en 1930 formuló la Junta de Museos de nuestra ciudad [...] incapaces los locales del edificio de la Ciudadela para albergar adecuadamente todo cuanto se hallaba reunido en sus galerías y en sus reservas [...] imponíase la seriación científica y la instalación correspondiente de cada grupo de manera que, dando a los materiales el máximo rendimiento de que son susceptibles, respondiera al criterio especializador de la museología moderna y dividiera, a la vez que los materiales, los focos de interés que dichas colecciones ofrecen a núcleos importantes y diversos de estudiosos, separados por las limitaciones fecundas de la especialización.[22]

Les paraules de Folch eren una manera molt interessant de presentar en positiu les disputes que ell i Bosch havien mantingut al llarg dels anys per la configuració d'un museu específic. I en el seu text, Folch també qualificà com un encert de la Junta de Museos la cessió dels materials procedents de la capella de Santa Àgata, com si els moviments obstruccionistes de 1932 no haguessin succeït:

---

22 «Museos y colecciones. El nuevo Museo de Arqueología de Barcelona». *La Vanguardia*, edició del 07-11-1935, pàg. 9.

[...] únese a estos materiales, la serie de restos de la Barcelona romana reunidos por la Academia de Buenas Letras de nuestra ciudad y que al pasar en depósito, con todo el viejo Museo de Santa Águeda, a la Junta de Museos, ésta depositó en el Museo de Arqueología, por ser su lugar adecuado.

De fet, no hi ha res com la memòria selectiva. Afortunadament, altres testimonis del procés d'instal·lació del museu van deixar relacions més exactes, tant a França[23] com a Catalunya:

[...] el Museu d'Arqueologia ha de posar-nos en coneixement d'una considerabilíssima quantitat de valors que fins fa ben poc hom havia malmenat o negligit. Mancats d'atribucions i de possibilitats de tot ordre, aquells que les coneixien i les estimaven veien estavellar-se tots llurs esforços contra la inepta i feixuga resistència burocràtico-centralista [...] i a prendre possessió del Palau de les Arts Gràfiques marxaren les hosts del doctor Bosch Gimpera, les quals es trobaren amb una feinada immensa per habilitar l'edifici [...] amb ben poques disponibilitats pecuniàries, certament, però amb un entusiasme constant i a prova de dificultats, foren empresos els treballs [...] el museu s'està bastint en un pla principalment educacional i representatiu, recercant més que no l'emmagatzemament de peces més o menys importants, la reconstrucció ambiental fins al punt que sigui possible assolir-la amb la construcció de grans sales i el muntatge d'exemplars que puguin fer de la seva visita alguna cosa més que el fet de passar l'estona en la contemplació d'una sèrie d'objectes bells interessants o simplement curiosos [...] si diem que el director del museu és el doctor Pere Bosch Gimpera [...] i que és ajudat en el seu treball per Castillo, Colominas i Serra Ràfols [...] en tindrem prou perquè el lector es faci càrrec de les bones mans en què es troba en aquest difícil període d'organització i dels bons resultats que en podem esperar.[24]

La tasca d'execució del projecte va ser tan estricta que en un informe del 12 de març de 1939 adreçat a les noves autoritats franquistes de Barcelona, Colominas i Serra Ràfols indicaren:

[...] hay que observar que, contra lo que sucede con tanta frecuencia en obras de esta naturaleza, gracias a la austeridad del Patronato y a la gestión acertada del

23 MANNENVILLE, E. (1936): «Le nouveau musée archéologique de Barcelone». *Beaux-Arts*, edició del 03-01-1936.

24 CORTÉS I VIDAL, J. «Les institucions culturals de la Catalunya Autònoma. El futur Museu d'Arqueologia de Barcelona». Arxiu MAC-Barcelona. *Premsa relacionada amb la inauguració del Nou Museu d'Arqueòlogic i notícies del Museu 1934-1936.*

administrador D. Joaquin Balcells y Pintó (q.e.p.d.), a pesar de ser la instalación verdaderamente digna de la importancia del Museo, no existe deuda alguna de las obras en curso, que al contrario tienen acumuladas importantes cantidades de materiales, y sólo de la parte inaugurada en 1935, se adeudan los últimos plazos de amortización, estatuidos desde un principio con los industriales que las efectuaran, cuya cancelación corresponde al presente año 1939, y que significa una modesta cifra.[25]

I, de fet, els mateixos Serra Ràfols i Colominas van ser molt crítics amb l'actuació de la Junta de Museus de Barcelona durant el període anterior a la guerra civil, quan van elaborar el seu informe per a les noves autoritats franquistes el 1939, respecte de l'ajut i les facilitats que la Junta havia donat en el moment de configurar les col·leccions del nou museu. En relació amb els materials procedents de la Ciutadella indicaren:

[...] fueron los iniciales de la Sección de Arqueología de los Museos de Arte y Arqueología de Barcelona, llegados a los expresados Museos en forma muy diversa, constituyendo a veces parte accesoria de adquisiciones hechas con vistas a materiales artísticos o de donativos en que predominaban asimismo aquellos materiales. Por ejemplo la Colección Batlló. Incluso hay casos en que los materiales arqueológicos no han llegado a ingresar en nuestro Museo, por oposición cerrada de la Dirección de los Museos de Arte. VG los vidrios romanos de la Colección Cabot. Otras veces se adquirieron colecciones exclusivamente o predominantemente arqueológicas. De estas las dos adquisiciones principales fueron la Colección Cabré (materiales ibéricos de Andalucía y del S. E.) y la Colección Costa (objetos de Ibiza). Entre los donativos arqueológicos citemos el de E., y L. Siret (Cultura argárica) hecho a la Ciudad en reconocimiento a la concesión del Premio Martorell. Estos materiales entrados en bloque en el Museo de Arqueología no están catalogados. De seguro que existen inventarios de las adquisiciones principales, pero estos documentos en todo caso no han salido nunca de la Junta de Museos, que los ha retenido celosamente sin librar ni tan sólo copias al Patronato del Museo de Arqueología. La casi totalidad de estos fondos puede considerarse de propiedad municipal.

És a dir, un panorama molt allunyat de la col·laboració institucional descrita per Folch i Torres que, afegit als problemes derivats de la procedència dels altres materials (Empúries, IEC, antic Museu de Santa Àgata, adquisi-

---

25 Arxiu MAC-Barcelona. Caixa 1940. *1939. Antecedents Museu Arqueologia Catalunya (Patronat).*

cions fetes entre 1933 i 1936), va provocar un cert caos en l'organització administrativa:

> [...] se echa de ver la falta de un inventario general del Museo, en el que se comprendan los fondos antiguos y que englobe los inventarios especiales, en cuya redacción, como es natural, no existe un criterio absolutamente uniforme. La necesidad imperiosa de instalar el Museo obligó a retardar esta labor indispensable bien que muy prolija.[26]

Però la roda de la història va girar de nou i després del triomf del Front Popular a les eleccions del febrer de 1936, el conseller Gassol, acompanyat pel regidor de Cultura de l'Ajuntament, Cristià Cortès, va visitar l'11 de març les instal·lacions del museu que havien ajudat a organitzar; en els comunicats de premsa quedava clar com l'organització dirigida per Bosch responia a les seves idees museogràfiques i també polítiques, coincidents amb el corrent de pensament del govern de la Generalitat:

> [...] els visitants han pogut fer-se càrrec del rigor científic, de la sobrietat i del gust que han presidit la instal·lació i que fan del Museu d'Arqueologia un dels més moderns i que millor realitzen la doble missió de servir l'alta investigació científica i la reconstrucció del passat. Es tracta d'un museu fet de cara al poble, per tal que tothom pugui així mateix treure de la seva visita a l'hora que una funció estètica un ensenyament [...] el Conseller ha tingut especialment paraules d'elogi per a la concepció del Museu com un organisme viu de treball, engranat a les institucions d'ensenyament i la idea d'organitzar periòdicament visites explicades al Museu per un dels Conservadors, com s'ha vingut fent d'ençà de la seva obertura al públic.[27]

I unes setmanes més tard, el dia 1 d'abril de 1936, Bosch pogué ensenyar el museu al president de la Generalitat, Lluís Companys, acompanyat dels consellers de Cultura i Finances, Gassol i Martí Esteve i Guau, l'alcalde Carles Pi i Sunyer, i Ángel Ossorio y Gallardo, cosa que va conferir a l'acte honors d'inauguració oficial. Amb la reobertura, semblava que la normalitat podia ser la re-

---

26 Arxiu MAC-Barcelona. Caixes 1939-1940. *Informe que sobre la formación de los fondos del Museo de Arqueología de Barcelona y su desplazamiento por orden de la dirección del museo en 1938, presentan a la actual dirección los conservadores José Colominas Roca y José de C. Serra.*

27 «El conseller de Cultura senyor Gassol, en compañía del regidor señor Cortès, han visitat aquest matí el Museu d'Arqueologia». *La Rambla,* edició de l'11-03-1936.

gla bàsica en les tasques del museu, on ja es començà a preparar el projecte d'organització de les sales de prehistòria. Però la tranquil·litat durà poc, perquè durant el dia 12 d'abril es produí el robatori d'un seguit de peces de joieria exposades a la secció de les Balears;[28] tot i així, van ser recuperades per la policia pocs dies després en arrestar el lladre, Antoni Lequerica i Polo de Bernabé, que també es confessà autor de la sostracció dies abans d'uns gravats de Rembrandt i Durero del museu de Segòvia.[29]

A partir del mes de maig, Bosch intentà desenvolupar els seus projectes, alguns dels quals van ser presentats pel director a un grup de periodistes al llarg d'una visita feta

1936, 1 d'abril. Acte de desgreuge a les institucions que van promoure la creació del Museu d'Arqueologia, empresonades després dels Fets d'Octubre de 1934 i alliberades després de la victòria del Front Popular en les eleccions de febrer de 1936. El president de la Generalitat, Lluís Companys, visita el museu acompanyat per Ángel Ossorio y Gallardo, els consellers Ventura Gassol i Martí Esteve i l'alcalde de Barcelona Carles Pi i Sunyer. Fotografia: MAC-Barcelona.

a les ruïnes d'Empúries al principi del mes de juliol.[30] Havia estat un llarg camí amb moltes dificultats per assolir el que sens dubte era un centre de primera línia en recerca i difusió cultural. La guerra ho canviaria tot.

Un cop constatat el fracàs del cop militar i l'esclat de la revolució, Bosch donà ordres al personal del museu per protegir les col·leccions.[31] Els materials es tragueren de les vitrines i es dipositaren en caixes a l'interior de les estructures funeràries romanes a la planta baixa de l'edifici, prop de les parets mestres:

> [...] vista esta situación la dirección del museo, ejercida por Don Pedro Bosch Gimpera, dispuso fuesen retiradas de las vitrinas todos los materiales y convenientemente embalados en cajas. Dichas cajas dispuso el expresado director fuesen guardadas en el mismo Museo en los lugares que se consideraron más seguros

28 «La desaparició d'objectes del Museu d'Arqueologia». *La Publicitat,* edició del 22-04-1936.

29 *La Publicitat*: «Els robatoris del Museu de Segòvia i dels de Barcelona», edició del 23-04-1936; «Delegació O. P. La policía barcelonina ha detingut l'autor dels robatoris d'obres d'art comesos a Segòvia i al nostre Museu d'Arqueologia», edició del 24-03-1936; «El jutge ha dictat aut de processament i presó contra l'autor dels robatoris comesos als Museus de Segòvia i Barcelona», edició del 25-04-1936.

30 Gracia Alonso, 2011a.

31 Gracia Alonso i Munilla, 2011, per a detalls del procés de salvament de les col·leccions.

1936. Mesures de protecció de les col·leccions del Museu d'Arqueologia davant el perill de bombardeig. L'escultura d'Asclepi s'ha protegit amb sacs de terra. Fotografia: MAC-Barcelona.

y que se habilitaron como refugios. Estos lugares fueron tres, a saber: 1º el interior del Columbario anexo a la Sala funeraria romana, 2º el interior de la reconstrucción del sepulcro romano en forma de torre o casa que se encuentra a la derecha de la sala de paso que va desde la sala destinada a la vida pública romana a la citada Sala funeraria. Y 3º el interior de la reconstrucicón de un sepulcro romano en forma de ara que está en la citada Sala funeraria. La principal garantía que ofrecían estos sepulcros estribaba en su situación junto a paredes maestras del edificio.

Per assegurar la funció d'aquests amagatalls es van reforçar les cobertes i les parets properes als llocs indicats.[32] Les peces que pel seu volum no podien ser desmuntades es van protegir amb piles de sacs de sorra, i els mosaics del Circ i de les Tres Gràcies van ser folrats amb murs de totxanes aixecats davant seu. També s'encaixà la biblioteca, una de les més extenses d'Espanya, formada a partir dels fons del Seminari de Prehistòria de la Universitat Autònoma, i l'arxiu fotogràfic de referència, integrat per uns nou mil clixés.[33]

Quan els bombardeigs sobre Barcelona començaren a ser més freqüents es construí un refugi antiaeri a la Sala d'Empúries excavant la muntanya. Aquest

32 Arxiu MAC-Barcelona. Caixa 1940. «Informe sobre el desplazamiento de fondos del Museo de Arqueología de Barcelona».

33 Arxiu MAC-Barcelona. Caixa 1940. Nota anònima del procés d'embalatge dels materials del museu l'any 1937. «Copia del escrito presentado por Don José de C. Serra Ràfols, conservador del Museo de Arqueología de Barcelona, al Servicio de Recuperación Artística, conteniendo los datos sobre situación de materiales artísticos y arqueológicos que hubiesen llegado a su conocimiento».

recinte, enllestit a la primavera de 1937, es destinà a guardar les peces més valuoses, i serví també com a amagatall dels treballadors del museu que havien perdut les seves cases i les seves famílies.

Les mesures preventives tenien un límit. Quan una part dels antics edificis de l'Exposició de 1929 va ser destinada a dependències militars, el risc de bombardeig, ja prou gran per la proximitat del castell de Montjuïc, augmentà. El Palau de l'Agricultura, situat davant del museu, va ser tocat en una incursió a principi de 1938 i, davant la nova situació, calgué prendre decisions. Segons l'informe que Serra Ràfols lliurà al principi de febrer de 1939 a Ferrandis Torres com a delegat de l'SDPAN i a Valls Taberner, Bosch prengué la decisió d'evacuar les col·leccions en contra de l'opinió de la resta del personal tècnic del museu; tot i així, aquesta informació podia estar condicionada per la necessitat de Serra Ràfols de distanciar-se dels fets arran dels processos de depuració de funcionaris iniciats després de la caiguda de Barcelona i la lògica necessitat de justificar-se:

> [...] el director del museo Don Pedro Bosch Gimpera opinó que los materiales de este no estaban suficientemente protegidos en los refugios donde habían sido colocados y que procedía su traslado fuera de Barcelona. El vice-director D. José Colominas y los conservadores D. Alberto del Castillo y D. José de C. Serra, opinaron que el peligro era remoto, ya que sólo era de temer el impacto directo de una bomba sobre uno de los refugios, impacto al que de seguro no podrían resistir, pero que contra los efectos indirectos, los más temibles por afectar áreas más extensas, estaban lo suficientemente garantizados, en especial los objetos de mayor fragilidad, colocados en el refugio n.º 3, considerado como el más sólido. Además determinadas piezas, precisamente las más valiosas era difícil trasladarlas, unas porque con ello se perdía el costoso trabajo de una cuidadosa instalación de que habían sido objeto, otras porque su fragilidad desaconsejaba el desplazamiento.[34]

Els materials van ser trets de les caixes, inventariats amb cura i tornats a encaixar. Es configuraren relacions precises del contingut de cada caixa seguint l'ordre d'exposició en les vitrines, i les peces van ser empaquetades seguint normes estrictes per assegurar-ne la protecció al llarg d'un trasllat

---

34 Arxiu MAC-Barcelona. Caixa 1940. Nota anònima del procés d'embalatge dels materials del museu l'any 1937. «Copia del escrito presentado por Don José de C. Serra Ràfols, conservador del Museo de Arqueología de Barcelona, al Servicio de Recuperación Artística, conteniendo los datos sobre situación de materiales artísticos y arqueológicos que hubiesen llegado a su conocimiento».

dificultós, sota la supervisió del cap del taller de reconstrucció, Francisco Font Contel.

Segons diverses fons, sortiren del museu prop de dues-centes caixes que contenien, a més de les col·leccions que configuraven el fons principal, diversos materials dipositats arran de les jornades revolucionàries de juliol i agost de 1936, materials que per les seves característiques es pensà que calia lliurar al Museu d'Arqueologia abans que al Museu d'Art. La relació descriptiva indica, entre d'altres, la col·lecció de materials prehistòrics Garcia Fària; la sèrie de peces de la col·lecció Simón procedents del poblat del Castellet de Banyoles de Tivissa; la col·lecció Cazurro de ceràmiques gregues emporitanes; un sarcòfag de marbre de la col·lecció Amatller; el cap romà de bronze de la col·lecció Güell; diverses peces provinents del Seminari Eclesiàstic; la col·lecció de vidres d'Alfonso Macaya, i algunes peces de les col·leccions Mateu i Campins.[35] Segons el plec de descàrrec que Serra Ràfols va lliurar l'abril de 1939 a les autoritats franquistes, també ingressaren al museu diverses obres procedents de les esglésies de Santa Maria del Mar, Sant Just, Sant Felip Neri, la basílica de la Mercè i la catedral de Barcelona,[36] algunes de les quals, com ara un parell de capitells procedents de la seu barcelonina, van ser objecte de litigi després de la guerra entre les autoritats eclesiàstiques i la nova direcció del museu per l'endarreriment en la devolució. Segons Serra, la decisió final del trasllat va ser presa per «los elementos políticos al frente de la Consejería de Cultura de la Generalidad», que el féu amb els seus mitjans sense explicar els llocs de concentració designats:

> [...] es de observar que ni el personal del Museo (excepto acaso el director) fue consultado sobre la situación de estos, ni lo fue tampoco la Comisión del Patrimonio Histórico, Artístico y Científico, formada por un representante de la Sección de Museos de Arte, otro de la de Archivos, otro de la de Bibliotecas, otro de la de Monumentos y otro de la de Excavaciones y Arqueología (respectivamente los señores D. Juan Subias, D. Agustín Durán, D. Jorge Rubió, D. Gerónimo Martorell y por último D. Pedro Bosch, que con frecuencia delegó su representación unas veces en D. José Colominas, otras en el que suscribe y alguna en D. Alberto del Castillo), obrando la consejería ejecutivamente.

---

35 ANC. Fons 1. Generalitat de Catalunya Segona República. Lligall 7.599.

36 SERRA RÀFOLS, J. de C. (1939): «Copia del escrito presentado por Don José de C. Serra Ràfols, conservador del Museo de Arqueología de Barcelona, al Servicio de Recuperación Artístico, conteniendo todos los datos sobre situación de materiales artísticos y arqueológicos que hubiesen llegado a su conocimiento. 8 de abril de 1939». Arxiu Museu d'Arqueologia de Catalunya-Barcelona (MAC), s.t.

A les dependències del museu van romandre els mosaics, l'estàtua romana procedent del temple de Barcelona, la catapulta d'Empúries, els busts imperials i els materials arquitectònics, epigràfics, etnogràfics i folklòrics.

Les caixes foren traslladades al dipòsit habilitat per la Generalitat al Mas Perxés d'Agullana, on s'acabaria refugiant també el govern de la Generalitat en la seva fugida cap a la frontera, a més d'un significatiu nombre de polítics i intel·lectuals catalans i bascos.[37] També s'evacuà l'arxiu fotogràfic, preparat en 32 caixes pel fotògraf del museu, Juan Ramírez Sagarra, per ordre expressa de Bosch, que autoritzà la sortida de 13 caixes,[38] però no de la biblioteca, dels dipòsits de publicacions i d'altres sèries de referència, que romangueren a les dependències del museu. Al Mas Perxés la major part de les peces van ser tretes de les caixes per distribuir-les als baixos de l'edifici i facilitar-ne la millor conservació. Tot i el que van declarar més endavant, els conservadors del museu van saber al llarg de 1938 que els materials havien estat dipositats a Agullana sota la cura de Joan Subias, encarregat del dipòsit del Mas Perxés i també del de Dosrius, que els informà de les bones condicions d'emmagatzematge de les col·leccions; tot i així, no van poder contrastar aquesta informació perquè no van disposar de mitjans de transport per desplaçar-se fins a Agullana.

Per això, quan el govern de la República ordenà incloure aquest fons entre els materials que havien de ser traslladats a Ginebra al principi de febrer de 1939 a l'empara de l'acord de Figueres subscrit entre el govern Negrín i la comissió internacional per al salvament de les obres d'art d'Espanya, les peces van ser encaixades de nou amb presses i sense les condicions de transport adequades, fet que provocà destrosses especialment en els vasos ceràmics.[39]

Dos mesos després de l'entrada de les tropes nacionals a Barcelona, el nou comissari general d'excavacions arqueològiques, Julio Martínez Santa Olalla, es presentà al museu el 25 de març i confiscà els materials que no havien estat evacuats amb la intenció d'endur-se'ls a la seu central de la Comissaria a Madrid. Va fer un inventari de tot allò que volia i marcà les caixes amb les sigles CGEA (Comissaria General d'Excavacions Arqueològiques):

> [...] veintiuna cajas conteniendo el depósito de publicaciones y otro material existente en los armarios del vestíbulo del Museo; cajas conteniendo los archivadores de dos muebles que contienen las fotografías arqueológicas del Archivo

---

37 Benet, 2005, pàg. 35-41.

38 Arxiu MAC-Barcelona. Caixa 1940. *Declaració Sr. Joan Ramírez Segarra, jefe laboratori fotogràfic museu, referent al destí del material desaparegut durant la Guerra Civil.*

39 Gracia Alonso i Munilla, 2011.

Iconográfico de España; fichero arqueológico de excavaciones y piezas que existía en la biblioteca pequeña del museo; nueve cajas conteniendo cajas que van numeradas del 21 al 30.[40]

En total, 41 caixes que, per fortuna, no pogueren ser traslladades immediatament per manca de disponibilitat de transports, atès que tant els camions com la benzina havien de ser subministrats per l'exèrcit. En aquell moment, el panorama al museu era desolador: les col·leccions evacuades sense que es tingués una idea clara del seu parador, i el material de treball a punt de perdre's. D'una institució que només tres anys abans era considerada modèlica, es corria el risc de conservar-ne només l'obra civil i les vitrines buides.

Afortunadament, Antonio de la Torre y del Cerro, nou degà de la Facultat de Filosofia i Lletres de la Universitat de Barcelona i delegat del cap dels Serveis d'Arxius, Biblioteques i Registre del Ministeri d'Educació Nacional, Javier Lasso de la Vega, va ser advertit de les intencions de Martínez Santa Olalla —probablement per Del Castillo i Lluís Pericot— i escriví una duríssima carta a Lasso de la Vega en què li explicava els fets:

[...] ni como Decano ni como vice-rector, puedo consentir que se prive a la Facultad de cosas que son suyas y le interesan. Es de advertir que Santa Olalla estaba aquí desde el martes y yo, no obstante mis cargos y la delegación que tengo tuya, no me enteré hasta que el sábado a mediodía me avisaron de lo que ocurría; y que sabiendo que las Fontes Hispaniae son publicaciones de la Facultad las metió en cajas sin avisarme de nada. Luego hablé con él y quedamos entendidos, salvo la discrepancia señalada en la carta al Ministro.[41]

I la cosa no s'aturà aquí.

En efecte, De la Torre va comunicar a Pedro Sainz Rodríguez el mateix dia l'actuació de Martínez Santa Olalla. En la seva carta, i sense tenir presents les implicacions polítiques, explicà com Bosch havia volgut reunir al museu els llibres i materials del Seminari de Prehistòria, trasllat que va ser acordat per la Junta de la Facultat de Filosofia i Lletres el 2 de maig de 1935, i com els materials confiscats eren essencials per a la supervivència de la docència i la recerca. Explicà també que entre els llibres figuraven còpies de diferents llibres de Peri-

---

40 ACCHS-CSIC. Caixa 895. *Papeles de Antonio de la Torre y del Cerro. Copia del inventario de los materiales obtenidos en el MAB por JMSO con fecha 25-03-1939.*
41 ACCHS-CSIC. Caixa 895. *Papeles de Antonio de la Torre y del Cerro.* Carta Antonio de la Torre-Javier Lasso de la Vega del 28-03-1939.

cot, de Del Castillo i de Serra Ràfols, a més de la resta dels tiratges dels primers fascicles de la sèrie *Fontes Hispaniae Antiquae*, editada per Bosch i Adolf Schulten, i batallà, especialment, pel material d'estudi:

> [...] el fichero arqueológico, número 3 del recibo, es el producto de 20 años de labor del Seminario de Prehistoria de la Facultad, realizada por el personal del Seminario, con elementos facilitados en gran parte por el Servicio de Investigaciones Arqueológicas de la Diputación y luego por el Museo. Es difícil señalar cuál es el material aportado a él por la Universidad y cuál por el Servicio de Investigaciones; pero es un hecho que, si este fichero sale definitivamente de Barcelona, quedará truncada y sin posible continuación la labor del Seminario de Prehistoria y la Facultad quedará privada de un elemento de trabajo e investigación de valor inestimable. La Facultad, por lo tanto, reclama la devolución de las publicaciones de la Facultad, que son suyas, y ruega a V. E. dé orden para que el fichero arqueológico no salga definitivamente de Barcelona y pueda quedar a disposición de la Facultad. Sería preferible que ambas cosas se realizasen antes de salir las cajas de Barcelona. El Comisario de Excavaciones, hablando conmigo, expuso los inconvenientes y el retraso que supondría tener que proceder a desembalar las cajas y ofreció devolver lo que proceda cuando las cajas lleguen a su destino.[42]

La decidida actuació d'Antonio de la Torre reeixí, i les caixes van ser dipositades immediatament al Palau Nacional per ordre del Ministeri d'Educació Nacional, on romangueren sota custòdia. El 20 d'abril, Lasso de la Vega informà De la Torre de la decisió de retornar tot el material al museu tan bon punt ho demanés el nou director;[43] aquesta determinació va ser ratificada el 7 de maig[44] i agraïda dies després, el 12, per De la Torre,[45] que llavors ja tenia una relació excel·lent amb el nou director, Martín Almagro Basch, a qui el comte del Montseny havia nomenat poques setmanes abans secretari del Patronat d'Arxius, Biblioteques i Museus de la Diputació, del qual De la Torre també formava part.

42 ACCHS-CSIC. Caixa 895. *Papeles de Antonio de la Torre y del Cerro*. Carta Antonio de la Torre-Ministre d'Educación Nacional del 28-03-1939.

43 ACCHS-CSIC. Caixa 895. *Papeles de Antonio de la Torre y del Cerro*. Carta de Lasso de la Vega-Antonio de la Torre del 20-04-1939.

44 ACCHS-CSIC. Caixa 895. *Papeles de Antonio de la Torre y del Cerro*. Telegrama Lasso de la Vega-Almagro del 07-05-1939.

45 ACCHS-CSIC. Caixa 895. *Papeles de Antonio de la Torre y del Cerro*. Carta Antonio de la Torre-Lasso de la Vega del 12-05-1939.

Un nou director

El 24 de gener de 1939, dos dies abans de l'ocupació de Barcelona per les tropes franquistes, Bosch Gimpera abandonà la ciutat amb el govern de la Generalitat.[1] El Museu d'Arqueologia quedà així, *de facto*, sense director.

Alberto del Castillo Yurrita, catedràtic de la Universitat de Barcelona i antic col·laborador de Bosch que s'havia apartat de les funcions del museu poc després del principi de la guerra per la seva posició com a membre de Falange, es presentà el mateix dia 26 a l'edifici i aconseguí el control de les claus. El dia 28, dos agents del Servei de Defensa del Patrimoni Artístic Nacional (SDPAN) del Ministeri d'Educació Nacional franquista, Gabino Stuyck i Carlos Domínguez de Lafuente, van comparèixer al Museu d'Arqueologia i van fer el que va ser el primer d'un seguit d'informes en què descriviren la situació tant de l'edifici com de les peces: «el edificio está intacto. De los fondos han salido oficialmente las piezas más selectas. Otras muchas parecen desmontadas y la vigilancia está encomendada a un guardia».[2] Van poder comprovar també com la biblioteca romania intacta i perfectament protegida, i que s'havia afegit als fons originals un gran nombre de volums provinents de dipòsits resultat d'escorcolls en domicilis particulars. Acordaren amb Del Castillo, que havia estat encarregat el mateix dia de la direcció provisional del centre pel nou delegat a Barcelona del MEN, prohibir a qualsevol persona l'entrada a l'edifici, amb l'excepció del director, i establir una guàrdia armada militar per protegir-lo.[3] Alberto del Castillo era membre de Falange Española Tradicionalista y de las Juntas de Ofensiva Nacional-Sindicalista i destacat integrant de la cinquena columna a Barcelona al llarg de la guerra, i havia dut a terme serveis d'espionatge importants —com ara la tramesa al bàndol nacional dels detalls de l'expedició del capità Alberto Bayo a Mallorca—, i de protecció i salvaguarda de persones amenaçades per les seves creences polítiques o religioses. Per tot això va creure que la seva actuació li seria recompensada amb la confirmació en el càrrec de director,

---

1 Gracia Alonso, 2011a, pàg. 395-399.

2 Gracia Alonso i Munilla, 2011.

3 IPCE. 094.04. *Informes de agentes del Servicio de Recuperación Artística sobre su actuación en Cataluña (1939). Parte n.º 9.*

1939. Martín Almagro Basch, amb uniforme de Falange Española y de las JONS, després de ser nomenat director del Museu Arqueològic Provincial de Barcelona el mes d'abril.

una idea en consonància també amb la trajectòria conservadora de la seva família, ja que el seu pare, Gonzalo del Castillo, hauria estat nomenat rector de la Universitat si hagués triomfat l'aixecament militar a Barcelona, segons la documentació confiscada als militars detinguts el 19 de juliol de 1936; aquest fet provocà que els seus pares haguessin de romandre amagats fins a poder accedir a la zona nacional, i que un dels seus germans fos assassinat durant el conflicte, circumstància que el marcà profundament.[4] Però no obtingué el càrrec.

El Ministeri d'Educació Nacional, preveient la ràpida conquesta de Catalunya, havia establert el 18 de gener —vuit dies abans de l'arribada de les tropes nacionals a Barcelona— un decret en aplicació de l'ordre del 28 de maig de 1938 sobre el Tresor Artístic i Arqueològic Nacional en relació amb Catalunya, segons el qual tots els arxius, biblioteques i museus arqueològics de Catalunya traspassats en funció de l'estatut de 1932 tornaven a ser de titularitat de l'Estat i passaven a estar sota el control del Cos Facultatiu d'Arxivers, Bibliotecaris i Arqueòlegs; en l'ordre se citava específicament el «Museo de Arqueología de Barcelona» i el «Museo Arqueológico de Ampurias».[5] Calia, doncs, nomenar un nou director funcionari del CFABA. Per substituir Bosch, el MEN va escollir el 18 de març un jove arqueòleg amb escassa experiència i que no havia tingut cap mena de responsabilitat acadèmica o de recerca abans de la guerra: Martín Almagro Basch, un amic i protegit del ministre Pedro Sainz Rodríguez.

Nascut a Tramacastilla (Terol) el 17 d'abril de 1911 i mort a Madrid el 28 d'agost de 1984, era fill de Doroteo Almagro, un veterinari ideològicament proper al carlisme, i Josefa Basch. Estudià la llicenciatura de Filosofia i Lletres a les universitats de València, amb Lluís Pericot, i Central de Madrid (secció d'Història), on fou deixeble d'Hugo Obermaier. Les seves afinitats polítiques

---

4 GRACIA ALONSO, 2009a, pàg. 175-177.
5 Arxiu MAC-Barcelona. Caixa 1940. *Orden del Ministerio de Educacion Nacional de 18 de enero de 1939.*

1933. Un grup d'estudiants i professors participants en el creuer universitari per la Mediterrània davant de la porta del Sant Sepulcre (Jerusalem). Martín Almagro Basch és el primer per la dreta, amb vestit blanc. Fotografia: UB.

van ser molt volubles al llarg del final de les dictadures dels generals Miguel Primo de Rivera i Dámaso Berenguer i, especialment, arran de la proclamació de la República. Tot i que en el seu expedient personal declarà que va ingressar com a militant a les JONS l'any 1931,[6] i el seu avalador, Julio de Rentería Fernández de Velasco, afirmà que aquell mateix any ja era col·laborador de la revista *La Conquista del Estado*, diversos testimonis indiquen que es va alinear poc després amb posicions d'extrema esquerra —en concret anarcocomunistes—, i que fins i tot l'any 1933 havia dut una arma durant el creuer universitari per la Mediterrània organitzat per la Facultat de Filosofia i Lletres de Madrid i el Ministeri d'Estat sota el patrocini del ministre Fernando de los Ríos i la direcció del degà de la Facultat de Filosofia i Lletres de la Universitat de Madrid, Manuel García Morente.[7]

Entre els anys 1933 i 1935 va treballar com a ajudant d'Obermaier a la càtedra d'història primitiva de l'home de la Universidad Central,[8] on el 1934 llegí la seva

---

6 AHDB. Lligall S-785. Expedient Administratiu núm. 849. Martín Almagro Basch.

7 Gracia Alonso i Fullola, 2006.

8 AGA (05) 022 32-16198. *Expediente personal del señor Almagro Basch, Don Martín.*

1935. Martín Almagro Basch al llarg d'una campanya de prospecció dels sepulcres megalítics a l'àrea dels Pirineus d'Osca. Fotografia: MAC-Barcelona.

tesi doctoral, amb el títol *Alteraciones de las comunidades de Teruel y Albarracín durante el siglo XVI*. També va ser secretari del Seminari de Prehistòria[9] i obtingué plaça al Cos Facultatiu d'Arxivers, Bibliotecaris i Arqueòlegs, amb destí al Museu d'Eivissa (o a la biblioteca de Maó i posteriorment a la de la Universitat de Madrid, segons altres fonts), tot i que no l'arribà a ocupar, i dirigí diverses intervencions arqueològiques a l'àrea de Biescas i l'Alto Aragón els anys 1934 i 1935,[10] així com les excavacions a la necròpolis de Griegos (Terol).[11]

El 31 de gener de 1934 demanà, amb l'ajut del seu mestre, Obermaier, una pensió de la Junta de Ampliación de Estudios (JAE), pel termini d'un any, per treballar a la Universitat de Viena amb els professors Oswald Menghin i Richard Pittioni, especialistes en prehistòria, i Wilhelm Koppers i Wilhem Schmidt, responsables de la secció d'etnologia. La seva proposta incloïa també una estada a la Universitat de Marburg per seguir els cursos del professor Gero von Merhart, amb qui volia especialitzar-se en el món cèltic a l'Europa central. Li va ser denegada, però l'any següent ho intentà de nou i reeixí, i aquest cop va incloure en la proposta una especialització en arqueologia amb el professor Philip Jacobsthal, també a Marburg.

Després de la seva arribada a la capital austríaca l'1 de desembre de 1935, demostrà unes posicions clarament antisemites, com mostrà al seu amic Julio Martínez Santa Olalla, aleshores professor auxiliar a la Universitat de Madrid:

9 CDRE. Archivo de la Secretaría de la Junta para Ampliación de Estudios (1907-1939). 4-199. Expedient personal de Martín Almagro Basch.

10 AGA Lligall 31-1037. *Excavaciones 1935*. Ofici del MEN al director general de Belles Arts del 31-07-1935.

11 AGE. *Expediente de las oposiciones a la cátedra de Historia Universal, Antigua y Media de la Universidad de Barcelona en 1941. Hoja de Servicios Martín Almagro Basch*.

[...] la ciudad esta es una judería. Debe ser la negra tanto judío y tanto cuervo. Los cuervos a mí que no soy supersticioso los agarraba y los vestía de colorao como a los cardenales, y a los judíos les cortaba el cuello y creo que me levantarían estatuas los arios que no pueden con ellos. Al menos aquí en Viena los judíos triunfan y comen, y los arios hacen de obreros pesados limpiando la calle de nieve. No falla, si uno quiere ver rubios y raza aria no hay más que fijarse en los que van peor trajeados. Lo que es en los cafés o en los danzings no se ven más que las narices de cuervo de los judíos.[12]

És molt possible que Almagro s'hagués vist influït pel ferotge ambient antisemita vienès que esclatà amb molta virulència arran de l'Anschluss,[13] ja que, quan un cop acabada la primera etapa de la pensió viatjà a Alemanya el març de 1936 i constatà la manera com els nazis actuaven contra els professors jueus o que tenien familiars jueus, o contra els crítics amb el règim, les seves posicions es feren menys extremistes, com escriví també a Martínez Santa Olalla en relació amb la situació al Vorgeschichtliches Seminar de la Universitat de Marburg:

[...] el profesor Jacobsthal está jubilado pues los nazis le han prohibido dar clase. Sólo me queda el seminario para trabajar pero no será extraño que a lo mejor me vaya. Aquí todo el mundo es nazi furibundo y no se puede vivir bien con tanto «Heil Hitler» [...] en la próxima carta ya le contaré más impresiones de esta pintoresca ciudad. Por hoy no son muy buenas.[14]

Aquest canvi d'actitud fou encara més marcat al llarg de la guerra, quan prengué contacte amb alguns membres de la Legió Còndor cap a finals de 1938, arran de la seva estada a l'Acadèmia d'Oficials a Granada; va afirmar, tot i el suport decisiu que aquests militars prestaven a les tropes franquistes, que «los "boches" [...] veo cada día mejor lo que son. Hay que admirarlos pero hay que temerlos más que a pueblo alguno de la Tierra».[15] Això, però, va ser temps després i, de fet, entre 1939 i 1943 Almagro va mantenir sempre la seva disponibilitat a col·laborar amb els arqueòlegs nazis perquè era plenament conscient de la seva influència política i científica.

Un cop hagué tingut lloc l'aixecament militar, gran part dels estudiants espanyols a Alemanya es concentraren a Berlín. Aquells que es declararen ideo-

12　MSI-MO. ASO. 6-5. Carta Almagro-Martínez Santa Olalla de l'11-12-1935.
13　MacDonogh, 2010.
14　MSI-MO. ASO. 4-8. Carta Almagro-Martínez Santa Olalla del 02-04-1936.
15　MSI-MO. ASO 5-13. Carta Almagro-Martínez Santa Olalla del 10-09-1938.

lògicament propers a la revolta, entre els quals Almagro, es reuniren al cafè
Wien, i dugueren a terme accions polítiques com ara ajudar en l'ocupació de
l'ambaixada espanyola a la capital del Reich i aconseguir que una part dels
funcionaris es declaressin favorables als rebels.[16] Passats uns quants dies, i un
cop comprovat l'ajut que els alemanys començaven a donar als militars, Alma-
gro, en companyia d'Antonio Tovar Llorente i altres estudiants, decidiren re-
gressar a Espanya,[17] però no a la zona republicana, sinó al territori controlat
pels revoltats, després de raonar que aquesta decisió podria afavorir —com de
fet així va ser— les seves aspiracions personals de futur; entre els estudiants la
reflexió va ser molt simple: si tornaven a la zona controlada pel govern i aquest
esclafava la rebel·lió militar, el seu paper futur seria menor perquè la major part
dels intel·lectuals s'havien posicionat al costat de la República; d'altra banda, si
tornaven al bàndol rebel, precisament pel reduït nombre de quadres tècnics de
què disposava fins en aquell moment, les possibilitats de fer carrera en una si-
tuació de trasbals com era una guerra serien més grans, que és el que finalment
va passar. Van fer el viatge en vaixell des d'Hamburg fins a Lisboa i després
travessaren la frontera. De tota manera, l'elecció de bàndol no va ser un obstacle
perquè Almagro reclamés a Gonzalo Jiménez de la Espada, responsable admi-
nistratiu de les pensions de la JAE, el pagament de les mensualitats de juny,
juliol i agost, quan ja s'havia decantat políticament, i fent veure que continua-
va a Alemanya, en un escrit en què reconeixia «la dolorosísima situación en
que se encuentra en estos momentos España» i declarava com a intencions de
futur que «yo me quedaré aquí, si no me reclama España, para redactar un tra-
bajo que pienso publicar. Así, si pueden enviarme junto con la última mensua-
lidad la segunda parte de los viajes lo agradecería infinito».[18]

Després d'arribar a Salamanca, es va allistar com a soldat a Falange Es-
pañola, Primera Línea, el 31 de juliol de 1936.[19] Va participar en algunes mis-
sions al front del nord i va formar part de la guarnició de Carinyena; va passar
posteriorment a la Centuria Alcázar entre el 8 d'octubre de 1936 i el 15 de febrer

16 AMAAEE. Lligall P-1031-121. *Oficio de la Subsecretaría de la Presidencia del Consejo de Ministros dando cuenta de los incidentes ocurridos en la Embajada de España en Alemania con motivo del Alzamiento Nacional.*

17 «Estaba en Marburgo estudiando prehistoria de los celtas, y sus ideas habían cambiado mucho desde que en el barco *Ciudad de Cádiz* formaba parte del grupo de extrema izquierda. Ahora se había dejado influir, como muchos, por la novedad del nacionalsocialismo, y cuando estalló la guerra se acordó de que su viejo padre, allá por tierras de Albarracín, había sido carlista». TOVAR, A. (1986): «De Berlín a Valladolid». *El País*, edició del 18-07-1986, pàg. 14.

18 CDRE. Fons JAE. Caixa 4. 4-199. *Expediente personal de Martín Almagro Basch.*

19 AHDB. Lligall S-704. Expedient personal de Martín Almagro Basch.

de 1937, període en què oficialment serví al front de Madrid, tot i romandre en tasques polítiques a Salamanca, agregat a la Junta de Mando de Falange encapçalada per Manuel Hedilla Larrey. El govern de la República l'expulsà de l'escalafó del Cos Facultatiu d'Arxivers, Bibliotecaris i Arqueòlegs (CFABA) i patí també diversos ensurts personals com ara el saqueig del seu domicili a Madrid i l'intent d'afusellament del seu pare, conegut per la seva filiació carlina i subscriptor d'*El Cruzado Español*. Però malgrat la seva fervorosa assumpció dels ideals falangistes, moltes persones en el bàndol nacional coneixien les seves relacions passades amb els partits d'esquerres, i poc després d'arribar a Salamanca va ser investigat per assegurar-ne la lleialtat. L'expedient va ser compilat pel catedràtic de literatura aràbigo-espanyola de la Universidad Central Cándido Ángel González Palencia, que reuní un voluminós expedient que poc després Pedro Laín Entralgo va aconseguir sostreure a l'instructor i lliurar-lo a Dionisio Ridruejo, que el destruí.[20] Amb tot, Almagro no es deslliurà fàcilment de les vinculacions amb els partits d'esquerres, tot i fer carrera amb els nacionals, fins al punt que el seu amic Pedro Sainz Rodríguez, quan ja era ministre d'Educació Nacional l'any 1938, es referia a ell anomenant-lo «rojo de la puñeta».[21]

Com s'ha dit, poc després d'incorporar-se al front, va ser reclamat per la Jefatura Nacional de Prensa y Propaganda; va ser destinat primer a Sant Sebastià, un cop ocupada la ciutat, i després a Pamplona, amb Fermín Yzurdiaga Lorca, que l'envià ràpidament a Salamanca. En unes quantes setmanes aconseguí avançar en l'escalafó de Falange: es va integrar al cercle de col·laboradors més proper a Manuel Hedilla i va arribar a assolir un cert paper protagonista dins de l'organització, fins al punt que a mitjan setembre[22] va poder organitzar ja l'assignació de vehicles de Falange a coreligionaris com Juan José López Ibor i Jesús Ercilla Ortega. Cap al final de 1936 era ja una figura coneguda a la seu de Falange a Salamanca, i fins i tot va formar part de les personalitats que van traslladar el taüt de Miguel de Unamuno —que traspassà el 31 de desembre— pels carrers de Salamanca, juntament amb Miguel Burro Fleta, Antonio de Obregón, Víctor de la Serna, Emilio Díaz Ferrer, Mariano Rodríguez de Rivas, Carlos Domínguez de Lafuente y Víctor Alonso.[23] Entre les funcions que li van ser encomanades figuren la participació en les converses del cap de la Junta de Mando amb l'ambaixador d'Itàlia a Salamanca, Roberto Cantalupo, i en la cons-

---

20 VEGAS LATAPIÉ, 1987, pàg. 226.
21 VEGAS LATAPIÉ, 1995, pàg. 116-117.
22 VEGAS LATAPIÉ, 1987, pàg. 180.
23 DE OBREGÓN, A. «El Anteayer de Unamuno». *El Alcázar*, edició del 31-12-1986.

titució de l'acadèmia de comandament de la Falange a Salamanca, on col·laborà amb l'ambaixador de l'Alemanya nazi Wilhelm Faupel.

Però arran dels enfrontaments polítics en el transcurs del procés d'unificació de FET i les JONS, i especialment dels successos d'abril de 1937 a Salamanca, el seu pas a un paper discret dins de l'organització va ser igualment ràpid. Els problemes interns a la Junta de Mando esclataren la nit del 15 al 16 d'abril, promoguts per un moviment contrari a Hedilla i encapçalat per Agustín Aznar Gerner, Fidel Dávila i Jesús Muro Sevilla, que, amb l'ajut de falangistes de Valladolid, ocuparen la seu de Falange; els hedillistes es mobilitzaren, i Almagro col·laborà a reunir els lleials a Hedilla: va enviar els seus companys Ángel Alcázar de Velasco, Josep Anton Serrallach i José María Alonso Goya a l'acadèmia d'oficials de Pedro Llen (Salamanca) per reunir homes i armes, especialment els membres de la Centúria Catalana. Fins i tot va ser present, segons afirmà Eugenio Vegas Latapié, en l'enfrontament armat entre els dos sectors falangistes que va tenir lloc a la Fonda Macarena.[24] La situació es reconduí quan els hedillistes van aconseguir el control de la seu falangista, però hores més tard l'enfrontament entre les dues faccions acabà amb morts i ferits. El poder d'Hedilla quedà qüestionat, i el 20 d'abril el BOE publicà el que es conegué com a «Decret d'Unificació», obra de Ramón Serrano Suñer i Ernesto Giménez Caballero, que posava sota el control de Franco i el seu govern la Falange. Hedilla s'oposà a l'acció i va reclamar el suport dels seus incondicionals i d'altres figures destacades del partit com Pilar Primo de Rivera, que va fer arribar al cap de la Junta de Mando un missatge contrari al procés per mitjà d'Almagro.[25] Franco, però, sostingut pels falangistes que, o bé volien desfer-se d'Hedilla, o bé entenien que la prioritat del moment era assegurar la victòria en la guerra, no ho va permetre.

Almagro va ser detingut al costat de Manuel Hedilla, Daniel López Huertas, José Moreno Díaz, Felipe Ximenes de Sandoval, Maximiano García Venero, Víctor de la Serna i Ruiz de la Prada, entre d'altres,[26] i va romandre empresonat fins a la intervenció de Vegas Latapié, a petició de José Antonio García de Cortázar, tot i l'opinió contrària de l'antic membre de les JONS, Juan Aparicio, que qualificà Almagro com a «rojillo, rojillo». Vegas visità Almagro a la presó a principi de juny, i, convençut dels seus arguments, intervingué davant

24 Vegas Latapié, 1987, pàg. 198-199.

25 Morales, G. (2007): «Falangistas en la oposición». XI Universidad de Verano. Fundación José Antonio. Madrid.

26 Garcia Venero, M. (1967): Falange en la guerra de España. La unificación y Hedilla. Ruedo Ibérico. Bordeus.

d'un dels ajudants de Franco, Lorenzo Martínez Fuset, i aconseguí que l'alliberessin, juntament amb Víctor de la Serna. El procés tingué, però, un cost polític. Per rentar la seva imatge davant de la nova cúpula de Falange, partidària de l'actuació de Franco, Almagro hagué de publicar a finals de juliol un article a *Destino*,[27] el setmanari del partit, fent una fervorosa defensa del procés d'unificació:

> [...] es preciso que llegue a las almas la idea de que no es posible nuestro Movimiento Nacional sin una unidad de Mando. Unidad de mando no quiere decir simplemente que el Estado esté dirigido por un solo hombre con autoridad indiscutible y superior a todos, sino que también significa y exige una existencia, vertical y firme, de la jerarquía que va desde el Caudillo hasta el último jefe de escuadra. Sin una concepción clara y plena de este principio de disciplina y obediencia, no se puede sentir la esencia de lo que supone, ni se puede tener fe en el camino duro y difícil que llevamos. La fácil alegría de la obediencia hace posibles los sacrificios colectivos y los esfuerzos heroicos y sin ambición áspera no se es español Nacionalsindicalista.

Les idees de subordinació de tots els falangistes a les directrius de Franco quedaven ben paleses al llarg del text: «la fe en nuestros jefes ha sido, es y lo será siempre la base de nuestro hacer y es ella el canon en el que se forja nuestra potencia», en conjunt una renúncia explícita als postulats defensats per Hedilla i els seus seguidors, però que cal entendre en funció de les circumstàncies. Senzillament es tractava de sobreviure canviant un cop més de bàndol per arrenglerar-se darrere del guanyador:

> [...] y como cuando la fe no falta, por ley natural aumenta y crece, nuestra falange inmortal, acrecentada por los antiguos requetés, soldados viejos de la causa de España, al ser dirigida por Franco se ha visto agrandada y elevada, conforme se ha afirmado, la fe en quien ahora la guía, y desde el camarada que lucha en su parapeto barrido por la metralla en los frentes de combate, hasta el último camarada de la segunda línea, han seguido y han de seguir teniendo la continuidad de nuestros ideales bajo la disciplina alegre y exacta que el Generalísimo Franco inspira.

27 ALMAGRO, M. (1937): «Dogmas del Movimiento: la unidad de mando». *Destino*, 21, edició del 24-07-1937, pàg. 1.

I amb tota la lògica personal, abans que política, Almagro no dubtà a fer-ho.

A partir de llavors centrà la seva activitat en tasques de propaganda, vinculat al Servicio de Prensa y Propaganda de Falange Nueva, que dirigia Fermín Yzurdiaga. Treballà, per exemple, al diari *Hierro* de Bilbao, que va dirigir per espai d'unes poques setmanes al principi de 1938 després del nomenament de l'anterior director, José Antonio Jiménez Arnau, per la Jefatura de Prensa y Propaganda de Falange;[28] també treballà al setmanari *Arriba España*, al costat de Pedro Laín Entralgo, Gonzalo Torrente Ballester, Luis Rosales Camacho i Eugeni d'Ors. Però no encaixà bé dins del grup d'intel·lectuals i D'Ors el batejà amb el qualificatiu de «pastor il·luminat». Ideològicament, i també en el pla personal, Almagro es vinculà amb el grup de joves procedents del cercle d'*Acción Española*, revista que defensà plantejaments conservadors no totalitaris al llarg del període republicà, i que van creure en l'esperit renovador de Falange, però que restaren desencantats per l'actuació de Franco arran del procés d'unificació. Va mantenir excel·lents relacions amb el ja citat Vegas Latapié com a cap visible d'aquest corrent d'opinió, i amb Juan José López Ibor, Nemesio Fernández Cuesta, Luis Vela del Campo i Santiago Pérez Corral, per mitjà dels quals va conèixer Pedro Sainz Rodríguez, que tingué un paper determinant en la seva carrera professional.

Una de les campanyes de premsa d'Almagro més recordades va ser la del Servicio Nacional del Trigo, per a la qual va crear el criticat eslògan *¡Arriba el campo!*, que provocà la riota dels falangistes més veterans.[29] Tot i això, formà part sens dubte del nucli dur dels intel·lectuals de Falange i va participar sovint en actes de formació política i de propaganda, com ara el Segon Consell Nacional de la Secció Femenina, que es reuní a Segòvia el gener de 1938. Almagro impartí una conferència amb el títol «Las mujeres y el espíritu femenino en la Historia», dins d'un curset sobre política per a les dones; una prova de la seva posició va ser el fet que els altres ponents fossin Agustín de Foxá, Pedro Sainz Rodríguez, Antonio Tovar, Fermín Yzurdiaga, Julio Muñoz Aguilar i Eugeni d'Ors.[30] En el cas de Tovar, val a dir que després del retorn a Espanya, la seva trajectòria política va ser força diferent, ja que es va vincular a l'aparell de propaganda del nou Estat i especialment a les figures de Dionisio Ridruejo i Ramón Serrano Suñer, vinculació que durà fins al 1942. L'octubre del mateix any, Tovar, ja incorporat com a catedràtic a la Universitat de Salamanca, va reconèi-

---

28 «Nuevo director de Hierro». *Labor*, edició del 14-02-1938, pàg. 3.
29 RIDRUEJO, 1976.
30 «Segundo Consejo Nacional de la Sección Femenina. Programa». *Labor*, edició del 13-01-1938, pàg. 7.

xer a Almagro: «no hay nada que nos separe; yo me encuentro cada vez pensando más consecuente y más como en 1936. Ya me gustaría que hablásemos de todo esto. Habrá ocasión de visitarte en Barcelona, si es que no te animas a volver por aquí a recordar los lejanísimos días de 1937», en una al·lusió a l'etapa en què Almagro va estar convalescent de fatiga en una casa de repòs de Salamanca cap a finals de l'any esmentat.[31] Almagro mantingué sempre una bona relació amb Tovar, amb qui col·laborà en diferents estudis sobre epigrafia ibèrica que va publicar a la revista *Ampurias*.[32]

D'altra banda, ajudà els seus alumnes en els tribunals d'oposició, dins de les pròpies possibilitats, ja que, a causa del reduït nombre de catedràtics disponible durant la primera postguerra, va formar part de la majoria dels tribunals; d'aquesta manera anava establint una xarxa real però no escrita de lligams.[33]

Almagro col·laborà també amb l'editorial Cultura Española, per a la qual traduí el llibre de Valentino Piccoli, *España, Italia y Alemania contra el Comunismo*,[34] i el 1938 redactà un epíleg a la segona edició de la traducció del llibre de William Thomas Walsh, *Isabel de España*, una apologia de la figura i el regnat d'Isabel la Catòlica. Uns anys després, el 1943, es féu càrrec també de la traducció del llibre de Reinholdt Schneider *Felipe II. Religión y poder*. A partir d'aquest moment, mitjan 1937, va centrar els seus esforços a esborrar la vinculació amb Hedilla; ho va fer defensant les línies essencials del pensament dominant en nombrosos articles distribuïts en les publicacions falangistes, com ara el primer número de *Vértice*,[35] editat a Pamplona, o *Azul*, de Còrdova, i especialment a la premsa provincial com *El Adelantado* de Segòvia o *El Avisador Numantino* de Sòria. Així, per destacar la tasca d'Auxilio Social, no va dubtar a defensar aferrissadament les bases del nou sistema polític que anava aconseguint el control d'Espanya: «todo estado totalitario, como el que rige la Nueva España, necesita sentir una función social de misión. Sin ese sentido misional no se comprende el estado absoluto y nada mejor para ver si camina la unidad de mando hacia la tiranía o hacia el Imperio que pulsar esa fuerza misional a que nos referimos», una frase que incloïa una crítica gens velada a Franco, al concepte imperial que caracteritzà la retòrica política franquista i al lideratge únic:

---

31 MAC-Barcelona. Documentació Arxiu Històric núm. 2. Correspondència Almagro 1940-1941. 2.2.004-6.

32 Arxiu MAC-Barcelona. Correspondència Almagro 1951. Carta Almagro-Tovar de l'11-04-1951.

33 Arxiu MAC-Barcelona. Correspondència Almagro 1950. Carta Tovar-Almagro del 30-01-1950.

34 PICCOLI, V. (1938): *Italia, Alemania y España contra el comunismo*. Cultura Española. Santander.

35 Sorprenentment, l'article editat a *Vértice* no tracta sobre política sinó sobre arqueologia: «Los leones ibéricos de Nueva-Carteia». Hi feia una lleugera aproximació al problema de l'escultura ibèrica relacionant l'art ibèric amb l'art grec i considerava el primer un derivat del segon.

[...] nuestra política es una política de integración del pueblo en los ideales nacionales imprescindibles en todo Estado Totalitario, ya que sin la cooperación y alegría populares es imposible gobernar y menos fundamentar un régimen que debe perdurar para sostener y defender los destinos inmediatos y lejanos de la nación [...] de aquí urge naturalmente esa preocupación aguda que todo César debe sentir por su pueblo para llegar a ser Emperador. Puede quedar reducido a tirano si no sabe sentir las inquietudes populares y no las orienta, afina y dirige [...] para convencer a los incrédulos no hay mejor predicación que esa obra asistencial religiosa y callada que constantemente realiza el Auxilio Social de la Falange. Es la mejor y más inequívoca negación del marxismo y de la democracia que ayer regían nuestra España. Es la prueba patente de la verdad de la Falange, que viene a ayudar en nombre de Dios y de la Patria, a todos los españoles que necesitan ayuda y redención.[36]

Aquest text va tenir repercussió: va ser reproduït per diferents diaris provincials i encara es va fer servir com a referència el juliol de 1939 arran del balanç de l'actuació d'Auxilio Social a Madrid un cop finalitzada la guerra.

Almagro carregà també contra les que eren les seves bèsties negres ideològiques:[37] el liberalisme representat per França i el Regne Unit, i els nacionalismes basc i català, arran de la presa de Bilbao per l'exèrcit franquista; afirmava que la capital basca havia començat la decadència moral en el moment en què havia abandonat el passat castellà i havia entrat en l'òrbita europea: «en el siglo XIX fue el foco del liberalismo y la bastardía, dejándose querer fraudulentamente del inglés y de Francia». I no només això, sinó que, sens dubte recuperant els postulats carlins del seu pare, afirmà que la conquesta de la ciutat servia per esborrar les derrotes de Zumalacárregui i Dorregaray en els setges de les guerres carlines del segle XIX:

[...] Bilbao ahora en nombre de España para siempre ha sido reconquistado con sangre y con fuego para lo que el espíritu hispánico representa. Al fin ha sido tapada la brecha que al hacer traición a sus propios destinos, hace más de un siglo, abriera esa villa que Castilla fundara, para incorporar al montañés vasco, noble y sano, a las empresas universales de España. Empresas en las que el vizcaíno tomó su parte, y cuyas glorias volverán a revalorizarse tras esta guerra de reconquista de todo

36 ALMAGRO BASCH, M.: «Auxilio Social: Razón de Estado». *Azul*. «En Madrid desde el 29 de Marzo, se han repartido 19 millones de comidas». *Labor*, edició del 24-07-1939, pàg. 6.
37 ALMAGRO BASCH, M.: «Bilbao por Franco para España». *El Avisador Numantino*, edició del 23-06-1937.

lo que representa España, ya que esas mismas glorias han hecho posible con su valor eternamente vivo esta guerra de Salvación. Glorias eternas y sentir de España por las que los viejos carlistas lucharon y que hoy defienden y sienten los camisas azules y boinas rojas, nervio y corazón del Ejército que rige el Caudillo Franco.

Entrat l'any 1938, Almagro retornà de nou a files, aquest cop al Regimiento de Automovilismo de Marruecos, destinat a Saragossa, i treballà com a agent d'avantguarda del Servei de Defensa del Patrimoni Artístic Nacional (SDPAN), adscrit durant uns mesos de 1938 i 1939 a la comissaria de la zona occidental amb base a Valladolid.[38] Aquesta decisió, com explicà a Vegas Latapié, fou deguda tant al seu desencís per la manera com s'organitzava el nou estat franquista, com per una certa pressió social i personal que el dugué a veure's com un membre més dels *emboscats*, aquells que preferien un destí segur a la rereguarda que servir al front.[39] Gràcies al suport de Julio Martínez Santa Olalla i del pare d'aquest, el general José Martínez Herrera, ingressà el mes d'agost a l'acadèmia militar de Granada per fer els cursos d'alferes provisional, que aprovà dos mesos després,[40] i el 30 d'octubre va ser destinat a la 3a Companyia del 1r Batalló del Regiment d'Infanteria Toledo 26, i va combatre entre el 10 i el 26 de gener de 1939 en l'ofensiva contra el port de Peraleda i posteriorment en les tasques de neteja de les bosses de resistents republicans; el 17 de febrer de 1939 va passar a l'Oficina d'Informació de la VI Divisió, on romangué adscrit fins al 30 de setembre, en què va ser llicenciat. Pels seus mèrits en campanya obtingué la Cruz Roja del Mérito Militar i la Cruz de Guerra, amb la qual cosa completava un full de serveis militars que tindria un gran efecte sobre les autoritats civils i militars de la Barcelona de postguerra.

Finalitzada la guerra, i amb el corresponent permís militar, Almagro va prendre possessió del càrrec de director del Museu Arqueològic Provincial de Barcelona el 15 d'abril de 1939. El 26 de juny el president de la Diputació de Barcelona, comte del Montseny, el nomenà provisionalment director del Servicio de Investigaciones Arqueológicas, amb una retribució de 416,66 ptes. mensuals «mientras se procede a la depuración de responsabilidades y al acoplamiento de las nuevas plantillas de los servicios provinciales»,[41] atès que, com s'ha dit, la

38 IPCE. Fons SDPAN 74. *Oficio del Comisario de la Zona Occidental al Jefe del Servicio de Recuperación del Patrimonio Artístico Nacional de 09-05-1939.*

39 VEGAS LATAPIÉ, 1987, pàg. 348-349.

40 VEGAS LATAPIÉ, 1995, pàg. 99.

41 AHDB. Lligall S-704. Expedient personal de Martín Almagro Basch. Diligència Diputació del 28-06-1939.

corporació provincial intentava esborrar tota l'organització de la Generalitat republicana després de definir-se continuadora de la tasca de la Diputació durant la darrera etapa de la restauració alfonsina. Així, per a les noves autoritats provincials, no havien existit ni el Servei d'Excavacions de la Generalitat, ni el Servei d'Investigacions Arqueològiques dependent de la Secció Històrico-Arqueològica de l'Institut d'Estudis Catalans, tot i que la major part dels investigadors que hi treballaven continuaven en els seus llocs de feina. De fet, la interinitat administrativa d'Almagro es perllongà, perquè la Comissió Gestora Provincial no el va ratificar —un altre cop eventualment— fins el 19 de maig de 1948, després de nou anys d'exercir les funcions de director. Aquest càrrec significava també assumir la responsabilitat sobre les excavacions d'Empúries, que va exercir de manera immediata, tot i que administrativament el nomenament oficial com a comissari i director de les excavacions d'Empúries es va endarrerir fins al 9 de juliol de 1949.[42]

El 14 de març de 1940, els museus arqueològics provincials van ser adscrits a la Direcció General de Belles Arts, fet que implicava l'obligació que tots els càrrecs tècnics estiguessin ocupats per membres del CFABA.[43] La plaça de director sortí, doncs, a concurs l'any següent, però tot i les recomanacions fetes per l'inspector general de museus arqueològics, Joaquín María de Navascués, la plaça va ser declarada deserta per ordre ministerial de l'1 de juliol de 1941. Tot i no ser confirmat en el càrrec, Almagro continuà en les seves funcions, ja que Navascués va demanar al marquès de Lozoya el 25 de novembre «acordar una fórmula administrativa en virtud de la cual pueda seguir al frente del Museo de Barcelona D. Martín Almagro Basch, bien como funcionario en activo, o como funcionario excedente, pero siempre como del CFABA», proposta que Lozoya validà el 3 de desembre.[44]

Poc després, un cop guanyada la plaça de catedràtic a la Universitat, Almagro demanà l'excedència voluntària al CFABA, per la incompatibilitat de dedicació. No obstant això, el Ministeri d'Educació Nacional, amb l'acord previ de la Direcció General de Belles Arts i de la Inspecció de Museus Arqueològics, decidí confirmar-lo el març de 1941 en el càrrec de director gràcies a la tasca duta a terme: «por lo que en la actualidad resultaría altamente perjudicial a los intereses del Centro prescindir de los acertados servicios del señor Almagro

42 AHDB. Lligall S-704. Expedient personal de Martín Almagro Basch.
43 AGA. 3. Cultura. Caixa 349. Museus Arqueològics. Assumptes comuns 1939-1957. *Oficio del DGBBAA al jefe de la Sección de Fomento de las Bellas Artes de 14-03-1940.*
44 AGA. 3. Cultura. Caixa 349. Museus Arqueològics. Assumptes comuns 1939-1957. *Oficio de Joaquín María de Navasqués al marqués de Lozoya de 25-11-1941.*

Basch».[45] Anys després, el 1947 i el 1949, amb el suport del rectorat de la Universitat de Barcelona, demanà —i obtingué— el reingrés al cos; tot i així, el procés administratiu va allargar-se uns quants anys i va haver de fer una nova sol·licitud l'any 1950,[46] aprofitant la convocatòria de regularització de places que va fer el govern a través d'una ordre ministerial del 19 de maig, i a la qual es va presentar gràcies a un avís que va rebre directament des de la Direcció General d'Arxius i Biblioteques; els seus amics van afegir la instància d'Almagro a la resta de peticions tot i haver-se exhaurit el termini legal per presentar-s'hi.[47]

Així, i malgrat l'exercici efectiu de les funcions, Almagro va haver d'esperar molts anys per veure reconeguts els seus drets laborals amb la incorporació a la plantilla de la Diputació, ja que el nomenament com a director pel Ministeri d'Educació Nacional es va fer sense seguir els reglaments de la corporació provincial, fet que desagradà a aquest organisme. Tot i així, van acceptar-ho i van col·laborar amb Almagro, però sense oblidar la seva imposició inicial, cosa que, si bé en un primer moment no tingué transcendència, sí que es va fer evident amb el pas del temps, quan la Diputació va disposar d'un marge de maniobra més gran, fins al punt que la regularització es va endarrerir quinze anys.

No va ser fins el gener de 1954 que Almagro, acollint-se a un acord de la Diputació del 22 de desembre de 1953 destinat a cobrir, per concurs restringit, «el saneamiento de aquellas plazas de interinos, temporeros, eventuales o circunstanciales que llevan 5 años o más de servicio en esta Diputación», demanà una plaça de conservador, que no va ser efectiva fins el 18 de gener de 1955; uns mesos abans, el president de la Comissió d'Educació, Turisme i Esports de la Diputació, Juan Sedó Peris-Mencheta, havia advertit que el director del Museu exercia el seu càrrec «sin poseer nombramiento alguno de la Diputación, ni ostentar, por consiguiente, la categoría de funcionario provincial», fet pel qual va ser nomenat «conservador encargado de excavaciones del Servicio de Investigaciones Arqueológicas». D'aquesta manera, va aprofitar la vacant que havia deixat Josep Colominas en jubilar-se,[48] decisió que es va prendre per resoldre «al citado director una posición de inestabilidad que ha de influir lógicamente en su ánimo». Tot i això, el nomenament es va fer només per sis mesos i es va haver d'esperar fins al 1958 per confirmar-lo definitivament. Val a dir que entre la petició de 1954 i la confirmació de 1958 tingué lloc la vinculació d'Almagro amb Madrid, amb el recel que això causà a la Diputació, que no va veure bé

---

45 BOE, núm. 77, del 18-03-1942, pàg. 2061.
46 Arxiu MAC-Barcelona. Correspondència Almagro 1950. Instància Almagro del 05-06-1950.
47 Arxiu MAC-Barcelona. Correspondència Almagro 1950. Carta Artigas-Almagro del 09-06-1950.
48 AHDB. Lligall S-704. Expedient personal de Martín Almagro Basch.

que el director d'un dels seus centres repartís la dedicació entre Barcelona i Madrid i, cosa encara més incomprensible, entre els museus arqueològics de les dues ciutats.

Almagro completà la seva incorporació a la vida científica i acadèmica de Barcelona amb el nomenament de professor auxiliar temporal de la Universitat de Barcelona el setembre de 1939, amb l'encàrrec d'impartir la docència de les matèries d'història antiga i arqueologia el curs 1939-1940. La seva personalitat —i els condicionants per obtenir la plaça— es fan evidents en un dels primers documents del seu expedient a la Universitat:

> [...] Martín Almagro Basch, por el presente documento prometo por mi honor que he realizado los estudios de Doctorado de Filosofía y Letras, sección de Historia, con los ejercicios de reválida pertinentes en los que obtuve sobresaliente y premio extraordinario. Y por no poseer documentos acreditativos, firmo la presente declaración en la que hago constar *que soy alférez provisional de infantería para los efectos a que hubiere lugar*. En Barcelona 1 de Noviembre de 1939. Año de la Victoria.[49]

La frase subratllada es correspon amb l'original en una demostració clara no només de qui manava a la Barcelona de la primera postguerra, sinó també de la seva manera de procedir. Era evident que Almagro formava part dels guanyadors i que havia arribat a Barcelona per quedar-s'hi i fer carrera. I les seves idees l'ajudaven i molt. El concepte d'universitat que defensava tenia molt poc a veure amb l'esperit de la Universitat Autònoma republicana, liquidada pocs mesos abans. En un article publicat a *Solidaridad Nacional* al principi d'agost de 1939 va exposar les seves idees:[50]

> [...] nuestra Universidad ha vivido copiando de fuera, imitando, introduciendo savia extraña, cuanta más mejor [...] fuimos vendidos por una Europa cuyos ideales materialistas y subversivos han acabado en la democracia liberal y en el bolchevismo que, como escribía Spengler, son lo mismo. Ante el fin de esa Europa, de ese Occidente ya proclamado en decadencia, hoy ya no es dudoso convencer al mundo de que para la expansión subversiva del comunismo, guiado por tanto liberalismo falso, o para detener otro mal universitario cualquiera, deba haber mar ni tierra libre. Así otra vez los principios superiores y eternos, vemos que perduran sobre todo lo contingente [...]. Es hora de que lo español se alce, y así

49 AHUB. Expedient personal de Martín Almagro Basch. B-II 37-1-2-6 c.14. Subrallat a l'original.
50 ALMAGRO, M.: «Hacia una Universidad imperial Hispana». *Solidaridad Nacional*, edició del 02-08-1939.

ahora llega el momento de pensar en salvar y rehacer sobre firmes fundamentos nuestra Universidad Hispana, Tradicional y Nueva, Imperial y Católica [...] una revisión del problema de nuestra Universidad, cuyo bien y cuyo mérito ha de ser grande [...] a los profesores nos cabe la responsabilidad y el deber de hacer tanto colectivamente por el futuro mañana de España, que debe ser hijo de la guerra y de su espíritu, pero que sólo la Universidad futura podrá definir y conservar [...] «Universidad e Imperio», dice el lema de nuestro SEU, nombrando primero a la Universidad, que ha de ser definidora de las ambiciones y contenido que todo Imperio es.

Nous temps, noves paraules. Almagro va ser nomenat professor auxiliar temporal per al curs 1939-1940 el 17 d'octubre de 1939. Poc després obtingué per oposició la càtedra d'història antiga universal i d'Espanya a la Universitat de Santiago, convocada l'11 de juny de 1940 per nomenament del 25 d'octubre de 1940.[51] Almagro tingué bastanta sort en aquesta plaça perquè dels altres sis signants, Jaume Vicens Vives, Pablo Álvarez Pubiano, Francisco Esteve Barba, Francisco Esteve Gálvez i Manuel Ballesteros Gaibrois, en va ser exclòs Antonio Palomeque Torres;[52] només Esteve Gálvez es presentà al concurs, però desistí en el cinquè exercici després que el tribunal valorés molt negativament el fet que l'expedient de depuració d'Esteve no s'hagués resolt encara de forma definitiva i qualifiqués el seu expedient com «apreciando por unanimidad una especialización demasiado concreta hacia temas arqueológicos lo que sin dejar de tener interés parecen limitar el campo de actividad del Sr. Esteve como opositor a una cátedra de Historia Antigua»; per tant, només va quedar Almagro, que fou confirmat pel tribunal presidit per Cayetano de Mergelina y Luna, José Ferrandis Torres, el pare Enrique Heras y Sicars, Miguel Lasso de la Vega y López de Tejada, marquès de Saltillo, i Cayetano Alcázar y Molina.[53] Tots cinc membres estaven relacionats d'una manera o altra amb Almagro, que coneixia Alcázar i Ferrandis Torres de la seva època com a membre del seminari d'història primitiva de l'home que dirigia Obermaier a la Universitat de Madrid abans de la guerra. A més, Ferrandis havia estat un dels organitzadors del creuer universitari de 1933 en què participà Almagro; Miguel Lasso de la Vega era germà del seu amic i cap Javier Lasso de la Vega; amb el pare Enrique Heras Almagro projectava en aquells moments la creació d'un Instituto Ibérico-Oriental vin-

---

51 BOE, núm. 321, del 16-11-1940.

52 AGA (05) 001.019.32-13604. *Oposición (turno auxiliares) para la provisión de la cátedra Historia antigua universal y de España en la Facultad de Filosofía y Letras de la Universidad de Santiago.*

53 GARCÍA SANTOS, 2008, pàg. 155.

culat al Museu Arqueològic de Barcelona,[54] i Cayetano de Mergelina era cate-dràtic d'arqueologia a Valladolid, amb qui Almagro ja havia iniciat una relació per aconseguir la seva col·laboració a la revista *Ampurias*.

Casualitat o no, de fet, tot l'expedient de l'oposició deixa veure una predisposició clara en favor d'Almagro, que tingué el camí força planer i ningú no confiava que es traslladés a Santiago i es tanqués en un univers de províncies quan dirigia el Museu de Barcelona i les excavacions d'Empúries. I, de fet, no va ser així. Almagro va prendre possessió de la plaça directament l'1 de desembre de 1940 a Barcelona mitjançant una ordre del director general d'Enseñanza Superior y Media al rector de la Universitat el 28 de novembre de 1940 amb la qual se'l reconeixia «agregado circunstancialmente a esa universidad catedrático de la de Santiago D. Martín Almagro, sírvase darle posesión de Santiago y su agregación»,[55] manament que es va complir l'1 de desembre.

I la seva carrera a la Universitat no havia fet més que començar. Intentà en primer lloc obtenir en propietat la càtedra d'història universal antiga i mitjana, la mateixa que Bosch havia ocupat entre els anys 1916 i 1934, convocada a concurs el 28 de juliol de 1941;[56] competia amb Martínez Santa Olalla i Alberto del Castillo,[57] que finalment va obtenir la plaça per ordre ministerial del 12 de desembre de 1942,[58] una resolució que trigà a arribar perquè la proposta de provisió va ser lliurada al Consell Nacional d'Educació l'11 d'octubre de 1941. Poc temps després, però, Almagro va assolir el seu objectiu arran de la convocatòria de concurs de trasllat per a la provisió de la càtedra de prehistòria i història antiga universal i d'Espanya el 27 de novembre de 1942,[59] una reconversió de la plaça que Bosch havia ocupat a partir de 1934. Aquest cop les influències d'Almagro aconseguiren la inclusió específica de la prehistòria, matèria que impartia des de l'any 1939, amb reconeixement com a acumulada a partir del 23 d'octubre de 1941.[60] De nou va competir contra Martínez Santa Olalla, que, tot i no voler abandonar Madrid, intentà barrar el pas a Almagro i va incloure una declaració en la documentació en què indicà «no haber figurado jamás en partido ni organización política alguna hasta que ingresé en Falange», en una clara al·lusió a les vel·leïtats anarquistes i comunistes del seu rival. Però no ho aconseguí, i gràcies al suport del marquès de Lozoya i del ministre Ibáñez Martín,

54 BC. Llegat Lluís Pericot. Carta Almagro-Pericot del 25-08-1940.
55 AHUB. ES CAT-UB 01 EP *Almagro Basch, Martín.*
56 BOE, núm. 219, del 07-08-1941
57 AGE. Expedient 10.519-29.
58 BOE, núm. 2, del 02-01-1943.
59 BOE, núm. 345, de l'11-12-1942.
60 AGE. Lligall 92.634. Expedient 43.

Almagro va ser nomenat catedràtic de la Universitat de Barcelona el 7 d'abril de 1943.[61] Convé recordar que el sistema d'assignació de les càtedres a la primera postguerra depenia absolutament de la voluntat del Ministeri, sense concurs públic, i que, en sentit estricte, el currículum de Martínez Santa Olalla l'any 1943 era molt superior en tots els aspectes al d'Almagro. No va ser la darrera vegada que van mesurar les seves forces, però sempre en detriment del primer. El rector de la Universitat es congratulà del nomenament, i el 14 d'abril va indicar al director general d'Ensenyament Universitari l'honor fet a la Facultat de Filosofia i Lletres: «sus dotes de carácter, competencia universalmente reconocida y elevada capacidad didáctica ha de honrar de modo destacado a esta Universidad y si a ello se añade su ferviente españolismo y su demostrada adhesión al Régimen [...]»;[62] es tracta d'una declaració prou explícita de Francisco Gómez del Campillo, amb qui l'unien vincles ideològics pel fervor que el rector feixista demostrava en suport de la causa alemanya en la guerra mundial, als postulats de Falange i al règim.

Al llarg dels anys següents, Almagro amplià la docència a la Universitat i acumulà encàrrecs de curs amb l'ajuda de Pericot, secretari de la Facultat de Filosofia i Lletres, en qui confiava per disposar dels millors horaris i assignatures; Almagro s'hi referia com un «cacique bueno»[63] per obtenir una acumulada «que sea la que fuera no me dé trabajo alguno», ja que Pericot ocupà ininterrompudament llocs de gestió acadèmica a la Universitat de Barcelona entre els anys 1934 i 1957. Va impartir així l'assignatura de prehistòria, que coordinà amb la d'història antiga del mateix Pericot, i com a assignatures complementàries dugué a terme els encàrrecs de curs següents: història de l'art (cursos 1947-1948, i 1950-1951 fins al 1954-1955), història general d'Espanya III i IV (curs 1949-1950) i les acumulades història general de l'art I i II (cursos del 1948-1949 al 1954-1955), història de l'art medieval VII i VIII (cursos del 1946-1947 al 1953-1954) i història i arqueologia del Pròxim Orient (curs 1944-1945).[64]

Però no tothom —més aviat ningú, en els primers moments— va acceptar de bon grat la presència i el poder creixent d'Almagro a Barcelona. Alguns, com Pericot i Del Castillo, s'aproparen a ell per sumar esforços a fi de solucionar les seves posicions personals dins de la Universitat,[65] i d'altres, com Co-

61 BOE, núm. 119, del 29-04-1943, pàg. 3989-3900.
62 AHUB. ES CAT-UB O1 EP *Almagro Basch, Martín*. Carta del rector de la Universitat de Barcelona al director general d'Enseyament Universitari del 14-04-1943.
63 BC. Llegat Lluís Pericot. Carta Almagro-Pericot del 29-08-1946.
64 AHUB. ES CAT-UB O1 EP *Almagro Basch, Martín*.
65 GRACIA ALONSO, 2009a, pàg. 108-135.

lominas o Serra Ràfols, no tingueren més remei que treballar a les seves ordres al museu. Tots, però, eren plenament conscients que sense la guerra mai no hauria arribat on era, i que només l'exili de Bosch havia fet possible que ascendís:

> [...] el régimen tampoco ha hecho nada para atraerse al pequeño grupo de gente de valía que emigraron y hay muchísima gente interesada en que no lo haga, si no pregúnteselo al Virrey que sabe que por ocupar cargos usurpados, si esta política de atracción se hubiese llevado a cabo, no le quedaba otro remedio que hacer las maletas y marcharse, y ocupar el lugar modesto que le corresponde y del que nunca habría salido sin la revolución y la guerra.[66]

Els molestava haver-se de relacionar amb qui consideraven poc més que un *parvenu*, però van haver de fer el cor fort i acceptar-ho, i més quan Almagro aconseguí en poc temps sobresortir i refermar el seu poder i la seva influència.

Poc després del seu nomenament com a director del Servei d'Investigacions Arqueològiques, Almagro intentà també aconseguir el control —de fet, més aviat l'herència— de les activitats de recerca i difusió que pilotà la Secció Històrico-Arqueològica de l'IEC, arran dels primers moviments polítics orquestrats pel ministre Serrano Suñer per crear a Barcelona l'Instituto Español de Estudios Mediterráneos. En un informe redactat l'any 1939 indicà:

> Fue siempre la Sección Histórico-Arqueológica la de mayor tradición y cuyas publicaciones son las más copiosas. Sería acaso conveniente subdividirla en dos, una dedicada a la Historia y otra a la Arqueología, que sería fácil, especialmente esta última, poner desde luego en actividad. De los miembros de esta Sección desgraciadamente quedan muy pocos vivientes. Durante estos últimos años han fallecido los Sres. Francisco Martorell, Rubió Lluch, Fernando de Sagarra y Ramón de Alós. De manera que sólo quedan vivientes los Sres. Puig y Cadafalch, Massó y Torrents (cuya avanzada edad priva de toda actividad) y Valls y Taberner, arqueólogo el primero e historiador el último. Acaso convendría dar a las Secciones una organización menos académica, asimilándola más a la del Centro de Estudios Históricos de Madrid o a la de los Seminarios alemanes y que correspondería aún mejor al nombre de la Entidad Instituto de Estudios Catalanes si éste era mantenido, cosa no recomendable [...]. El Servicio de Investigaciones Arqueológicas y Prehistóricas, dependiente de la Diputación, seguiría poniendo a disposición de la Sección Arqueológica el resultado de sus trabajos y esta Sección podría efectuar la publicación de sus trabajos ya que se va a iniciar una publicación inme-

---

66 MSI-MO. ASO. 18-382.3. Carta Serra Ràfols-Martínez Santa Olalla de l'01-07-1949.

diata y además podría publicar los estudios de síntesis, dendrocronología, etc., propios de ella. En el engranaje entre el Servicio de Investigaciones Arqueológicas y Prehistóricas y el Instituto ha existido siempre la más perfecta coordinación y Bosch Gimpera era miembro de esta Sección Histórico-Arqueológica que dirigía Puig y Cadafalch. El ritmo de tal Institución dependerá exclusivamente de la capacidad científica y actividad de las personas que trabajen en él. La estructura puede ser la misma y podría iniciarse su actividad con la creación de una Sección Histórico-arqueológica a base de los miembros antiguos y gentes nuevas que se llamara a formar parte teniendo en cuenta lo señalado anteriormente, o de dos Secciones que sería lo más científico y oportuno: una Histórica y otra Arqueológica que podrían enseguida empezar a trabajar y hacer publicaciones, y tal creación es igualmente aconsejada por la pasada actividad de estos estudios en la primitiva Sección Histórico-Arqueológica que dirigía Puig y Cadafalch.[67]

El text ho deixa clar: desballestament de la Secció Històrico-Arqueològica per prendre-li les connotacions polítiques com a entitat cultural al servei d'una idea de país catalanista i lliberal-conservadora; control de l'activitat arqueològica per part de la Diputació de Barcelona, és a dir, d'ell mateix; eliminació de tots els antics membres no addictes al nou règim, i descrèdit de la tasca feta per la SHA des de la seva fundació, una manera de carregar sense dissimular contra Bosch Gimpera. El nou Institut es creà el gener de 1940 per ordre del governador civil de Barcelona, Wenceslao González Oliveros, amb un propòsit molt clar: «no será, nunca más el instrumento de una ridícula europeización simiesca, gesticulante o pueblerina. Será el crisol ardiente de una nueva españolización de todo lo nacional, y también de todo lo exótico en cuanto sea susceptible de injerto o transplante». Però, tot i l'empenta política, no tingué continuïtat, i el llegat de l'Instituto de Estudios Mediterráneos va ser mínim. L'IEC es reorganitzà ja el 1942,[68] però no pogué assumir de nou la direcció i gestió de la recerca arqueològica, que romangué sota el control de la Diputació de Barcelona.

---

67 Agraïm a Francesc Vilanova Vila-Abadal que ens donés a conèixer el citat document.
68 Balcells i Pujol, 2002, pàg. 324-326.

4

Reobertura del Museu Arqueològic Provincial i reformes internes

Per als franquistes, arran de la conquesta de Barcelona, totes les institucions de cultura de la ciutat, inclòs el Museu d'Arqueologia, havien deixat d'existir. En el cas concret d'aquest últim va ser per l'evacuació de les col·leccions, atribuïda a l'afany destructor dels «rojos separatistas». La realitat però, era molt diferent. L'edifici no havia sofert grans desperfectes:

> [...] rotura de cristales y claraboyas en gran cantidad y algunas grietas en tabiques y en las galerías exteriores. Otras grietas, en las paredes de la futura Sala Ibérica, aunque de mayor cuantía, no tenían necesidad de una reparación tan urgente, por tratarse de una parte del edificio todavía no instalada y no ofrecer tampoco peligro de provocar una mayor ruina. En las salas destinadas a la Sección Prehistórica, aun no instaladas, y que estaban en obra, se habían producido también desperfectos semejantes [...] en la parte posterior del edificio, con entrada por una pequeña puerta abierta en la Sala de Ampurias, se había excavado en la ladera de la montaña una larga galería de trazo sinuoso, destinada a refugio antiaéreo, y para ello se habían extraído tierras a través de todo el Museo, lo que había contribuido grandemente al estado de suciedad y abandono que ofrecía el edificio.[1]

I, com hem indicat, el Servicio Militar de Recuperación Artística es va fer càrrec fins a rebre instruccions del Ministeri d'Educació Nacional tant del museu com dels materials que havien restat a Barcelona.

Pocs dies després del seu nomenament, i avaluada la situació de l'edifici i els fons, Almagro es traslladà a Vitòria per informar Lasso de la Vega de l'estat del museu.[2] Aquest es mostrà sorprès per l'empenta del nou director i anuncià que, un cop reparats els desperfectes de l'edifici, essencialment la retirada de runa i la substitució dels vidres trencats, es podria reobrir aviat.

Però no era tan fàcil. Per començar a treballar, Almagro necessitava recuperar les col·leccions. La por entre el personal a ser identificats com a addictes al

---

1 ALMAGRO BASCH, M. (1940): «Memoria de la actividad del Servicio de Investigaciones Arqueológicas durante el año 1939. Año de la Victoria». *Ampurias*, 2, pàg. 216.

2 «Información Nacional. Álava». *La Vanguardia Española*, edició del 28-04-1939, pàg. 3.

govern de la Generalitat va tancar les boques. Tots sabien que les peces havien estat traslladades, seguint les passes dels fons del Museu d'Art i dels Arxius, fora de Barcelona, per prevenir que els bombardeigs de l'aviació nacional o les possibles rapinyes de grups de milicians les poguessin destruir. Serra Ràfols i Colominas van ser els encarregats de fer els inventaris i controlar les expedicions, però tots dos negaren en un primer moment tenir coneixement dels fets i atribuïren la responsabilitat a en Bosch. Es tractava d'un fet incomprensible si tenim en compte que el mateix Serra Ràfols havia lliurat un extens informe a principi de febrer a Ferrandis Torres amb explicacions detallades no només dels fets relacionats amb el Museu Arqueològic, sinó també amb la resta de museus i col·leccions arqueològiques de tot Catalunya. Un text que també es lliurà el 18 d'abril a Almagro, un cop va prendre possessió de la direcció del museu, i que va ser complementat per un nou escrit dels mateixos Serra i Colominas el 8 de maig.[3]

El problema no era tant reconèixer la participació en la sortida dels materials, sinó disposar dels inventaris per comprovar el detall dels objectes que mancaven. En aquest sentit, l'informe de Serra de principi de febrer era molt precís:

> [...] respecto de los materiales trasladados a Agullana, el que suscribe no puede acompañar inventario, por hallarse los borradores en poder de la señorita secretaria Doña Adela Ramón, que procedía a su traslado en limpio. Ignora si se encuentran en la secretaría del museo donde se efectuaba dicho trabajo o en poder de aquella en otro lugar, ya que según manifestación oral de D. Alberto del Castillo, dicha señorita se ha ausentado de Barcelona. De todas maneras en otra dependencia del museo había unos primeros borradores a base de los cuales será posible rehacer dichos inventarios en el caso de haber sido sustraídos.

L'informe donava també precisions sobre el destí dels materials ingressats al museu procedents de donacions i requises. Així, les col·leccions Simón, Garcia Fària, Mateu i Campins, el bust romà del Palau Güell i el sarcòfag de la col·lecció Amatller es donaven per traslladats a Agullana, mentre que havien quedat al museu una part de la col·lecció Mateu i els materials procedents de Santa Maria del Mar, la catedral de Barcelona, les esglésies de la Mercè, Sant Just i Sant Felip Neri i el mil·liari del Seminari; els vidres romans de la col·lecció Amatller es donaven per no ingressats mai al museu.

---

3 Arxiu MAC-Barcelona. Caixa 1940. *Informe sobre la formació del fons del museu presentat pels conservadors Josep Colominas Roca i Josep Serra Ràfols* i *Informe sobre el desplazamiento de fondos del Museo de Arqueología de Barcelona.*

Però el joc de despropòsits respecte de les col·leccions del museu continuà fins al punt que el 22 de juny, en una carta enviada des d'Oxford al seu amic Raymond Lantier, Bosch li explicà com una amiga comuna, la documentalista del Museu del Louvre Elisabeth de Manneville, havia rebut una carta de Serra Ràfols demanant-li si podia contactar amb «l'anterior director» per conèixer el destí de les col·leccions del museu, i en la qual li pregava que les dades que pogués obtenir les dirigís directament a Almagro.[4] Era impossible que en aquestes dates no es tingués coneixement a Barcelona que les peces havien estat finalment traslladades a Ginebra, car ja estava tenint lloc el retorn dels materials dipositats a la ciutat suïssa, lliurats oficialment als representants de Franco per les autoritats helvètiques el 30 de març. Però calia guardar les formes i protegir-se. De fet, l'any següent, el mateix Almagro indicà en un informe que va conèixer el destí de les peces cap a finals d'abril i que va fer fins i tot un viatge a Agullana per intentar localitzar-les,[5] declaració que encaixa perfectament amb el contingut de l'informe que rebé el 18 d'abril.

Almagro, un cop confirmada la presència dels materials del museu a Ginebra, pressionà Pedro Muguruza Otaño, director de l'SDPAN, per aconseguir que tornessin ràpidament.[6] Però aquest viatge de tornada no va ser immediat. Localitzades al dipòsit del Palau de les Nacions, les col·leccions barcelonines no van arribar a ser desempaquetades pels membres del comitè internacional per al salvament de les obres d'art espanyoles, interessats essencialment en les pintures del Museu del Prado.[7] Hi va haver, però, una excepció: l'estàtua de marbre d'Asclepi, símbol del museu i de les excavacions d'Empúries, que, un cop muntada, va ser instal·lada davant d'una de les portes del palau ginebrí.

Les caixes van tornar a Espanya per ferrocarril en una primera expedició que sortí de Ginebra el 9 de maig i arribà a l'estació d'Irun el dia 12; es van traslladar els més de 974 registres (altres fonts parlen de 1.007 paquets o caixes) en vagons espanyols, i el comboi va ser acompanyat fins a Madrid per una escorta d'honor, on arribà el dia 14. Entre els materials retornats, més de quatre-centes caixes pertanyien al tresor artístic català, i una gran part corresponia als materials del museu. Un segon bloc important viatjà amb la segona tramesa de fons, que sortí de Ginebra el 16 de juny i arribà a Madrid, per Hendaia, el 18.

4 IF. Fond Lantier. Ms. 8022. Carta Bosch-Lantier del 22-06-1939.

5 ALMAGRO BASCH, M. (1940): «Memoria de la actividad del Servicio de Investigaciones Arqueológicas durante el año 1939. Año de la Victoria». *Ampurias*, 2, pàg. 216.

6 IPCE. 094.04. *Informes de agentes del Servicio de Recuperación Artística sobre su actuación en Cataluña (1939). Carta Pedro Muguruza-José María Muguruza de 13-05-1939.*

7 GRACIA ALONSO i MUNILLA, 2011; COLORADO CASTELLARY, 2008, 2010.

Les peces principals ja eren a Madrid, mentre des de Barcelona s'intentava encara confirmar-ne la situació. Les caixes omplien els vestíbuls i les escalinates del Palacio de Bibliotecas y Museos, fins a l'extrem que el cap del Servicio de Archivos y Bibliotecas, Javier Lasso de la Vega, demanà a Muguruza el 29 de maig que fossin retornades o traslladades, davant del perill que suposava la seva ubicació. En concret es referí als materials del Museu Arqueològic com a «valiosísimos, como la cabeza del Esculapio de Ampurias y los dos sarcófagos romanos, sin la menor protección (como parece ser que han venido) en el suelo, expuestos a los deterioros por golpes involuntarios y habiendo ya uno de estos sufrido rozamientos que le perjudican sensiblemente».[8]

La preparació de la segona expedició s'endarrerí precisament pels problemes amb les peces catalanes. Com que el trasllat imposat pel govern de Negrín el febrer va ser imprevist, els embalatges dels materials arqueològics eren molt deficients, i s'hagueren de refer tots a Ginebra, circumstància que va ser aprofitada pels representants del govern espanyol per carregar contra els responsables del tresor artístic català:[9]

> [...] se ha retrasado la operación por haber tenido que abrir un gran número de las cajas enviadas de Cataluña conteniendo objetos de cerámica, hierros, piedras, vidrios pertenecientes a colecciones oficiales y particulares. Los objetos venían revueltos y separados solamente por ligeras capas de viruta. Muchos vienen rotos y algunos en forma casi irreparable. Tanagras, vasos romanos, ibéricos, etc., todo en confuso montón, cerámica, hierros y piedras en las mismas cajas. He tomado nota de todo, que oportunamente le trasladaré, haciendo constar el lamentable estado en que ha venido el envío que los rojos hicieron del Tesoro de arte catalán.[10]

Fernando Álvarez de Sotomayor, un dels encarregats del retorn del tresor artístic a Espanya, redactà un informe molt detallat respecte de les tasques de condicionament de les caixes, amb referències a les col·leccions dels museus de Barcelona i Reus (col·lecció Salvador Vilaseca), en què explicava la trencadissa d'objectes i la necessitat d'incloure a les caixes papers, palla i encenalls per assegurar-ne el transport. La llista —interna i no pensada per ser utilitzada amb fins de propaganda— confirma que la sortida de les peces catalanes organitzada pels representants de la Junta del Tesoro Artístico es va fer en condi-

---

8 IPCE. Fons SDPAN. Caixa 79. Carta Javier Lasso de la Vega-Pedro Muguruza del 29-05-1939.
9 GRACIA ALONSO i MUNILLA, 2011.
10 AMAAEE. R-1383-13. Carta Fernando Álvarez de Sotomayor-Marqués de Aycinena del 04-06-1939.

cions tècniques molt deficients.[11] A tall d'exemple, respecte a la caixa CAT-100, amb materials arqueològics de Girona, s'indicà:

> [...] caja destrozada. Se traslada el contenido a otra caja, por ofrecer la primera pocas garantías de seguridad para el transporte. Las vasijas y objetos de cerámica de esta caja aparecen en su mayoría destrozados. Casi todos estos objetos son envueltos de nuevo en papel, especialmente los más deteriorados. Ha motivado esta destrucción, en gran parte, una piedra caliza que se halla en la caja. Esta ha sido convenientemente sujetada, en un ángulo del nuevo embalaje.

El trasllat dels materials d'unes caixes a altres donà peu a petits problemes amb els inventaris.

Poc abans de l'arribada de les peces, Almagro, amb el vistiplau de José María Muguruza Otaño, comissari de la quarta zona de l'SDPAN, amb jurisdicció sobre el Llevant, ja havia demanat al cap del Servei poder recuperar els materials del museu, ja que es preveia reobrir-lo a finals de juny; a la seva carta deixava clar que ja havia obtingut informació de Serra Ràfols i Colominas respecte al procés de sortida dels fons:

> [...] tras un trabajo ímprobo abrirá al público toda la parte romana. He sustituido unos bronces buenos por otros peores, alguna cabeza robada por otra de Ampurias o en depósito o reproducción. Pero la normalidad será un hecho pronto en esta casa. De las piezas que no puedo sustituir son por ejemplo los sarcófagos que ahí han llegado y algunas cajas que yo vi y sé lo que contienen. Yo tendría a mi cargo medios para el transporte si no los encuentra usted y me haría un señalado favor dejándome transportar tales piezas [...] yo estoy sin embargo a sus órdenes. Solo le ruego que no abran las cajas sin que yo envíe a alguien de los que las embalaron para ver si hubo anormalidad y para que guíen las operaciones. Por varias razones que usted comprenderá.[12]

Muguruza aprovà el trasllat dels materials a Barcelona el 10 de juny,[13] i el 19 Almagro recollí les caixes dipositades al Palacio de Bibliotecas y Museos de

---

11   AMAAEE. R-1383-13. *Informe. Estado en que se encontraron las cajas de cerámica y vidrios de Cataluña, que exteriormente acusaban desperfecto o sonido de objetos rotos. 19-06-1939.*

12   IPCE. Fons SDPAN 75. *Carta Almagro-Pedro Muguruza s-f.* (probablement principis de juny de 1939).

13   Arxiu MAC-Barcelona. Caixa 1940. Museu Arqueològic Barcelona. Recuperacions a partir de 1939. Telegrama Muguruza-Almagro del 10-06-1939.

mans dels agents de l'SDPAN, Esperón i Sáez Renedo; el fons incloïa 69 caixes corresponents als materials de la col·lecció Bento (4 caixes); materials paleolítics (2 caixes); materials neolítics (5 caixes); materials d'Empúries (15 caixes); materials ibèrics (18 caixes); materials de les sales de les Balears (3 caixes); materials d'art grec (7 caixes); materials «de la edad de piedra» (*sic*) (1 caixa); vidres cartaginesos i romans (3 caixes); estàtues romanes (1 caixa), a més del sarcòfag de marbre que representava el rapte de Proserpina, un sargòfag paleocristià, la part superior de l'escultura d'Asclepi i 10 caixes amb material fotogràfic.[14] L'endemà, 20 de juny, Guillermo Diz Flórez, responsable del Servei de Recuperació, lliurava a Martín Almagro 89 caixes amb materials[15] que sortiren cap a Barcelona l'endemà,[16] probablement a bord d'uns camions facilitats per l'Ajuntament de Barcelona i no, en aquesta ocasió, per ferrocarril.[17] No va ser el darrer lliurament: com a mínim el 10 d'agost van sortir cap a Barcelona 9 caixes més dipositades fins aleshores al Museu d'Art Modern de Madrid, sense especificacions de contingut, un cop la Comissaria General de l'SDPAN n'exigí el 9 de juliol la retirada urgent.[18] De fet, la tramesa va ser molt més gran, ja que una reclamació de la companyia ferroviària Madrid-Zaragoza-Alicante (MZA) del 30 de novembre per valor de 13.642,56 ptes. indica que aquell dia en total es van facturar 15 vagons carregats amb obres d'art corresponents no només al Museu Arqueològic, sinó també amb documents de l'Arxiu de la Corona d'Aragó i del Museu de Vic, amb un pes total de 70.000 kg.[19] Si les relacions d'inventari són correctes, entre les peces que no van viatjar el 21 de juny hi havia les escultures, inclosa una part de l'estàtua de l'Asclepi, símbol del museu i de les excavacions d'Empúries, que va arribar en el segon trasllat. Amb tot, però, l'acte de reobertura del Museu s'endarrerí.

Un cop obertes les caixes a Barcelona —unes dues-centes—, es comprovà que si bé no mancava res, una bona part dels materials, especialment les ceràmiques, havien sofert greus desperfectes com a resultat dels trasllats successius, de les condicions en què es van fer i dels diferents processos de desembalatge i

14 Arxiu MAC-Barcelona. Caixa 1940. Museu Arqueològic Barcelona. Recuperacions a partir de 1939. Acta de lliurament del 19-06-1939.

15 Arxiu MAC-Barcelona. Caixa 1940. Museu Arqueològic Barcelona. Recuperacions a partir de 1939. Acta de lliurament del 21-06-1939.

16 IPCE. 096.01 *Inventario de obras de arte españolas transportadas al Palacio de la Sociedad de Naciones según el decreto de Figueras.*

17 ALMAGRO BASCH, 1940, pàg. 216.

18 IPCE. Fons SDPAN. Caixa 79. Telegrama CGSDPAN-Director del Museu Arqueològic de Barcelona del 9-07-1939.

19 IPCE. Fons SDPAN. Caixa 80. Carta del subdirector de la companyia MZA al CG de l'SDPAN del 30-11-1939.

embalatge que patiren, com encertadament havien indicat els representants franquistes a Ginebra.

Almagro, amb l'ajut de Colominas i Serra Ràfols, treballà de ferm per aconseguir reorganitzar el discurs expositiu del museu, conscient de trobar-se davant de la seva gran oportunitat professional, una tasca feixuga que fins i tot Pericot lloà davant Blas Taracena Aguirre, director del Museu Arqueològic Nacional de Madrid.[20] Per posicionar-se, tingué l'ajut de la premsa del Movimiento, que veié en Almagro un exemple de cartell dels ideals emprenedors i renovadors defensats i lloats per la Falange: «Martín Almagro, actual director del Museo y auténtico valor de la nueva generación española, proyecta las obras desde el pedestal que ocupó una estatua robada por los rojos cuando le visitamos. Joven, dinámico, luce sobre el corazón una estrella dorada, y en el pecho el yugo y las flechas. Milicia y cultura, ímpetu y preparación, se hermanan armónicamente en este joven camarada de los tiempos heroicos y difíciles»,[21] és a dir, un representant destacat del nou tipus d'intel·lectual que havia vingut a Barcelona emparat per l'uniforme militar i la camisa blava a substituir en gran part els antics gestors de la cultura sorgits de les files de la burgesia catalana.

El 21 de juliol, la Diputació Provincial nomenà el nou patronat del museu, iniciativa que la premsa atribuí a l'interès personal del comte del Montseny, «tan atento siempre a las cosas del espíritu como a las de la materia».[22] El Patronat quedà integrat pel comte del Montseny com a president; Luis Riviere i Juan Claudio Guell, comte de Ruiseñada, ponents de Cultura i Governació de la Diputació, José Bonet del Río i Carlos Trías Sagnier, regidors de l'Ajuntament de Barcelona, i José Peray y March, diputat provincial, com a vocals; i Almagro com a secretari en funció del seu càrrec de director, en el qual va ser ratificat. Un cop resolts els problemes derivats de la guerra, es decidí també la reobertura immediata del museu atès l'estat avançat de les obres de condicionament:

[...] abrir las puertas del Museo al pueblo de Barcelona, tan pronto como hayan sido devueltas a aquellas salas todos los tesoros que los rojos, en su feroz vesania, intentaron destruir o robar. Los servicios durante toda la dominación, no hay que decir que fueron olvidados [...] la apertura solemne, por lo que será y por su significado, tendrá efecto en el próximo mes de agosto, fecha en la que el Museo volverá a ser el templo de arte que nunca hubiera tenido que dejar de ser.

20 BC. Llegat Lluís Pericot. Carta Taracena-Pericot del 31-05-1939.

21 «El Museo Arqueológico de Barcelona totalmente saqueado por los rojos. Todos los objetos de oro y plata y las mejores joyas desaparecieron». *Solidaridad Nacional*, edició del 14-05-1939.

22 «Ayer». *La Vanguardia Española*, edició del 22-07-1939, pàg. 2.

3 d'agost de 1939. Acte de reobertura del rebatejat Museu Arqueològic Provincial de Barcelona. A la presidència, d'esquerra a dreta, el representant del Ministeri d'Educació Nacional, Miguel Lasso de la Vega, dirigint-se als assistents; el president de la Diputació, José María Milá y Camps, comte del Montseny; el capità general de la IV Regió Militar, tinent general Luis Orgaz; l'administrador eclesiàstic de la diòcesi de Barcelona, Manuel de los Santos Díaz de Gomara; el tinent d'alcalde José Bonet del Río; el rector accidental de la Universitat de Barcelona, Francisco Gómez del Campillo; el secretari provincial de Falange, José Batlló Godó, i Martín Almagro Basch. Fotografia: MAC.

L'acte, celebrat el 3 d'agost de 1939, va tenir la importància de ser el primer entre tots els equipaments culturals de Barcelona a assolir-ho. En paraules de Luis Riviere, es tractava de retornar-li la seva condició de «templo del arte que nunca hubiera tenido que dejar de ser»,[23] tot i que el ponent de Cultura feia una referència més retòrica que real, ja que el museu mai havia deixat de ser una institució acadèmica sense prendre part en activitats polítiques, cosa que en la ment del polític comportava una simbiosi entre el museu i el seu director, Bosch Gimpera. Constituí per això un acte de profund significat polític i social i hi foren presents les principals autoritats militars, civils i eclesiàstiques de la regió, i també representants del govern de l'Estat; es tractava de demostrar, un cop

23 «Constitución del Patronato del Museo Arqueológico». *La Vanguardia Española,* edició del 22-07-1939, pàg. 3. «A primeros de agosto será abierto el Museo Arqueológico». *El Correo Catalán,* edició del 20-07-1939.

3 d'agost de 1939. Acte de reobertura del rebatejat Museu Arqueològic Provincial de Barcelona. A la presidència, d'esquerra a dreta, personatge sense identificar, el representant del Ministeri d'Educació Nacional, Miguel Lasso de la Vega; el president de la Diputació, José María Milá y Camps, comte del Montseny, dirigint-se als assistents; el capità general de la IV Regió Militar, tinent general Luis Orgaz; l'administrador eclesiàstic de la diòcesi de Barcelona, Manuel de los Santos Díaz de Gomara; el tinent d'alcalde José Bonet del Río; el rector accidental de la Universitat de Barcelona, Francisco Gómez del Campillo; el secretari provincial de Falange, José Batlló Godó; personatge sense identificar, i Martín Almagro Basch. Fotografia: MAC.

més, els danys que «la barbarie y la incultura roja ocasionaba a cuanto significara progreso y estímulo para la educación ciudadana».[24] Entre els assistents figuraren el tinent general Luis Orgaz Yoldi, capità general de la IV Regió Militar; el comte del Montseny, president de la Diputació de Barcelona; l'administrador eclesiàstic de la Diòcesi, Manuel de los Santos Díaz de Gomara; Bonet del Río en representació de l'alcalde Miguel Mateu; Miguel Lasso de la Vega y López de Tejada en representació del ministre d'Educació Nacional; José Batlló Godó, secretari provincial de Falange; Francisco Gómez del Campillo, rector accidental de la Universitat; José Rives Seva, conseller nacional de

24 «Se inauguró ayer, quedando abierto al público, el Museo Arqueológico». *La Vanguardia Española*, edició del 04-08-1939, pàg. 3.

Falange i tinent d'alcalde de Barcelona; els ajudants militars del general Orgaz, coronel Villalobos i capità Lafuente; els ponents de beneficència i cultura de la Diputació, José Peray i Luis Riviere, i el regidor Carlos Trías Sagnier al capdavant d'un grups nombrós de representants de la bona societat barcelonina. Només mancà el governador civil, Wenceslao González Oliveros, que l'endemà excusà l'absència per mitjà de la premsa al·legant que a la mateixa hora havia hagut d'acudir, per ordre del govern, al transatlàntic italià *Conte Grande* per acomiadar els representants del Sobirà Orde Militar de Malta, de visita a Barcelona. Evidentment, si la reobertura no hagués estat un èxit no hauria calgut l'explicació,[25] i menys encara fer-la a la premsa.

Val a dir també que els diaris anunciaren dos dies abans la presència a l'acte de Julio Martínez Santa Olalla, comissari general d'excavacions arqueològiques, que s'havia de desplaçar a Barcelona acompanyant Lasso de la Vega per tractar, un cop finalitzat l'acte, «con las autoridades locales varios problemas relacionados con los departamentos de Cultura del Ayuntamiento y de la Diputación Provincial».[26] Però Martínez Santa Olalla no hi assistí: havia tingut les primeres topades amb Almagro i García y Bellido arran de la marxa definitiva a l'exili d'Hugo Obermaier, catedràtic d'història primitiva de l'home a la Universitat de Madrid i mestre de tots tres, ja que Martínez Santa Olalla, amb José Pérez de Barradas, va ser una de les veus més crítiques contra la reincorporació del savi alemany a la seva càtedra.[27] I de fet no consta que fes cap visita al Museu Arqueològic al llarg de les dues dècades llargues que durà el seu mandat a la CGEA. Però això no vol dir que no fos informat de les interioritats de la gestió d'Almagro, tasca que dugué a terme puntualment Serra Ràfols.

Almagro i Colominas explicaren a les autoritats les característiques de les sales, una restitució de l'antiga instal·lació que molts ja coneixien perquè també havien estat presents a l'acte del novembre de 1935. En el moment dels parlaments, a la sala d'Empúries, Milá y Camps indicà:

> [...] pocas veces se ha encontrado la Corporación provincial con un hombre como Martín Almagro, que tan bien sabe emplear el dinero y el tiempo. Martín Almagro ha sabido producir el dinero rápidamente convirtiéndolo en esta hermosa realidad. Por eso puede contar siempre con el apoyo de la Diputación, porque

25 «Gobierno Civil. Manifestaciones del Sr. González Oliveros». *La Vanguardia Española*, edició del 05-04-1939, pàg. 4.
26 «Próxima inauguración del Museo Arqueológico». *La Vanguardia Española*, edició de l'01-08-1939, pàg. 3.
27 GRACIA ALONSO, 2009a, pàg. 102-103.

sabemos que a la acción corresponderá inmediatamente el fruto. De esta manera veremos cómo se realizan los sueños de nuestros caídos, que es el de ver a España, Una, Grande y Libre.[28]

Lasso de la Vega expressà «su gratitud al señor Almagro, así como su patriótica actuación durante el glorioso Alzamiento Nacional [...] hoy, gracias a la espada victoriosa del Caudillo, vuelven a nuestra Patria los tesoros artísticos llevados allí [Ginebra] por los rojos, con el indigno propósito de especular con ellos. Ha sido esta espada victoriosa de nuestro Caudillo la que ha salvado no solamente a España, sino a la cultura occidental».[29] En darrer lloc prengué la paraula el tinent general Orgaz, que, després de dir que no volia parlar perquè es considerava només un convidat, indicà que «quería recoger los elogios tributados a Martín Almagro, como alférez provisional y luego como director de este museo. Como alférez provisional, hizo realidades en la guerra; como director del Museo, las hace en la paz».[30]

Però el discurs d'Almagro va ser el més combatiu, especialment amb l'anterior direcció. Acusà Bosch —sense anomenar-lo— d'haver convertit el museu en un refugi antiaeri, d'haver dispersat les col·leccions, d'haver-les transportat als dipòsits establerts per la Generalitat al Mas Perxés d'Agullana i posteriorment haver-les evacuat a Ginebra, i d'haver-les sotmès així a un seguit de perills absolutament innecessaris. Unes idees que ja havia repetit anteriorment en la seva correspondència privada i que, pel que fa a l'actuació de Bosch, sabia perfectament en el moment de parlar que eren totalment falses, perquè Bosch només havia actuat per protegir els fons del museu, no s'havia lucrat amb el robatori dels materials, i la decisió de traslladar les col·leccions del tresor artístic català a Ginebra va ser adoptada pel govern de Negrín en contra del parer de la Generalitat, que volia que els dipòsits establerts pel govern català romanguessin sota la custòdia de personal tècnic voluntari i dels mossos d'esquadra fins a l'arribada de les tropes nacionals, com així es va fer, per exemple, en els casos d'Olot i Viladrau.[31] Es tractava no només d'un intent d'allunyar-se de l'ombra de la figura del seu predecessor, sinó també d'un deliberat suport a les calúmnies que la premsa de Barcelona havia vessat dies

28 «El Museo Arqueológico de Barcelona. Fue inaugurado solemnemente, ayer tarde, con asistencia de las autoridades». *El Correo Catalán*, edició del 04-08-1939.

29 «Se inauguró ayer, quedando abierto al público, el Museo Arqueológico». *La Vanguardia Española*, edició del 04-08-1939, pàg. 3.

30 *El Correo Catalán*, edició del 04-08-1939.

31 Gracia Alonso i Munilla, 2011.

abans sobre Bosch, insídies, d'altra banda, que Lasso de la Vega havia repetit feia uns moments.

En efecte, pocs dies abans de la reobertura del museu, Miguel Utrillo Vidal inicià a *Solidaridad Nacional* una sèrie d'articles enverinats d'odi i rancúnia sota el títol genèric *Fantasmones Rojos,* amb l'objectiu de desprestigiar les figures principals de la cultura i la política catalanes del temps de la guerra,[32] fet que anys després[33] considerà un deure patriòtic. Bosch tingué l'honor de ser el primer atacat en un text corrosiu ple de mentides:

> [...] y días antes de la entrada victoriosa de las tropas nacionales en Barcelona, envía a Francia el Museo de Arqueología. Cuidándose —pequeño detalle a destacar— de apartar en una gran caja las figuras o los objetos de oro, plata, bronce y marfil, de fácil venta o de fácil transporte. Es decir, el ladrón siempre actúa como tal. Y él, hombre tan científico, se lleva a Francia esta caja repleta de objetos de un valor incalculable, a través de la cual se podía seguir toda la historia de nuestros aborígenes, y se instala en Perpiñán y luego en Oxford lujosamente, en donde da incluso conferencias. Podría darlas, por ejemplo, sobre la influencia de la ganzúa o de la lotería en la Arqueología. La novedad del tema, seguramente interesaría. Porque la verdad, científicamente hablando, ¿qué puede decir de nuevo ese falso prestigio? Desde luego, y sobre Arqueología o Prehistoria española, nada. Absolutamente nada. Aquí como en Oxford, sabemos lo que los nombres de Schulten, Gómez Moreno y Obermaier, entre otros, representan y quieren decir. Y aquí como en Oxford también, no basta especular con el «prestigio científico». Hay que demostrarlo. Y no precisamente robando mucho, mas teniendo en cuenta que, en lugar de tal prestigio, estamos ante un mal catedrático que, por encima de todo, es, ha sido durante toda su vida, un arribista y un ladrón vulgar.[34]

De fet, el seu text era l'inici d'una venjança personal que estengué a altres intel·lectuals com Pompeu Fabra, Carles Riba i Josep Gudiol, als quals recriminava haver-se posicionat al costat de la República i haver-li donat suport amb el seu prestigi. Val a dir que Miguel Utrillo, proper al cercle encapçalat a l'Ateneu per Luys Santamarina en la primera postguerra, no fou l'únic artífex d'aquesta sèrie denigrant, que va incloure també textos de Fernando Barangó-Solís, Juan Francisco Bosch, Félix Centeno, Fernando Díaz-Plaja, José María García Rodríguez, Lope F. Martínez de Ribera i Rafael López Chacón. En tot

---

32 PÉREZ VALLVERDÚ, 2009, pàg. 53 i 57.

33 MAC-Barcelona. Arxiu Històric, 3. Correspondència 1941. Document 2.3.003. Carta Utrillo-Luis Monreal Tejada del 21-10-1941.

34 UTRILLO, M.: «Fantasmones rojos: "Perot lo lladre"». *Solidaridad Nacional*, edició del 19-07-1939.

cas, el text demostra com a principi del setembre de 1939, les informacions sobre les activitats de Bosch primer a França i després al Regne Unit eren prou conegudes en diversos ambients de Barcelona com a resultat de la tasca dels serveis d'informació franquistes i de les filtracions que els primers corresponsals de Bosch van fer a la ciutat.

Per aprofundir en l'èxit propagandístic, la Diputació va concedir accés lliure i gratuït al museu a tot els visitants.[35] El ressò de l'acte no es limità a la ciutat de Barcelona. Ramon Gudiol Ricart, en una carta adreçada al seu germà Josep, que havia participat en el procés inicial d'organització, i en aquell moment exiliat als Estats Units, va escriure respecte de la situació dels museus a Barcelona:

> [...] el primero que ha sido abierto al público y reorganizado totalmente ha sido el de Arqueología. Ya está igual que antes del 18 de julio del 36. Es un caso único de reorganización rápida y perfecta. Todos los objetos han sido colocados en los sitios donde estaban. No se ha alterado en nada el plan establecido por el arquitecto que lo proyectó hace algunos años (el propio Josep Gudiol). Hoy se continúan las obras que estaban suspendidas desde julio del 36, siguiendo en todo los planes y proyectos antiguos. El director del Museo de Arqueología ha merecido las felicitaciones de todas las autoridades [...] es, desde los primeros días en que Barcelona fue liberada por los nacionales, el alférez provisional y licenciado en letras Martín Almagro, joven muy inteligente y de gran actividad. El Sr. Almagro se ha servido en gran manera de la práctica que en cosas antiguas de Barcelona tiene el Sr. Colominas, el cual continúa como segundo director del Museo.[36]

Fins i tot Pericot no es va estar de lloar la tasca d'Almagro davant Lantier pocs dies després de l'acte, cosa que afavoria el coneixement laudatori de la nova organització en l'àmbit de la recerca europea:

> [...] hace una semana se reinauguró el Museo de Arqueología; la instalación, igual. No han llegado aún las piezas de Ampurias; en cambio se ha traído el mosaico del Circo de Gerona; el personal sigue siendo todo el mismo; el nuevo director, Martín Almagro, que fue alumno mío en Valencia y luego de Obermaier, ha tenido un gran éxito; se ha portado muy bien y con gran nobleza; ha sido una suerte para el museo su nombramiento.[37]

35 «Horas de visita del Museo Arqueológico». *La Vanguardia Española*, edició del 09-08-1939, pàg. 3.
36 GUDIOL COROMINAS, 1997, pàg. 76.
37 IF. Fons Lantier. Carta Pericot-Lantier del 12-08-1939.

Adaptació a les circumstàncies.

I la premsa dels països aliats de l'Espanya franquista, com ara el *Bremer Nachrichten*, també també s'ocupà de l'afer del Museu d'Arqueologia de Barcelona. Quan les informacions arribaren a la Gran Bretanya, Bosch es veié en la necessitat de redactar un informe[38] extens sobre la seva actuació perquè no minvés el seu prestigi professional, l'únic de què disposava per intentar reorganitzar la seva vida. Adreçat al Foreign Office, el text no tingué cap transcendència, com tampoc no la tingueren altres memoràndums redactats conjuntament amb Carles Pi i Sunyer com a justificació de la tasca feta per la Generalitat en la protecció del patrimoni històric i artístic català.[39] Bosch també va haver de fer front a diverses acusacions relatives a la seva actuació com a conseller de Justícia en el darrer govern de Companys, especialment pel fet d'haver ordenat l'enfonsament del vaixell presó *Villa de Madrid* al port de Barcelona amb 1.500 presoners nacionals a bord. Una història falsa que Julio Martínez Santa Olalla va difondre i altres arqueòlegs espanyols repetiren, fins al punt que encara se'n parlava quan el 1948 Julian Huxley va demanar informes sobre Bosch abans de proposar-li un càrrec de gestió a la Divisió d'Humanitats de la Unesco.[40]

Però la mentida insidiosa, un cop llançada, era molt difícil d'aturar, i més quan no existia cap voluntat de fer-ho, sinó, ben al contrari, de seguir reblant el clau de les destruccions dels rojos i els separatistes. El 14 de març de 1940, *Solidaridad Nacional* insistí de nou en els mateixos arguments:[41]

> [...] con los fondos de la antigua Junta de Museos y los procedentes del Museo de Santa Águeda se formó este Museo Arqueológico; pero la Generalidad decidió destruirlo, o poco menos. El crimen se realizó de esta manera: cuando los rojos se dieron cuenta de que el general Franco estaba decidido a entrar en Barcelona, ellos decidiéronse a marchar, llevándoselo todo. Bosch Gimpera, el majadero y pedante separatista, dirigió la gran expoliación. En este Museo hay muchos objetos de un valor artístico y monetario incalculable. Pero hay otros que tienen un valor muy relativo, como, por ejemplo, calaveras, cuernos de buey pirenaico, hachas de piedra, etc. Ciertamente, uno llega a comprender que se llevaran a Ginebra todo lo que poseía de más valor; pero que se llevaran también sus cuernos y sus calaveras, sólo puede explicarlo el instinto rapaz de los rojo-separatistas, llegado ya un grado de perfección absoluta. Así, pues, en el Museo no quedó nada,

---

38 ANC. Fons 66. Bosch Gimpera. 2.12.10. *The Archaeology in Catalonia during the Spanis war.*
39 Gracia Alonso i Munilla, 2011.
40 Gracia Alonso, 2009a, pàg. 85-90; Gracia Alonso, 2007a, pàg. 149-153.
41 «Instinto de la horda. Muerte y resurrección del Museo Arqueológico». *Solidaridad Nacional*, edició del 14-03-1940.

absolutamente nada, ni un bendito clavo. Pero llegaron las tropas nacionales, y con ellas la resurrección del Museo, como la de todos los valores. Fue nombrado director el camarada Martín Almagro, profesor universitario, miembro del Cuerpo Facultativo de Arqueólogos y oficial de Infantería del Ejército Nacional. El ponente de cultura, señor Riviere, por su parte, dio todas las facilidades posibles. Fueron devueltos los objetos y el museo volvió a la vida. Y con tal rapidez que su reinstalación ha sido un verdadero modelo de organización y buen gusto. Ya en agosto de 1939 se habían normalizado las colecciones antiguas y aún se había adquirido el famoso mosaico de Belloch, que es una verdadera maravilla. Además se han realizado obras de instalación de nuevas salas, de modo que lo que los rojos hicieron desde 1931 a 1936 —que luego destruyeron—, Martín Almagro lo ha realizado en un año.

El mateix Almagro no defugí utilitzar quan li va convenir l'argument de la destrucció del museu pels «rojos i separatistes». El febrer de 1940, set mesos després de la reobertura, encara insistí a Lantier sobre el tema: «el Museu d'Arqueologia ja està de nou completament instal·lat i ampliat després de la destrucció que patí com a resultat de la política roja que convertí el Museu en refugi contra l'aviació i envià tots els fons a Ginebra amb gran perill i sense cap raó, només per odi i negació. Quan vingui a visitar la nostra Espanya podrà comprovar vostè mateix la gran catàstrofe que ha sofert la meva pàtria».[42] Declaració que duia implícita una crítica i desqualificació de la tasca de Bosch, d'altra banda bon amic de Lantier, i a qui Almagro ja aspirava a poder succeir en el context internacional.

Reobert el Museu de Barcelona, Almagro se centrà en les obres de condicionament del Museu Monogràfic d'Empúries; va demanar al marquès de Lozoya fons per impedir la degradació de l'obra civil de l'edifici iniciat en l'etapa anterior, que descriví en uns termes sorprenents per la data de la petició, novembre de 1939: «durante los años de la Generalidad se emprendió por el Servicio de Investigaciones Arqueológicas de la misma la obra de un Museo Monográfico en las ruinas de Ampurias. Se invirtieron cuantiosas sumas que pasan de las doscientas mil pesetas y al llegar el Ejército nacional, tan magnífica obra de sillería quedó interrumpida, sin cubrir pero con todos los muros y pisos echados».[43] En aquesta data Almagro planejava ja convertir el Museu Monogràfic en un complement de les tasques d'excavació que encara no havia pogut reprendre.

---

42 IF. Fons Lantier Ms. 8022. Carta Almagro-Lantier del 22-02-1940.
43 IPCE. Fons SDPAN. Caixa 75. Carta marquès de Lozoya-Comisari General del SDPAN del 04-12-1939.

El suport que Almagro va obtenir arran de la reobertura del museu va ser decisiu per a les seves aspiracions. Li serví per refermar la seva posició davant dels funcionaris, tots antics deixebles i col·laboradors de Bosch, acceptats per les noves autoritats després dels processos de depuració, però sempre sospitosos per la seva actuació al llarg dels anys de la Mancomunitat i la República. I amb això inicià la tasca quotidiana del treball museogràfic: va focalitzar la seva actuació en la catalogació i inventari dels fons, absència que qualificà d'«obra fundamental e imprescindible, sin la cual un Museo no es más que un almacén de antigüedades, lleno de peligros y razonadas críticas».[44] En poc temps aconseguí tenir redactades més de mil cinc-centes fitxes amb documentació fotogràfica, que havien de servir de base per preparar els catàlegs temàtics. Amb tot, hagué d'esperar fins al 1954, quinze anys després de l'inici del seu mandat, perquè es publiqués la primera —i genèrica— obra descriptiva dels fons del museu, malgrat que el 1939 declarà que podria disposar dels primers catàlegs de seccions al cap de pocs mesos. Prosseguí també les obres iniciades per Bosch a les sales de Prehistòria, que aconseguí inaugurar la tardor de 1940, i prestà una especial atenció al treball amb el material de recerca.

Almagro continuà també la tasca de catalogació dels fons de la Biblioteca, probablement la més àmplia i millor dotada d'Espanya en aquell moment, i en pocs mesos es van classificar més de deu mil volums. Tingué interès especial a completar i ampliar les sèries de revistes científiques, uns intercanvis interromputs el 1936 i que eren absolutament necessaris per mantenir-se al dia de les novetats en la recerca. Donà també importància a la continuació dels treballs del Repertorio Iconográfico de España, iniciat l'any 1929 i que Martínez Santa Olalla havia intentat endur-se a Madrid per la seva importància com a element de comparació i estudi, una eina que encertadament identificà com a molt valuosa però que considerà estancada al llarg dels últims anys. D'altra banda, dedicà esforços al laboratori fotogràfic, més de nou mil clixés que van seguir les peces en el seu trasllat a Ginebra i que havien retornat, i dels quals ja n'havien estat catalogats 6.939 a finals de 1939. Paral·lelament es reorganitzà el servei de restauració i reconstrucció, dirigit de nou per Francisco Font Contel, home de confiança de Bosch des del final de la dècada de 1910. A més de recuperar les peces malmeses en els trasllats, el servei es convertí en un element essencial en la política del director: acordà la cessió temporal dels seus tècnics —amb el vistiplau de la Diputació— per col·laborar en la reorganització dels mateixos

44 «Memoria de la actividad del Servivio de Investigaciones Arqueológicas durante el año 1939. Año de la Victoria». *Ampurias*, 2, pàg. 218.

serveis al Museu Arqueològic Nacional de Madrid, i prestà els seus locals i personal per restaurar materials de les principals col·leccions privades de Barcelona, com ara l'Amatller, la Macaya, l'Espona o la de l'alcalde Miguel Mateu.

Com a intercanvi de favors, el museu va rebre en dipòsit, o van ser adquirits per la Diputació, una sèrie de materials de primer ordre, com un conjunt de joies fenícies i púniques procedents de Cadis, i el sarcòfag de marbre paleocristià de la col·lecció Amatller, dipositat al museu a l'inici de la guerra civil. Altres adquisicions van donar lloc a diversos problemes, com la compra de materials visigòtics procedents de la necròpolis de Castiltierra (Segòvia) i de Torredonjimeno (Jaén), adquirits alguns a Damià Mateu, «piezas que honrarían al mejor museo del mundo», i d'altres al mercat lliure. Quan es va demostrar que una part eren hàbils falsificacions es desfermà una lluita aferrissada entre Julio Martínez Santa Olalla[45] i Almagro per atribuir-se el mèrit de la descoberta de l'engany i, de passada, atacar científicament l'adversari. Almagro va exposar les seves conclusions directament al marqués de Lozoya i en diverses reunions científiques com la mantinguda al Museu Arqueològic Nacional de Madrid el mes de maig de 1941, tasca en què tingué l'ajut de Taracena[46] i que serví per desprestigiar Martínez Santa Olalla.[47] No fou una qüestió menor, per tal com el ressò de les falsificacions arribà a interessar el mateix Heinrich Himmler, que en demanà explicacions a la policia espanyola.[48] La Brigada d'Investigació Criminal de la Jefatura Superior de Policía de Madrid demostrà que les peces eren fabricades por un hàbil artesà, Amable Castillo Pozo,[49] que les venia a antiquaris de prestigi reconegut, i aquests, ignorant-ne la procedència, les oferien a museus i col·leccionistes d'Espanya i d'altres països. En el cas de les peces adquirides per Mateu, aquest, abans de la compra, les va fer autenticar per l'antiquari Julio Pérez Ponce, Joaquim Folch i Torres i Martín Almagro, que les avalaren, i es va pagar la quantitat inversemblant de 150.000 ptes. pel lot.

De fet, tot l'assumpte tenia com a rerefons l'enfrontament entre Almagro i Martínez Santa Olalla, en aquest cas per aconseguir el control de les relacions científiques amb l'Alemanya nazi, que el comissari general d'excavacions tenia —o creia tenir— molt ben lligades per la seva vinculació amb els dirigents de

45 MSI-MO. ASO s-t. *Informe sobre el descubrimiento de falsificaciones de joyas visigodas de 27-11-1941.* MSI-MO. ASO. 4-143-144. Cartes Martínez Santa Olalla-Hans Zeiss de dates 22-06-1942 i 11-07-1942.
46 Arxiu MAC-Barcelona. Correspondència Almagro 1940-1941. Carta Taracena-Almagro del 30-05-1941.
47 Arxiu MAC-Barcelona. Correspondència Almagro 1941. Carta Vázquez de Parga-Almagro del 30-05-1941.
48 Vegeu detalls a GRACIA ALONSO, 2009a, pàg. 313-316.
49 ALMAGRO BASCH, 1941, pàg. 3-4.

l'organisme Das Ahnenerbe, la secció de les SS encarregada de la recerca arqueològica.

El 8 d'abril de 1942, Kurt Willvonseder, director de la secció de jaciments arqueològics de l'Institut per a la Conservació de Monuments de Viena, enviava un informe a Wolfgang Sievers, cap de Das Ahnenerbe, en què li feia a mans la traducció alemanya de l'article d'Almagro «Algunas falsificaciones visigodas», que Hans Zeiss, catedràtic de prehistòria de la Universitat de Munic, volia publicar a la revista *Wiener Prähistorische Zeitschrift*. Tot i aturar-se'n la publicació, l'informe sobre les falsificacions i l'errada atribuïda a Martínez Santa Olalla, s'afegiren a les opinions que Oswald Menghin —antic mestre d'Almagro a Viena, i amb qui mantingué una profunda relació al llarg dels anys posteriors a la guerra mundial— va expressar després del seu viatge a Espanya poques setmanes abans, en què indicava que Martínez Santa Olalla havia perdut el suport del Ministeri d'Educació i de molts investigadors a causa del seu afany de protagonisme i especialment pel seu paper en l'exili d'Obermaier. Herbert Kühn informà del fet Martínez Santa Olalla, i aquest es queixà amargament a Zeiss de l'actuació d'Almagro:

> [...] me causó honda sorpresa el ver que Ud. había traducido el artículo de mi discípulo, por la razón de que Ud. conocía suficientemente las interioridades del asunto de las falsificaciones, que yo y sólo yo descubrí, identifiqué y fueron causa de la retirada de las vitrinas de aquellos grandes broches. A Ud. le consta que para evitar ciertas inexactitudes poco serias y respetuosas de mi discípulo apareció una nota en la prensa diciendo que la Comisaría General de Excavaciones Arqueológicas había identificado como falsas algunas piezas de la colección Mateu [...] recordará que yo le dije en vista de las incorrecciones de mi discípulo Almagro que le pedí que si las fíbulas de Barcelona eran falsas como suponíamos no lo dijese, a lo que me contestó «que caso de no ser preguntado directamente así lo haría».[50] [...] Ud. sabe también que un día, con un gesto difícil de adjetivar, mi discípulo Almagro trajo las falsificaciones a Madrid y de acuerdo con ciertas personas tuvo la audacia de presentar las falsificaciones públicamente como descubrimiento suyo. Después de oír a mi discípulo pude decir yo públicamente que «celebraba oír repetir las razones que muchos meses antes había dado yo al denunciar las falsificaciones y que habían motivado la retirada de las vitrinas». Ud. lo que no sabe es que mi discípulo, con ánimo de ponerme en ridículo y aprovechar esto para sus manejos, se apresuró a imprimir un artículo que ha circulado ya

---

50 MSI-MO. ASO. 4-143-144. Cartes Hans Zeiss-Martínez Santa Olalla de dates 22-06-1936 i 11-07-1936. Detalls a GRACIA ALONSO, 2009a, pàg. 291-334 per les relacions entre els investigadors espanyols i l'Alemanya nazi.

hace muchos meses, y que le hacía tener la conciencia tan tranquila, que el día que se lo llevó al Director General de Bellas Artes junto con otro libro, pasó grandes apuros para ocultar el folleto de tamaño no pequeño con su sombrero al aparecer yo en el antedespacho.

Però la maniobra d'Almagro, secundada per Pericot i García y Bellido arran de l'estada de Menghin a Espanya, tingué èxit, i els alemanys refredaren la col·laboració amb Martínez Santa Olalla, que només es va reprendre a finals de 1943, quan el curs de la guerra feia ja impossible qualsevol projecte de recerca conjunt: «según la opinión del profesor Almagro, Santa Olalla está completamente aislado en la investigación prehistórica española. Los demás investigadores se han apartado de él, ya que su proceder en el campo científico y personal político ha causado profundo desagrado». Val a dir que els alemanys no s'enganyaven, i coneixien perfectament que en tot l'enfrontament hi havia una lluita política soterrada entre monàrquics i falangistes per controlar la recerca arqueològica: «en este juicio de Santa Olalla por sus colegas españoles debe tenerse en cuenta que además de la oposición personal también juega la política. Olalla parece ser el único investigador de la prehistoria que pertenece a Falange, mientras que los otros, como dice Menghin, tienen una orientación monárquica».[51]

L'èxit de l'obertura del museu serví també a Almagro per entrar en contacte amb la cúpula de l'estament militar, l'autèntic poder a la Barcelona de postguerra, fet que es traduí, quan va decidir reprendre les excavacions a Empúries, en la cessió que li va fer el tinent general Orgaz d'un grup de presoners —mà d'obra forçada— corresponent al Batalló de Treballadors Figueres 71 entre setembre de 1940 i març de 1941; d'altra banda, el successor d'Orgaz, el tinent general Alfredo Kindelán, va cedir a Almagro un nou contingent, el Batalló Disciplinari de Soldats Treballadors 46, entre desembre de 1941 i juny de 1942.

Finalment, l'acte constituí per Almagro una manera d'accedir als ajuts monetaris de diverses institucions que complementaven els fons aportats per la Diputació, com ara l'Ajuntament de Barcelona[52] i també el més granat de la bona societat barcelonina, mitjançant la societat Amigos de Ampurias —un antic

51 BA-Berlín. NS 21-349. Siehe Schlanfe: Prof. Dr. Olalla. Nota adjunta de Herbert Jankuhn a Sievers del 20-07-1942. *Relación del profesor Santa Olalla con los demás investigadores de la prehistoria españoles.*

52 5.000 ptes. concedides per la Comissió Municipal permanent el 21 de gener de 1941 amb destí a «la prosecución de las excavaciones que se realizan en Ampurias bajo la dirección del Catedrático de la Universidad de Barcelona y Director del Museo Arqueológico, D. Martín Almagro». AHDB. Lligall Q-567. *1941. Cultura-8. Servicio de Investigaciones Arqueológicas y Museo Arqueológico. Expediente General.*

projecte de Bosch—, que es reunia periòdicament als salons de l'Hotel Ritz per escoltar els informes sobre el progrés de les excavacions i per fer donatius econòmics importants. Entre els membres d'aquest club, qualificats per la premsa d'«elementos prestigiosos de nuestra sociedad»,[53] hi havia autoritats com ara el governador civil, el capità general, l'alcalde de Barcelona, el president de la Diputació i el rector de la Universitat, i persones prou conegudes com Antonio Sala Amat, Aurelio Joaquinet Extremo, Teresa Amatller, José Faura Bordas, Gustavo Gili Roig, Juan Sedó Peris-Mencheta, Alfonso Macaya o Manuel Rocamora. A les reunions, Almagro explicava el desenvolupament dels treballs i feia referència, especialment en les primeres trobades, als efectes de l'actuació dels republicans sobre el jaciment: «el estado lamentable en que se hallaban las ruinas de la ciudad por el emplazamiento de baterías por los rojos en el recinto de las mismas. Con la generosa aportación de "Amigos de Ampurias" se han limpiado las ruinas y reparado en lo posible aquellos destrozos. Se ha dado comienzo a la ingente labor de consolidación de lo excavado y se han continuado los descubrimientos [...] que ha dado como resultado el hallazgo de importantes restos arquitectónicos, de vasos griegos de gran valor arqueológico y artístico y de una escultura romana de positiva belleza [...] animó a Amigos de Ampurias a continuar facilitando dichos trabajos con su colaboración y su ayuda».[54] Amagava, òbviament, la tasca de protecció que havien fet al llarg de la guerra Emili Gandia Ortega i Bosch. Almagro dugué a terme també aquesta tasca de divulgació en altres àmbits més acadèmics de la ciutat, com ara l'Institut Francès[55] o la Casa del Médico, una suma d'intervencions que ajudaren a cimentar el seu prestigi.

La derrota republicana tingué també una altra conseqüència: la depuració del personal del museu i del Servei d'Investigacions Arqueològiques de la Generalitat.[56] La reorganització no esperà al nomenament del nou director. Els funcionaris d'aquestes dues entitats que van romandre a Barcelona es reincorporaren ràpidament als seus llocs de feina. Serra Ràfols va fer ja una primera declaració jurada el 31 de gener, ampliada posteriorment el 19 de febrer, en què relatava la seva actuació en «el período rojo»; Colominas lliurà la seva el 10 de

53 «Reunión de los Amigos de Ampurias». *La Vanguardia Española*, edició de l'11-01-1941, pàg. 3. *El Correo Catalán*, edició de l'11-01-1941, pàg. 2.

54 «Reunión de Amigos de Ampurias». *El Correo Catalán*, edició del 15-01-1941, pàg. 2.

55 «Don Martín Almagro en el Instituto Francés». *La Vanguardia Española*, edició del 10-04-1940, pàg. 5.

56 GRACIA ALONSO, 2002-2003; GRACIA ALONSO, 2009a.

febrer, igual que el cap del taller de restauració, Francisco Font Contel.[57] Tots tres van ser «admitidos interinamente mientras se procede a la depuración de responsabilidades y al acoplamiento de la nueva plantilla de los servicios provinciales; el personal queda provisionalmente adscrito a los servicios de esta Diputación», en funció d'una disposició signada pel comte del Montseny l'11 de març;[58] Colominas va quedar encarregat interinament de la direcció del museu.

L'Auditoria de Guerra del Jutjat Militar Especial de Depuració de Funcionaris Civils reclamà al president de la Diputació informes personals sobre Serra Ràfols i Colominas el 17 i el 21 de març respectivament, a fi que fossin inclosos en els expedients de depuració núm. 3.839 i 4.191, tot i que la burocràcia no era gens efectiva i van haver de tornar a demanar-los els dies 1 i 4 d'agost.[59] Lents però molt escropolosos, ja que el jutjat va obrir també expedient de depuració al mateix Almagro un cop establert a Barcelona, i aquest hagué de presentar una declaració jurada sobre les seves activitats el 30 de setembre, i malgrat el seu compromís amb el règim va arribar a ser investigat per la Jefatura Superior de Policía arran d'un requeriment fet pel jutjat en una data tan avançada com el 7 de novembre. Les actuacions d'Almagro les avalaren Julio Rentería, comandant d'aviació i responsable de la fàbrica Elizalde; José Rives Seva, conseller nacional del Movimiento i tinent d'alcalde de Barcelona, i Luys Santamarina, també conseller nacional i director de *Solidaridad Nacional*. El seu expedient va tancar-se ràpidament amb la classificació d'«archivado sin depurar».[60]

De fet, és possible que la raó de l'expedient fossin encara les sospites sobre el seu passat polític d'esquerres que ja havien sorgit a Salamanca l'any 1936, i que el 1939 es podrien haver refermat pel fet que Almagro tenia dos parents propers empresonats per la seva actuació a la guerra al camp de concentració i presó central del monestir d'Uclés, a Conca, pels quals es preocupà constantment. I el tema no es tancà en aquest moment, atès que encara va haver de fer front a un nou expedient de depuració del Cos Facultatiu d'Arxivers, Bibliotecaris i Arqueòlegs, davant del jutge instructor per a la depuració de funcionaris Manuel Gómez del Campillo, germà del catedràtic de dret i futur rector de la Universitat de Barcelona Francisco Gómez del Campillo que, al seu torn, feia de jutge instructor per a la depuració del professorat de la Universitat de Bar-

---

57 AHDB. Lligall 2562. *Declaracions jurades (per incoar els expedients de depuració) del personal del Servei de Monuments Històrics i altres serveis d'arxius i biblioteques: Escola de Bibliotecàries, Biblioteca de Catalunya i Biblioteques Populars.*

58 AHDB. Lligall Q-605. Exp. 8. *Expedient personal de José Colominas Roca.*

59 AHDB. Lligall S-789.

60 AHDB. Lligall S-785. *Expedient Administratiu núm. 849. Martín Almagro Basch.*

celona. Almagro indicà a Manuel Gómez el 21 de maig de 1940: «He de comunicarle que fui depurado como funcionario por la Junta del Estado de Burgos, y creo tramitado mi expediente por D. Miguel Artigas, entonces jefe de la Sección de Archivos, Bibliotecas y Museos Arqueológicos. Además hube de sufrir depuración y resolver un minucioso expediente al ser promovido al empleo de alférez provisional de Infantería, habiendo servido en las trincheras durante 25 meses y 11 he sido oficial con mando en la División 71».[61] Gómez del Campillo va entendre el missatge i el 13 de juliol va proposar la continuació d'Almagro en el servei sense imposició de sanció, decisió que va ser ratificada pel MEN el 20 de juliol.

Un cop Almagro va prendre possessió del càrrec de director del museu, una de les primeres mesures va ser demanar els expedients de Font, Colominas i Serra Ràfols. Evidentment, volia saber qui tenia a les seves ordres.[62] De fet, i en una primera fase, l'actuació d'Almagro respecte als processos de depuració dels seus subordinats va ser molt neutra, i va afirmar la seva incapacitat per emetre cap judici perquè no disposava «de antecedentes». Un fet lògic en la major part dels casos, però incomprensible en el de Serra Ràfols, ja que es tractava d'un arqueòleg molt conegut ja des de la dècada de 1920 com a col·laborador de Bosch, per la qual cosa és difícil admetre que no tingués cap referència sobre ell. Almagro va fer, però, una excepció en el cas de Colominas, i el 10 de novembre va signar una carta exculpadora:

[...] Conozco a dicho señor desde antes de iniciarse el Movimiento Nacional en el terreno científico, y no tengo noticia de que actuara en política de manera directa y activa. De su honradez respondo plenamente. Lo mismo de su comportamiento en este Museo durante la dominación roja pues no ha faltado en el mismo nada, y si salieron sus fondos al extranjero fue por orden del Director Dr. Bosch Gimpera y contra su voluntad. Pero lo que me mueve a escribir estas líneas, es, sobre todo, su comportamiento a mis órdenes, demostrando una rectitud y cumplimento ejemplares por cuyo celo ha podido realizarse en gran parte la tarea de la reinauguración total del Museo. Su ayuda la considero valiosa y casi imprescindibles sus servicios en esta institución cultural.[63]

61 AGA (05) 001.003. 31-06054. *Expediente depuración Martín Almagro Basch.*
62 AHDB. Lligall 2562. *Declaracions jurades (per incoar els expedients de depuració) del personal del Servei de Monuments Històrics i altres serveis d'arxius i biblioteques: Escola de Bibliotecàries, Biblioteca de Catalunya i Biblioteques Populars.* Nota manuscrita: *Expedientes entregados al director del Museo Arqueológico Martín Almagro Basch.*
63 AHDB. Lligall S-765. Expedient administratiu núm. 861. *José Colominas Roca.*

Una de les raons d'aquesta diferència en el tracte és la col·laboració que Colominas va prestar a Almagro per fer possible la ràpida reobertura del museu, un compromís que continuà sent imprescindible al llarg de la preparació de la segona fase de l'exposició permanent el 1941. Ben al contrari, les relacions amb Serra Ràfols mai no van ser bones, ja que aquest últim va ser sempre un amic lleial de Martínez Santa Olalla.

Entre els integrants de les plantilles del Museu d'Arqueologia i del Servei d'Investigacions Arqueològiques, es van sotmetre a depuració, a més dels ja citats: Alberto del Castillo, Mercedes Montañola Garriga, Ricardo Ibars, Juan Pavía, Ramón Riu, Lorenzo Alomar, Juan Ramírez, Alfredo Ramírez, José Tersol, Isidro Pey i Alejandro Tomillo, i no es va conservar documentació de la resta del personal. Les absències poden ser degudes al fet que alguns s'exiliessin, com Adela Ramón i Lligué, o bé que no demanessin la reincorporació al servei, de manera que es produïa una depuració *de facto* sense necessitat d'intervenció del jutjat. En tot cas, es perd la pista de Joan Roure Esteve i Josep Aymà Sallarès, mentre que Joan Amades Gelats i Juan Bautista Escrivá Pons, tot i no passar pel procés, van continuar com a funcionaris, el primer al Museu d'Arts i Tradicions Populars i el segon a les excavacions d'Empúries. Esteve Fontaner Serramitjana continuà com a conserge del Museu Arqueològic de Sant Pere de Galligants fins que es va jubilar, raó per la qual es va convertir en un personatge molt popular a Girona, anomenat familiarment *l'avi del museu*.[64] El cas més significatiu va ser el del canonge del capítol de la catedral de Tarragona i professor del seminari conciliar, Pere Batlle Huguet, que va perdre el càrrec de director del Museu Arqueològic de Tarragona i de la Necròpoli paleocristiana, tot i conservar el de director del Museu Diocesà; els anys següents va dur a terme una tasca de recerca important en el camp de la Història de l'Art i l'Arqueologia a Tarragona.

En general, tot i que la normativa oficial era bastant estricta, pot afirmar-se que la Diputació va ser molt laxa amb el personal del museu i del SIA, molt més, en qualsevol cas, que amb altres col·lectius que també en depenien, com

---

64 Vegeu detalls a: «Venturosos nonagenarios» (*Los Sitios*, 09-01-1954); «Fontaner, pieza valiosa del Museo Provincial» (*El Correo Catalán*, 06-02-1958); «Dialogando con don Esteban Fontané Serramitjana» (*Los Sitios*, 15-01-1961); «Los noventa y ocho años de un gerundense» (*Los Sitios*, 10-01-1962); «Cumpleaños» (*Los Sitios*, 11-01-1963); «Próximo homenaje a un músico de "cobla" centenario» (*Los Sitios*, 24-12-1963); «La medalla del Trabajo a D. Esteban Fontaner. Por su labor como portero del Museo Arqueológico» (*Los Sitios*, 28-12-1963); «Cumpleaños» (*Los Sitios*, 11-01-1964); «Homenaje al centenario don esteban Fontané» (*Los Sitios*, 14-01-1964); «En memoria de D. Esteban Fontané» (*Los Sitios*, 11-06-1964); «Nuestro centenario» (*Los Sitios*, 12-06-1964); «Els subalterns de l'Administració» (*Diari de Girona*, 21-01-1990).

ara els mestres o els professors de l'Escola Industrial, i es van donar per bons expedients amb avals molt febles. El jutge instructor, Salvador Viada López-Puigcerver, va proposar el desembre de 1939 l'admissió sense sanció de Colominas, Alomar, Pavía, Riu, Font, Montañola, Del Castillo, Serra Ràfols, Ibars i Ramírez, i en els casos d'A. Ramírez, Tersol i Tomillo es va arxivar la causa sense completar l'expedient, però també sense sanció. A la fi, només van ser baixa els exiliats.

El procés de depuració no va interrompre el funcionament de les activitats del Servei d'Investigacions Arqueològiques i del museu. La plantilla del SIA va quedar formada —tot esperant les decisions judicials— a mitjan 1939 per Martín Almagro (director), Colominas i Serra Ràfols (arqueòlegs), Font Contel (restaurador), Lorenzo Alomar (ajudant), Juan Bautista Escrivá (conserge d'Empúries), Sebastián Pujals (guarda del Museu de Tossa de Mar) i Nicasio Arraiza Oyarzábal (guarda d'excavacions). Els tres últims van accedir als llocs de feina arran de peticions fetes pel nou director per cobrir les vacants existents. Pel que fa al museu, segons consta a la relació de nòmines dels exercicis de 1940, estava integrada per Almagro (director), Del Castillo, Serra Ràfols i Colominas (conservadors), Mercedes Montañola (bibliotecària), Font (cap de taller), Alomar, Agustín Font Contel i Joaquín Alcalá Flores (restauradors), Ramón Riu, Juan Pavía i Dalmacio Guillén (mossos), Isidro Pey (ordenança), José Tersol (dibuixant), Antonio Gudiol Ricart (fotògraf), Luis Sallés Cabanes (manobre), Luis Serramiá Pi (electricista) i Concepción Gener Roca (auxiliar de biblioteca). Tots poden ser considerats personal estabilitzat perquè els seus sous es documenten perfectament regularitzats a les relacions de nòmines de 1940, i el 30 de gener de 1941 un acord de la Comissió Gestora de la Diputació va acordar un augment en la nòmina per a tots els treballadors.[65] Amb l'excepció del director, dels conservadors i de la bibliotecària, és a dir, el personal tècnic, l'augment equivalia al 25% de la nòmina anual. A la relació s'hi va afegir un nou empleat, Ricardo Albert Llauró, que prestà servei entre els mesos de juliol i desembre de 1940, mentre que Ricardo Ibars i Juan Ramírez van abandonar els seus llocs de feina tot i haver estat admesos sense imposició de sancions.

Aquesta actuació hauria d'haver significat la consolidació definitiva de la plantilla en un moment d'expansió de les activitats del Museu Arqueològic Provincial de Barcelona, entre les quals destaquen la preparació de l'obertura de la

---

65 AHDB. *Actas de la Comisión Gestora de la Diputación Provincial de Barcelona del 03-01 al 27-06 de 1941*, pàg. 103-104.

segona fase de l'exposició permanent i la represa de les excavacions d'Empúries. Però no va ser així. El mes de novembre de 1941, Almagro procedí a la reorganització de la plantilla, i el dia 19 va fer la sol·licitud següent al president de la Diputació, Antonio María Simarro: «Para la mejor marcha de los servicios y en consideración a la nueva dotación del Presupuesto de esta Institución presentado a esa Excma. Diputación de acuerdo con S.S. ruego le sea manifestado a todo el personal de este Museo que ha de quedar fuera de plantilla, el cese en su servicio o se autorice a esta dirección para hacerlo». Els acomiadats havien de ser tots els qui «habían ingresado en la Institución después de la revolución rojo-separatista o haber prestado sus servicios como jornaleros hasta la fecha», una mesura que afectava Luis Serramiá, Luis Sallés, Dalmacio Guillén, Joaquín Alcalà, Juan Pavía, José Tersol, Juan Fábregas Cercós i Antonio Gudiol. El diputat ponent de Cultura, Bonet del Río, va indicar el 27 de novembre a Almagro que fos ell qui s'encarregués de fer efectius els acomiadaments, la qual cosa confirmava el vistiplau de la Diputació.[66]

La mesura proposada per Almagro es complí tot i l'oposició de Juan José Zorrilla de la Gándara, cap provincial de la Confederació Nacional de Sindicats de FET i de les JONS a Barcelona, que intercedí personalment pels treballadors davant del president de la Diputació Provincial[67] i del governador civil per intentar aturar els acomiadaments,[68] i ho va fer adduint raons de coherència amb la política del règim per fomentar l'ocupació. El president de la Diputació traslladà el prec al director del museu del 30 de desembre, però Almagro respongué el 8 de gener que la decisió s'havia pres directament amb el governa-

66 AHDB. Lligall Q-567. *Servicio de Investigaciones y Museo Arqueológico, 1941.* «En contestación a su oficio n.º 336 de 19 de los corrientes y ante la reorganización que ha de efectuarse de los Servicios de ese museo autorizo a Vd para que tome las disposiciones pertinentes al caso y en su consecuencia proceda de conformidad con su propuesta.»

67 AHDB. Lligall Q-571. Cultura 8. «Con esta fecha (19-12-1941) se dirigen a esta Jefatura varios empleados del Museo Arqueológico dependiente de esa Excma. Corporación, exponiendo la triste condición a que se verán reducidos a partir del primero de enero, con motivo de la reorganización de servicios en dicho Centro, y, habiéndose hecho eco de esta necesidad, esta Jefatura se permite impetrar de esa Presidencia, la manera de suspender transitoriamente aquel acuerdo, evitando, de esta forma, que varios padres de familia sientan con motivo de las próximas fiestas, el temor real de la miseria.»

68 AHDB. Lligall Q-571. Cultura 8. *Carta del gobernador civil de Barcelona al presidente de la Diputación de 22-12-1941.* «Tiene conocimiento este Gobierno Civil de que, con motivo de una reciente reorganización llevada a cabo en el Museo Arqueológico, dependiente de esa Excma. Diputación, se procederá al despido de personal que presta sus servicios en ese Centro. Con tal motivo espero merecer de V.S. se sirva informarme sobre las razones que originan dichos despidos y posibilidad de que sean evitados, máxime teniendo en cuenta las medidas adoptadas recientemente para remediar el paro en esta provincia y los sacrificios que con ello se imponen a los empresarios particulares, los cuales, cuando menos, merecen análoga conducta por parte de las distintas Corporaciones de esta provincia.»

dor civil, cosa que deixava molt clar que es tractava d'una posició irrevocable: «pongo en conocimiento de S. E. que celebrada una conferencia con el Excmo. Sr. Gobernador Civil, se dejó subsanado dicho asunto, aprobando la resolución de esta dirección»,[69] i afegia a continuació: «cree esta dirección que se debería comunicar a la Delegación Provincial de Sindicatos, en contestación a su oficio 1080, que el personal que ha cesado es aquel que ingresó con el gobierno rojo de la Generalidad después del 18 de julio y que por falta de subvención y otras razones, ha sido propuesta su eliminación de dicha nómina». L'argumentació terminava indicant que els afectats «percibían sus haberes como prestación voluntaria e incondicional y donde por simple acuerdo del Director han seguido hasta la formulación definitiva del presupuesto del Museo Arqueológico».

De la informació presentada es desprèn que les raons exposades per a l'acomiadament dels set treballadors eren falses, ja que figuraven en nòmina i no eren eventuals. Si el problema hagués estat la reducció de despeses, no es comprèn l'augment acordat al principi d'any per la Diputació als mateixos treballadors ara despatxats. Tampoc no s'entén que el president de la Diputació traslladés l'ofici del governador civil directament al director del museu perquè, si la raó era estrictament econòmica, la resposta corresponia a la corporació provincial i no hauria de ser el director del museu qui expliqués al governador les «otras razones» que van endegar el procés. És força representatiu del poder del director el fet que pogués argumentar davant de Simarro que ja havia resolt el problema amb el nou governador civil, Antonio Federico de Correa Véglison, que prengué possessió del càrrec el 22 de desembre de 1940. Almagro i Correa Véglison molt probablement es coneixien des de la guerra, atès que l'ara màxima autoritat provincial va ser cap dels tallers d'automobilisme a Ceuta i participà a les operacions del pas de l'Estret i en l'avanç de la columna Yagüe. Després quedà adscrit com a cap al Tercer Batalló Automobilístic del Marroc, amb el qual va prendre part a les campanyes de Madrid i Catalunya. Convé recordar que Almagro va servir a la mateixa unitat entre mitjan 1937 i finals d'agost de 1938, i com que es tractava d'una persona que havia tingut certes responsabilitats a Falange és lògic suposar que tinguessin relació.[70] D'altra banda, Véglison era també amic de Vegas Latapié.

La relació personal entre Almagro i Correa Véglison va tenir el primer exponent el 19 de gener de 1941 quan el governador va acompanyar el ministre i

---

69 AHDB. Lligall Q-571. Cultura 8. Oficio de Martín Almagro al Presidente de la Diputación de Barcelona del 08-01-1942.
70 AHDB. Lligall S-704. Expedient personal de Martín Almagro Basch.

destacat dirigent de Falange, Pedro Gamero del Castillo; la delegada de la Secció Femenina, Pilar Primo de Rivera; les participants en el V Congrés Nacional de la Secció Femenina que tingué lloc a Girona, i altres autoritats, en una visita a les excavacions d'Empúries, que la dirigent falangista va agrair molt especialment.[71] Correa va ser poc després un dels donants principals de l'associació Amigos de Ampurias,[72] i la premsa donà raó de les visites del director del museu al Govern Civil,[73] així com del fet que aquest honorés els seus hostes principals amb un recorregut per les sales del Museu Arqueològic, com va fer amb l'ambaixador dels Estats Units Alexander Weddel el 5 de març.[74] Això vol dir que Almagro tenia línia directa amb Correa Véglison i podia, en casos concrets, fer prevaldre les seves influències per damunt dels membres de la corporació provincial.

Només es poden avançar hipòtesis dels veritables motius de la «depuració econòmica» esmentada, però les nòmines de 1942 i 1943 proporcionen algunes dades.[75] En la corresponent al mes de juny de 1943 hi figuren els membres del personal tècnic, a més de Joan Maluquer de Motes com a ajudant. Dos d'ells, J. Tersol i J. Fábregas Cercós, figuraven en la relació d'acomiadats duta a terme divuit mesos abans, cosa que feia evident que van ser readmesos en una data posterior i que van obtenir també l'equiparació de sous amb la resta del personal. Tersol va ser l'únic dels acomiadats —amb Pavía— que havia demanat la depuració, tot i que no es finalitzés el procés, mentre que els altres, Alcalá, Guillén, Gudiol, Sallés i Serra no van ser investigats (o bé els seus expedients s'han perdut) ni figuren en les relacions de personal de la Diputació examinades corresponents als anys 1939 i 1940.

La contractació de nou personal tècnic al llarg de 1940 i 1941 indica que les raons econòmiques no eren la base del problema, ja que el sistema de contractacions de la Diputació permetia disposar de personal eventual o de temporers sense necessitat que les seves retribucions figuressin en nòmina com a membres de plantilla, sistema utilitzat, per exemple, per pagar els treballs desenvolupats a les excavacions d'Empúries. Les raons havien de ser polítiques. Els tècnics depurats van continuar al MAB i al SIA, tant si eren partidaris del rè-

71 Arxiu MAC-Barcelona. Correspondència Almagro 1940-1941. 2.2.008. Carta Pilar Primo de Rivera-Almagro del 25-01-1941.

72 AHDB. Lligall 571. Cultura 8. *Servicio de Investigaciones Arqueológicas y Museo Arqueológico. Expediente general. «Amigos de Ampurias». Aportaciones de 1941.*

73 «Centros oficiales. Visitas». *La Vanguardia Española*, edició del 05-03-1941, pàg. 5.

74 «Visita al Museo Arqueológico». *La Vanguardia Española*, edició del 06-03-1941, pàg. 4.

75 AHDB. Lligall Q-575. Cultura 8. *Museo Arqueológico y Servicio de Investigaciones Arqueológicas. Expediente General. Decreto de 31-07-1943 relativo a los haberes correspondientes al mes de julio de 1943.*

gim com adaptats a les circumstàncies, però tots membres de la plantilla de la Diputació des de la dècada de 1920, mentre que es van suprimir els llocs de feina de tots els qui van ingressar «con el gobierno rojo de la Generalidad después del 18 de julio», i no van passar pels expedients de depuració. És a dir, es tractava de persones de les quals es podia preveure una certa tebiesa en la seva adhesió al règim. ¿Quins motius, si no eren polítics, podien haver estat emprats pel director en la seva conversa amb el governador civil perquè aquest no volgués atendre la súplica de la Jefatura Provincial de la CNS de FET i de les JONS, essent ell mateix el cap provincial de Falange a Barcelona? L'autèntica depuració es va produir, doncs, cap al final de 1941.

Les motivacions polítiques es troben també al darrere del procés seguit contra Colominas el 1941. La prohibició d'utilitzar la llengua catalana en actes públics entrà en vigor arran de l'ocupació de Catalunya, i s'enduriria amb una ordre del 26 de juliol de 1940 dictada per l'aleshores governador civil de Barcelona, Wenceslao González Oliveros, en la qual es proclamava la llengua com una de les causes de la guerra:

[...] no debe olvidarse que la sistemática y sañuda reincidencia en el designio de la eliminación del idioma oficial en esta tierra por parte de elementos de execrable recordación trajo consigo inevitablemente la ofensa para todo el resto de España y desembocó trágicamente, como no podía menos de ocurrir, en la Guerra Civil y en la victoria rotunda de las armas españolas.[76]

Aquestes mesures van ser encara més dures després del nomenament del seu successor, Correa Véglison:

[...] y una última advertencia: Soy militar. El espíritu de la milicia es fundamento, nervio y alma del partido. A los indisciplinados impondré castigos de tipo milicia, para que la falta tenga una sanción inmediata. Y las sanciones serán impuestas con rigor verdaderamente falangista. No olvidemos que estamos en una Organización militante [...] Hay que infundir la idea de España. No solamente con himnos, desfiles, leyendas patrióticas. Cuando hablamos de Imperio no nos referimos únicamente a ese Imperio espiritual que es nuestra fe y su expansión. Hay algo más. Lo que es el Imperio territorial que vamos a conseguir, y que lograremos siguiendo la ruta que nos marque nuestro Caudillo.[77]

---

76 SOLÉ SABATÉ, J.; VILLARROYA, J. (1994): *Cronologia de la repressió de la llengua i la cultura catalanes 1936-1975.* Curial, Barcelona.

77 *Solidaridad Nacional,* edicions de dates 24-12-1940 i 31-12-1940.

No és estrany doncs que, arran de les noves normes, sovintegessin les denúncies contra funcionaris per utilitzar el català en «acto de servicio».

Una d'aquestes denúncies afectà Colominas. El 30 de gener de 1941 la Comissió Gestora de la Diputació ordenà obrir-li un expedient després de rebre, probablement del Govern Civil, una denúncia[78] per haver utilitzat un idioma diferent de l'espanyol davant d'un grup de visitants del Museu, fet que provocà la seva immediata suspensió de feina i sou i l'obertura d'un expedient de depuració. L'1 de febrer Colominas va ser exclòs de la nòmina de personal. En un clar exemple de com funcionaven les coses —però també de la força de la delació—, Bonet del Río va dictaminar la culpabilitat del conservador sense ni tan sols escoltar la seva versió dels fets. El 6 de febrer es nomenà com a jutge instructor José Mandoli Giró, que demanà els informes administratius de Colominas i, per fortuna per a l'acusat, d'acord amb Bonet del Río decidiren mantenir el procés dins del marc de la Diputació sense demanar el parer al Ministeri de Governació i al Govern Civil. Tot el problema radicava en una visita guiada a les sales del Museu que Colominas havia fet amb un grup de membres del Foment de les Arts Decoratives, durant la qual, pel fet de trobar-se entre gent coneguda i catalanoparlant, havia fet servir la llengua comuna de tots. Però algú —present o absent— se'n va assabentar o es va molestar i el denuncià; com que es tractava d'un acte públic entrava de ple en la transgressió de la norma. Almagro declarà davant el jutge no conèixer els detalls del fet i ratificà la seva confiança en el seu subordinat: «no puedo dar antecedentes del expedientado por no haberle conocido sino después de terminada la guerra cuando me hice cargo de la Dirección del Museo, y que su conducta y comportamiento en actos de servicio, son inmejorables». El procés seguí el seu curs i Colominas va fer la seva declaració justificativa el 6 de juny, en la qual va aportar un seguit de testimonis entre els visitants per avalar la seva versió. Mandoli Giró continuà la seva investigació fins a mitjan juliol, i el dia 12 va qualificar l'acte de molt greu però sense intencionalitat, cosa que va alleugerir la càrrega del delicte. Elevades les conclusions a la ponència de Cultura, aquesta acordà el 29 de setembre de 1941 sancionar Colominas amb una amonestació, decisió que va ser comunicada al Govern Civil el 9 d'octubre.[79] A la fi el problema quedà en no res més

---

78 L'única menció a la denúncia en tot l'expedient es troba en un ofici de Martín Almagro Basch del 24-05-1941 en resposta a una pregunta del jutge instructor: «Creo que la denuncia fue hecha al Gobierno y a la Policía, y esta debió abrir una información». AHDB. Lligall Q-567. *Servicio de Investigaciones y Museo Arqueológico, 1941.*

79 AHDB. *Actas de la Comisión Gestora de la Diputación Provincial de Barcelona del 04-07 al 30-12-1941,* pàg. 177; AHDB. Lligall Q-566. Exp. 1. *General de la Sección de Cultura. Salida, 1809.*

enllà de l'ensurt i els vuit mesos sense feina i sou de Colominas, però el cas —i el seu rerefons— va pesar a partir de llavors com una llosa en les relacions internes del personal del museu.

La posició d'Almagro en l'àmbit cultural barceloní es veié reforçada al principi de gener de 1940 quan el Ministeri d'Educació Nacional creà la Junta para la Organización y Orientación de los Museos de Barcelona y su provincia, que depenia orgànicament del mateix Ministeri, i Almagro va rebre l'encàrrec de redactar i gestionar un nou reglament general dels museus de Barcelona. Aquesta junta, substituta per cessament immediat de l'antiga Junta de Museus —reorganitzada a corre-cuita el 10 de febrer de 1939 per Sainz Rodríguez i Eugeni d'Ors[80] per facilitar les actuacions legals encaminades al retorn de les col·leccions del Museu d'Art dipositades al castell de Maisons-Laffitte, prop de París, el 1937—, era integrada pel president de la Diputació com a màxim responsable; l'alcalde de Barcelona com a vicepresident; el diputat de Cultura de la Diputació, i un altre membre d'aquesta corporació nomenat pel Ministeri a proposta de la Diputació com a vocals; el regidor de Cultura de l'Ajuntament; el president de la Comissió Provincial de Monuments; el director del Museu Arqueològic; el director de l'Arxiu de la Corona d'Aragó; el comissari de zona del Servei de Defensa del Patrimoni Artístic Nacional; el delegat de Cultura de Falange Española Tradicionalista i de les JONS, i el director del Museu de Catalunya (sic) —amb referència al Museu d'Art—, que havia d'actuar com a secretari.[81] En exercici del seu càrrec, Almagro formà part d'altres organismes provincials, com ara la Junta Rectora del Museu de Manresa o el Patronato para el Fomento de Bibliotecas y Archivos, del qual també eren membres el governador civil González Oliveros, l'alcalde Mateu, el president de la Diputació, el degà de la Facultat de Filosofia i Lletres i el director de l'Arxiu de la Corona d'Aragó, entre d'altres.[82]

80 GRACIA ALONSO, MUNILLA, 2011, pàg. 332-333.

81 «Los Museos de Barcelona y su provincia». *La Vanguardia Española*, edició del 14-01-1940, pàg. 1.

82 «Se autoriza la instalación y apertura al público del Museo de Manresa». *La Vanguardia Española*, edició del 15-02-1941, pàg. 2.

5

El compromís ideològic

No podia ser de cap altra manera. Els escrits d'Almagro al llarg de la guerra reflecteixen les línies ideològiques dels nacionals, i ho fan des d'una posició molt vinculada a les idees feixistes, que considerà les úniques que podien ajudar a situar de nou Espanya en el context internacional:

> [...] el eje Roma-Berlín merece ser conocido en España, donde es preciso crear una clara conciencia de nuestra postura internacional [...] España juega otra vez un papel importante en el mundo y Madrid está llamado a ser apoyo final de ese eje Berlín-Roma que debe prolongarse hasta nosotros en la victoria final que los ejércitos españoles han de alcanzar sobre el comunismo internacional y sobre todos nuestros enemigos.[1]

Aquestes idees, com hem indicat, les continuà defensant en les seves col·laboracions als diaris i revistes controlats per Falange. Hi hagué, però, un tema que només tractà un cop: l'antisemitisme. S'han citat les idees d'Almagro respecte dels jueus arran de la seva estada a Viena l'any 1935; poc després, en plena guerra, publicà un breu epíleg en la segona edició del llibre *Isabel de España*, de Walsh, que es repetí en les tirades de 1939 i 1943. L'objectiu del breu text és negar qualsevol possibilitat d'una ascendència jueva del rei Ferran el Catòlic, considerat l'autèntic forjador de l'Imperi espanyol i un dels models per al príncep de Maquiavel, i disminuir qualsevol importància del component jueu i dels conversos en la formació de la unitat d'Espanya:

> [...] es inadmisible e históricamente falso el que la raza judía desempeñara jamás el papel que el autor le da en el texto de este libro. Igualmente es inexacto que los judíos alcanzaran, ni en Castilla ni en Aragón, el número y la importancia que aquí se asigna a esta raza. Como en otros países de Europa hubo judíos en España y hubo conversos por conveniencia material, aunque clandestinamente siguieron en contacto con las gentes de su raza, siendo siempre un elemento disolvente de la sociedad.

---

1 ALMAGRO, M. (1938): «Introducción». A: PICCOLI, V. *Italia, Alemania y España contra el comunismo*. Cultura Española. Santander, pàg. 8.

Almagro criticà a l'autor l'ús de fonts documentals que considerava esbiaixades a favor d'una visió preponderant de la cultura jueva, que qualifica com a pròximes a l'hebreofília, per tal com atribueix a molts historiadors jueus o vinculats amb aquests la reivindicació d'un paper dels hebreus en la història superior al que haurien de tenir:

> [...] conocido de todos es que para los judíos, cuanto de glorioso hay en el mundo, si no hay autor a quien atribuirlo, surge un probable judío como autor genial y además olvidado en la Historia. Si aparece un nombre que tenga lagunas en su vida y en su origen, en seguida se urde por los defensores de esta raza, la posible teoría de ser judío.

Si aquestes eren les mancances de l'obra, ¿per què va ser editada per Cultura Española? La resposta és molt simple. Walsh defensava les accions polítiques dels Reis Catòlics i l'actuació de la Inquisició, cosa que constituiria un fet essencial en favor seu:

> [...] su valiente reivindicación debe enorgullecer a nuestra nación por aquellos tiempos gloriosos de aurora de la gran España, ensalzada en su espíritu y significación por este libro, cuyo mérito aumenta, al ser obra imparcial de un extranjero cuya sensibilidad le ha permitido sentir y amar a nuestra Patria.[2]

Poc després de la seva arribada a Barcelona, Almagro inicià una col·laboració com a articulista a *Solidaridad Nacional*, com corresponia a la seva militància falangista. Utilitzà aquest mitjà per posicionar-se davant de les autoritats franquistes a Catalunya i també per marcar distàncies amb Bosch Gimpera. Així, aprofità el primer escrit, «Responsabilidad intelectual»,[3] per carregar —sense citar-lo explícitament, però— contra el seu antecessor al museu, i no, evidentment, per postulats professionals, sinó ideològics, en al·lusió al catalanisme de Bosch i especialment a la seva obra *Espanya*,[4] recull del discurs inaugural del curs 1937-1938 que pronuncià a la Universitat de València i en què criticà amb força el que denominà la història oficial i tradicional —ortodoxa— d'Espanya, exemplificada en els treballs de Gregorio Marañón, Menéndez Pidal i Menéndez y Pelayo:

---

2 ALMAGRO, M. (1938): «Epílogo». A: WALSH, W.T., *Isabel de España*, pàg. 653-655.
3 ALMAGRO, M.: «Responsabilidad intelectual». *Solidaridad Nacional*, núm. 60, edició del 21-04-1939.
4 BOSCH GIMPERA, 1978, pàg.19.

[...] hi havia una Història tradicional, oficial [...] que havíem après a l'escola, a la qual es feia al·lusió en els discursos polítics i que era a tots els tractats. Aquesta Història «ortodoxa» partia de la idea dogmàtica de la unitat i cohesió essencial d'Espanya i de la seva civilització, com d'un ésser metafísic. Era consubstancial amb ella la missió d'Espanya a Amèrica, la defensa de la unitat religiosa, la realització, prefigurada a l'època romana, d'Espanya per Castella i per la monarquia des d'Ataülf fins a la dinastia borbònica. Després que fou posada en perill la unitat en el fraccionament de l'Edat Mitjana, s'anà reconstruint a poc a poc durant la Reconquesta fins a culminar amb els Reis Catòlics, els vertaders restauradors d'Espanya i el punt inicial de la seva grandesa; des d'aleshores, els valors castellans, sublimats per l'Imperi, entre els quals hi ha la llengua, esdevindran els valors espanyols per antonomàsia. Tot allò que no s'adeia amb l'esquema era herètic. El fet de Portugal era considerat com una rebel·lió; el de Catalunya, que s'obstinava a renéixer, si passava d'una renaixença literària o folklòrica i intentava una cristal·lització política, era condemnat durament.

Cal imaginar la reacció d'Almagro davant un text que atacava directament les bases de les seves creences ideològiques, lligades directament i indissolublement als principis bàsics de l'ideari del bàndol nacional al llarg de la guerra, uns atacs —segons la seva perspectiva— a la unitat d'Espanya, al paper preeminent de Castella, a la llengua i a la religió que no podien quedar sense rèplica:

Toda la otra España, la España bastarda, atroz, que hemos vencido, aparece ahora, en éstas nuestras tierras redimidas, ante nosotros. Ha llenado las bibliotecas de libros; en los salones de conferencias y mítines ha expresado continuamente sus tópicos y sus concepciones; y las mentes de una mayoría de españoles han sufrido pacientemente esa exposición de ideales fáciles, adaptables y peligrosos. Y el combatiente, el militante auténtico, que deja el fusil y vuelve a su tarea intelectual, capta en estas tierras de España la responsabilidad de una tarea dura y delicada que es preciso emprender. Aparece ante él la gran empresa que hay que realizar para que la sangre vertida fructifique. Hay que exponer y divulgar la auténtica España, la auténtica Razón de España. Porque nuestra fuerza es una razón superior y más potente que las razones fáciles de exposición que frente a nosotros se han expresado por ahí.
    La España roja, que tuvo siempre en sus manos todos los resortes del poder y de la gran cultura; las revistas universitarias, casi todas las publicaciones científicas, los grandes diarios y radios, ha trabajado intelectualmente más que ha combatido, y al caer en nuestras manos lo que de este lado se ha escrito, percibimos claramente la responsabilidad de la tarea que al hombre de ciencia de la Nueva España aguarda [...]. Todas estas ideas me las ha hecho escribir un folleto titula-

do «España» que he encontrado sobre una mesa de trabajo que me aguarda al volver de la trinchera [...]. Toda una continua negación de España en este libro, como tantos otros que en esta época han aparecido. Lo refuerzan citas de Ortega, de Menéndez Pidal, de Marañón y de Azaña, a quien está dedicado este bosquejo e interpretación de España. Su texto sugestivo se refuerza con la ciencia fría y prehistórica del sabio que viene a servir, por primera vez, a una concepción tan falsa como demagógica. Simpatía por las tribus de la montaña, por lo que es Prehistoria e incultura, y un consciente odio y desprecio a lo que son los valores auténticos y eternos de la Patria [...]. Demagogia barata y democratismo falso al servicio del cual mal vive la ciencia. Pero únicamente para la España que ha vencido, es falsa y no es peligrosa esta tesis. Pero ¡cuántas mentes envenenadas esperan el libro que barra tanta podredumbre y tanta mentira roja! Yo sé que España no es la Prehistoria, ni los pueblos y tribus que los etnógrafos y prehistoriadores estudiamos. Yo sé que España es los valores espirituales que mi maestro, a pesar de todo, no se atreve a segar. Sé que España es potente en su existencia espiritual, porque me he batido en las trincheras por ellas, y allí he aprendido su autenticidad. La victoria de la auténtica España sobre toda esta serie de razones y esquemas falsos sobre su pobreza y su falacia, lo demuestra. Pero también sé lo difícil que es ahogar tantas razones con la Razón de España, y a tantos espíritus ciegos dar luz, y a tanto error taparlo con la verdad. De ahí esta responsabilidad acuciante que cae sobre todos los hombres de ciencia de la Nueva España, responsabilidad que todos debemos afrontar, y para la cual todo esfuerzo en pro de la Patria grande y nueva debe ser poco.

Nuestra batalla comienza. Las ideas gobiernan a los pueblos, desde Fichte, y es preciso aclarar y exponer por doquier las nuestras: que tengamos para ello la ayuda del Caudillo y sus gobernantes; que nuestro pueblo nos siga en nuestras victorias, que han de ser los libros futuros contra el error y por la verdad, como ha seguido a nuestras bayonetas, enfrentándolas en las batallas iniciales y básicas de esta España que renace.

Un cop marcades les distàncies, l'articulista Almagro insistí al llarg de tot l'any 1939 en els temes més apreciats per Falange: la defensa de la identitat nacional, els valors eterns de la pàtria espanyola i la crítica al liberalisme. Així, en l'article «Francia y España», publicat el 4 de maig, ajustà els comptes pel suport que una part dels intel·lectuals francesos havien donat a la República; recordava totes les derrotes militars sofertes per França davant les tropes espanyoles des dels temps del Gran Capità fins a la Guerra de la Independència, i expressava que la llavor de la destrucció de la Península va venir de França:

[...] después de una victoria contra la revolución destructora que de Francia nos vino, ladinamente azuzada. De allí nos enviaron el liberalismo nefasto y de allí los separatismos que amenazaron con balcanizar la Península, colocando al aragonés frente al vasco y a Cataluña contra Castilla y al Norte contra el Sur, para que así Francia pudiese mediar en las luchas entre hermanos y dominar, partiéndonos el alma y el poder. De Francia vino el Frente Popular rojo; y el comunismo, en Francia se refugia ahora y allí se amamanta. Y tras sufrir tanto mal que de la Francia nos vino, la España eterna, caballeresca y noble, sabe conmemorar un Dos de Mayo, que es grito contra Francia, sin estridencia alguna. Elegantemente.[5]

Almagro va retraure també al govern i a la premsa franceses les incipients campanyes de descrèdit en contra del nou govern de Franco, mentre clamava contra un suposat odi antiespanyol etern.

I no va ser l'únic cop que demostrà la seva francofòbia. O com a reafirmació de la seva ideologia germanòfila, per continuïtat i acceptació del discurs contrari a França i a la Gran Bretanya de Falange, o simplement per una suma de totes dues, unint convenciment i oportunisme, el fet és que Almagro continuà i endurí els seus atacs amb nous i duríssims escrits. Al principi de juliol, en un nou text titulat «Las traiciones de Francia»,[6] va unir de nou política i història per fer recaure en el país veí i en els seus dirigents la responsabilitat de la decadència d'Europa:

Triste destino el de Francia. Amenazada siempre por sus pecados y dispuesta siempre a los mismos errores. Ella, que desde siglos se vanagloria de haber sido la defensora de la Cristiandad, la hallamos siempre dispuesta a pactar con sus enemigos capitales, con la Herejía y el Turco oriental, a los que hereda hoy como fenómeno disgregador el bolchevismo ruso.

Per tant, acusava França de traïció a la idea de l'Occident cristià per obtenir avantatges polítics i territorials. Una pràctica que, segons Almagro, aquest país ja practicava des dels temps de Carlemany i Francesc I, sempre en contra dels valors sagrats de la cristiandat, de la influència i guia espirituals del Papat i, és clar, de l'hegemonia de l'Imperi espanyol. Per fer totes aquestes afirmacions, Almagro recorria en el seu argumentari a tota mena de referències cultes, inclosos els versos de Camões. Però el que no perdonà als francesos, amb el llenguatge patriòtic i militarot de l'època, fou la posició tèbia respecte als esforços dels nacionals al llarg de la guerra d'Espanya:

---

5 ALMAGRO, M.: «Francia y España». *Solidaridad Nacional*, edició del 04-05-1939.
6 ALMAGRO, M.: «Las traiciones de Francia». *Solidaridad Nacional*, edició del 05-07-1939.

[...] y luego que nos vengan cantos de sirenas de las derechas francesas, hablando en la Prensa de sus «Association Française pour la Restauration des Sanctuaires d'Espagne», queriendo levantar iglesias a Santa Genoveva de París y propagando y fundando la «Solidarité Occident», que no sabemos cómo la definirá Stalin, sumo definidor de Francia. Que no nos vengan a los que hemos andado a tiros en las trincheras con monsergas de ese género, mientras se alían con Rusia y mientras no nos devuelvan lo robado y quieran asfixiarnos en lo económico, ya que no han podido vencernos con las armas por su moral de derrotados. Si quieren los de derechas o de izquierdas de Francia, no traicionarse a sí mismos y ayudar a la Cristiandad y a Europa, que se dejen de «occidentalismos» heréticos y se conviertan en cruzados de la nueva que nosotros hemos defendido. Perderán algo de tierra y bienes que no son suyos, pero servirán a lo que parece ser que predican sin sentir.

Sempre que li va ser possible, Almagro féu escarni i befa de tot el que estava relacionat amb França, en especial de la història, que considerà nefasta per a Europa, per a Espanya i per al catolicisme:

[...] ambicioso destino el de volver a levantar los ideales de los pueblos hacia esa paz imperial. Para ello fue ya una vez España luz y espada. Y halló la alianza del hermano entonces, que mantenía firmes sus marcas guerreras contra el Oriente bárbaro y destructor. Y entonces el galo egoísta, nacionalista, corto, se alió con el turco para que el Imperio, su romanidad, no renaciera. Luego se llamará «elite» de lo latino y creerá que lo romano se parece algo a sus pelucas y chorreras del «estilo Imperio». Qué fatuo es ese «gallus» que, con su canto siempre a deshora se caracteriza. Su Imperio se define con libros de Voltaire y Rousseau, y luego con Ginebra. Eso era lo fatuo para el gallo de París, que no sabía de la dura y áspera actitud imperial que sabe a misión y sacrificio.[7]

Almagro va lligar els seus postulats en defensa d'una certa idea d'Occident amb la necessitat de reconèixer el paper determinant de l'Església catòlica en la nova recomposició del sistema polític i social europeu del qual els falangistes creien haver donat els primers passos per la seva salvació al llarg de la *Cruzada*; un cop iniciada la Segona Guerra Mundial creien que eren més a prop de poder assolir aquesta nova recomposició del sistema perquè confiaven cegament tant en la victòria alemanya com en el prestigi del feixisme italià. En el seu text

---

7 ALMAGRO, M.: «Unidad y misión de Italia y España». *Solidaridad Nacional*, edició del 15-07-1939.

«La crisi de Europa y la catolicidad»,[8] Almagro clamà contra la Impietat dels governs i els pobles europeus:

> [...] toda Europa en caos reclama a Dios después de haber orillado y enterrado su Iglesia. Busca el consuelo de la fe después de haber descristianizado a los pueblos, imponiendo y azuzando por todas partes una moral autoritaria y materialista. Hobbes por un lado, y Spencer y Smith, por otro, rigen las mentes y los asuntos de los Gobiernos en todos los pueblos civilizados del Mundo.

Recordava que allò que els europeus cercaven ara amb desesperació, Espanya —qui, si no— duia segles defensant-ho i patint en el terreny internacional només per mantenir-se fidels a uns principis:

> [...] ellos habían abandonado la causa de la eterna Verdad, de la Ley de Dios que proclama una unidad católica imperial y eterna entre los hombres. Verdad que España predicó y defendió aún sucumbiendo frente a la Inglaterra anglicana utilitarista que fundó su poder sobre la piratería cuando la Cruz y la doctrina católica andaban dirigidas y mantenidas por el Papa de Roma y el Rey Católico del Imperio hispano. De los piratas a los Rothschild, cuya fortuna se amasó con el robo de sus mentiras claras, la línea moral es la misma. El mismo puritanismo señoreando esclavos por todo el Mundo en dura explotación sin fe ni misericordia.

Tot plegat una suma de raons i dades distorsionades en què, fins i tot, es pot veure clarament un cert manteniment dels seus prejudicis antisemites.

Què demanava, doncs, Almagro? Senzillament, la reorganització de l'Imperi espanyol com a suprem defensor de la religió. És a dir, el retorn al segle XVI i a les idees imperials del regnat dels primers monarques de la casa d'Àustria:

> [...] seguir creyendo en nuestra postura espiritual, en nuestra tradición política al servicio de la Verdad Católica que el Imperio hispano representa, que España defendió sangrándose sola por todas las tierras del orbe, pero hidalgamente hasta el fin [...] no más fe en Ginebras roussonianas y calvinistas. No más caos. Es la hora de predicar la cruzada de la Verdad divina, teológica y política, a la que nuestra tradición nos llama. Por ella combatimos con Franco en guerra cruenta y difícil. Por ella en esas catedrales de la Europa toda aún se guardan los huesos de nuestros orgullosos capitanes y en ellas se han de encontrar las verdaderas fortalezas del espíritu que salven y aúnan a Europa.

---

8 ALMAGRO, M.: «La crisis de Europa y la catolicidad». *Solidaridad Nacional*, edició del 08-09-1939

Pocs dies després de l'inici de la Segona Guerra Mundial, Almagro ja definia el nou conflicte europeu seguint la clau ideològica de la guerra espanyola: la lluita entre la pietat i el desori i l'anarquia religiosos, entre les creences tradicionals i el liberalisme com a encarnació de tots els mals. Així, i sense reflexionar sobre el paper de l'Església alemanya respecte del nacionalsocialisme, vist de totes maneres com un aval de les polítiques del Reich, insistí que només es podien donar dues sortides a la crisi:

> [...] el retorno a una conciencia tradicional de catolicidad que un día sintiera en aquella amplia comunidad que se llamaba Cristiandad y que tuvo afán infinito de expansión para el bien universal, y el servicio del Orden permanente, o volver a otra Ginebra naturalista, utópica, inhumana, materialista y cruel con un Versalles más feroz todavía. Y en el terreno de guiar y de salvar a Europa, España, el eterno espíritu de España lo haremos sonar de nuevo en todas las tierras. Nuestra fe y nuestra verdad lo exigen.

Almagro plantejava clarament la guerra com una lluita entre el liberalisme fill de la Il·lustració i la raó encarnada en el totalitarisme alemany, i aprofitava per criticar els termes del tractat de Versalles.

Francòfob, germanòfil, catòlic, imperial i antilliberal. Una línea ideològica molt clara que refermà en altres articles al llarg de la tardor de 1939. Els sentiments de glòria eterna d'una Espanya que molts consideraven reencarnada en el nacionalcatolicisme van tenir la seva referència en la commemoració de la victòria en la batalla de Lepant:[9]

> [...] en el siglo XVI, la Catolicidad se mantiene por dos voces que España levanta: Trento y Lepanto: la doctrina y la acción [...]. Virtudes españolas en aguas de Lepanto, hacían que Papas, cardenales, generales y sabios, burgueses y artesanos de todo el Occidente, respiraran en aquel 7 de octubre del agobio del turco amenazante, del peligro de los martirios asiáticos [...]. Fue en aquella alta circunstancia cuando España apartó de Europa la pesadilla del turco, y el Mediterráneo fue un mar cristiano más que musulmán, gracias al esfuerzo y a la sangre de nuestros soldados.

Amb tot, l'exemple de Lepant no quedà per a l'articulista en una referència al passat gloriós —tot i que efímer, extrem que no gosà incloure en el seu text—, sinó que li va servir —un cop més— per deixar clara la seva postura

---

9 ALMAGRO, M.: «Lepanto: eternidad de España». *Solidaridad Nacional*, edició del 07-10-1939.

enfront de la situació europea: canvià l'amenaça turca per la comunista i clamà per una nova Croada vers l'Est en una anticipació de més d'un any i mig del que van ser les idees nodridores de la División Azul:

> [...] conforme nosotros, en la pasada Cruzada, tuvimos el valor de romper el tono gris de nuestras vidas y nuestra Historia y llevar a cabo una guerra cruenta que ha de servir para bien de Europa, mas también para recuperar nuestro orgullo pasado. En este 7 de octubre, otra vez los españoles nos vemos afanados ante la amenaza de peligros asiáticos, representados por ese nuevo Gran Turco que viene de Moscú. Europa entera está pendiente de la suerte de nuevas cruzadas que los altos valores espirituales de España tendrán que sostener en cruenta lucha de defensa y de resurrección. La suerte de Europa ha vuelto a estar unida a la de nuestra tierra, a la de nuestros hombres y a sus espadas. Es preciso que una conciencia clara, tras esta guerra, abra a la Hispanidad los afanes lejanos; el camino y el puesto que merecemos. Es preciso que hagamos saber, cada 7 de octubre a todos los mundos, que, como entonces, España será permanente reserva frente al Asia en la lucha que se haya de mantener.

Havia arribat per a Espanya l'hora de tenir de nou un Imperi, i Almagro no va deixar passar l'ocasió per explicar les causes de la pèrdua de l'anterior: la traïció d'Anglaterra i, de nou, França, en la jornada de Trafalgar[10] l'any 1805. Allà, si bé l'armada espanyola va ser derrotada, la glòria de la seva desfeta restava immortal, i ara, la nova Espanya havia de fer honor als seus màrtirs i reconstruir una flota poderosa amb la qual disputar a la Gran Bretanya el domini dels mars, donant per descomptat que a la Mediterrània s'establiria una aliança amb Itàlia:

> [...] hoy [...] queremos traer la visión clara que muestre nuestra misión futura y restaure en el mar la dignidad y el poderío de España. Los héroes de Trafalgar, que supieron morir como españoles, nos llaman tal vez con voces más claras que las vencedoras de Lepanto [...] Los héroes de Trafalgar reclaman con sus nombres acorazados nuevos y potentes que los eternicen tanto como su nombre los fortificaran. España, en la hora de afirmación y reconquista en que vivimos, por nuestro valor y nuestra honra ha de anhelar y soñar vindicadoramente con los ideales que Trafalgar proclama y mantiene, porque sin navíos no tendremos alas ni pies oceánicos, y la España libre de nuestros gritos los necesita. Trafalgar ha de ser el grito de la tarea que hemos de emprender de nuevo con empuje grande. Los

---

10 ALMAGRO, M.: «Recuerdos eternos. Trafalgar». *Solidaridad Nacional*, edició del 21-10-1939.

ecos de millones de costas donde se habla español lo piden: y esos mares son també nuestros.

I, naturalment, Amèrica, el continent perdut per culpa de «la Revolución francesa, las doctrinas democráticas y enciclopedistas de la cultura franco-británica del siglo XVIII que arruinaron el esqueje hermoso de nuestras Indias Orientales, donde España, a la vez que se empobrecía en el continente europeo, se fortalecía y se engrandecía al otro lado de los mares con una idéntica conciencia de existencia, con un mismo sentido de vida»,[11] que va fer caure un projecte que no reconeix com a imperialista sinó de germanor entre pobles, una comunió d'idees, entre els quals considera els espanyols de tots els continents:

[...] el Imperio hispano es el ensayo mayor de convivencia universal que han visto los siglos. Fue la realización de una convivencia de hombres y razas de todas las latitudes y de todas las clases, fajadas por la creencia en Dios y guiadas por la Monarquía, que, con su continuidad, pudo realzar la obra de gigantes que representa aquel Imperio de Felipe II, aún en lo político intacto a principios del siglo XIX, pero ya en esencia carcomido desde que las verdades de Cristo y el Papado habían sido barridas por la Europa hereje que de Lutero va a la Revolución inglesa para acabar con la Revolución francesa de 1789 y hoy en el marxismo bolchevique. Ese enemigo es el que venció en Europa, porque Europa cerró sus ojos a la verdad que España defendía. Y ese enemigo es el que carcome nuestra esencia espiritual, primero en la misma España y más tarde en las Españas de todos los Continentes que formaban el Imperio.

Paternalista, expressà la seva comprensió dels actes dels hispanoamericans com un pare benvolent que sap perdonar les malifetes dels fills considerant-les una distracció momentània de les seves essències, i no una rebel·lia profunda contra els seus majors. Interpretà així les independències de les repúbliques llatinoamericanes, no com la fi d'un cicle, sinó com l'inici de la decadència d'aquestes repúbliques que, un cop perdut el mestratge i la guia d'Espanya, les havia de dur irremissiblement a caure sota la influència dels anglosaxons, moment en què van tornar a ser conquerides i dependents.

Per a Almagro, però, com hem indicat, el perill principal per al futur d'Europa no era només l'avanç del comunisme, que confià que podria ser derrotat de nou com a la guerra, sinó tot l'entramat lliberal sorgit de les idees de la Il·lustració i de la Revolució Francesa. Pot afirmar-se que alguns dels seus escrits,

---

11 ALMAGRO, M.: «El fin del Imperio español en América». *Solidaridad Nacional*, edició del 22-11-1939.

com «El sentido del arte modernista»,[12] tenien com a única finalitat criticar aferrissadament tot el que pogués fer referència a l'antic concepte de societat burgesa, exemplificada, sense citar-la, en el sistema social del període de la República. Carregà, doncs, contra allò que no formés part de les idees més conservadores en tots els aspectes de la vida. En una clara reminiscència dels corrents de pensament que imperaven a Alemanya, atacà les expressions artístiques modernes, com el futurisme, i el considerà una forma d'expressió artística que «parece negar al hombre y a la Naturaleza y sentir sólo una inspiración negativa, mecanicista y angustiosa. Los futuristas —pintores, poetas o músicos— están arrastrados por un movimiento espiritual que no disciernen bien, pues tienen un conocimiento imperfecto del sentido de su propio movimiento. No saben, tal vez, alcanzar el valor y significado de que la imagen del hombre, el alma del hombre y el cuerpo del hombre perezcan en semejante arte».

A aquesta forma d'expressió, només hi podien pertànyer aquells que formessin part dels moviments pictòrics relacionats amb l'anarquia i la revolució, com ara Picasso, que «con su cubismo, representa una inversión espiritual que vale mucho menos, y resulta menos bella que el cuadro velazqueño de "Las Lanzas". Además, su pincel no sirve, en modo alguno, ni a la gloria de su pueblo, ni de su tiempo, ni al alma de sus semejantes, que ha sabido perpetuar el pincel de un Greco. Y esto deben buscar los artistas y no traernos esas inversiones de la identidad artística del hombre que la pintura futurista cultiva violando toda frontera de las formas naturales».

Segons Almagro, com no podia ser de cap altra manera, aquest tipus d'art ja havia estat superat per la nova Espanya. El criticava com a dolentes no només pel tractament que feia de la figura humana, tan apartat de les concepcions del realisme conservador, sinó també per les tendències polítiques de la major part dels artistes que l'utilitzaven:

> [...] no me parece un puro azar que el futurismo haya mostrado tan fácil adaptación entre los medios extremistas que sostienen tendencias de colectivismo social [...]. Los versos de Biely, con su eco de máquinas y ruidos de gran ciudad, y los esperpentos de un Dalí, sólo en una sociedad caótica o sin sensación auténtica de personalidad humana, pueden ser admitidos. Un espíritu artístico que siente la tradición de su pueblo y su futuro, hijo de ella, a no ser bastardo, no creo sienta sino repugnancia, indiferencia o risa ante estas «modas», ante esas maneras de interpretar y aspirar a cambiar el alma y la sensibilidad colectivas, a revolucionar la sociedad.

---

12 ALMAGRO, M.: «El sentido del arte modernista». *Solidaridad Nacional*, edició del 12-05-1939.

En darrer terme, les opinions d'Almagro van incloure també les idees de comunió amb les dictadures feixista i nazi de l'Espanya franquista. Amb Itàlia declarà la convivència de trajectòria ja des de l'època romana,[13] en un avanç dels postulats que configuraren els escrits de la primera postguerra referits a la unitat espanyola no només seus, sinó de gran part dels historiadors espanyols, que van veure, per exemple, en les idees territorials assignades per Bosch a la cultura ibèrica el germen del federalisme i de l'independentisme que només un poder fort i imposat per les armes, com Roma va fer arran de la conquesta i Franco a la guerra civil, podia evitar. Aquesta comunió cultural per força havia desembocat en l'ajut italià als franquistes:

> [...] y otra vez hoy la fraternidad de pensamiento y de sangre, tradicionalmente guardados por nuestros pueblos, renace ante una gesta en que le iba a Europa su futuro. No por estadísticas ni números podíamos unirnos pueblos hermanos de nuestro genio y tradición, sino por una misión común que llamara a la unión necesaria para ella. He oído decir que Benito Mussolini, al recibir a unos representantes de nuestra Falange, les dijo, que además de la raza y la cultura, a los españoles e italianos nos une, sobre todo, el que somos «católicos, apostólicos y romanos». Y esa unión que Mussolini expresa es la antigua y profunda visión por la que combatimos y que hoy está llena de futuros y de posibilidades políticas. La joven Italia, nacida su unidad hace unos años, fue en tiempos conducida, en unión con España, por esa idea católica y romana. Por esa idea imperial y universal. De ese sueño católico, apostólico y romano, ha sido España la realizadora del ensayo más amplio. Con la elevada misión que esas palabras significan ensanchamos el Mundo, ayudados por Portugal. La Hispanidad es hoy ejemplo de la tarea que España realizó dentro de esa idea universal hacia la cual hoy, los hombres de todas las tierras vuelven sus ojos, y de la cual, fue España guión indiscutible.

Aquesta comunió cultural amb els italians, sumada a la dels alemanys, havia de marcar amb claredat el futur d'Europa. Es tractava d'un futur basat en la comunió de quatre idees: l'imperi, la unitat nacional, la religió i l'exèrcit:

> [...] cuando Roma respire los vientos que nos llevan tras Franco y Mussolini, y vea en Hitler al germano que defiende la lejana frontera de la cristiandad. Y no se acerquen hasta la Roma augusta blandengues populismos que están dispuestos a convivir con el diablo y darle la victoria. Roma, sin monseñor Sturzo y sin oídos para los nacionalismos estrechos y pequeños de obispos de Vitoria o arzobispos ca-

---

13 ALMAGRO, M.: «Unidad y misión de Italia y España». *Solidaridad Nacional*, edició del 15-07-1939.

talanes [...] en esta España de Salamanca, podemos sacar pronto nuestros libros eternos de Teología y Derecho, con los que ya definimos los españoles una posibilidad universal de convivir los hombres, cuando a la vez que definíamos nuestro sentir en libros de eterno saber, soldados españoles se enterraban por sus ideas altas del Imperio en todos los continentes. Así la tumba de un soldado español sepultado en la catedral de Amberes lleva este epitafio: «El cielo se gana con la espada».

En aquest futur ja es preveia el paper fonamental que Alemanya hauria de jugar com a garant per a Europa de les seves fronteres davant d'una futura invasió asiàtica.

Com era d'esperar, un cop iniciada la guerra Almagro es declarà partidari de la victòria alemanya, recorrent no a les informacions de les operacions militars —va escriure essencialment al llarg de la campanya de Polònia i de l'inici de la «guerra de broma» al front occidental (setembre 1939 - maig 1940)—, sinó a les tradicions culturals del país, arrelades en les seves universitats i centres de creació artística, i a les essències ideològiques del poble germànic com a exemple d'una raça forta i destinada sempre a empreses superiors. Almagro exemplificà aquestes idees en les figures d'Oswald Spengler i del general Von Fristsch, arran de la mort d'aquest últim al començament de la guerra.[14] Va descriure el primer com «un teorizante genial de toda gran política de destino ecuménico para su raza, siguió gritando, tras la derrota de Versalles, atrevido y contundente, por la resurrección de su pueblo; en "Prusianismo y Socialismo", muestra este pensador e historiador político un orgullo y una fe, cuando en Alemania sólo Müller y Mann eran escuchados». Del segon, indicà que significava «lo permanente de la Alemania que ya desde 2.500 años antes de Cristo ensalzaba Kossinna, el sabio prehistoriador y fundamentador del racismo, editor de su gran obra con la fecha de la movilización de 1914, y a la cual reeditó, conmemorando a Versalles y dedicándola al pueblo alemán, para que viera la permanencia de la unidad de su Historia». Per a ell, tots dos representaven els valors primigenis del món germànic encarnats en els sentiments i l'organització prussianes: «necesitamos una educación enderezada a darnos una actitud prusiana; la que tuvimos en 1870 y en 1914, y duerme como posibilidad permanente en el fondo de nuestras almas, lo cual sólo con el ejemplo vivo y la autodisciplina moral de una clase dirigente, puede alcanzarse no con muchas palabras ni a la fuerza. Para poder sumar a una idea es preciso dominarse a sí mismo, estar pronto a sacrificios interiores por convicción».

14 ALMAGRO, M.: «Von Fritsch y Spengler». *Solidaridad Nacional*, edició del 03-10-1939.

En aquest cas, val a dir que la influència de les tesis de Kossinna sobre els prehistoriadors espanyols no es limità a Almagro, ja que al llarg de les seves estades a Berlín com a becari de la JAE entre 1911 i 1914, Bosch Gimpera en va ser alumne directe i va adoptar en bona mesura tant les idees d'organització dels cercles culturals que Kossinna defensava com la metodologia de treball alemanya, i es va convertir en un ferm defensor de la ciència prehistòrica germana.[15] Amb tot, als escrits de Bosch, a diferència d'Almagro, no s'identifiquen les idees pangermanistes que defineixen el pensament del prehistoriador alemany.

Almagro va veure així el renaixement d'Alemanya amb el nacionalsocialisme com la conseqüència lògica de la permanència de l'esperit teutònic entre la població, de l'arrelament d'un seguit de principis tradicionals que serien els impulsors de Hitler, i preconitzà el futur victoriós del III Reich precisament per l'alè que li donava la seva temible educació prussiana. Un militarisme que saludà com a òptim no només per a Alemanya, sinó també per a Espanya: «cuando los generales saben de su misión y sienten la voz de su educación dura y honrosa, tal como debe ser, a "lo prusiano", o a "lo español", difícilmente un pueblo se pierde. Ya es harto conocida la frase de que un puñado de soldados ha salvado siempre la civilización. Por eso, desgraciados los pueblos que pierdan su virilidad militar, y no eduquen una minoría que se sienta apretada y militante, para dar ejemplo de sacrificio interior por su convicción».

Però al principi de desembre quelcom va canviar, i en un nou article, «La guerra militar y la guerra económica»,[16] va introduir una frase molt diferent: «Es muy difícil predecir de quien será la victoria final». Un dubte clar, ni tan sols dissimulat per una encesa proclamació patriòtica. L'afirmació era el resultat d'una anàlisi del diferent sistema de concebre la guerra que tenien Alemanya i la Gran Bretanya. La «nació de botiguers» havia demostrat en el passat el seu domini de la concepció global d'un conflicte a gran escala, en què el control dels recursos econòmics, de les matèries primeres, acabaven sempre per decidir el triomf. Enfront d'això, els alemanys eren sens dubte un poble guerrer amb «esperit de soldats», però no controlaven els mecanismes del sistema econòmic global. La seva reflexió incloïa també una diatriba en contra del mercantilisme i els bancs dels països liberals, causants últims d'una guerra ja prevista davant de l'ascens inexorable de l'Alemanya nazi, per molt que el *casus belli* hagués estat la invasió alemanya de Polònia. Finalment, concloïa que «una nueva victoria del espíritu de los "shop keepers" sobre el espíritu de "los solda-

---

15 GRACIA ALONSO, 2011a.

16 ALMAGRO, M.: «La guerra militar y la guerra económica». *Solidaridad Nacional*, edició del 02-12-1939.

dos", seguiría fundamentando la concepción materialista del Mundo que, queramos o no, terminaría en el comunismo», de manera que posava en el mateix sac, un altre cop, lliberals i comunistes.

Però les idees que Almagro expressà no eren sinó una adaptació progressiva de les posicions d'altres destacats intel·lectuals amb qui va coincidir al llarg de la guerra i de qui va aprendre les bases del pensament que ara articulava. Entre els més significatius cal citar Eugenio Vegas Latapié, un protector seu arran de l'empresonament del 1937, que ja el març de 1936 va escriure idees semblants per clamar contra el sistema republicà i defensar un poder concentrat i fort:

[...] España agoniza de ignorancia desde que olvidó los verdaderos principios religiosos, sociales y políticos. Hace dos siglos que sus clases directoras, las que en toda sociedad digna de tal nombre hacen oficio de cabeza, han venido abdicando lentamente sus funciones [...] El mal de España no es otro que la carencia de minorías directoras dignas de tal nombre. Una minoría de conquistadores en el siglo XVI civilizó y evangelizó todo el mundo. Pero aquellos esforzados varones llevaban en una mano la cruz y esgrimían con la otra la espada. La fuerza abría camino a los misioneros y amparaba sus vidas; con ellos llegaba la verdad. En el siglo XVIII, unas clases directoras infeccionadas del escepticismo filosófico francés, dejaron de creer en ella; y haciendo caso omiso de sus fueros y derechos, se dedicaron a sembrar principios revolucionarios. En estos principios, triunfantes en Francia en 1789, se encuentra en germen el anarquismo y bolcheviquismo que hoy nos amenaza.[17]

Per la seva banda, el seu amic Antonio Tovar,[18] en l'obra *El Imperio de España* difongué idees molt semblats a les que Almagro utilitzà en els seus articles, per exemple en relació amb el problema català:

[...] la conciencia histórica es la que en realidad se ha traducido violentamente en uniformes y camisas, himnos y gritos. De la realidad histórica de España, que adivinaron los Reyes católicos, hoy nos damos cuenta hasta los más humildes. Y este tremendo ingrediente de la conciencia histórica es el que descarriadamente han manejado nuestros separatistas, según se sabe. Fabricaban una pequeña historia medieval para hacer de ella una desviada conciencia histórica moderna.

17 VEGAS LATAPIÉ, E.: «La causa del mal». *ABC. Edición de Andalucía*, edició del 09-03-1937, pàg. 12-13.
18 TOVAR, 1937-1941.

Y ahí tenéis esa ridícula historieta de Ferrán Capdevila [Ferran Soldevila], soñando hasta una raza ibérica para antepasada de la «raza catalana». Los separatistas se apoderaban del sentido histórico que caracteriza básicamente a la nueva política de nuestro tiempo y fundaban en él su tinglado político.

També es referia a la unitat de l'Estat:

[...] las grandes unidades de Europa: Inglaterra, Alemania, Francia, Italia, España, son unidades históricas, unidades que viven, sobre todo, gracias a esta conciencia histórica.

Al destí d'Espanya com a imperi:

[...] los españoles tenemos la fortuna de pertenecer a un pueblo hecho para mandar. Quien nos enseña esto es nuestra historia. Y nuestro deber es, entonces, potenciar en lo actual toda nuestra historia, actualizarla, movilizarla agresivamente, con estilo ofensivo y de acción directa. Sólo de esa manera España llegará a ser una de las cuatro, cinco o seis grandes unidades que —José Antonio presintió esto— están llamadas a gobernar el mundo en este siglo, en el que toda ficción de libertad para estadillos «nacionales» y románticos va a desaparecer.

A la crítica de les idees artístiques contemporànies:

[...] hace quince, veinte años, el mundo sufría una crisis de barbarización; era la época de los Ismos. Todos querían más o menos volver a la selva. El desnudismo no era más que la expresión de un afán que se extendía a todas las ramas de la culura humana. Se hacía poesía dadá y se pintaba como si Velázquez no hubiera existido, y se hacía música sobre sistemas tonales bárbaros y desconocidos para la gran tradición europea que venía desde el Renacimiento.

A la defensa de la religió catòlica:

[...] cuando la cristiandad encuentra en Lutero el elemento sobre el que levantar una división, frente al genio de esta división quien con más fuerza dirige el movimiento de unidad es España, que se convierte en el brazo de la unidad misma, de Roma. España, que ha construido la primera fuerza política moderna, el primer gran Estado unitario, lo pone totalmente al servicio de la idea de unidad, y hasta lo sacrifica generosamente.

I, com no podia ser de cap altra manera, a les idees essencials en relació amb la formació d'Espanya com un element unitari: la romanització i la cristianització, els mateixos principis que defensaran Menéndez Pidal, Sánchez Albornoz i Almagro:

> [...] comienza, pues, nuestra historia en Roma, y la romanización, según avanza, es la que saca historia de la prehistoria. Claro que no negaremos la sangre prerromana, y que no discutiremos que en las razas españolas, ya antes de ser romanizadas, había magníficas virtudes y cualidades. Pero esto apenas es historia, sino más bien prehistoria, es decir, algo entre historia natural e historia universal. El ingrediente romano primero es el de la civilización. Por Roma hablamos aún latín, y por Roma se construyeron las primeras carreteras en España. Por Roma los poblados se fueron haciendo ciudades. Y si cuando Roma llegó estábamos aún en la vida cabileña, cuando el Imperio romano se derrumbó toda España era una unidad, y la civilización había llegado a su perfección y colmo. Roma penetró tan hondamente, que lo romano emergió de todas las catástrofes, y después de siglos de islamismo Sevilla o Córdoba no han podido borrar su fondo romano. Además, la romanización vino a arraigarse más con el cristianismo [...] romanización y cristianismo son ya, casi desde el principio de nuestra historia, la base y el supuesto de la misma historia.

Mateixes idees, mateixa posició política.

La col·laboració de Martín Almagro amb *Solidaridad Nacional* es va interrompre el desembre de 1939. Les raons d'aquest distanciament no són clares, però es poden apuntar alguns indicis de caire personal. En primer lloc, Almagro havia topat amb el seu amic Julio Martínez Santa Olalla, omnipresent comissari general d'excavacions, arran dels moviments que aquest i altres havien fet per impedir el retorn d'Hugo Obermaier a la seva càtedra de la Universitat Central. Com va dir un altre deixeble del prehistoriador alemany, Antonio García y Bellido: «fuimos muchos los que pasamos por su cátedra, y no pocos los que seguimos más o menos de cerca por su propio sendero, y si entre "Los Doce" hubo un Judas, ¿qué extraña que entre docenas haya otro? Y ello, ¿qué importa si los demás no perdimos nunca el respeto debido al maestro, respeto que va implícito entre las exigencias del cuarto mandamiento?»,[19] en una clara referència a Martínez Santa Olalla, de qui ja el 1939 Blas Taracena i García y Bellido tenien por que «armase un escándalo» si Obermaier es quedava a Espanya.[20]

---

19 GARCÍA Y BELLIDO, A. (1947): «Necrología. Hugo Obermaier». *Boletín de la Real Academia de la Historia*, cxx, pàg. 290.

20 MSI-MO. Fons Pérez de Barradas (MSI-MO. APB). FD 2005-I-17. *Diario Pérez de Barradas*, pàg. 63.

De fet, Martínez Santa Olalla va obtenir el nomenament del Ministeri per ocupar la dita càtedra de manera interina fins que se suprimís de l'escalafó de places el 1943 i, encara després, amb la protecció del deganat de la Facultat de Filosofia i Lletres fins que sortís a concurs el 1953. Tot i això, i malgrat les influències de Martínez Santa Olalla, molt probablement per acció, connivència o omissió, persones amb greuges pendents o que simplement intentaven prosperar en la nova situació no van fer tot el possible per afavorir el retorn del prehistoriador alemany. Obermaier viatjà a Madrid dos cops els mesos de juny i novembre de 1939 per arreglar els seus assumptes. En aquestes ocasions es reuní amb els deixebles i amics principals, García y Bellido, Almagro, Taracena i José Ferrandis Torres, i els explicà els seus plans de futur i les interioritats de les converses amb les noves autoritats. És molt possible que de la manera com era tractat el seu mestre sorgís la llavor de l'enfrontament entre Almagro —que continuà escrivint-li a Friburg—[21] i Martínez Santa Olalla, una animadversió que s'allargà durant dècades.[22]

Això no vol dir que Almagro deixés de col·laborar amb la premsa escrita, i especialment amb les publicacions de Falange. Ben al contrari, es vinculà amb publicacions com *Destino* a partir del mes de maig de 1941 amb una secció que volgué titular Horas Ampuritanas,[23] i va mantenir relació amb antics amics de Falange, com ara Marichu de la Mora, directora de la revista femenina *Y*, a petició de la qual publicà un article sobre la Dama d'Elx al principi de 1941.[24] Però, tot i l'interès d'Ignacio Agustí, la col·laboració amb *Destino* es va reduir a un únic article publicat el juliol de 1941[25] sobre Empúries, que la revista definí com «las importantes ruinas que señalan la entrada de nuestra Iberia bárbara en un sendero de civilización cuya vigencia es eterna», una idea que el mateix Almagro ja havia defensat amb anterioritat i que, de fet, era implícita en el text, que aprofità per refermar un cop més el seu pensament ideològic i polític:

[...] aquí, en este peñón, a cincuenta metros de la costa, donde los focenses fundan la Palaiápolis ampuritana, iba a comenzar nuestra historia. Más allá de las lomas ampuritanas que circundan la naciente colonia, sólo habrá aún, durante mucho

21 Arxiu MAC-Barcelona. Correspondència Almagro 1940-1941. 2.2.009-3 i 4. Cartes Obermaier-Almagro de l'11-10-1940.

22 «Importante donativo científico». *ABC*, edición del 13-07-1939, pàg. 11.

23 Arxiu MAC-Barcelona. Correspondència Almagro 1940-1941. 2.2.022. Carta Almagro-Ignacio Agustí de l'01-05-1941.

24 Arxiu MAC-Barcelona. Correspondència Almagro 1940-1941. 22.002. Carta Marichu de la Mora-Almagro del 13-02-1941 i carta Almagro-Marichu de la Mora del 25-02-1941.

25 Almagro Basch, M. (1941): «La colonia greco-romana de Ampurias». *Destino*, 209, pàg. 11.

tiempo, tribus salvajes, pelo hirsuto a la cabeza. Barbarie [...]. Si Grecia nos dió nombre y comenzó nuestra historia, Roma nos dará Unidad y Destino [...] sin griegos ni romanos ni cristianismo, España no hubiera tenido emperadores ni santos y la Patria de la Hispanidad ecuménica no hubiera existido jamás. La Hispania antigua es la razón de nuestro ser para convertir a nosotros al bárbaro germano y para expulsar de nuestro lado al árabe o judío, que seguirán siendo, como el fenicio antiguo, algo execrable y malo [...]. Ampurias representa el comienzo de cuanto ha servido para crear el alma nacional de todos los pueblos españoles —íberos, celtas y germanos— y de mil razas del orbe que tras los estandartes de nuestros Reyes han venido a sentir el más alto ideario de convivencia universal definido y defendido por nuestra Hispanidad gloriosa y siempre viva entorno a la católica Roma y al servicio unitario y jerárquico de un sólo monarca católico.

Josep Pla, destacat columnista de *Destino*, havia dedicat pocs mesos abans un article a les excavacions d'Empúries[26] en què explicava el seu punt de vista particular sobre les intervencions arqueològiques que Almagro dirigia; demostrava, tot sigui dit, que no havia entès res en la seva visita a les excavacions, ja que definia la muralla romana que desenterraven els batallons de treballadors forçats com a prehistòrica, fet que li donava peu per expressar un cop més la seva fòbia per la prehistòria:

[...] yo comprendo el entusiasmo de Almagro y de los historiadores jóvenes ante el descubrimiento del perímetro de la ciudad prehistórica de Ampurias. En esto no ha habido cambio: los historiadores jóvenes, lo mismo de una tendencia política que de otra, están por las nebulosidades de la Prehistoria. Yo estoy por la Historia. A mí me interesan más los pueblos sobre los cuales hay documentos escritos que los pueblos cuya historia debemos inducir de una cáscara fosilizada de langosta o de cangrejo. ¡Ah, gran Frobenius, cómo le saluda este amigo! Pero aunque ya esté usted en la tumba, egregio profesor, se lo mando decir francamente: mucho más que la prehistoria me interesa la historia.

Probablement va ser Pericot qui explicà a Almagro com l'any 1923 Bosch Gimpera ja havia topat amb Pla per defensar la validesa de la ciència prehistòrica, cosa que va donar lloc a un seguit d'articles creuats a *La Publicitat* que no resolgueren res i que distanciaren encara més les posicions de tots dos.[27] De fet, Pla no dubtà a canviar la seva opinió sobre Bosch i la prehistòria quan el rector

---

26 PLA, J. (1941): «Un poco más sobre los misterios de Ampurias». *Destino*, 182, pàg. 8.
27 GRACIA ALONSO, FULLOLA i VILANOVA, 2002, pàg. 151-152, esp., n. 228; GRACIA ALONSO, 2001b.

exiliat era al principi de la dècada de 1970 un referent polític a l'exili i una figura ja a bastament reconeguda per la societat catalana del tardofranquisme, i així afirmava sense embuts:

> [...] havent estat des de molt jove un gran admirador del professor Bosch Gimpera [...] he estat un lector apassionat per la seva obra escrita abans del seu exili [...] era un home que pel sol fet de fer acte de presència produïa suggestió i tenia una invadent simpatia [...]. Bosch ha estat un home vital i fascinador [...] tot això que acabo d'escriure són simples notes destinades a demostrar la intel·ligència —la intel·ligència científica i l'observació, la intel·ligència pragmàtica, la gran vitalitat física— del doctor Bosch. És un home que ha fet quedar admirablement bé aquest país, de vegades treballant en una època tendencialment favorable, en altres moments decisivament contrària.[28]

Com es pot veure, no només el capità Louis Renault anava amb el vent quan els aires ja no venien de Vichy.

Probablement van ser les opcions polítiques d'Almagro les que impediren mantenir la col·laboració amb *Destino* com volia Ignacio Agustí; a partir d'aquest moment, la revista donà escasses notícies sobre Almagro: féu referència només a la celebració del I Curs Internacional d'Arqueologia a Empúries el 1947[29] i inclogué la crítica a la publicació del llibre *Las fuentes escritas referentes a Ampurias* el 1951,[30] en la qual es versaren paraules molt elogioses en relació amb la tasca d'Almagro al capdavant del museu i de les excavacions d'Empúries. Però va ser de nou Josep Pla qui va escriure les darreres reflexions sobre la figura d'Almagro el 1973, quan les circumstàncies polítiques eren molt diferents de les de 1941. En un text sobre Sant Pere de Rodes,[31] l'escriptor definí Almagro des d'una perspectiva diferent:

> [...] el señor Almagro era entonces el pontífice máximo de la historia antigua de este país; era catedrático de Arqueología en la universidad de Barcelona, director del Museo Arqueológico de la capital y director de las excavaciones de Ampurias. Este señor nombró un guarda para el monumento, un guarda de su pueblo, un guarda aragonés, con un número de hijos que subían y bajaban de las alturas para ir a la escuela [...] relacionado con la presencia del señor Almagro, se produjo

---

28 PLA, 2004, pàg. 12-13.
29 «Concentración de sabios en Ampurias». *Destino*, 257, edició del 23-08-1947.
30 «Escaparate». *Destino*, 725, edició del 30-06-1951.
31 PLA, J. (1973): «Algo más sobre Sant Pere de Rodes». *Destino*, 1850, edició del 17-03-1973.

—si no estoy equivocado— la formación de los «Amigos de Sant Pere de Rodes» impulsado por el señor Puig Palau, que tuvo éxito en la Costa Brava entre sus conocidos. En la formación de este organismo no se dijo ni una sola palabra ni de los organismos ni de las personas que se habían ocupado con anterioridad del escándalo del que estamos hablando. Trataron de monopolizarlo todo, como era habitual en aquel tiempo. Todo entonces era un mito, una pura irrealidad, el puro desvarío triunfalista.

I és que, per a Pla, criticar Almagro poc abans del final del franquisme, quan ja havia escrit l'esmentat text a *Homenots*,[32] era un bon negoci.

D'altra banda, i a través de Lluís Pericot, Almagro —com també Alberto del Castillo— s'apropà al nou director general de Belles Arts del Ministeri d'Educació Nacional, Juan de Contreras y López de Ayala, marquès de Lozoya, destacat monàrquic que, a més, es va enfrontar repetidament amb Martínez Santa Olalla, subordinat jeràrquic seu, arran dels intents d'aquest últim per crear un organisme de recerca arqueològica a banda del cos d'Arxivers, Bibliotecaris i Arqueòlegs ja el 1938, el nonat Instituto Arqueológico Nacional e Imperial;[33] aquest nou institut funcionaria segons el model del Deutsches Archaologisches Institut, però amb el control absolut per part de Falange, de manera semblant al model de la Das Ahnenerbe, dependent de les SS de Heinrich Himmler. Aquesta animadversió marcà les relacions entre el director general de Belles Arts i el comissari general d'excavacions arqueològiques al llarg dels primers anys del franquisme.[34] El reconeixement públic d'Almagro com a monàrquic era ja palès el 1942, quan, arran d'una visita d'Oswald Menghin a Madrid i Barcelona, Herbert Jankuhn va informar la cúpula de Das Ahnenerbe de les lluites internes entre els investigadors espanyols: «en este juicio de Santa Olalla por sus colegas españoles debe tenerse en cuenta que además de la oposición personal también juega la política. Olalla parece ser el único investigador de la prehistoria que pertenece a Falange, mientras que los otros (Almagro, Pericot y García y Bellido), como dice Menghin, tienen una orientación monárquica».[35] Cal recordar també que Almagro havia estat protegit durant la guerra per Vegas Latapié, que va arribar a ser un dels secretaris polítics de Joan

---

32 Gracia Alonso, 2011a.
33 Detalls a Gracia Alonso i Munilla, 2010.
34 Detalls a Gracia Alonso, 2009b.
35 Bundesarchiv-Berlín (BA-Berlín). NS 21-349. Siehe Schlanfe: Prof. Dr. Olalla. Nota adjunta de Herbert Jankuhn a Sievers de 20-07-1942. *Relación del profesor Santa Olalla con los demás investigadores de la prehistoria españoles.*

de Borbó, per la qual cosa no és estrany que Almagro seguís aquesta línia política, sense oblidar, però, el seu pragmatisme.

A partir del final de 1939, Almagro, tot i residir a Barcelona, s'integrà a les tertúlies polítiques de la seu de Cultura Española, un pis del número 68 del carrer San Bernardo de Madrid, organitzades per Vegas Latapié, i a les quals també assistiren, entre d'altres, José Ignacio Escobar, Jorge Vigón, Luis Vela, Manuel Alemán, Juan José López Ibor, Juan Antonio Ansaldo, Alfonso Bustamante y Carlos Matoses. Tot i continuar vinculats a Falange, el seu ideari polític se centrà a assolir la restauració de la monarquia en la persona de Joan de Borbó, a qui alguns ja havien acompanyat arran de la seva curta entrada a Espanya al principi de la guerra civil per combatre en el bàndol dels sollevats. De fet, es tractava d'una activitat coneguda pel règim, que la tolerà per no agreujar enfrontaments interns, ja que ningú no amagava la seva posició. Així, el mateix Almagro mostrà al tinent general Luis Orgaz, capità general de la IV Regió Militar, un escrit favorable a la monarquia que l'intel·lectual nicaragüenc Pablo Antonio Cuadra li lliurà abans de retornar al seu país, text en què feia una defensa clara de les idees que esperonaven el grup encapçalat per Vegas Latapié: «Espero contigo a don Juan. Y con don Juan la vieja Monarquía a la que debo mi Patria, mi estirpe, mi fe y mis ideales».[36] La relació d'Almagro amb Orgaz va ser força estreta fins que el van cessar al capdavant de la Capitania General, i Almagro el va poder recomanar als seus amics del cercle de Cultura Española, com ara Alfonso Gomis,[37] per formar part de l'administració d'Orgaz en el seu mandat com a alt comissari d'Espanya al Marroc. Almagro formà part destacada del seguici de personalitats que l'acomiadaren a l'estació el 19 de maig de 1941.[38]

Les trobades d'aquest cercle monàrquic, definides per ells mateixos com a «reuniones de conspicuos monárquicos», se celebraren més o menys públicament en diversos hotels i restaurants de Madrid i altres ciutats com Bilbao, i anaven incorporant progressivament nous adeptes a la causa monàrquica com Fernando María Castiella, Rafael de la Vega, Francisco de Igartua, Jaime Martín de Santa Olalla, Fernando Pereda, Francisco Moreno, José María de Areilza, el conde de Fontanar, Manuel de Gortázar, Pedro J. Galíndez i Juan Tormos. Amb tot, alguns com ara Areilza i Castiella van posicionar-se molt ràpidament al costat de les estructures del règim i defensaven les línies dures de la seva

---

36 Vegas Latapié, 1995, pàg. 162-163.

37 Arxiu MAC-Barcelona. Correspondència Almagro 1940-1941. 2.2.017. Carta Alfonso Gomis-Almagro del 20-05-1941; Carta Almagro-Gomis del 26-05-1941.

38 «Cariñosa despedida al general Orgaz que anoche salió para Madrid». *La Vanguardia Española*, edició del 20-05-1941, pàg. 3.

política exterior, fet que va aigualir moltes relacions personals en el si del grup. Almagro participarà en moltes de les accions de propaganda de la monarquia d'aquest cercle, com ara la col·lecta per pagar un retrat de Joan de Borbó que els monàrquics van encarregar a Fernando Álvarez de Sotomayor i que pensaven fer servir com a base d'una distribució de fotografies per escampar entre l'opinió pública la causa de la restauració.

L'amistat entre Vegas Latapié i Almagro es mantingué inalterable al llarg de molts anys. De fet, quan l'antic membre del Consell Nacional de Falange va marxar a Suïssa a mitjan 1942, després de dictar-se en contra seva una ordre de confinament, es reuní a Barcelona —i també a Empúries— amb Almagro i altres monàrquics, inclòs el capità general Alfredo Kindelán. Almagro es convertí en un dels corresponsals de Vegas Latapié al llarg del seu exili prop de Joan de Borbó, i li anà comunicant els moviments dels monàrquics de l'interior, especialment les reaccions a la carta pública que el comte de Barcelona va escriure a Franco el 8 de març de 1943 en què li demanava, arran de la cada cop més segura victòria dels aliats a la guerra, que restaurés la «Monarquía Católica Tradicional», pas que Franco no va fer tot i fer una referència a «les institucions tradicionals» en el discurs d'obertura de les Corts el 13 de març. Almagro explicà també a Vegas Latapié els problemes creats pel duc de Sotomayor en la direcció del comitè monàrquic i els moviments dels militars partidaris de la monarquia, especialment Kindelán i Vigón, amb qui es va arribar a entrevistar per parlar de la possibilitat d'establir una regència en la persona de Franco. D'aquestes converses en va treure la conclusió d'una pròxima restauració de la monarquia, pel caire que prenia la guerra i els seus efectes sobre les estructures del règim: «llegará el día en que no costará fuerza ninguna quitarles la sartén del mango, ya que cuando vean que los alemanes no van a ganar la guerra a los más exaltados defensores del régimen habrá que mirarles el ombligo con una lupa»,[39] i per les confidències rebudes dels caps militars: «creo que estamos en un momento decisivo y que con muy poco que haga el Rey, todo esto se vendrá abajo».

Però la situació internacional derivada de la fi de la guerra va fer canviar les aliances el 1945 i Franco es consolidà en el poder. Amb els anys, Almagro expressà a Vegas Latapié la seva mala opinió per la marxa de la política, així com la preocupació per la situació personal de Vegas Latapié un cop va retornar a Espanya, de tal manera que va intentar ajudar-lo a millorar la seva posició.[40]

39 VEGAS LATAPIÉ, 1995, pàg. 358-359.

40 Arxiu MAC-Barcelona. Correspondència Almagro 1950. Carta Almagro-Vegas del 07-03-1950; Carta Almagro-Vegas del 09-05-1950.

L'arqueologia facilità també el manteniment de la vinculació d'Almagro amb els caps militars, com en el cas del ministre de l'Aire Juan Vigón, a qui coneixia a través del seu germà Jorge, i amb qui va desenvolupar diversos projectes de reconeixement aeri de jaciments arqueològics[41] i de protecció de monuments històrics, com ara l'església de Santa Margarida a Mallorca; amb aquests temes, un altre cop, va competir amb Martínez Santa Olalla. D'altra banda, l'amistat amb Jorge Vigón es va mantenir també al llarg dels anys.[42]

La posició dels monàrquics com Lozoya i Almagro es va veure reforçada per l'acostament entre Franco i Joan de Borbó després de la publicació del Manifest d'Estoril el 7 d'abril de 1947, l'aprovació per les Corts de la Llei de Successió el 31 de maig i la posterior entrevista entre tots dos el 25 d'agost de 1948. Poc abans, un grup d'intel·lectuals i destacades personalitats monàrquiques, entre les quals hi havia Martín Almagro, signaren el febrer de 1946, després de l'arribada de don Joan a Estoril, l'anomenat *Escrito a Su Majestad el Rey Don Juan III*, en què indicaven:

[...] reciba V.M. nuestro respetuoso saludo y el testimonio de nuestra firme adhesión. No pretendemos con ello exteriorizar simplemente un sentimiento, sino expresar nuestra convicción profunda de que sólo la Monarquía encarnada en V.M. por feliz conjunción sucesoria de las dos ramas dinásticas, puede ser base sólida de un régimen estable y definitivo conforme con la tradición histórica española, adecuado a las necesidades del momento presente, apto para colaborar con las demás naciones», como a base d'un ideari polític que «habrá de representar, no el predominio de un partido o de una clase, sino el medio de asegurar, dentro del orden, del mantenimiento de las esencias de nuestra vida moral y religiosa y del respeto efectivo a la libertad y a los derechos de la persona humana, la íntima y cordial convivencia entre todos los españoles.[43]

La resposta de Falange va ser duríssima, amb manifestacions i actes de desgreuge. Martínez Santa Olalla, utilitzant els arxius del servei d'informació de FET i de les JONS, redactà un pamflet contra els catorze catedràtics d'universitat signants del document, i en relació amb Almagro va indicar: «fuísta, excomunista (en Teruel lo recuerdan mucho, verdad!), luego falangista rabioso,

---

41 Arxiu MAC-Barcelona. Correspondència Almagro 1940-1941. 22.003-9. Carta Juan Vigón-Almagro del 09-04-1941.

42 Arxiu MAC-Barcelona. Correspondència Almagro 1950. Carta Jorge Vigón-Almagro del 21-09-1950.

43 MSI-MO. ASO. 1974-1-7346 (ASO 21-101). *Escrito a S.M. el Rey de febrero de 1946.*

catedrático gracias a los buenos oficios de ciertos ingenuos, intrigantuelo y por último "apedreado" por este régimen de oprobio con el bonito cargo de director del Museo Arqueológico de Barcelona».[44]

El viratge polític d'Almagro cap a posicions monàrquiques no el va allunyar del règim, ja que, com molts d'altres, tenia en la figura de Franco —tot i les crítiques que li dirigí en privat, en què l'anomenava «nanito»— el referent d'unificació de les diferents famílies en què es dividien els vencedors de la guerra. En aquest sentit, és força significatiu el pròleg del primer número de la revista *Ampurias*, òrgan d'expressió del Museu Arqueològic editat el 1939 però que aprofitava, de fet, bona part dels articles que ja havien estat reunits per Bosch amb la mateixa finalitat l'any 1936. Almagro escriví que la nova revista era una publicació «al servicio exclusivo de los ideales del Nuevo Estado nacional dirigido por el Caudillo, esta revista aspira, con las páginas que siguen, a mostrar al mundo científico cómo en España se atiende de nuevo a la investigación y se desea colaborar en la alta cultura con celo y ambiciones. Sobre todo en esta Barcelona vigorosa y fuerte nada ha de quebrarse ahora, sino la traición y la bastardía, cuyos recuerdos serán barridos para siempre con el trabajo recto y la sana ambición de servir a la Patria, Una, Grande y Libre».

Almagro, doncs, adoptà una posició ideològica —que aplicà en gran part a la seva obra científica— centrada en les idees comunes a totes les faccions del règim: la unitat ideològica i territorial —entesa, és clar, com a política— d'Espanya. D'aquesta manera podia continuar la seva cada cop més contrastada deriva monàrquica fent bandera d'uns principis benvistos pels militars i l'alta burgesia, i impossibles de ser contradits pels elements més enroscats de Falange. Aquesta posició també li permeté continuar establint les distàncies de pensament i anàlisi professional amb Bosch Gimpera. Val a dir que la inicial crítica d'Almagro contra el llibre *España* de Bosch no va ser l'única, sinó que es va repetir al llarg dels anys, per la qual cosa les seves crítiques no es poden considerar el producte dels primers intents de trencar poc després de finalitzada la guerra amb qui havia ocupat la direcció de l'arqueologia a Catalunya. Bosch defensava l'existència a Espanya de diferents pobles entesos com a grups ètnics amb característiques pròpies, tesi que atacava durament les concepcions immobilistes d'aquells que clamaven per l'existència d'una Espanya unida ja en època prehistòrica, com Ramón Menéndez Pidal[45] («el individualismo sentido por toda una comarca, individualismo local, en cuanto obstáculo a la plena

---

44 MSI-MO. ASO 1974-1-7347 (ASO 21-102). *Las firmas y los firmantes.*

45 MENÉNDEZ PIDAL, R. (1947): «Introducción». *Historia de España I*, vol. I. *España primitiva. La Prehistoria.* Espasa-Calpe. Madrid, pàg. LI.

acción concertada de varias regiones, ha predominado tanto en ocasiones que se presta a interpretaciones erróneas de la Historia tomando el localismo como la forma esencial y absoluta en la vida del pueblo español»), Claudio Sánchez Albornoz i Martínez Santa Olalla.[46] Almagro s'alinearà amb aquests últims en contra de les idees de Bosch.

L'any 1950, si bé amb guant de seda a causa de l'ascendent internacional de Bosch per la seva posició a la Unesco, Almagro no es va estar d'aprofitar el comentari en un article de Sánchez Albornoz sobre el culte romà a l'emperador en què es defensava l'existència de la unificació espanyola en època romana[47] per carregar contra les idees del prehistoriador català. Així, va veure amb bons ulls la manera com Sánchez Albornoz explicava un procés en què ell deixà caure que els pobles hispans sempre havien tingut present la idea d'unitat sota l'empenta i el guiatge dels seus cabdills: «la diversidad de elementos se han fundido y entrelazado siempre en el solar hispano y cómo en la Prehistoria la evidente división de tribus diversas viene a mostrarnos una fatal tendencia a la unión, por la que, entre guerras y paces, han procurado en todo momento luchar los hombres material y espiritualmente más fuertes que han vivido en la Península», i carregà durament contra els qui, com Bosch, parlaven de «pobles d'Espanya» per sustentar tesis separatistes:

> [...] a la escuela de prehistoriadores de Barcelona y a la escuela de prehistoriadores y etnólogos vascos les ha parecido más científico, por serles tal vez más grato, aludir a los pueblos de España como si fueran aún diferentes y sin unir, en lugar de ver cómo todos han sido fatalmente empujados hacia esa unidad entre los hombres hispanos que, quiérase o no, es la verdad histórica y es, además, lo más cordial y humano de sostener en todo momento por quien ame la paz.[48]

Dit d'una altra manera, Bosch representava, amb les seves idees, la llavor del separatisme:

> [...] llamarles «pueblos españoles», para no llamarles «pueblo español», es tender a recordarles la época en que eran tribus como un honor que no sienten. Por ese

---

46 *Discurso de Julio Martínez Santa Olalla en el Ateneo de Madrid el 29 de mayo de 1939.* MSI-MO. ASO. FD 1974-I-12755.

47 SÁNCHEZ ALBORNOZ, C. (1946): «El culto al Emperador y la unificación de España». *Anales del Instituto de Literatura Clásica,* III.

48 ALMAGRO, M. (1950): «Nuevas cuestiones científicas sobre la unidad de España». *Arbor,* 16 (53), pàg. 39-45.

camino no se recogen sino desengaños y no se divulgan sino matices verdaderos, con la intención de convertirlos en axiomas falsos cuando se les quiere dar vigencia histórica actual, como ha intentado Bosch Gimpera en su libro publicado en México.[49]

El text, curiosament, el vinculà encara més amb Sánchez Albornoz, un dels historiadors més destacats de l'exili republicà, a qui va plànyer pel seu exili forçós, i es declarà deixeble i seguidor de les seves idees:

[...] a mí me gusta mucho la posición personal de usted en el orden científico de la interpretación de nuestra historia, pues yo como usted creo que hay que procurar sumar las tierras de España y no empujar su disolución como hacen otros colegas, pues las tesis científicas trascienden y pesan. Opino que hay que ver al pueblo español como comunidad y a España como una nación que siempre ha luchado por formarse, y no hablar tanto de los pueblos de España en plural, como queriendo demostrar que su formación está aún por hacer, tesis que acarician muchos. Su trabajo por lo que se refiere a la Prehistoria española es en este sentido valiosísimo y mucho me gustaría poder hablar de él y de otras cosas largamente con usted, pero desgraciadamente estamos muy lejos el uno del otro. Para los Cuadernos le mandaré algo mío: un trabajo sobre los iberos en el sur de Francia, pues ahora intentan los franceses sacudirse a los iberos basándose en que son celtas. Desde luego que los puntos de vista de Bosch Gimpera han quedado completamente hundidos por los hallazgos arqueológicos y las hipótesis suyas están a mi manera de ver definitivamente arruinadas. Ahora bien, la reacción francesa que ha resurgido a consecuencia de esto es menos justificada, ya que es indudable que constituyen la raíz del Languedoc, del Rosellón e incluso de Aquitania.[50]

A Almagro i Sánchez Albornoz els apropava, doncs, la ferma defensa del concepte de la unitat d'Espanya des de la prehistòria, i com a resultat l'oposició a les tesis de Bosch. Sánchez Albornoz comentà a Almagro que podia entendre perfectament les raons de les seves crítiques elogioses:

[...] nos anima a los dos el mismo amor a España. El estudio de Irene Arias que usted ha recibido tiende como el mío a probar cómo se mezclaron los españoles

49 Es refereix a: BOSCH GIMPERA, P. (1944): *El poblamiento antiguo y la formación de los pueblos de España*. Mèxic.

50 Arxiu MAC-Barcelona. Correspondència Almagro 1950. Carta Almagro-Sánchez Albornoz del 20-02-1950.

desde la prehistoria e insiste sobre el tema con nuevos alegatos en su memoria doctoral, próxima a terminarse. ¿Cuándo hace usted una prehistoria española? Nos está haciendo falta.[51]

Almagro criticà també les idees de Bosch respecte de la imposició d'una superestructura política als pobles d'Espanya, canviant al llarg dels segles, sota la qual s'haurien mantingut inalterats els trets diferenciadors de la seva multiplicitat ètnica. No podia passar per sobre de conceptes com «unificació només per les classes dirigents», «manteniment intacte de la gran massa de la població», o «existència d'un feix de pobles, una comunitat de nacions-nació que no havien trobat una fórmula d'equilibri i organització estable». Totes aquestes idees no tan sols eren pròpies d'un pensament d'esquerres, sinó gresol dels problemes d'Espanya, inclosos, òbviament, el període republicà i la guerra: «lo que costó estos años pasados su mal planteamiento y su egoísta encauzamiento por unas mentes localistas que curiosamente representaban y aún quieren ser hoy la "izquierda" progresista en la vida española». Aprofitrà, en fi, per carregar contra les idees dels intel·lectuals exiliats:

> [...] hoy el espectáculo de nuestras izquierdas es otro en este concreto problema de la unidad española, que será siempre la más firme, bella y progresista de las consignas colectivas de todo hombre español. Consigna que cada vez ha sido más abandonada por los liberales españoles desde la República de 1931 acá, sin que los Comités de expatriados, que quieren representar a esa izquierda liberal y progresista, y que en el extranjero siguen actuando, se hayan ocupado de corregir el mayor de sus errores y, a nuestro juicio, el de más fatales consecuencias para ellos.

Bosch, a qui Almagro cercava trobar cada cop que sortia a l'estranger, tractant-lo de «mestre» sense haver-ho estat, acadèmicament, mai, entomava amb humor unes sortides de to que sabia fetes amb el cap, però que també incloïen una certa posada en escena per a consum intern, tal com indicà a Pericot des de París l'11 de juny de 1951:

> [...] va tornar l'Almagro i vàrem dinar junts amb ell i la seva senyora.[52] L'home en el mateix pla de sempre, tumultuós, afectuós, posant verd Santa Olalla, etc. etc. Jo li vaig donar la tirada a part que avui li envio a V. del meu article a l'Home-

51 Arxiu MAC-Barcelona. Correspondència Almagro 1950. Carta Sánchez Albornoz-Almagro del 02-08-1950.
52 Clotilde Gorbea de Urquijo.

natge a Menéndez Pidal[53] i li vaig dir que esperava la pròxima «dutxa» de la seva part doncs insisteix en els punts de vista de l'existència dels pobles d'Espanya i vàrem tenir una conversa molt pintoresca com pot figurar-se. Jo cada dia estic més content de veure els toros des de un «tendido» i de veure els problemes d'Espanya com a mexicà i des de fora d'Espanya.[54]

Bosch es mostrava especialment dolgut per les crítiques que Almagro havia fet reiteradament al que considerava un dels seus treballs principals, el referit al procés de les migracions cèltiques cap a la península Ibèrica; mentre intentava establir les seves posicions definitivament, Almagro havia criticat l'essència d'aquest treball l'any 1948 amb frases molt dures en ocasió de comentar un treball de Tovar[55] sobre el mateix tema a partir dels estudis filològics:

[...] la arqueología podrá entonces ser con más argumentos mejor interpretada, y no como hace alegremente el profesor Bosch Gimpera con sus afirmaciones personales, adelantándose un poco y aventuradamente a la investigación seria [...] ya hace años, en 1935, por primera vez llamamos céltica a la cultura ibérica del Bajo Aragón, una de las más célticas de España, aunque Cabré y Bosch Gimpera la dieran siempre el apelativo de ibérica.[56]

I, com no podia ser de cap altra manera, en una personalitat com la d'Almagro, les crítiques no s'aturaren: l'any 1952 va fer una dissecció de les tesis de Bosch en la seva síntesi sobre la protohistòria peninsular, en la qual destacà els components racials cèltics per sobre dels ibèrics en la definició de les poblacions preromanes, i negà qualsevol vinculació ètnica amb el nord d'Àfrica:

[...] los romanos sobrevaloraron lo ibero y fueron dando este nombre a toda España, y luego los historiadores modernos han querido oponer lo ibero a lo europeo y hasta negar el carácter de Europa a la Península. Cada día la Prehistoria nos prueba que esto es falso, y cuanto de africano o mediterráneo entró a formar parte de la población española lo hizo antes de esta época que historiamos, o después con la invasión árabe, quedando en general lo africano sometido y sin fuerza cultural para imponer su personalidad. Esto vale, sobre todo, para las regiones al norte del Tajo y del Júcar, donde viven los núcleos de población más vitales

---

53 BOSCH GIMPERA, P. (1951): «De la España primitiva a la España medieval». *Estudios dedicados a Ramón Menéndez Pidal*, II, pàg. 533-549.

54 BC. Correspondència Lluís Pericot. Carta Bosch-Pericot de l'11-06-1951.

55 TOVAR, 1946-1947.

56 ALMAGRO BASCH, 1947-1948, pàg. 326-327.

de España y donde desde el paleolítico se puede ver el predominio de lo que con Europa nos enlaza.[57]

En una data ja tan avançada com 1958, Almagro exposà de nou les seves idees en el llibre *Origen y formación del pueblo hispano*,[58] en què rebutjà els conceptes de la fragmentació cultural del territori al llarg de la protohistòria —com Bosch enuncià ja en els seus primers escrits l'any 1913—[59] i defensà l'existència d'un únic poble hispà clarament relacionat antropològicament amb les característiques racials europees:

> [...] frente a una tendencia muy divulgada, hablamos de «pueblo» hispano y no de «pueblos» ibéricos, españoles o hispánicos. Creemos que la fusión lograda a lo largo de nuestra historia, sobre todo desde el siglo XVI hasta nuestros días, obliga a ello [...] es anti-histórico y falso hablar de pueblos hispánicos o ibéricos dentro de una exposición que desea ser rigurosamente científica como la nuestra.

Més encara, Almagro entengué els pobles preromans des d'una perspectiva racial que tenia encara en la data de publicació del llibre el ressò de teories racials anteriors: veia els ibers del Llevant com a societats dèbils i massa influenciades pels comerciants i colons mediterranis, mentre que a l'interior es mantenien les idees més pures derivades d'un sistema de vida més violent i actiu basat en una societat ramadera i rural. Sobre aquesta base, Roma hauria definit els altres dos elements bàsics del discurs ideològic: el concepte d'unitat territorial i administrativa i, essencialment, la unitat lingüística. Sense cap mena de problema, declarava l'existència de la unitat ja en el l'edat del bronze final:

> [...] por el año 1000 antes de J.C., una tendencia a ver la unidad y la fusión de los pueblos hispanos es más científica y queda más patente ante los hallazgos que poseemos, que las hipótesis que intentan forzar las diferencias al estudiar la etnia prehistórica de la Península [...] tales diversidades, cuando se aprecian, son sólo de orden cultural y no siempre se pueden limitar y aislar totalmente, y son más bien consecuencia de variaciones geográficas, o del influjo realizado en el desarrollo económico y social por la mayor o menor aportación cultural y económica

---

57 Almagro Basch, M. (1952): «Las fuentes antiguas». *Historia de España I*, vol. II. *España primitiva. La protohistoria*. Espasa-Calpe. Madrid, pàg. 272.

58 Almagro Basch, M. (1958a): *Origen y formación del pueblo hispano*. Vergara. Barcelona.

59 Bosch Gimpera, P. (1913): «Zur Frage der Iberischen Keramik». *Memnon. Zeitschrift für die Kunst-und Kulturgeschichte des alten Oriens*, VII, 3; Bosch Gimpera, P. (1915): *El problema de la cerámica ibérica*. Ed. JAE. Comisión de Investigaciones Prehistóricas y Paleontológicas. *Memoria*, 7. Madrid.

llegada con los inmigrantes colonizadores del Neolítico y de la Edad del Bronce. Estudiando imparcialmente los restos antropológicos y aún los culturales, es preciso rechazar las forzadas hipótesis a las cuales se han inclinado muchos [...] al establecer sobre bases poco precisas una diversidad cultural en la Península demasiado radical y con tendencia a ver evolucionar tales culturas demasiado aisladas e independientes.[60]

Però els plantejaments racials d'Almagro van anar encara més enllà. En el mateix text de 1958 va defensar el concepte de la raça espanyola i la manera com aquesta s'havia protegit, d'una banda, i segons el seu parer, gràcies a les institucions:

[...] hoy ofrece España uno de los complejos raciales más homogéneos y más fundidos de todas las comunidades nacionales del mundo [...] algo que dejó resuelto para nuestro futuro la clarividente política de la Inquisición que [...] aportó la paz y sosiego a nuestra España, con energía, prudencia y generosidad no frecuente en aquellos tiempos y que es la garantía del acierto en todas las soluciones trascendentales humanas.[61]

D'altra banda, s'havia protegit gràcies a la no vinguda a la Península dels fills de la barreja hispana amb les poblacions natives de les colònies:

[...] el español nunca ha traído a la metrópolis sino muy escasísimos elementos de esos cruces raciales. Ni en los días de nuestro Imperio, ni más tarde a través de los nutridos grupos más modernos de indianos [...] ello ha diferenciando la población española de la de otros pueblos vecinos como Portugal, donde el elemento negroide va pesando ya en su etnia, y aún en la misma Francia, donde también norteafricanos y negros van dejando huella frecuente.[62]

Malgrat les bones relacions que mantenia amb els investigadors francesos, el seu pensament continuava sent contrari a bona part de tot el que França representava.

Mancava un element: la religió. Almagro ja s'havia declarat partidari de la fe per sobre de la ciència en un text publicat l'any 1957, *El hombre ante la Historia*.[63] En aquest text, després de repassar la trajectòria ideològica de José Or-

60 ALMAGRO BASCH, 1958a, pàg. 88.
61 ALMAGRO BASCH, 1958a, pàg. 164.
62 ALMAGRO BASCH, 1958a, pàg. 163-164.
63 ALMAGRO BASCH, M. (1957): *El hombre ante la Historia*. Biblioteca del Pensamiento Actual, 82. Rialp. Madrid.

tega y Gasset segons la qual afirmava que només la victòria a la guerra civil li havia permès expressar amb claredat les seves idees més profundes i superar el desori dels anys de la República, Almagro afirmà:

> [...] poco verá quien no comprenda que hoy una visión total de la Humanidad a lo largo del tiempo y de todos los hombres, en todos los espacios en que aparezcan, se impone y avanza, conducida por las mentes más despiertas y los pueblos más dominadores, al estilo moderno, en que la capitanía no se puede ejercer con falsas premisas y latiguillos. En estos tiempos en que el mundo se achica por la técnica; en estos tiempos de universal convivencia; en estos tiempos de interdependencia económica forzada; a nosotros, españoles, nos es necesario preocuparnos de la lección auténtica del pasado y defender la verdad [...] nuestra pluma sólo ha sido empujada por el noble sentimiento que anida en nuestra alma de hombre español y católico, que quiere decir universal y ecuménico [...]. Además, creemos que con la pérdida de sus actuales creencias no vendrá ningún hombre a la Verdad, sin que cuantos la sentimos busquemos su espíritu. Sólo serán nuestros tantos fanáticos creyentes del materialismo-histórico y tantos ingenuos partidarios del progreso indefinido, cuando dialoguemos y razonemos con ellos con comprensión y usando sus mismas razones, palabras y estilo. Tal vez así les daremos con caridad el sostén espiritual que muchos buscan angustiados. En nuestro tiempo y en nuestra misma sociedad creen y sirven a las más materiales concepciones de la vida y del pasado muchas mentes que pueden ser apartadas y salvadas del error.[64]

La seva tesi, refermada en un altre text de 1957,[65] anteposava el cristianisme com a base de qualsevol acte en la vida de l'home: «todo cumple su natural destino para lo cual fue creado con una rigurosa unidad que lo rige siempre: la voluntad de Dios». La fe era el tret essencial per explicar i comprendre la Història, i denunciava com a finals dels anys cinquanta «media Humanidad vive bajo la sombra embriagadora de un árbol gigantesco cuyas raíces se sustentan exclusivamente de una explicación del pasado: el materialismo histórico». El marxisme, en un moment que qualificava com de guerra imminent, era l'aplicació d'un corrent teòric: «brutal y ruda si se quiere, pero al fin y al cabo todo el marxismo-leninismo no es otra cosa que la proyección política del materialismo histórico, que ha beatificado a sus creadores y precursores, dando a sus ideas, unas verdaderas y las más falsas, un valor dogmático», idees que originà-

---

64 ALMAGRO BASCH, 1957b, pàg. 150-151.
65 ALMAGRO BASCH, M. (1957): «La historia como sustentación espiritual del hombre». *Arbor*, 36 (134), pàg. 163-175.

riament havien sorgit del liberalisme, «el ingenuo progresismo liberal y libertario de los siglos XVIII y XIX».

Tal com havia fet a la tardor de 1939, Almagro continuava, vint anys després, concebent la política internacional com la lluita entre Orient i Occident, una lluita en la qual la definició de la concepció de la Història era un element decisiu, per tal com «ha de ser en el campo de la investigación histórica donde se fraguarán las palancas que han de derribar la falsa base en que se asienta toda la construcción histórica del materialismo histórico, en el cual a su vez cimenta sus verdades y su teología el marxismo-leninismo [...] para al servicio de nuestra ambición católica universal, combatir en la batalla espiritual y material que se urde en los tiempos que vivimos. En el campo de la concepción de la Historia, más que en ningún otro, se ha de reñir —ya se está riñendo— la razón y la fuerza de nuestra fe, de nuestra revelación espiritual y de nuestra existencia misma». Una actitud que cal comprendre, perquè les experiències dels seus anys de joventut van configurar unes línies bàsiques de pensament que el seu caràcter ferm i decidit, més pròxim a l'acció que a la reflexió, li impedien modificar, o bé, simplement, no tenia cap intenció de canviar.

Vint anys després de la darrera referència, és a dir, quasi quaranta anys després de la fi de la guerra, Almagro encara mantenia els mateixos plantejaments ideològics basats en la religió i la idea imperial d'Espanya, com expressà en l'homenatge al seu amic Nino Lamboglia, mort el 10 de gener de 1977 en enfonsar-se amb el seu cotxe al port de Gènova en companyia del seu col·laborador Giacomo Martini:

[...] admirábamos en España no sólo al hombre de ciencia sino su fervoroso servicio en la búsqueda de una unión espiritual de las tierras que la Roma eterna unió y que aportaron a la Humanidad glorias sin par y a las que España, en nombre de la cual yo hablo en esta ocasión, fue siempre fiel; pues España no ha hecho en la Historia otra cosa más noble que servir a cuanto Roma ha representado. Con estos ideales detuvo la expansión del Islam, llevó su lengua latina y su religión católica romana a toda América y sostuvo con esfuerzo junto con Italia en otros siglos la unidad espiritual de una Europa cristiana, unidad que ahora se añora y se busca por otros caminos simplemente económicos.

I les seves idees no serien només conservadores en el terreny polític, sinó també en el social:

[...] él vió como la juventud se aparta hoy de ideales nobles y se rinde a los ataques directos e indirectos a los valores del espíritu con los que se creó nuestra hermosa cultura, representada por nuestros poetas y filósofos, nuestros artistas y eruditos.[66]

Aquestes posicions polítiques, d'altra banda, les compartia amb la major part dels prehistoriadors espanyols, si bé molts d'ells no les van expressar mai en públic amb la mateixa sinceritat. Almagro no es va moure ja de les seves posicions monàrquiques moderades, especialment arran dels dubtes del govern sobre el futur polític d'Espanya: «soy monárquico y creo que España debe volver a la monarquía porque la república nos dará muy mal resultado y Franco en esto está dudoso»,[67] advocant, sempre dintre d'un ordre de lleialtat al règim, pel retorn de don Joan: «Europa está bastante mal, pero en España, gracias a Dios, vivimos en un remanso de tranquilidad. Lástima que no tengamos ya al Rey en Madrid para poder vivir tranquilos, pues creo que sería la única solución de estabilidad de acuerdo, además, con el sentir tradicional del pueblo español. Pero en fin, hay que conformarse siempre con lo que uno tiene».[68]

Almagro, arran del trasllat a Madrid un cop guanyades les oposicions el 1954, continuà vinculant-se als cercles monàrquics, i especialment amb els grups que cercaven un acostament entre els seguidors de Joan de Borbó i el govern de Franco per afavorir la difusió de les idees monàrquiques, en especial arran del triomf moral que els monàrquics van assolir a les eleccions municipals del mateix any. Van defensar un ideari basat en la restauració, però sense ruptura amb el règim franquista, i es van allunyar així d'altres sectors legitimistes vinculats amb l'oposició democràtica. Un dels líders dels cercles monàrquics, Juan Claudio Güell, comte de Ruiseñada, va crear una associació cultural pública, els Amigos de Maeztu, que va ser reconeguda per la Delegación de Asociaciones el 17 de gener de 1957.

Tot i que els objectius programàtics de l'associació eren «promover por todos los medios lícitos el conocimiento general de las ideas y de la fama literaria de las obras de don Ramiro de Maeztu, que había sellado con el testimonio de su cruenta muerte, una importante aportación doctrinal a los ideales que ambientaron el Alzamiento del 18 de julio», els motius reals eren difondre les idees monàrquiques entre la població per facilitar l'acceptació d'una reinstauració dels Borbons. Per aconseguir-ho, van difondre diversos textos relatius a la significació monàrquica a Espanya, escrits, entre d'altres, per alguns amics d'Almagro, com Jorge Vigón o Rafael Calvo Serer, amb qui ja havia col·laborat a la

66   ALMAGRO BASCH, 1977, pàg. 21.
67   Arxiu MAC-Barcelona. Correspondència Almagro 1954. Carta Almagro-Menghin del 25-02-1954.
68   Arxiu MAC-Barcelona. Correspondència Almagro 1954. Carta Almagro-Menghin del 20-05-1954.

revista *Arbor* i en l'edició espanyola de la *Historia Mundi*[69] a través de H. Bracklemans, del Departament Internacional de Cultures Modernes del CSIC, que gestionà el treball d'Almagro i també les seves trobades a Alemanya l'any 1954[70] amb el professor Fritz Valjavec, director de la sèrie.[71]

Almagro fou nomenat vocal de l'associació Amigos de Maeztu, presidida per Juan Claudio Güell, amb José María Pemán y Pemartín, José María Arauz de Robles i José Raimundo Basabe com a vicepresidents, i Jorge Vigón Suerodías, Torcuato Luca de Tena, Rafael Calvo Serer, Francisco Moreno Herrera, José Ignacio Escobar, Gonzalo Fernández de la Mora, Eugenio Vegas Latapié y Antonio Millán Puelles com a vocals, mentre que José María Ramón de San Pedro en seria el tresorer i Amalio García Arias el secretari.[72] El principal òrgan d'expressió de l'associació va ser la revista *Reino*, que es començà a publicar el 30 de juny de 1957. Amb tot, la tasca d'aquest grup de monàrquics va tenir una durada curta a causa de dos fets: la mort primerenca del seu inspirador, el comte de Ruiseñada, i les pressions de l'entorn de Franco, que recordaren als membres de l'associació que Franco, en aplicació de les lleis, tenia el dret suprem a exercir la magistratura de cabdill d'Espanya de manera vitalícia, així com la facultat de nomenar el seu successor. És a dir, es deixava ben clar que les seves activitats no només no ajudaven a la causa de don Joan, sinó tot el contrari.

69 Arxiu MAC-Barcelona. Correspondència Almagro 1952. Carta Almagro-Calvo Serer del 08-01-1952; Correspondència Almagro 1953. Carta Alamagro-Calvo Serer del 17-02-1953; Carta Calvo Serer-Almagro del 31-03-1953; Carta Almagro-Calvo Serer del 29-04-1953; Carta Calvo Serer-Almagro del 20-05-1953; Carta Almagro-Calvo Serer del 26-05-1953.

70 Arxiu MAC-Barcelona. Correspondència Almagro 1952. Carta Almagro-Laureano López Rodó del 25-06-1954.

71 Arxiu MAC-Barcelona. Correspondència Almagro 1953. Carta Brackelmanns-Almagro del 26-04-1953; Carta Brackelmanns-Almagro de 16-03-1953.

72 SAINZ RODRÍGUEZ, 1981, pàg. 109-110.

6

De la Comissaria Provincial d'Excavacions a la Comissaria de Zona del Servei de Defensa del Patrimoni Artístic Nacional

Tot i les diferències personals existents entre Almagro i Martínez Santa Olalla, el 14 de maig de 1941 la Direcció General de Belles Arts va nomenar Almagro,[1] a proposta de la Comissaria General d'Excavacions Arqueològiques, comissari provincial de Barcelona, una mesura lògica si es té en compte que ja exercia el càrrec de director del Servei d'Investigacions Arqueològiques de la Diputació; Almagro agraí el nomenament a Martínez Santa Olalla, i li demanà també un segon nomenament com a responsable de les intervencions arqueològiques en diferents jaciments de Lleida, com ara Jebut, pels quals tenia interès.[2] Però, de fet, Almagro mai va actuar com a comissari provincial, cosa que desesperava el comissari general, i va vincular tota la seva tasca a través de la Diputació, el veritable centre de poder a Barcelona. A més de les ja citades, les causes del distanciament es poden cercar en la lluita soterrada que ambdós lliuraven per obtenir l'estabilització definitiva com a catedràtics, les diferències polítiques entre el falangisme pur de Martínez Santa Olalla i la posició monàrquica d'Almagro, i els intents d'aquest últim per reemplaçar el seu antic amic en el control de les relacions científiques amb Alemanya i Itàlia en els anys de la primera postguerra.[3]

Els enfrontaments entre tots dos van ser continus. Almagro participà entre el 22 i el 30 d'agost de 1942 al Congrés Espanyol d'Art i Arqueologia, celebrat a Jaca, el tema del qual era la «Organización del Servicio Arqueológico y Artístico Nacional dentro del Instituto Diego Velázquez (CSIC)».[4] A les reunions hi van participar José Artero Pérez, rector de la Universitat Pontifícia de Salamanca; Miguel Sancho Izquierdo, rector de la Universitat de Saragossa; Caye-

---

1 AGA (03) 109.02. Caixa 217 12-25-6. *Comisaría General de Excavaciones Arqueológicas. Barcelona.* Carta director general de Belles Arts-comissari general d'Excavacions Arqueològiques del 04-04-1946.

2 Arxiu MAC-Barcelona. Correspondència Almagro 1940-1941. 2.2.010. Carta Almagro-Martínez Santa Olalla del 26-05-1941.

3 AGA. 3. Cultura. Caixa 217. Carpeta 40. Comisaría General de Excavaciones Arqueológicas. Barcelona. Ofici DGBBAA-CGEA del 3-04-1946.

4 AHPS. Llegat marquès de Lozoya s-t. «*Conclusiones adoptadas por la reunión de arqueólogos celebrada en Jaca entre los días 22 y 30 de agosto de 1942, referente a la organización del Servicio Nacional de Arte y Arqueología dentro del Instituto "Diego Velázquez".*»

tano de Mergelina, rector de la Universitat de Valladolid; el marquès de Lozo-
ya com a director general de Belles Arts, i Francisco Íñiguez Almech, Joaquín
María de Navascués, Ángel de Apráiz Buesa, José Camón Aznar, Santiago Carro
García, Luis Monreal, Emilio Camps Cazorla, Manuel Chamoso Lamas, Án-
gel Lafuente Ferrari, Eduardo del Arco, Antonio Floriano Cumbreño, Juan
Cabré Aguiló, José Hernández Díaz i Martín Almagro, que discutiren un do-
cument elaborat per Mergelina i Camón Aznar amb l'objectiu de «conectar los
trabajos de los arqueólogos e historiadores del arte españoles en una labor con-
junta para mayor eficacia de la labor científica, uniéndolos a la realizada por el
Instituto Diego Velázquez de Arte y Arqueología, ampliando el radio de acción
de este en beneficio de la expresada labor».

Es tractava d'un atac en tota regla a la Comissaria General d'Excavacions
Arqueològiques i a Martínez Santa Olalla, la qual cosa es desprenia dels temes
a tractar: «organización del Servicio Arqueológico Nacional dentro de Institu-
to Diego Velázquez; problemas de la enseñanza de Arte y Arqueología en Es-
paña; organización de las Excavaciones Arqueológicas; orientación legislativa
en materia de Arte y Arqueología; museología; formación de Inventarios His-
tórico-Artísticos y Arqueológicos», que es podien resumir en un de sol: la des-
aparició de la Comissaria General d'Excavacions Arqueològiques i la vinculació
de la recerca arqueològica al CSIC. Després d'uns dies de debats s'aprovaren
unes dures conclusions: «el Instituto reclama para sí la única alta dirección del
Servicio Nacional de Arte y Arqueología en todos sus aspectos», i les raons eren
tres: «la necesidad de aunar todo valor enclavándolo en la organización del Ser-
vicio; la necesidad de encaminar todo esfuerzo o trabajo que dimane de estos
valores en una única dirección superior; y el reconocimiento de que la necesa-
ria autonomía de cada uno de los valores o grupos que se adscriban, en forma
de supeditación obligada al Instituto, lejos de coartar sirva de estímulo». Exac-
tament el contrari del que representava la Comissaria General. No s'aconseguí
res immediatament, però les bases de futures protestes ja estaven posades.

Almagro també participà en un segon atac contra Martínez Santa Olalla i
la seva estructura en les sessions del Congrés Nacional d'Arqueologia celebrat
a Elx l'any 1948, quan els comissaris provincials i locals van ser definits com a
aficionats no professionals pels representants dels centres d'investigació i, en
especial, de la Universitat. Serra Ràfols, oposat a aquestes maniobres, titllà de
«somatén pseudo-arqueológico» els professors contraris a Martínez Santa Ola-
lla, entre els quals destacaren Almagro, Pericot i Del Castillo: «hizo acto de
presencia en el cónclave en forma de una proposición para que se crease una
junta que viniese a substituir a la Comisaría "ya que debido a la actuación de esta
las excavaciones van muy mal en España". Se aprovechó la presencia del Direc-

tor General [de Bellas Artes] para poner sobre el tapete esta conclusión que, naturalmente, debió ser votada, me lo imagino, por aclamación».[5] Finalment, en aquesta ocasió tampoc no van reeixir, però Martínez Santa Olalla estava cada cop més aïllat.

Per la seva banda, Martínez Santa Olalla intentà ofegar econòmicament la Comissaria Provincial de Barcelona: va reduir al mínim les adjudicacions pressupostàries dins del Plan Nacional per provocar la paràlisi de la recerca i desprestigiar-ne el responsable, però Almagro tenia el suport de la Diputació, que li permetia continuar les excavacions amb més recursos que els que la CGEA li podia haver facilitat. A més, Almagro va saber aprofitar la recança de Martínez Santa Olalla per enfrontar-lo amb el marquès de Lozoya: ho va fer informant repetidament el marquès, director general de Belles Arts, de les dificultats que el seu subordinat posava per prosseguir les intervencions a Empúries, una tasca per a la qual Almagro disposava amb escreix del suport de la Diputació. Així, el 13 de juliol de 1943, Almagro es queixà a la DGBA dels problemes administratius ocasionats per Martínez Santa Olalla, i recordava que les intervencions a Empúries es feien arran d'un acord entre la DGBA i la Diputació de Barcelona —és a dir, al marge de la CGEA—:

> [...] aunque según determina la Ley de Excavaciones Vigente no es necesario pedir continuamente nuevos permisos en las excavaciones que no son interrumpidas, para aclarar ciertas dudas y reclamaciones de la Comisaría General de Excavaciones dependiente de esa Dirección General, solicita [...] se le dé nuevamente permiso de la manera más idónea para evitar reclamaciones de todo orden teniendo en cuenta la realidad y esmero con que tales trabajos se realizan patrocinados por la Excma. Diputación Provincial de Barcelona.[6]

El marquès de Lozoya demanà immediatament a Almagro explicacions sobre les reclamacions de Martínez Santa Olalla.[7] Un cop assabentat dels detalls, Lozoya va trametre a Martínez Santa Olalla els informes d'Almagro i el llistat de permisos i subvencions que havia demanat segons les intervencions previstes per a l'any 1944, que incloïen, a més d'Empúries, la necròpolis d'Agullana i la cova de Serinyà (Banyoles), corresponents totes dues a la Comissaria de

---

5 MSI-MO. ASO 18.404. Carta Serra Ràfols-Martínez Santa Olalla del 06-06-1948.

6 AGA.3. Cultura. Caixa 217. Carpeta 40. Comisaría General de Excavaciones Arqueológicas. Barcelona. Ofici Martín Almagro-Lozoya del 13-07-1943.

7 AGA. 3. Cultura. Caixa 217. Carpeta 40. Comisaría General de Excavaciones Arqueológicas. Barcelona. Ofici DGBBAA-Martín Almagro del 24-08-1943.

C. 1945. Martín Almagro Basch a les excavacions d'Empúries. Fotografia: MAC-Barcelona.

Girona que dirigia Lluís Pericot, petició que amb tota seguretat havia de tenir el vistiplau d'aquest últim.[8] Però el comissari general no es donava fàcilment per vençut i reclamà les citades memòries d'intervenció a la Direcció General de Belles Arts,[9] que va haver d'admetre que no les havia rebut.[10] L'any següent Almagro insistí i envià la memòria a la Direcció General, així com la petició de subvenció, i argumentà que «a pesar de ser una de las más importantes de España no ha recibido jamás subvención de ese Ministerio de Educación Nacional».[11] Les relacions eren tan dolentes entre tots dos —de fet, inexistents— que les comunicacions es van canalitzar a través de les instàncies superiors, és a dir, directament entre el president de la Diputació de Barcelona, que reclamà el 1946[12] i el 1947[13] ajuts econòmics per a la continuïtat de les excavacions d'Empúries, i el director general de Belles Arts.

De fet, les consignacions a Barcelona i Empúries del Plan Nacional de Excavaciones de la CGEA van ser pràcticament inexistents entre 1939 i 1945, com li va recordar Almagro a Lozoya al principi de 1945: «cinco años en la dirección y no he recibido un centimico y este año volveré a intentar sacarle algo a mi rival y siempre buen amigo Santa Olalla por interacción de Ud. Temo me

---

8 AGA.3. Cultura. Caixa 217. Carpeta 40. Comisaría General de Excavaciones Arqueológicas. Barcelona. Ofici DGBBAA-Martínez Santa Olalla del 25-01-1944.

9 AGA.3. Cultura. Caixa 217. Carpeta 40. Comisaría General de Excavaciones Arqueológicas. Barcelona. Ofici CGEA-Secció 10 BBAA del 07-02-1944.

10 AGA. 3. Cultura. Caixa 217. Carpeta 40. Comisaría General de Excavaciones Arqueológicas. Barcelona. Ofici Secció 10 BBAA-CGEA del 14-02-1944.

11 AGA. 3. Cultura. Caixa 217. Carpeta 40. Comisaría General de Excavaciones Arqueológicas. Barcelona. Ofici Martín Almagro-DGBBAA del 05-02-1946.

12 AGA. 3. Cultura. Caixa 217. Carpeta 40. Ofici DGBBAA-CGEA del 06-12-1946.

13 AGA. 3. Cultura. Caixa 217. Carpeta 40. Ofici DPB-DGBBAA del 23-10-1947.

pase como el año pasado, pero en fin, pediré a ver».[14] Només l'any 1941 es van consignar deu mil pessetes per a Empúries, i la direcció dels treballs es va assignar conjuntament a Almagro i Pericot.[15]

El buit en les intervencions arqueològiques de la Comissaria Provincial a Barcelona va ser ocupat, en gran mesura, per les intervencions que Agustí Duran i Sanpere va dirigir des de l'Instituto Municipal de Historia, creat feia poc. Un cop superats els processos de depuració,[16] Duran reprengué el seu càrrec de director de l'Arxiu Històric Municipal amb el suport de l'alcalde Miguel Mateu, i posà de nou en marxa les excavacions al subsòl de la ciutat que havia iniciat l'any 1928 arran de la troballa d'un mosaic en unes obres al carrer de la Palma de Sant Just. En aquella ocasió havia formulat la corresponent petició d'intervenció a la Junta Superior de Excavaciones y Antigüedades, que la recomanà al Ministeri d'Instrucció Pública i Belles Arts. El Ministeri l'aprovà gràcies al càrrec de director de l'Arxiu i de l'Oficina Municipal de Investigaciones y Publicaciones Históricas de Duran, i constituí el primer permís oficial atorgat a una institució científica fora de l'àmbit del SIA de l'IEC.[17] Duran continuà la seva tasca els anys de la República i, de fet, l'any 1939 era el millor especialista en arqueologia urbana de Barcelona. Les excavacions que dirigí en el temps que Almagro fou comissari provincial provocaren recels, quan no enfrontaments, amb el director del Museu Arqueològic, que veia com una part de l'arqueologia a Catalunya quedava al marge del seu control.[18] Eulàlia Duran i Grau, filla de Duran i Sanpere, afirma que el seu pare duia a terme la major part de la tasca de salvament preventiu del patrimoni arqueològic molt precàriament, gràcies a una xarxa d'amics i col·laboradors que l'avisaven si creien que en una obra havia sortit quelcom d'interès; de fet, l'animadversió d'Almagro respecte a Duran va arribar fins a l'extrem de denunciar a l'Ajuntament la mateixa Eulàlia quan la va veure participar en una protesta estudiantil, amb el clar objectiu de desprestigiar-lo fent reviure els problemes polítics que havia tingut en acabada la guerra.[19]

Per la seva part, Martínez Santa Olalla feia tot el possible per desacreditar Almagro davant del president de la Diputació, com en un escrit de 12 de desembre de 1945 en què feia referència a la tasca dels tècnics del Servei d'Investigacions Arqueològiques sense citar-ne el director:

---

14 AHPS. Llegat marquès de Lozoya. Carta Martín Almagro-marqués de Lozoya del 08-01-1945.
15 AGA. 3. Cultura Caixa 12-219. Comisaría General de Excavaciones Arqueológicas. Libramientos 1940-1941. Plan de intervenciones 1941.
16 Vegeu detalls a GRACIA ALONSO i MUNILLA, 2011, pàg. 398-404.
17 AGA. 3. Cultura. 31-1036. Excavacions 1928. Barcelona.
18 Informació proporcionada per Eulàlia Duran. Entrevista realitzada a Barcelona el 17-02-2011.
19 MUÑOZ, 2012, pàg. 14-15.

[...] La Excma. Diputación provincial de Barcelona que tan gloriosa tradición arqueológica tiene sobre todo desde que creó su Servicio de Antigüedades, viene prestando en los últimos años en que la actividad excavadora en esa provincia cesó en absoluto, un gran servicio a la Arqueología Nacional mediante sus técnicos y arqueólogos especialistas en excavaciones que cuentan con una práctica de muchos lustros siendo orgullo de esa Excma. Diputación y que han prestado al Plan Nacional de Excavaciones de este Ministerio de Educación Nacional una colaboración que sería injusto no destacar. Al reorganizarse los servicios arqueológicos del Estado mediante la creación de la Comisaría General de Excavaciones Arqueológicas se planteaba, por ejemplo, el problema de la realización de las excavaciones arqueológicas en Mérida que precisaba una rectificación y una dirección rigurosamente científica, por lo que en esta Comisaría General en nombre del Ministerio de Educación Nacional accedió a nombrar Comisario-Director de las excavaciones del Plan Nacional en la vieja capital de Lusitania a Don José de C. Serra Ràfols, veterano del Servicio de Excavaciones de esta Excma. Diputación. Reiteradas órdenes ministeriales en años sucesivos han ratificado el nombramiento de Comisario-Director de Don José de C. Serra Ràfols para las excavaciones de Mérida, lo que debe constituir un gran orgullo para esa Excma. Diputación. Más tarde en el vigente ejercicio económico, esta Comisaría General de Excavaciones Arqueológicas ha tratado de poner fin al lamentable colapso arqueológico en la provincia de Barcelona, cuyas excavaciones sin justificación alguna habían cesado iniciando excavaciones del Plan Nacional en la comarca de Sabadell habiendo sido nombrados a propuesta de esta Comisaría General por el Excmo. Sr. Ministro de Educación, Comisarios-Directores de las mismas, a Don José Colominas y el Dr. José de C. Serra Ràfols, con lo cual se ha otorgado una vez más por el Ministerio de Educación Nacional un implícito voto de gracias y reconocimiento a esa Excma. Diputación Provincial por el personal técnico con que cuenta en la especialidad de las excavaciones arqueológicas. Igualmente al iniciar la Comisaría General de Excavaciones Arqueológicas en años pasados las excavaciones del Plan Nacional en la provincia de Gerona, hubo de nombrarse Comisario-Director de las mismas al Dr. Don Luis Pericot García, técnico igualmente de los Servicios Arqueológicos de esa Excma. Diputación. Concluidas las campañas de excavaciones de 1945 en las provincias de Badajoz, Barcelona y Gerona, cumple a esta Comisaría General de Excavaciones Arqueológicas en nombre del Ministerio de Educación Nacional agradecer a esa Excma. Diputación la colaboración prestada por sus técnicos Sres. Serra Ràfols, Colominas y Pericot García como Comisarios-directores de excavaciones del Plan Nacional. Al realizar este acto de justicia que será la más alta satisfacción, no lo dudo, para esa Excma. Diputación por lo que supone en el insuperable valor técnico de sus excavadores, no duda el Ministerio de Educación Nacional seguirá contando en futuros Planes Nacionales con una colaboración tan valiosa que enaltece a la

Excma. Diputación de Barcelona poniendo tan alto el nombre de la Arqueología Nacional y de España.[20]

Amb ofensives com les citades, i tenint en compte que els col·laboradors més propers d'Almagro treballaven per al seu rival, i sense fer una feina específica relacionada amb les tasques que competien a una comissaria provincial, era molt difícil que Almagro es mantingués gaire més temps en el càrrec. Va ser cessat poques setmanes després del darrer atac de Martínez Santa Olalla, el 3 d'abril de 1946, quan el marqués de Lozoya no va poder resistir més la pressió del comissari general d'excavacions, que va carregar contra Almagro indicant «que jamás tomó posesión [del cargo] ni ejerció ninguna de la prerrogativas ni le fue entregado el sello oficial de dicha Comisaría».[21] Martínez Santa Olalla creia que controlant la recerca a Barcelona podria aconseguir el suport econòmic de la Diputació i l'Ajuntament i arraconaria així Almagro, però s'equivocà. Ja comptava amb un pla d'intervencions al subsòl de Barcelona per estudiar els nivells romans i visigots elaborat per Serra Ràfols, que, en iniciar-se, provocà la crítica de Duran i Sanpere, que es considerà traïcionat, ja que en un dinar a Madrid a principis d'any, bona part dels principals arqueòlegs espanyols lloaren la seva tasca.[22]

Per substituir-lo, i en un clar exemple d'incompetència administrativa, el 7 de gener de 1946 —dos mesos abans del cessament— va ser nomenat Epifani de Fortuny i de Salazar, baró d'Esponellà,[23] que va col·laborar molt més amb Martínez Santa Olalla, especialment després del nomenament de Serra Ràfols com a comissari local de Barcelona l'11 de gener de 1950[24] a proposta del comissari general.[25]

De fet, Serra Ràfols indicà el març de 1946 que a Barcelona es desconeixien els detalls del nomenament d'Almagro com a comissari provincial, ja que mai havia pres oficialment possessió del càrrec —tot i que en el moment del cessament va mostrar a tothom que va voler el document oficial de nomenament—;

20 AHDB. Lligall Q-583. Exp. 8. *1945. Sección de Cultura-Expediente Museo Arqueológico-Expediente General.* Carta Martínez Santa Olalla-President de la Diputació de Barcelona del 12-12-1945.

21 AGA. 3. Cultura. Caixa 217. Carpeta 40. Comisaría General de Excavaciones Arqueológicas. Barcelona. Ofici CGEA-DGBBAA del 28-12-1945.

22 AHPS. Llegat marquès de Lozoya. Carta Duran i Sanpere-Taracena del 07-06-1946.

23 AGA. 3. Cultura. Caixa 217. Carpeta 40. Comisaría General de Excavaciones Arqueológicas. Barcelona. Ofici DGBBAA-CGEA del 07-01-1946.

24 AGA. 3. Cultura. Caixa 217. Carpeta 40. Comisaría General de Excavaciones Arqueológicas. Barcelona. Ofici DGBBAA-CGEA del 12-01-1950.

25 AGA. 3. Cultura. Caixa 217. Carpeta 40. Comisaría General de Excavaciones Arqueológicas. Barcelona. Ofici CGEA-DGBBAA del 30-12-1949.

molts dels seus col·laboradors al Museu Arqueològic van arribar a pensar que havia estat una decisió directa del marquès de Lozoya sense coneixement de Martínez Santa Olalla,[26] però aquest, després d'expressar la seva satisfacció per la represa de les intervencions a Barcelona «lamentablemente e injustificadamente suspendidas durante una serie de años», explicà les raons del nomenament:

> [...] efectivamente, medió un nombramiento a propuesta mía, era una época en la que el joven Almagro como todavía tenía que conseguir de los míos principalmente y de mí algunos objetivos para su bienestar, jugaba con sus clásicas dos barajas. Lo que no hubo fue ni toma de posesión ni ejercicio ninguno del cargo ni entrega del sello correspondiente, hubiera sido mucho más prudente y más correcto el no enfurecerse por perder algo que nada valía ni tiene importancia ninguna, claro que parece que en el mundo abunda el hortelanismo, no comer ni dejar comer.[27]

La proposta de cessament de Martín Almagro havia estat una aposta força arriscada. Almagro havia estat deixeble del marquès de Lozoya a València; el 1939 reprengueren, com hem dit, la relació, amb l'ajut de Pericot, i ja va recórrer a la protecció del marquès quan l'octubre d'aquell mateix any circularen rumors sobre una possible destitució tot i l'èxit en la inauguració del museu:

> [...] me diga cuanto haya referente a mi permanencia al frente de este museo y gran centro de investigación científica que Bosch Gimpera fundara y que gracias a mi continuo trabajo he logrado poner en marcha, volviendo a comunicar con las instituciones similares del extranjero [...] en mi entrevista con Ud. me prometió que re-informaría de todo esto y que su criterio era utilizar a las personas en sus puestos [...] le escribo para que me diga qué es lo que puede haber que me muevan de un puesto en el que he trabajado con fe y disciplina y para el cual puedo alegar mis muchos trabajos científicos [...] y mis muchos meses de frente en infantería que me hacen merecedor de tres medallas de méritos de campaña y entre otros un decreto de 1 de septiembre de 1939 en que se muestran por el gobierno de la nación la preferencia que para todos los puestos de la nación incluso concursos y oposiciones facultativas han de tener los que defendimos a la patria con las armas en la mano [...]. Como sé que tengo enemigos algunos poco nobles y

26 MSI-MO. ASO. 1974-1-7518 (ASO 21-273). Carta Serra Ràfols-Martínez Santa Olalla del 03-03-1946.

27 MSI-MO. ASO. 1974-1-7517 (ASO 21-272). Carta Julio Martínez Santa Olalla-Serra Ràfols del 06-03-1946.

poco elevados a los cuales sin embargo cristianamente perdono, sé también quien puede más directamente ser mi ayuda.[28]

Com es pot observar en la correspondència entre tots dos, Almagro va obtenir ràpidament seguretats de suport.[29] La comunicació i entesa entre Almagro i Lozoya va ser constant i directa d'ençà d'aquesta data, refermada sempre que fos necessari amb l'ajut de Pericot, però cada cop més de manera autònoma. Segur de la seva situació, Almagro demanà l'auxili del director general de Belles Arts per a tota mena d'assumptes personals i professionals, sense oblidar les recomanacions per a col·laboradors, com ara Joan Maluquer de Motes en les seves oposicions a museus, tot i que sense èxit: «persona de valía según me recomienda Pericot, y es uno de los que me ayudan ahora en la catalogación del Museo, que como sabe no tenía ni una ficha, ni un leve inventario. Trabaja bien sin cobrar».[30] Al llarg de la dècada de 1940 Almagro va obtenir del marquès de Lozoya suport no només per al Museu de Barcelona[31] i per a les excavacions d'Empúries, sinó per a altres projectes com la catalogació de les pintures rupestres de Terol,[32] tasca per a la qual va fer assignar un ajut de deu mil pessetes l'any 1942 per la Comissaria General de l'SDPAN[33]—una subvenció que va continuar els anys següents, en què el camp de treball es va estendre a tot l'art rupestre llevantí—[34]; també va obtenir ajut per als Cursos Internacionals d'Arqueologia a Empúries.[35]

Així, quan el setembre de 1947 Luis Monreal Tejada[36] dimití del càrrec de comissari de zona del Llevant del Servei de Defensa del Patrimoni Artístic Nacional[37] per motius personals a causa del migrat sou del càrrec, Almagro es dirigí al marquès i es va postular com a substitut,[38] de manera que va aconseguir ser nomenat poc després, el 15 de novembre:[39] «no sabe cuánto le agradezco el que se haya decidido Vd. a nombrarme, pues en todos los sentidos es para mí muy útil y refuerza mi posición aquí. Creo que desde mi nuevo puesto le

28 AHPS. Llegat marquès de Lozoya. Carta Almagro-Lozoya del 04-10-1939.

29 AHPS. Llegat marquès de Lozoya. Carta Lozoya-Almagro del 13-10-1939.

30 AHPS. Llegat marquès de Lozoya. Carta Almagro-Lozoya del 10-02-1940.

31 IPCE. Fons SDPAN. Caixa 81. Ofici del CG de l'SDPAN-DGBBAA del 23-09-1942.

32 AHPS. Llegat marquès de Lozoya. Carta Almagro-Lozoya del 05-09-1943.

33 IPCE. Fons SDPAN. Caixa 83. Ofici DGBBAA-CGSDPAN del 15-10-1942.

34 IPCE. Fons SDPAN. Caixa 83. Carta Almagro-Trucharte del 31-03-1944.

35 AHPS. Llegat marquès de Lozoya. Cartes Almagro-Lozoya de dates 20-03-1947 i 19-04-1947.

36 MONREAL, 1999, pàg. 213-214.

37 BOE, núm. 339, del 05-12-1947, pàg. 6446.

38 AHPS. Llegat marquès de Lozoya. Cartes Almagro-Lozoya de dates 19-09-1947 i 16-10-1947.

39 BOE, núm. 339, del 05-12-1947, pàg. 6446.

podré servir a Vd. en su tarea con la misma discreción y celo con que lo he
venido haciendo hasta ahora»,[40] tot i les dificultats que Lozoya va haver de su-
perar per forçar el nomenament[41] després de convèncer el Comissari General
de l'SDPAN, Francisco Íñiguez Almech.[42] De fet, Almagro feia temps que te-
nia interès per la plaça de Monreal, de qui no es va privar de criticar la tasca al
capdavant de la comissaria de zona:

> [...] Monreal ha dejado aquí, y ello no es querer criticarle, una impresión que
> podríamos llamar de abandono; tal vez yo no pueda hacer más de lo que él ha
> hecho, pero de momento me encuentro muchas papeletas que espero podré ir
> resolviendo. Él estaba dimitido hacía casi un año, dedicado al comercio de anti-
> güedades y el Servicio no le interesó creo demasiado nunca, pues no es hombre
> de pasión por estas cosas, al menos así me parece a mí.[43]

Era conscient que la delegació de zona de l'SDPAN li permetria ampliar la
xarxa de relacions i augmentar el prestigi davant de la societat civil catalana
perquè assumiria el control de totes les obres de restauració i consolidació del
patrimoni arquitectònic, molt malmès com a conseqüència de la guerra. Alma-
gro arribà a comparar l'estat de la documentació que trobà a la seu barcelonina
de l'SDPAN amb una parada del Rastro madrileny.

La relació que ja tenia abans de la guerra amb Fernando Trucharte Vázquez,
encarregat dels afers econòmics de l'SDPAN, li va ser de gran ajut.[44] En els
mesos següents, Almagro desenvolupà una gran tasca al capdavant de la Co-
missaria, amb intervencions i desplaçaments constants per tot el territori de la
seva demarcació,[45] i es va convertir, de fet, en l'home del marquès a Catalunya.
Una de les primeres intervencions va ser l'obertura d'una caixa de seguretat al
Banc d'Espanya de Barcelona on, deu anys després d'acabada la guerra, encara
romanien un gran nombre de joies confiscades per les autoritats republicanes i
recuperades pels agents de l'SDPAN en diferents dipòsits, especialment al cas-
tell de Figueres:

---

40 AHPS. Llegat marquès de Lozoya. Carta Almagro-Lozoya del 26-11-1947.

41 AHPS. Llegat marquès de Lozoya. Carta Lozoya-Almagro del 03-12-1947.

42 IPCE. Fons SDPAN. Caixa 77. Carta Almagro-Fernando Trucharte del 06-12-1947.

43 Arxiu MAC-Barcelona. Correspondència Almagro 1948-1950. Carta Almagro-Manuel Chamo-
so Lamas del 02-01-1948.

44 Arxiu MAC-Barcelona. Correspondència Almagro 1948-1950. Carta Carlos Cid Priego-Fernan-
do Trucharte de l'11-03-1948.

45 IPCE. Fons SDPAN. Caixa 77. Carta Juan Fábregas-Fernando Trucharte del 20-09-1948.

[...] abierta la caja resultó que contenía numerosas cajas y estuches repletos de objetos que a decir del cajero del banco representan un gran valor: hay piedras finas, incluso brillantes, bastante oro y posiblemente varios kilos de plata. Todos estos objetos consisten en joyas, enorme cantidad de cubiertos, bastantes relojes, jarras, bandejas, etc. y algunos otros sin gran valor (máquinas fotográficas sencillas, abanicos) [...] el conjunto da la impresión del clásico saqueo hecho con precipitación por el que huye, y aunque su valor material sea muy elevado, el artístico es muy ínfimo.

Amb bon criteri, Almagro traspassà la responsabilitat sobre el dipòsit a un altre organisme,[46] però sense poder evitar que aquest fos un tema recurrent al llarg de la seva gestió a causa dels intents, especialment de les autoritats religioses, per conèixer el destí dels objectes desapareguts durant la guerra civil. Així, en una data tan avançada com 1956, Fr. León Villuendas, bisbe de Terol, s'interessà per la possibilitat de trobar alguna peça entre els materials que encara romanien en les citades caixes de seguretat,[47] i fins i tot el degà de la catedral de Lleida aportà nova informació sobre altres peces dipositades en la mateixa entitat bancària a nom d'un militar adscrit a la Capitania General de Barcelona que desitjava —més de quinze anys després de finalitzada la guerra— fer-ne lliurament als representants del Patrimoni Artístic Nacional.[48]

Cap a finals de 1947 les oficines de l'SDPAN es van traslladar al Museu Arqueològic responent a una petició de l'Ajuntament de Barcelona,[49] per centralitzar així la gestió de les diferents institucions i organismes dels quals anava assolint la direcció. Val a dir que el trasllat es va fer en molt males condicions i molts materials van quedar encara més desendreçats o fins i tot van ser destruïts:[50]

[...] el poco cuidado con que las trasladaron en unos camiones y como si fuera carga general, desde el Palacio de la Virreina, donde estaba instalado el Servicio, al edificio del Museo Arqueológico en donde empecé a prestar mis servicios como

46 Arxiu MAC-Barcelona. Correspondència Almagro 1949. Carta Almagro-Íñiguez del 05-02-1949.

47 Arxiu MAC-Barcelona. Correspondència Almagro 1956. Carta León Villuendas-Almagro del 07-09-1956.

48 Arxiu MAC-Barcelona. Correspondència Almagro 1956. Carta Almagro-León Villuendas del 21-09-1956.

49 Arxiu MAC-Barcelona. Correspondència Almagro 1948-1950. Carta Almagro-Tomás Carreras Artau del 17-12-1947.

50 Arxiu MAC-Barcelona. Correspondència Almagro 1948-1950. Carta Almagro-marquès de Casa Torres del 14-02-1949.

Sub-Comisario. Los papeles y clichés de la Exposición Fortuny contaban entre los más caóticos.

Almagro va haver de començar la seva tasca des del no res i va haver de fer front a les consultes i reclamacions dels propietaris d'obres d'art encara desaparegudes o robades al llarg de la guerra, molts amb amistats o influències en els diferents nivells de l'administració de l'Estat, cosa que feia impossible sostreure's a les seves demandes; al mateix temps, intentava consolidar una tasca efectiva de protecció del patrimoni.

El comentari d'Almagro a Lozoya indicant que el nomenament com a comissari de zona serviria per reforçar la seva situació a Catalunya, però, expressa un cert aïllament. És simptomàtic que a partir del desembre de 1945, i després del seu cessament com a comissari provincial d'excavacions arqueològiques, se succeïssin els nomenaments de diferents comissaris locals a la província de Barcelona, com ara Ignasi Mallol a Mataró (proposta: 07-12-1945; nomenament: 15-12-1945; presa de possessió: 12-01-1946),[51] substituït poc temps després per Marià Ribas Bertran (proposta: 16-10-1948; nomenament: 04-01-1949);[52] Vicente Renón a Sabadell (proposta: 08-09-1945; nomenament: 02-10-1945);[53] Albert Ferrer i Soler[54] a Vilanova i la Geltrú (proposta: 22-11-1951; nomenament: 07-02-1952); Josep Estrada i Garriga a Granollers (proposta: 13-11-1951; nomenament: 17-01-1952);[55] Josep Maria Pons Guri a Arenys de Mar (proposta: 13-11-1951; nomenament: 17-01-1952);[56] Pere Giró Romeu a Vilafranca del Penedès (proposta: 13-11-1951; nomenament: 17-01-1952),[57] i Eduard Junyent i Subirà a Vic (nomenament: 15-12-1945).[58] Martínez Santa Olalla no només ampliava així el control sobre el territori, sinó que creava un contrapoder efectiu a l'actuació del Servei d'Investigacions Arqueològiques de la Diputació.

Almagro no es va estar de braços plegats. Un cop assumida la direcció de la quarta zona, intentà controlar des de l'SDPAN tota la recerca arqueològica amb el suport de la Diputació, davant la desesperació de Serra Ràfols:

51 AGA. Cultura Caixa 217 12-25. Expedient Ignacio Mallol.
52 AGA. Cultura Caixa 217 12-25. Expedient Mariano Ribas y Bertrán.
53 AGA. Cultura Caixa 217 12-25. Expedient Vicente Renón.
54 AGA. Cultura Caixa 217 12-25. Expedient Albert Ferrer i Soler.
55 AGA. Cultura Caixa 217 12-25. Expedient José Estrada Garriga.
56 AGA. Cultura Caixa 217 12-25. Expedient José María Pons Gurí.
57 AGA. Cultura Caixa 217 12-25. Expedient Pedro Giró Romeu.
58 AGA. Cultura Caixa 217 12-45. Carpeta 41. Comisaría General de Excavaciones Arqueológicas. Girona 1942-1962. Ofici de la DGBBAA al CGEA del 15-12-1945.

[...] el vice-rey arqueológico, aspira a un tinglado regional que le ponga por encima concretamente de Esponellá. Ya se habrá enterado del inaudito nombramiento último, que dejó suspenso a todo el mundo y que todavía ahora nadie ha sabido explicarse, y parece que menos que nadie el marqués [...] lo veía y no lo creía y aún ahora, al cabo de dos meses me cuesta creerlo, pues es la cosa más inimaginable que pueda imaginarse. Después de esto un nombramiento de canónigo o de obispo me parecería la cosa más natural del mundo. Nadie hubiese podido pensar que el 18 de julio llevase a tales cosas.[59]

Les queixes de Serra Ràfols tenien a veure, en primer lloc, amb l'organització de l'Instituto de Estudios Turolenses l'any 1947, amb el suport de la Diputació Provincial i el Govern Civil de Terol, del qual Almagro va ser director, i també fundador de la seva revista: *Teruel*; d'altra banda, i especialment, les queixes tenien a veure amb la creació a Barcelona de l'Institut de Prehistòria Mediterrània, que depenia de la delegació del CSIC i estava integrat en el Patronat Saavedra Fajardo. La nova entitat va ser presentada sense cap mena de problema com la continuació de la «Escuela Barcelonesa de Prehistoria»; no es va fer cap referència ni a Bosch Gimpera ni a la tasca de l'Institut d'Estudis Catalans, però es van atribuir sense problemes alguns dels èxits principals de l'etapa anterior a la guerra civil, com ara la celebració a Barcelona del IV Congrés Internacional d'Arqueologia Clàssica, i, encara més, la reunió el 1935 de la Comissió Internacional per a l'Estudi de la Prehistòria a la Mediterrània Occidental. La revista *Ampurias* es convertí en l'òrgan oficial del nou centre del CSIC, que tenia com a finalitat «universalizar la ciencia española apartándola de un excesivo localismo, que siempre es pernicioso, y lo es aún en mayor grado en estas disciplinas históricas». Un argumentari molt semblant al que va fer servir pocs anys més tard García y Bellido per explicar la creació de l'Instituto de Arqueología Rodrigo Caro. Almagro i Pericot van ser nomenats directors del nou institut.[60] La recança de Serra Ràfols va ser encara més gran quan l'any següent es crea la secció espanyola de l'Istituto di Studi Liguri, amb seu també al Museu Arqueològic i sota el control d'Almagro i Pericot.

A la comissaria de zona, Almagro treballà amb pocs mitjans econòmics i de personal: quan assumí la direcció, els primers consistien en quatre mil pessetes mensuals per a despeses de desplaçaments i dietes, i vuit mil pessetes d'anuals per al pagament de jornals. A més, les despeses s'havien de justificar mitjançant

59 MSI-MO. ASO-18-4132. Carta Serra Ràfols-Martínez Santa Olalla de l'11-02-1948.
60 Maluquer de Motes, 1947-1948b, pàg. 377-378.

liquidacions trimestrals que, un cop aprovades pels serveis centrals a Madrid, eren abonades.[61] Això provocava contínuament problemes de tresoreria que ja s'arrossegaven des del moment del traspàs de funcions entre Monreal i Almagro, i que eren resolts puntualment amb l'ajut dels fons del Museu Arqueològic, segons explicà a Fernando Trucharte Juan Fábregas, secretari d'Almagro al museu, que assumí també el control de la gestió econòmica de la quarta zona un cop dimití al principi de 1948 l'anterior encarregada, Juana Oliván.[62] En altres ocasions s'hagueren de fer servir els fons aportats per l'associació Amigos de Ampurias i, fins i tot, préstecs particulars.[63] Però la situació va millorar amb el temps, i l'any 1952 la quantitat disponible va ser ja de vint-i-quatre mil pessetes trimestrals, dedicades, en funció de les necessitats, a gratificacions per a tasques de neteja i de personal i a la compra de materials amb impostos[64] i sense. Els problemes econòmics s'allargaren sense solució en el temps[65] i van fer endarrerir els pagaments als proveïdors i fins i tot els sous al personal de la delegació, i el 1954 Almagro arribà a dir a Íñiguez Almech: «He pensado en hipotecarme yo a ver si me compra alguien para poder pagar las deudas»;[66] tot i així, Almagro no es va estar de braços plegats i va recórrer des del principi de la seva gestió tant al suport de l'exèrcit, com en el cas del convent de Santa Margarida a Palma de Mallorca,[67] o als bons oficis entre institucions, en casos com els de l'Ajuntament de Barcelona i la RENFE arran de la declaració com a jardí historicoartístic del Parc de la Ciutadella.[68] Almagro també es va implicar molt personalment en els treballs de conservació del monestir de Sant Pere de Rodes per la seva vinculació amb Empúries, i fins i tot va arribar a crear una Associació d'Amics de Sant Pere de Rodes per protegir un monument que qualificarà com «una de las ruinas más bellas de España»;[69] d'altra banda, també mantingué tractes amb el bisbe de Barcelona per a les obres de condicionament de la catedral.

Tot i que les millores en el funcionament només ho van ser sobre el paper, la Comissaria tingué constantment problemes de liquiditat per poder fer front no només a les despeses ordinàries i a les nòmines del personal, sinó també a

61 IPCE. Fons SDPAN. Caixa 61.07. Liquidacions trimestrals. Barcelona.

62 IPCE. Fons SDPAN. Caixa 77. Carta Juan Fábregas-Fernando Trucharte de l'11-03-1948.

63 IPCE. Fons SDPAN. Caixa 77. Carta Juan Fábregas-Fernando Trucharte (sense data).

64 IPCE. Fons SDPAN. Caixa 61.09. *Gastos de la Comisaría de la 4.ª Zona*. 1952 i 1953. Barcelona.

65 Arxiu MAC-Barcelona. Correspondència Almagro 1954. Carta Almagro-Íñiguez Almech del 20-01-1954.

66 Arxiu MAC-Barcelona. Correspondència Almagro 1954. Carta Almagro-Íñiguez Almech del 31-05-1954.

67 Arxiu MAC-Barcelona. Correspondència Almagro 1948. Carta Almagro-Lozoya del 24-11-1948.

68 Arxiu MAC-Barcelona. Correspondència Almagro 1950. Carta Almagro-Lozoya del 27-02-1950.

69 Arxiu MAC-Barcelona. Correspondència Almagro 1950. Carta Almagro-Lozoya del 15-11-1950.

les factures dels proveïdors, cosa que va donar lloc a repetides peticions de Fábregas, incapaç de complir els compromisos i gestionar correctament les assignacions pressupostàries:

> [...] agradecería [...] nos librase el dinero consignado, ya que en los seis meses transcurridos no hemos percibido cantidad alguna de la Sección de Patrimonio, y son muchos los atrasos de pagos que tenemos. El Parque móvil ya nos ha amonestado repetidas veces, indicándonos ahora que si no abonamos los cargos inmediatamente no prestarán servicio de coche, los teléfonos los tenemos que cubrir de otros fondos, fondos que actualmente nos hacen falta para liquidar libramientos.[70]

Aquests problemes no es van solucionar i van motivar diverses peticions d'ajut d'Almagro a Lozoya, especialment per mantenir el vehicle a disposició de la Comissaria el març de 1951, un moment de fortes tensions socials:

> [...] precisamente ahora en Barcelona ni a los tranvías se puede subir debido al conflicto que se ha planteado al querer el público que bajen el precio de este medio de locomoción. Y todo este jaleo ha cogido aquí al Director General de Enseñanza Universitaria y a su Secretario Álvarez Rubiano, que han venido al homenaje a Pericot, y no está el horno como para homenajes, pues la Universidad está cerrada y no podemos dar clase y ha habido que suspender los actos y no sé si se harán. En fin, esta mañana todas las noticias son malas.[71]

Tot i les queixes indicades, val a dir que la seva redacció moderada mostra un cop més el pragmatisme d'Almagro en criticar temperadament les protestes dels barcelonins i en especial dels estudiants, una reacció impensable anys abans.

Amb el suport de l'arquitecte de la quarta zona, Alejandro Ferrant Vázquez, i de l'arquitecte ajudant, Rafael Martínez Higueras, Almagro aconseguí repetidament fons de la Secció 11a de la Direcció General de Belles Arts —comptant amb l'informe favorable preceptiu de la Comissaria General de l'SDPAN— per dur a terme obres a Empúries entre finals de la dècada de 1940 i principi de la següent; entre aquestes obres destacava la consolidació del moll del port l'any 1950 per un import de deu mil pessetes, i la restauració dels trams de la muralla romana excavats anys abans pels treballadors forçats, de manera que es

70 IPCE. Fons SDPAN. Caixa 86. Carta Juan Fábregas-Fernando Trucharte del 09-06-1952.
71 Arxiu MAC-Barcelona. Correspondència Almagro 1951. Carta Almagro-Lozoya de l'01-03-1951.

van obtenir per a aquest fi 54.835,56 ptes. l'any 1952 i 26.268,84 ptes. l'any 1953.[72] En tot cas, quantitats molt inferiors a les destinades al llarg del mateix període a obres en altres monuments com ara les muralles i els edificis romans de Tarragona.[73]

Altres actuacions al llarg del mandat d'Almagro van ser les intervencions a la Seu Vella de Lleida,[74] al temple romànic de Santa Maria de Barberà,[75] al Museu Víctor Balaguer de Vilanova i la Geltrú,[76] a la cartoixa de Vallparadís (Terrassa),[77] a Sant Pere de Rodes,[78] a Poblet,[79] a Sant Pere de Galligants (Girona),[80] a la col·legiata de Cardona[81] i a les pintures rupestres del Cogul.[82] Però no va ser una tasca fàcil: tant ell com Ferrant van haver de lluitar contra les dificultats econòmiques, les pressions de les autoritats locals i dels particulars, la manca de suport de vegades del Ministeri, i els endarreriments ocasionats pels contractistes de les obres. Sempre apressats pels terminis d'execució, Ferrant arribà a explicar com, entre els mesos de març i juny de 1953, es van haver de dur a terme els projectes i preparar les memòries i pressupostos de fins a trenta-dues obres. Una tasca sens dubte ingent pel poc nombre de persones que depenien de la quarta zona i per l'extensió dels problemes que calia resoldre.[83] Tot i que amb moltes dificultats, Almagro aconseguí posar en marxa obres de restauració i consolidació en tota l'àrea compresa sota la seva direcció, i va obtenir el suport d'una xarxa de corresponsals i col·labora-

72 AGA. 3. Cultura. 51-11274. Sección del Tesoro Artístico. *Expedientes de la antigua ciudad de Ampurias (Gerona).*

73 AGA. 3. Cultura 51-11288. Sección del Tesoro Artístico. *Expedientes relacionados con las murallas y otros monumentos romanos de Tarragona.*

74 «La restauración de la antigua Seo». *La Vanguardia Española*, edició del 28-05-1948, pàg. 9.

75 «La estancia del director general de Bellas Artes». *La Vanguardia Española*, edició del 27-11-1948, pàg. 8.

76 «El marqués de Lozoya preside la apertura del Museo de la ciudad de Villanueva y Geltrú». *La Vanguardia Española*, edició del 03-02-1949.

77 «El ministro de Educación, invitado a presidir la inauguración del monumento al conde de Egara». *La Vanguardia Española*, edició del 10-03-1940, pàg. 14.

78 «Se constituye el Grupo de Amigos de San Pedro de Roda». *La Vanguardia Española*, edició del 28-06-1950, pàg. 6.

79 «Llegada del director general de Bellas Artes». *La Vanguardia Española*, edició del 14-12-1951, pàg. 10.

80 «La restauración de San Pedro de Galligans». *La Vanguardia Española*, edició del 16-05-1953, pàg. 8.

81 «El Comisario del Patrimonio Artístico en Cardona». *La Vanguardia Española*, edició del 18-11-1953.

82 «Las pinturas rupestres de Cogul». *La Vanguardia Española*, edició del 23-12-1953, pàg. 33.

83 Arxiu MAC-Barcelona. Correspondència Almagro 1953. Carta Almagro-Ferrant del 20-01-1953; Carta Ferrant-Almagro del 24-02-1953; Carta Almagro-Ferrant del 02-03-1953.

dors als quals encarregà la redacció d'informes i el seguiment puntual de diversos temes davant la impossibilitat física de poder atendre tots els treballs en curs. Així, l'any 1955, quan Almagro estava immers en el seu trasllat a Madrid i en l'organització de les intervencions arqueològiques als jaciments de I Pipistrelli i Gabii a Itàlia, els pressupostos d'intervenció acordats amb Ferrant incloïen:

Crèdit general	Quantitat (ptes.)
Barcelona	
Arxiu de la Corona d'Aragó, restauració	100.000
Mirador del Rei Martí, restauració	150.000
Sant Vicenç de Cardona, restauració	100.000
Sant Cugat del Vallès, conservació	50.000
	400.000
Girona	
Sant Pere de Galligants, reparacions	40.000
Sant Pere de Rodes, reconstrucció	100.000
Santa Maria de Porqueres, consolidació	70.000
Santa Maria de Ripoll, reparació de finestrals	50.000
	280.000
Lleida	
Catedral vella, restauració	200.000
Monestir de Vallbona de les Monges, consolidació	100.000
Església de Santa Maria d'Agramunt, consolidació	100.000
	400.000
Tarragona	
Catedral, reparacions generals	500.000
Església del Pla de Santa Maria, consolidació	90.000
	590.000
Castelló	
Església de Sant Mateu, restauració	50.000
València	
Sant Domènec, restauració del campanar i consolidació de la volta	130.000
Església de la Sang, Llíria, consolidació	50.000
Església de Sant Andreu, restauració	50.000
	230.000

(Continua a la pàgina següent)

Crèdit general	Quantitat (ptes.)
Alacant	
Catedral d'Oriola, restauració de la sala capitular	90.000
Santiago d'Oriola, reparacions	60.000
	150.000
Balears	
Sant Francesc de Palma, restauració de l'enteixinat	100.000
Santa Margarida de Palma, restauració	70.000
	170.000
Total	**2.250.000**

Conjunts monumentals	
Montblanc, consolidació del recinte (dues torres)	50.000
Crèdit especial de Poblet, terminació de la infermeria, cobertes del palau del Rei Martí i reparacions	400.000
Castells	
Castell d'Egara, Terrassa, restauració	40.000
Muralla de Morella	60.000
Castell de Biar (Alacant), reparacions	50.000
Castell de la Geltrú (Vilanova, Barcelona), restauració	80.000
Muralla d'Eivissa, reparacions	40.000
Castell de Ses Pahises, Mallorca, exploració i reconstrucció	40.000
Castell de l'Espluga Calba (Lleida), exploració	30.000
Total	**330.000**

Va ser, doncs, Ferrant qui s'encarregà del gruix de les intervencions, però Almagro en va fer sempre una supervisió directa, tant per mitjà del correu com de reunions periòdiques amb l'arquitecte arran de les seves anades a Madrid;[84] d'una banda, era molt conscient dels perills que una deixadesa en les actuacions podia comportar no només per al patrimoni, sinó per al propi prestigi; i, de l'altra, també n'era de la necessitat de respondre a la confiança que havien dipositat en ell Lozoya i Íñiguez Almech, els quals necessitava, a més, per consolidar el seu prestigi professional i la seva projecció internacional a través del CSIC i del Ministeri d'Educació Nacional.

84 Arxiu MAC-Barcelona. Correspondència Almagro 1955. Carta Almagro-Ferrant del 02-03-1955.

L'estreta col·laboració amb Lozoya finalitzà arran de la dimissió d'aquest,[85] però no la relació i l'amistat personals, que es van mantenir fermes al llarg dels anys.[86]

La tasca d'Almagro al capdavant de la comissaria de la quarta zona va finalitzar el 1957, amb diferents etapes administratives. Un cop guanyà la càtedra a la Universitat de Madrid el 1954, demanà el trasllat com a cap de la comissaria de la cinquena zona (Madrid), petició avalada pel comissari general el 8 de novembre aprofitant la mort del titular d'aquesta comissaria, Manuel de Cárdenas Pastor;[87] aquesta va ser una proposta consensuada abans, ja que va ser aprovada per la Direcció General de Belles Arts només dos dies després.[88]

Tot i el nomenament, i segons la documentació comptable disponible, Almagro no va prendre possessió del càrrec ni l'exercí, i va continuar com a comissari de la quarta zona fins ben entrat l'any 1957,[89] quan cessà definitivament per incorporar-se, ara sí, a la cinquena zona. Per substituir-lo, va ser nomenat per ordre ministerial de 16 de novembre de 1957 Carlos Cid Priego,[90] que exercí les funcions a partir d'aquella data, tot i que amb un cert control d'Almagro atesa la seva condició de conservador del Museu Arqueològic.[91] Probablement el traspàs de funcions va ser gradual, perquè Almagro figura a les nòmines de la Comissaria General entre juny i agost de 1957 com a comissari de la primera zona a Madrid.[92] Poc temps abans havia participat en la defenestració del seu oponent Julio Martínez Santa Olalla al capdavant de la Comissaria General d'Excavacions Arqueològiques, amb qui continuà enfrontant-se incessantment tot i un període d'acostament entre tots dos a mitjan 1953, quan la Comissaria va concedir permís i recursos a Almagro per emprendre l'excavació del jaciment de Los Millares (Almeria) amb Antoni Arribas Palau —i Pericot, segons creia Martínez Santa Olalla,[93] que va demanar expressament a Pericot si la seva participació era «formulària» o tenia intenció certa de prendre part en l'excavació—,[94] una «reconciliació» que va ser encomiàsticament rebuda per

---

85 Arxiu MAC-Barcelona. Correspondència Almagro 1951. Carta Lozoya-Almagro de l'11-08-1951.

86 Arxiu MAC-Barcelona. Correspondència Almagro 1952. Carta Lozoya-Almagro del 26-12-1952; Carta Almagro-Lozoya del 08-05-1953.

87 IPCE. Fons SDPAN. Caixa 86. Carta CGSDPAN-DGBBAA del 08-11-1954.

88 IPCE. Fons SDPAN. Caixa 86. Ofici DGBBAA-CGSDPAN del 10-11-1954.

89 IPCE. Fons SDPAN. Caixa 86. Ofici Fernando Trucharte-Almagro del 28-12-1956.

90 IPCE. Fons SDPAN. Caixa 42. Comptabilitat i pressupostos. Nòmines de personal 1957.

91 IPCE. Fons SDPAN. Caixa 86. Ofici Fernando Truchate-Carlos Cid del 28-05-1958.

92 IPCE. Fons SDPAN. Caixa 67. Nòmines de personal 1957 i 1959.

93 Arxiu MAC-Barcelona. Correspondència Almagro 1953. Carta Martínez Santa Olalla-Almagro del 23-04-1953.

94 BC. Llegat Lluís Pericot. Carta Martínez Santa Olalla-Pericot del 02-07-1949.

Serra Ràfols,[95] obligat entre la lleialtat al seu cap administratiu i la seva relació d'amistat amb Martínez Santa Olalla. La documentació suggereix que va ser Almagro el primer a fer el pas cap a la reconciliació, decisió probablement induïda per la necessitat d'obtenir l'esmentat permís d'intervenció. En la seva resposta, el comissari general indicà:

> [...] por mi parte debo hacer constar que no cabría hacerme ningún reproche sobre mi conducta, que ha venido impuesta y condicionada por causas y circunstancias ajenas a mi voluntad. Mas como por otro lado pienso que la vida es vida y se proyecta hacia el futuro, aunque nuestra vida profesional con su deformación característica nos haga tal vez mirar en exceso al pasado, puede Ud. tener la seguridad, como todo el mundo, de que siempre en mí (pues a ello aunque no quisiera me obliga un cargo nacional que por tanto es para todos) encontrará la correcta acogida a que todos tienen derecho, cuanta colaboración y apoyo redunde en bien del servicio que me está encomendado y que por otro lado siempre queda por medio para facilitar esta cooperación, algo que nada ni nadie borra: un pasado universitario en el que durante algunos años tuve el honor de contarle a Ud., entre mis discípulos y tenerle conmigo en sus primeros trabajos de campo.[96]

La cordialitat s'estengué al llarg d'uns mesos en què Almagro facilità al seu rival informes relatius a les intervencions a Alcúdia, Empúries i la vil·la romana dels Munts (Altafulla),[97] i culminà amb la promesa d'enviar a la CGEA la col·lecció completa de la revista *Ampurias*, tot i que amb una certa recança: «Para mí mucho será que Ud. rectifique su actitud conmigo y vivamos con la amistad que creo debemos relacionarnos y que no se debió interrumpir nunca, yo al menos mucho lo lamento que así haya ocurrido para alegría de otros, puesto que yo siempre lo he sentido».[98] Però, malgrat els intents d'aproximació, no s'anà més enllà. I tampoc no era possible, ja que la treva tàcita prèvia a la reunió a Madrid del IV Congrés dels CICPP (Congressos Internacionals de Ciències Prehistòriques i Protohistòriques) prevista per a 1954, en la qual Martínez

---

95 Arxiu MAC-Barcelona. Correspondència Almagro 1953. Carta Serra Ràfols-Almagro del 13-06-1953.

96 Arxiu MAC-Barcelona. Correspondència Almagro 1952. Carta Martínez Santa Olalla-Almagro del 23-12-1952.

97 Arxiu MAC-Barcelona. Correspondència Almagro 1953. Carta Almagro-Martínez Santa Olalla del 25-02-1953.

98 Arxiu MAC-Barcelona. Correspondència Almagro 1953. Carta Almagro-Martínez Santa Olalla del 12-05-1953.

Santa Olalla tenia el suport de personalitats destacades com Gordon Childe[99] i Christopher Hawkes —que havien exigit a Pericot que incloqués el comissari general en el comitè organitzador—,[100] es trencà definitivament arran del concurs per a la provisió, el mateix any, de la càtedra d'història primitiva de l'home a la Universitat de Madrid.

La suma de voluntats en contra de Martínez Santa Olalla es materialitzà el 31 de gener de 1955 en una carta al ministre d'Educació Nacional, Joaquín Ruiz-Giménez, signada pels principals catedràtics de prehistòria i arqueologia de l'Estat: Lluís Pericot (Universitat de Barcelona), Antonio García y Bellido (Universitat de Madrid), Alberto del Castillo (Universitat de Barcelona), Cayetano de Mergelina (Universitat de Murcia), Antonio Beltrán Martínez (Universitat de Saragossa), Joan Maluquer de Motes (Universitat de Salamanca) i Martín Almagro Basch (Universitat de Madrid), en la qual es feia una aspra denúncia de la situació de la recerca i es demanaven canvis en la gestió:

[...] como solución a una situación que creemos insostenible, nos atrevemos a sugerir la de designar un Consejo, con el nombre que se prefiera, del que formaría parte un número suficiente de personas que permitiera incluir en él a todos los que con cierta responsabilidad profesional se dedican en España a la Arqueología y cuyo número, por desgracia, no es excesivo, para que fuera este Consejo quien otorgara los permisos de excavación y distribuyera en las tareas más convenientes las cantidades que el estado pone a disposición de la Comisaría. Para realizar esta modificación no es precisa siquiera una ley. La creación de la Comisaría y su reglamento tuvo lugar por medio de un decreto, que otro Decreto puede modificar.

Sens dubte era el moment idoni per a l'atac, i Almagro va ser un dels impulsors principals dels moviments en contra de Martínez Santa Olalla, que es van estendre més enllà dels catedràtics relacionats amb l'àrea d'arqueologia, com indicà a Pericot al principi de febrer, quan li demanà la mobilització de tots els amics disposats a criticar la gestió del comissari general davant els responsables del Ministeri:

[...] en el Ministerio están hartos de Santa Olalla, esta impresión tengo, aunque no sé si lo cesarán definitivamente como se merece. El ministro ha hablado algo

---

99 Per a les relacions de Gordon Childe amb Pericot i Martínez Santa Olalla és imprescindible la lectura del treball de M. Díaz Andreu (Díaz ANDREU, 2007c).

100 BC. Llegat Lluís Pericot. Carta Gordon Childe-Pericot del 23-02-1951; GRACIA ALONSO, 2009a, pàg. 441-442.

con Gallego Burín y Sintes pues ambos se hicieron eco de esta conversación, pero muy discretos y no puedo precisar qué van a hacer. Sería muy conveniente que Alcobé escribiera cargando sobre el asunto al Ministro, pues ahora es el momento de poner carne en el asador si queremos obtener algo. Yo me parece que está en una situación muy débil y si tenemos energía y habilidad acabaremos expulsándolo de la gazapera como se merece. Pérez Villanueva me dijo iba a Barcelona, aprovéchalo para hablarle.[101]

El ministre era plenament conscient de la pèrdua d'influència política de Martínez Santa Olalla prop de Franco, exemplificada en el seu paper secundari en l'organització i desenvolupament del IV Congrés Internacional de Ciències Prehistòriques i Protohistòriques que havia tingut lloc a Madrid l'any anterior sota la presidència de Pericot; d'altra banda, la pèrdua d'influència de Martínez Santa Olalla també es feia evident en la derrota en les oposicions a la càtedra de la Universitat de Madrid enfront d'Almagro. Per tot això el ministre va comprendre que tenia via lliure per descavalcar del seu poder un *camisa vieja* com Martínez Santa Olalla sense haver de fer front a dures crítiques.

El 2 de desembre de 1955,[102] un decret del MEN suprimia la Comissaria General d'Excavacions Arqueològiques i creava en el seu lloc el Servei Nacional d'Excavacions Arqueològiques (SNEA), dependent de la Direcció General de Belles Arts, amb l'objectiu d'«establecer un mayor contacto de este servicio con los hombres de ciencia y universitarios dedicados a las disciplinas relacionadas con él, ya que las peculiares características de las excavaciones arqueológicas exigen, para su mayor aprovechamiento científico, ser no sólo directamente conocidas, sino también quedar sometidas a la iniciativa y consejo de quienes necesitan de ella como laboratorio imprescindible de investigación para incorporar inmediatamente al acervo científico las nuevas observaciones y conocimientos que las mismas excavaciones puedan facilitar». El preàmbul recollia en essència les idees bàsiques de la protesta dels catedràtics del mes de gener, és a dir, la necessitat de vincular les intervencions arqueològiques amb la recerca avançada per aconseguir que els resultats formessin part del coneixement, i no que s'orientessin cap al salvament de restes o cap als interessos específics dels comissaris.

La creació de les comissaries de zona lligades als districtes universitaris i encapçalades en gran part pels signants de la protesta acabà de destruir el poder de Martínez Santa Olalla. En principi, Almagro no formà part del grup dels

---

101   BC. Llegat Lluís Pericot. Carta Almagro-Pericot de l'11-02-1955.
102   BOE, núm. 2, del 02-01-1956.

comissaris, ja que Pericot assumí la direcció de la zona de Catalunya i Balears i García y Bellido obtingué el control de la de Madrid, però poc després, un decret de 20 de juny de 1958 trobà la fórmula per incorporar-l'hi en la seva condició de catedràtic de prehistòria de la Universitat de Madrid.[103] Tot i que l'anàlisi del que representà el Servei Nacional d'Excavacions encara està per fer, l'estudi dels moviments orquestrats pels catedràtics i l'actuació posterior dels comissaris de zona indiquen que en el fons no es tractava de la substitució de Martínez Santa Olalla per la seva incompetència, sinó pel fet que, des de la seva perspectiva contrària al que considerava l'estament enquistat de la Universitat —i òbviament dolgut pels seus successius fracassos en els intents de consolidar-se a Madrid—, hagués recolzat l'acció de la Comissaria General en figures externes a la Universitat, cosa que convertí la pràctica arqueològica en un conflicte de classes. Tot i això, cal recordar que alguns dels signants van mantenir bones relacions amb Martínez Santa Olalla i formaren part de la Comissaria General d'Excavacions Arqueològiques com a comissaris provincials, insulars o locals.

---

103 Detalls a GRACIA ALONSO, 2009a, pàg. 490-495.

7

Empúries.
Batallons de treballadors
i Cursos Internacionals d'Arqueologia

Les excavacions a Empúries, iniciades l'any 1907, constituïen el conjunt arqueo-
lògic de prestigi més gran de Catalunya,[1] i Almagro va voler reprendre ràpi-
dament els treballs un cop assumida la direcció del museu. Necessitava, però,
conèixer el jaciment, i cap dels seus col·laboradors al museu havia participat
directament i prolongadament en les tasques d'excavació. Per això, el seu pri-
mer pas va ser contactar amb la persona que millor coneixia Empúries: Emili
Gandia Ortega,[2] ajudant primer de Puig i Cadafalch des de l'any 1908[3] i poste-
riorment de Bosch Gimpera els anys 1935 i 1936, i, sens dubte, qui més havia
fet per preservar el conjunt arqueològic al llarg dels primers mesos de la guer-
ra.[4] Mitjançant Serra Ràfols intentà contactar amb l'excavador ja al principi de
juny, però la trobada s'endarrerí per les tasques de reinstal·lació del museu.
Colominas ho intentà per segon cop el 13 d'octubre de 1939, i li expressà els
desitjos d'Almagro de conèixer-lo. Gandia es desplaçà al museu l'endemà i
parlà amb Almagro, que li demanà el lliurament dels diaris d'excavació que
Gandia havia anat redactant al llarg dels anys, sens dubte la millor font d'in-
formació sobre les excavacions, al mateix temps que li confirmava el seu interès
per col·laborar amb ell «para bien de los asuntos de las ruinas, y que podría
disponer de todo lo que necesitase para proseguir con los estudios de todo»;[5]
sol·licitava també l'ajut de Gandia per organitzar de nou els inventaris dels ma-
gatzems situats a les ruïnes, una tasca per a la qual serien del tot imprescindi-
bles els diaris personals redactats per aquell al llarg de més de trenta anys de
feina, complementaris dels oficials dipositats a Empúries. Del Castillo i Colo-
minas intentaren aconseguir-los al llarg de la tardor de 1939, però Gandia no
se'n refià, ja que preveia encertadament que un cop els lliurés ja no en podria
disposar de nou i els conservà al·legant diverses excuses com ara repassar la seva
lletra i aclarir els continguts, però sense trencar definitivament amb els repre-

1 RUIZ DE ARBULO, 1991, pàg. 167-172.
2 RIPOLL, 1993, pàg. 499-506.
3 BRUGUERA, 2010; ROVIRA i SANMARTÍ, 2010; SANMARTÍ GREGO, 2010.
4 Detalls a GRACIA ALONSO, 2009a, pàg. 60-63.
5 Arxiu MAC-Barcelona-Empúries. Llegat Gandía. *Notas para el Diario.*

sentants del museu, conscient de la força i les influències d'Almagro. La mort de Gandia el 13 de desembre va impedir qualsevol col·laboració, i els responsables del museu pressionaren la família per obtenir els diaris des de l'endemà de l'enterrament; a la fi van aconseguir el seu objectiu: els quaderns amb les preuades notes de les excavacions van ser dipositats al museu. No va passar el mateix, però, amb la resta de notes, diaris personals i altres documents que els familiars de Gandia no van lliurar en aquell moment i que constitueixen una font excel·lent per analitzar el procés d'excavació en el jaciment. Aquest segon grup de preuats documents personals no van ser lliurats al Museu d'Arqueologia de Catalunya pels seus familiars fins al 2009.

L'objectiu d'Almagro era obtenir resultats ràpids i espectaculars per posicionar-se en el món científic, però per aconseguir-ho necessitava dues coses: diners i mà d'obra barata. Els primers els va obtenir, com hem explicat, dels organismes públics i de l'associació Amigos de Ampurias, i per als segons va recórrer a les seves relacions amb l'exèrcit. El motiu per dirigir-se a l'exèrcit era molt simple: la capitania general de la IV Regió Militar controlava una gran massa de mà d'obra constituïda per unitats de presoners de guerra i polítics que destinava a tasques de reconstrucció d'obres públiques, però que també llogava a particulars.[6] Almagro visità el tinent general Orgaz en diverses ocasions[7] i, a mitjan 1940, un cop finalitzada l'ocupació de França pels alemanys, aconseguí la cessió d'un grup d'«obreros-soldados» pertanyents a la 4a Companyia del Batalló de Treballadors Figueres 71.[8] Després que Almagro preparés les àrees d'actuació amb l'ajut de Pere de Palol i Federico Wattemberg, un alumne de Mergelina a Valladolid, durant el mes d'agost,[9] els treballs s'iniciaren el 12 de setembre de 1940 sota la direcció dels encarregats, Ramos i José Escrivá, nomenats caps de les excavacions per Almagro; esporàdicament hi van col·laborar Colominas, Del Castillo, Serra Ràfols i Maluquer de Motes.[10]

En condicions molt dures, els setanta homes de la companyia treballaren en els sectors de la porta principal i la muralla romana, amb la premissa de conferir monumentalitat a la zona; es van instal·lar rails i vagonetes per facilitar la remoció de terra, sempre sota la vigilància d'un nombrós grup de soldats. Els homes del Figueres 71 van romandre a Empúries fins a la primavera de 1941

---

6 DE LA LLAVE, J.: «El servicio de puentes y caminos». *La Vanguardia Española*, edició de l'01-01-1941, pàg. 4.

7 «Militares. Visita al general Orgaz». *La Vanguardia Española*, edició del 30-11-1939, pàg. 3.

8 Museu d'Arqueologia de Catalunya-Empúries (MACE). *Diario de Excavaciones 1940*. Inèdit.

9 BC. Llegat Lluís Pericot. Carta Almagro-Pericot de l'01-08-1940.

10 Detalls a GRACIA ALONSO, 2009a, pàg. 334-353; GRACIA ALONSO, 2003b; GRACIA ALONSO, 2002.

i van ser retirats arran del cessament d'Orgaz a la capitania, ja que la decisió de destinar el contingent havia estat seva, com s'encarregà de recordar la premsa.[11] Per millorar les condicions de vida dels treballadors forçats, Almagro va sol·licitar al president de la Diputació, el 13 de desembre de 1940, un ajut de mil cinc-centes pessetes destinat a la tropa, «que mucho agradecería, tenga a bien ordenar, si fuera posible, se paguen antes de Navidad, para que el Director que suscribe, en nombre de esa Excma. Diputación que V.E. preside, pueda entregar una gratificación al jefe de dicha tropa, para dicha festividad». La corporació provincial accedí «atendidos los meritorios servicios que la indicada tropa viene realizando en las citadas excavaciones de Ampurias bajo la dirección del Jefe del Servicio de Investigaciones Arqueológicas de esta Diputación y Director del Museo Arqueológico Don Martín Almagro».[12]

Aquesta suma es continuà pagant al llarg dels mesos següents, sempre en concepte de «mejora de rancho y otros pequeños gastos derivados de la presencia en Ampurias, dedicados a trabajos de excavación de aquellas ruinas, de un batallón de soldados destacado en aquel lugar por orden del Excmo. Sr. Capitán general de la 4ª Región».[13] Quan els soldats treballadors van abandonar el recinte, la quantitat es va continuar pagant, però ara amb la finalitat «de atender a las necesidades de las excavaciones de Ampurias y gastos de conservación de aquellas ruinas y Museo».[14]

A mitjan febrer Almagro també demanà a Lutgardo López, responsable de la Comandància militar de Marina de Barcelona, que l'armada lliurés peix als soldats destinats a Empúries, fet que va ser acollit amb joia per la tropa.[15] Amb tot, les condicions dels presoners a les excavacions podien considerar-se molt millors que les dels reclosos a les presons. Així, el gener de 1941, Martín Almagro signà una petició adreçada al ministre de Justícia per aconseguir el trasllat

11 La intervenció decisiva del tinent general Orgaz en les excavacions d'Empúries es reflectia fins i tot a les notícies de premsa relatives a les troballes fetes al jaciment: «Importante descubrimiento arqueológico en Ampurias. En las excavaciones de esta antigua ciudad que realiza el director del Museo Arqueológico de Barcelona y catedrático de la Universidad, doctor Almagro, gracias a la ayuda y cooperación del excelentísimo señor capitán general de Cataluña, don Luis Orgaz, acaba de ser descubierto un conjunto de antigüedades griegas de gran valor, formado por alhajas de oro y vasos del mejor estilo, todos ellos del siglo VI antes de Cristo. Se trata de un tesoro escondido cerca de la muralla de la ciudad ibérica de Indica, tan citada por los textos, y que también ha resultado descubierta ahora por los actuales trabajos cuyo interés está llamando poderosamente la atención de todos los especialistas». *El Pirineo*, edició del 12-11-1940, pàg. 2.

12 AHDB. Lligall Q-441.

13 AHDB. Lligall Q-567.

14 AHDB. Lligall Q-567.

15 Arxiu MAC-Barcelona. Correspondència Almagro 1940-1941. 2.2.012. Carta Almagro-Lutgardo López del 12-02-1941; Carta Lutgardo López-Almagro de 13-02-1941.

de Julián San Valero Aparisi, futur catedràtic a la Universitat de València, perquè fos destinat a les excavacions d'Empúries i fes allà la redempció de la condemna amb el treball, però la gestió fracassà.[16] San Valero Aparisi havia ingressat a la Presó Cel·lular de València amb una condemna ferma de dotze anys i un dia de presó menor pel delicte d'auxili a la rebel·lió militar.

Amb la feina del batalló Figueras 71, les excavacions van experimentar un impuls decisiu, fet que Almagro aprofità per consolidar la seva posició davant les autoritats. El 19 de gener de 1941 hi hagué una visita a les excavacions del ministre del partit, Pedro Gamero del Castillo, acompanyat per la plana major de la Secció Femenina encapçalada per Pilar Primo de Rivera:

> Cerca de las once y media, llegó el camarada Gamero del Castillo a La Escala, donde fue objeto de un entusiástico recibimiento. El pueblo presentaba el aspecto de las grandes solemnidades, hallándose totalmente adornadas sus calles. Frente al Ayuntamiento, esperaban a los ilustres viajeros, el Ayuntamiento en corporación y las primeras autoridades locales. El camarada Gamero del Castillo llegó acompañado del Gobernador Civil y Jefe Provincial del Movimiento de Barcelona, camarada Correa; Gobernador Civil de Gerona, don Paulino Coll; Jefe Provincial de Gerona, camarada Trías; Inspector nacional de Provincias y consejero nacional, camarada Rey; Inspector nacional de Auxilio Social, camarada Boada y otras personalidades. Seguidamente, en medio de clamorosas ovaciones que le tributó la población, el ministro salió para Ampurias, al objeto de visitar las ruinas de aquella antigua ciudad griega, donde fueron recibidos por el director del Museo Arqueológico de Barcelona, señor Almagro, que dirige los trabajos de excavación de Ampurias.
>
> El señor Almagro, después de mostrar detalladamente las obras, pronunció una notable conferencia, subrayando la importancia histórica y científica de Ampurias, donde comenzó a existir España, ya que fue allí donde los griegos nos pusieron en contacto con la civilización. Asimismo, la civilización romana entró también por Ampurias. Señaló también que en aquel lugar desembarcó el apóstol Santiago para extender por España las enseñanzas evangélicas, como comenzó también sus predicaciones por allí San Félix Africano. Terminó haciendo historia de la Neapolis, e indicó los muros de la ciudad ibérica de Indica, descubiertos en los últimos meses. Los visitantes estuvieron en el Museo, y el ministro, después de interesarse singularmente por los trabajos que se realizan, prometió interesarse para cooperar en la rápida terminación del mismo. Los excursionistas empren-

---

16 Arxiu MAC-Barcelona. Correspondència Almagro 1940-1941. 2.2.007. Carta Almagro-San Valero del 31-01-1941; Carta San Valero-Almagro del 15-02-1941; Carta Almagro-San Valero del 18-02-1941; Carta San Valero-Almagro del 06-03-1941; Carta Almagro-San Valero del 10-03-1941.

dieron el viaje de regreso a Gerona a la una de la tarde.[17]

Altres visites importants van tenir lloc el 19 de març, quan l'hispanista alemany Adolf Schulten i el director del Centro Germano-Español Erich A. Krotz[18] van ser rebuts per Almagro, i el 7 d'octubre va ser el ministre d'Educació Nacional, José Ibáñez Martín, qui va fer una visita d'inspecció a les excavacions.[19] Orgaz va ser substituït al capdavant de la IV Regió pel tinent general Alfredo Kindelán Duay el 26 de maig de 1941. D'ençà d'aquest moment se succeïren les visites de cortesia de les autoritats civils i militars, així com de particulars que volien mantenir bones relacions amb el cap militar. Almagro visità Kindelán el 16 de juliol,[20] poc abans del cinquè aniversari de l'Alzamiento, i de nou el 14 d'octubre.[21] El motiu de les entrevistes girà al voltant de la represa de les excavacions d'Empúries, interrompudes al març arran de la retirada

1941, 19 de gener. Visita a les excavacions d'Empúries del ministre del Partido, Pedro Gamero del Castillo, acompanyat de la Junta Directiva de la Secció Femenina encapçalada per Pilar Primo de Rivera. El director de les intervencions, Martín Almagro Basch, explica el jaciment. Fotografia: Arxiu *La Vanguardia*.

dels soldats treballadors. Kindelán va atendre la petició d'Almagro i s'ordenà la formació i trasllat a Catalunya d'una nova unitat: el Batalló Disciplinari de Soldats Treballadors 46. Com indicà la premsa, un «préstec» amb el qual «las obras recibirán un beneficioso impulso, continuando en seguida el descubri-

17 *La Vanguardia Española*, edició del 21-01-1941, any LVI, núm. 23.192. *El Correo Catalán*, edició del 21-01-1941. *El Pirineo*, edició del 19-01-1941, pàg. 2.

18 *La Vanguardia Española*, edició del 19-03-1941.

19 *El Pirineo*, edició del 08-10-1941, pàg. 4.

20 *La Vanguardia Española*, edició del 17-07-1941.

21 «Cuarta Región Militar». *La Vanguardia Española*, edició del 15-10-1941, pàg. 4.

C. 1943. Visita de l'hispanista alemany Adolf Schulten (al centre amb boina negra) i diversos membres de l'Institut Arqueològic Alemany a les excavacions d'Empúries. Fotografia: MAC-Barcelona.

miento de la muralla y del circo romano que aparecieron en el período de excavaciones anterior. Igualmente se terminará la excavación del conjunto de villas cercanas al Pretorio que se supone existió allí y se dará un gran impulso a los trabajos entre la ciudad griega y la colonia romana que fundó César, creyéndose que se hallarán importantes riquezas arqueológicas».[22]

Aquesta unitat es formà a Punta Palomera (Cadis) a partir de voluntaris escollits entre els presos destinats al BDST 1. El 30 de novembre embarcaren a Algesires en el vaixell *Ciudad de Barcelona*, que els dugué fins a Barcelona, on arribà el 4 de desembre; després van ser traslladats en tren fins a Camallera i d'allà a peu cap a l'Escala i Empúries. Almagro els va explicar uns quants mesos després, el març de 1942, les raons de la seva estada a les ruïnes:

22 «Nuevas excavaciones en Ampurias. El capitán general presta para ellas un Batallón de Trabajadores». *La Vanguardia Española*, edició del 26-11-1941, pàg. 6.

[...] habéis venido a colaborar en un trabajo para España; más aún, en un trabajo que es España. Con vuestros picos y vuestras palas estáis haciendo historia, estáis reviviendo lo que moría, el alma de nuestra patria. Si vuestro general os trae a este trabajo es porque quiere ayudar a vuestra dignificación. Días de prueba son estos para todos. Vosotros, ahora soldados, como buenos españoles, los sabréis superar a costa del esfuerzo que sea necesario. Si hasta ahora os habéis sentido desvalidos, desde ahora sois soldados, como yo, de este trabajo español. El mismo honor compartimos ante nuestra patria.[23]

Òbviament, l'opinió dels forçats era molt diferent. Almagro intentà ser novament militaritzat per poder exercir el comandament directe d'aquesta tropa, extrem que no va ser possible pels problemes administratius que comportava la mesura, però sí que va aconseguir que la Comandància de Fortificacions i Obres de la IV Regió Militar s'encarregués de triar molt curosament l'oficial que comandaria la tropa, així com de recordar-li qui tenia la direcció efectiva dels treballs.[24]

Les condicions de treball de la nova unitat van ser encara pitjors que les patides pel contingent anterior perquè es tractava d'un grup més nombrós. Només la solidaritat dels veïns de l'Escala i la relaxació en la vigilància dels escamots de soldats destinats com a guàrdies alleugeriren amb el temps la situació. Una inspecció feta per l'Exèrcit de Terra per verificar les condicions d'estada dels membres del BDST 46 va assenyalar la seva situació inapropiada:

[...] destacan en el sentido indicado las fuerzas del batallón número 46, empleadas en las excavaciones de Ampurias, La Escala, cuyo destacamento, por contar únicamente con escasos barracones, viejos y con las cubiertas sumamente deterioradas, ha tenido que alojarse en parte en un edificio ruinoso a varios kilómetros del lugar de los trabajos. Expuesta esta necesidad personalmente por el Jefe que tiene el honor de informar al Excmo. Sr. Capitán General de la Región, manifestó dicha Autoridad su intención de suspender tales trabajos en plazo muy breve.[25]

Malgrat aquesta i altres queixes oficials, la direcció del museu no va fer cap pas per millorar les condicions de vida dels treballadors, un fet que se li va girar

23 FRANCOVILLA, E.: «Arqueología y acción». *Destino*, 245, edició del 28-03-1942.
24 Arxiu MAC-Barcelona. Correspondència Almagro 1940-1941. Carta Zaragúeta-Almagro del 12-12-1941.
25 AGMA. Caixa 29.904. *Informe consecuencia de la visita de inspección girada a las unidades disciplinarias destacadas en la cuarta región militar.*

en contra a Almagro en el moment en què aquests van ser substituïts per soldats de lleva.

El control dels treballs corresponia al personal del museu, especialment a Ramos i Escrivá, tot i que en diverses ocasions hi van intervenir Del Castillo, August Panyella i Miquel Tarradell. Els tècnics responien davant Almagro del progrés dels treballs, centrats especialment a la ciutat romana, però el desinterès dels treballadors per la feina que els obligaven a fer provocà fins i tot la promesa d'incentius econòmics:

> El Sr. Director ha ordenado que se diera una peseta de gratificación a los soldados trabajadores que están en la ciudad griega y a los de la villa romana, una de 200 PTA en su conjunto cuando acaben un tajo que se les ha señalado. Los trabajos continúan normalmente.[26]

El treball a les excavacions s'alternà amb la tasca d'adoctrinament polític que feien els oficials i suboficials del batalló:

> [...] alternando con la instrucción teórica se realiza la labor de propaganda mediante conferencias de los mandos, para cuya unidad de criterio y mayor eficacia se han dictado las convenientes instrucciones así como para la rendición de honores a la Bandera Nacional, que debe ser izada y arriada en los campamentos, formando toda la fuerza y quedando constituidas las guardias reglamentarias. Se practican deportes, se les facilitan lecturas convenientes y se cantan himnos patrióticos aprovechando las horas libres de trabajo y los momentos más apropiados para cada uno de tales actos, sin descuidar la instrucción táctica, sin armas los soldados trabajadores, y con ellas los de escolta, aprovechando las formaciones generales y las de los domingos para la revista de policía y misa.[27]

La visió que tenien els interns de les classes teòriques era molt diferent, tant per la seva desconfiança com per l'experiència política de molts d'ells iniciada ja abans de la guerra.

El mes de maig de 1942, el capità general decidí finalitzar els treballs del BDST 46 a Empúries i destinar els seus efectius a reforçar altres unitats:

> El Batallón Disciplinario de Soldados Trabajadores n.º 46, cuenta hoy con efectivos reducidos, que mediante su disolución podrían destinarse a engrosar los de

---

26 MAC-Empúries. *Diario de excavaciones, 1942*, entrada 10-06-1942. Inèdit.
27 AGMA. Caixa 29.904, pàg. 5. *Informe consecuencia de la visita de inspección girada a las unidades disciplinarias destacadas en la cuarta región militar.*

los otros Batallones, compensándolos en la 4ª Región con soldados trabajadores que en igual número puedan ser destinados para formar Destacamentos dependientes de las Unidades subsistentes, en el caso de ser necesario, pues, probablemente y según comunicó al jefe que suscribe el Capitán general, en Barcelona, los trabajos que la unidad de referencia realiza en las excavaciones de Ampurias, serán suprimidos en plazo breve.[28]

Tot i una nova visita d'Almagro a Kindelán per intentar conservar la mà d'obra forçada,[29] cap a finals de juny es transmeté l'ordre i els responsables del museu van fer accelerar els treballs per esprémer-la al màxim. El 7 d'agost, el batalló deixà Empúries i es traslladà a Camallera i en tren a Barcelona,[30] i els integrants van ser destinats a la construcció de fortificacions de costa a Mallorca.

Les excavacions es van interrompre tot seguit, però Almagro no es resignà a perdre el motor principal dels treballs —l'alternativa era contractar treballadors civils a un cost més elevat— i augmentà els contactes amb les autoritats militars, amb noves visites a Capitania General per mirar de redreçar la situació els dies 11[31] i 19 d'agost,[32] 22 de novembre[33] i 3 de desembre;[34] també va donar conferències dins dels cicles organitzats pel Centre de Cultura Militar a Barcelona,[35] com ara el 15 de gener de 1943, en què dissertà sobre «La ciudad greco-romana de Ampurias y sus últimos hallazgos»,[36] i al final de la qual expressà el seu reconeixement a l'exèrcit per l'ajut; el 5 de febrer parlà sobre els «Orígenes del pueblo español»[37] i afirmà, davant una nombrosa representació del cos d'oficials de la plaça, que els primers pobladors d'Espanya van ser europeus i no africans com s'havia afirmat, en una clara —i doble— referència a la situació política i a les tesis de Bosch.

28 AGMA. *Informe consecuencia de la visita de inspección girada a las unidades disciplinarias destacadas en la cuarta región militar.* Caixa 29.904, pàg. 2.

29 «Cuarta Región Militar. Visitas». *La Vanguardia Española*, edició del 9-06-1942, pàg. 9.

30 MAC-Empúries. *Diario de excavaciones, 1942*, entrades 05-08-1942 y 07-08-1942. Inèdit.

31 «Cuarta Región Militar. Visitas al Capitán General». *La Vanguardia Española*, edició de l'11-08-1942, pàg. 8.

32 «Cuarta Región Militar. Audiencias». *La Vanguardia Española*, edició del 19-08-1942, pàg. 5.

33 «Centros Oficiales. Cuarta Región Militar. Visitas». *La Vanguardia Española*, edició del 22-11-1942, pàg. 8.

34 «Centros Oficiales. Cuarta Región Militar. Visitas al Capitán General». *La Vanguardia Española*, edició del 03-12-1942, pàg. 9.

35 «Conferencias. El ciclo del Centro Cultural Militar». *La Vanguardia Española*, edició del 08-11-1942, pàg. 7.

36 «El doctor Almagro en el Círculo Militar». *La Vanguardia Española*, edició del 16-01-1943, pàg. 8.

37 «El doctor Almagro, en el Centro Cultural Militar». *La Vanguardia Española*, edició del 06-02-1943, pàg. 6.

A la fi obtingué del nou capità general, José Moscardó,[38] a qui visità a Capitania com havia fet amb els seus antecessors,[39] l'assignació ràpida de soldats de lleva a les excavacions,[40] i una secció del Regiment de Fortificació 3 acantonat a Figueres es va desplaçar a Empúries. Arribaren a les excavacions el 22 de març de 1943 i van sorgir problemes per a l'allotjament de la tropa que el 3 d'abril motivaren una queixa oficial de l'Estat Major de la IV Regió Militar al president de la Diputació:

> [...] establecido un destacamento de un cabo y 20 hombres del regimiento de Fortificación n.º 3 en Ampurias para dedicarse a los trabajos de excavaciones en las ruinas de dicha localidad bajo la dirección de personal competente dependiente de esa Diputación llega a mi conocimiento que el alojamiento de dicha tropa es bastante deficiente, pues ha quedado acantonado en las murallas de aquellas ruinas, en cuevas que no reúnen condiciones higiénicas, lo cual le comunico para su conocimiento rogándole que lo más rápidamente posible se resuelva sobre el buen acondicionamiento del referido destacamento.[41]

La queixa va arribar fins a Almagro, que hagué de fer front al problema pocs dies després:

> [...] en contestación a su oficio n.º 433 de la Sección de Cultura, de fecha 6 de los corrientes, pongo en su conocimiento que los soldados desplazados por la superioridad en los trabajos de las Excavaciones de Ampurias, pernoctaron en el día de su llegada en los campamentos emplazados en la Muralla Romana, que en campañas anteriores sirvió de alojamiento a los soldados trabajadores pasando al siguiente día a instalarse en la Casa Museo. Actualmente ocupan una casa, cuyo alquiler abona mensualmente la Diputación, por lo cual no creo pueda haber queja alguna en el alojamiento y cuidados que a dicha tropa deben dedicarse. Tal vez la reclamación proviene del día de su llegada pero inmediatamente sobre la marcha se resolvió el problema de su alojamiento en la forma dicha.[42]

38 «Las excavaciones de Ampurias. Han sido reanudadas nuevamente». *La Vanguardia Española*, edició del 13-04-1943, pàg. 9.

39 «Visitas al Capitán General». *La Vanguardia Española*, edició del 25-04-1943, pàg. 7.

40 Informacions facilitades pel Sr. Pedro Barbeito Zapata (Betanzos, 16-05-1918), sergent d'enginyers destinat al 1r Batalló del Regiment de Fortificació 3.

41 AHDB. Lligall Q-575. Cultura 8. *Museo Arqueológico y Servicio de Investigaciones arqueológicas. Expediente general.*

42 AHDB. Lligall Q-575. Cultura 8. *Museo Arqueológico y Servicio de Investigaciones arqueológicas. Expediente general.*

I Almagro es veié obligat a llogar dues cases ben condicionades al poble de Sant Martí d'Empúries. El finançament continuà depenent de la Diputació, amb una assignació mensual de tres mil pessetes destinades a «atender a los diversos gastos que ocasionan las excavaciones que se vienen realizando en las excavaciones de Ampurias».[43] Almagro va visitar Moscardó el 24 d'abril per agrair-li la col·laboració.[44] El treball de la tropa ja era retribuït, i tot i que eren molt pocs a causa de les necessitats de les obres de fortificació a la línia frontera, els soldats excavaren al llarg de molts anys els sectors de les necròpolis i les cases romanes 1 i 2. El nombre d'efectius destinat a les excavacions va variar amb el temps, però Almagro va poder disposar, com a mitjana, de 25 reclutes pertanyents al Regiment de Sapadors 4,[45] una quantitat que els comandaments de la tropa van augmentar a petició del director del museu en funció de les disponibilitats de la lleva, com ara nou homes més el juliol de 1951, per accelerar els treballs en curs.[46]

Amb tot, Almagro no descuidà les seves relacions amb les autoritats civils. Poc després de prendre possessió, el nou governador civil de Barcelona, Bartolomé Barba Hernández, visità Empúries el 4 de desembre de 1943, i va prometre al director del museu la col·laboració per assegurar el manteniment de les subvencions de la Diputació i l'Ajuntament de Barcelona a les excavacions;[47] en el cas de la segona es va mantenir invariable fins a l'any 1954 en una quantitat compresa entre les cinc mil i les deu mil pessetes, segons els anys.[48] I, evidentment, la corporació provincial de Barcelona visità sovint —i pràcticament en ple i acompanyada per periodistes— les excavacions per rebre informació sobre la marxa dels treballs. Les notícies de premsa que resumien els actes, com ara la de la visita del 20 de setembre de 1946, eren sempre motiu de lloança a la tasca del director:

[...] el joven doctor Almagro es actualmente uno de nuestros primerísimos sabios, que conoce profundamente la Historia y la Arqueología como muy pocos en el mundo. No hay hipérbole desquiciada en las anteriores palabras. Desgracia-

43 AHDB. Lligall Q-575. Cultura 8. *Museo Arqueológico y Servicio de Investigaciones Arqueológicas. Expediente general.*

44 «Centros Oficiales, Cuarta Región Militar. Visitas al Capitán General». *La Vanguardia Española*, edició del 25-0471943, pàg. 7.

45 Arxiu MAC-Barcelona. Correspondència 1948-1950. Carta Almagro-Leandro García González del 06-06-1950.

46 Arxiu MAC-Barcelona. Correspondència Almagro 1951. Carta RZ4-Almagro del 31-07-1951.

47 «El gobernador, en Ampurias». *La Vanguardia Española*, edició del 05-12-1943, pàg. 11.

48 Arxiu MAC-Barcelona. Correspondència Almagro 1954. Carta Almagro-Simarro de l'11-06-1954; Carta Almagro-Simarro del 17-07-1954.

damente, como ocurre con más frecuencia de la que fuere de desear, su ciencia es casi más conocida y apreciada en el extranjero que en nuestra Patria. Pero nadie se figure al hablar de sabio que es la imagen de ese sabio despistado y lleno de manchas que maquinalmente se forja nuestro subconsciente. Es, en su manera de ser, la antítesis del sabio. Jovial y alegre, supo hacer que un tema árido se transformase, al salir de sus labios, en una amenísima charla a través de la más antigua Historia y que su explicación docta y documentada fuese entendida por todos, haciéndonos vivir los hechos y costumbres de hace muchos siglos como si los estuviéramos viendo.[49]

Almagro, per la seva part, sempre aprofitava l'oportunitat per deixar clar el seu ideari polític: «sin cultura clásica y sin cristianismo no hubiera sido España sino un pueblo de tribus sin historia, sin existencia real en el mundo». En aquesta data les excavacions d'Empúries eren ja una peça emblemàtica de la tasca de la Diputació de Barcelona i també, gràcies als articles de premsa, un ressort de propaganda i ideologia a favor dels postulats del règim franquista.

La tropa treballà en les tasques de condicionament del nou edifici del Museu Monogràfic, inaugurat el 5 de setembre de 1947[50] en un acte presidit pel marquès de Lozoya i acompanyat pel governador civil de Barcelona, Miguel Baeza Alegría; el president de la Diputació, Antoni Maria Llopis i Gallofré; l'alcalde de Barcelona, Josep Maria Albert i Despujol, baró de Terrades, i el governador civil de Girona, Luis Mazo Mendo, encapçalant una plèiade de càrrecs de les diferents administracions de les dues províncies.

Vuit anys després d'accedir a la direcció del museu i de les excavacions d'Empúries, Almagro podia presentar els fruits del seus esforços davant no només de les autoritats del règim, sinó també dels principals arqueòlegs espanyols —amb l'excepció de Martínez Santa Olalla— i dels investigadors estrangers presents a Empúries per la primera edició dels Cursos Internacionals d'Arqueologia. En el seu parlament resumí perfectament la trajectòria seguida:

[...] destacó el gesto singular de la Diputación de Barcelona, que fuera de su provincia no ha regateado esfuerzo alguno para conseguir que se vaya realizando esta pequeña gloria nacional, que admiran ya propios y extraños, de excavar las ruinas venerables de Ampurias y dejar en lo posible, en el sitio donde se hallan, los te-

49 PAZOS, U.: «En las ruinas milenarias de Ampurias, secreto espiritual de la Historia de España». *La Vanguardia Española*, edició del 21-09-1946, pàg. 9.

50 «Notas de la Región. Solemne inauguración del Museo Monográfico de Ampurias». *La Vanguardia Española*, edició del 07-09-1947, pàg. 12.

soros artísticos que dichos trabajos proporcionan. Es de aplaudir y admirar este gesto de alta política nacional realizado por la Diputación provincial de Barcelona. En Ampurias, nacionales y extranjeros pueden ver cuán rico es nuestro pasado y también con cuanto cuidado y dignidad lo sabemos tratar. Agradeció finalmente las facilidades halladas en el Gobierno, singularmente en la Dirección General de Bellas Artes y en el glorioso Ejército, que a iniciativa del ilustre teniente general Orgaz, ha cooperado desde 1939 a esta empresa de paz, que es un claro exponente de la convivencia fraternal que hoy rige toda la política española.

Alhora, es va posicionar fidelment un cop més al costat dels seus principals valedors: la Direcció General de Belles Arts i l'exèrcit. Aquests, però, també tenien molt a recompensar. En un moment especialment delicat de les relacions internacionals del govern franquista, els parlaments dels convidats estrangers eren emprats per al consum propagandístic intern com a avaladors de la seva actuació del

1947, 5 de setembre. Inauguració del Museu Monogràfic d'Empúries. Martín Almagro Basch guia el director general de Belles Arts, marquès de Lozoya, i altres autoritats, entre les quals el governador civil de Barcelona, Miguel Baeza Alegría; el president de la Diputació de Barcelona, Antoni Maria Llopis i Gallofré; l'alcalde de Barcelona, baró de Terrades, i el governador civil de Girona, Luis Mazo Mendo. En segon terme, Lluís Pericot i Antonio García y Bellido. Fotografia: MAC-Barcelona.

govern; en aquest sentit, un dels convidats per Almagro, Eugenio Jalhay, director del Museu do Carmo (Lisboa), va expressar en el seu parlament que «españoles y portugueses somos hijos de la misma civilización latina y cristiana que llegó a la Península por Ampurias. En esta paz de que goza España, oasis en el continente, cuya verdad es ya perfectamente conocida por doquier a pesar de las odiosas campañas desfiguradoras, realiza callada y eficazmente una gran labor, no sólo de tipo nacional, sino mirando al exterior, como lo demues-

C. 1950. Martín Almagro Basch amb Domingo Gamito (a la dreta amb braçal negre) i alguns obrers a les excavacions d'Empúries. Fotografia: MAC-Barcelona.

tran estos trabajos y esta asamblea de arqueólogos unidos todos en un mismo afán de desenterrar las huellas de un pasado glorioso», la qual cosa constituïa un suport molt important.

Però les nombroses ocupacions van impossibilitar que Almagro controlés personalment les excavacions. Així, delegà progressivament les tasques en els seus col·laboradors més propers, especialment Pere de Palol, que aplicà a Empúries bona part dels sistemes que havia après a Bordighera al costat de Nino Lamboglia. Sens dubte, però, el pes dels treballs va recaure en Miquel Oliva Prat, conservador del museu de Girona, el responsable i guarda de les ruïnes Pascual Almazán, i Manuel i Domingo Gamito, pare i fill, dos excel·lents treballadors del poble de l'Escala que van actuar com a caps de colla dels soldats que continuaven sent la mà d'obra essencial al jaciment, ja que Almagro tenia molt mala relació amb els habitants de l'Escala:

[...] espero [...] que los del pueblo cambien un poco de actitud cuando ayuden a vivir al guarda y vea yo que no tienen ganas de explotarnos como si fuéramos unos indianos despistados y confío que cuando vayamos nos respeten ya que no se puede pedir que nos quieran como nos gustaría a nosotros dado el amor que sentimos por las cosas de aquel pueblo.[51]

Almagro feia saber a Oliva per carta les indicacions per continuar la feina, i li reclamà informes setmanals sobre els progressos fets en les excavacions:

[...] lo que hace falta es que se arreglen las cosas y no me abandone lo de Ampurias. Vaya allí todas las semanas al menos un día, y despache usted todo lo que pueda y todos los gastos que tenga ya se los abonaré. Distribuya el trabajo y cuide de que todos los visitantes encuentren persona que les explique las ruinas; el hijo de Gamito lo puede hacer. En fin, escríbame todas las semanas lo que haya de Ampurias y no lo deje de la mano. De momento no nos espere ni a Palol ni a mí tampoco, pero ordene el trabajo, sobre todo para que las ruinas estén bien atendidas. Duerma y coma allí y avance todo lo posible la cuestión de las excavaciones, con las necrópolis, e inventario de las mismas, preparación de los dibujos, etc.

Oliva va complir les instruccions amb l'ajut de Manuel Gamito i d'Almazán, que s'encarregaren també de les obres de condicionament de la casa annexa al museu.

Oliva també s'encarregava al mateix temps de supervisar els treballs que l'SDPAN duia a terme al monestir de Sant Pere de Rodes, i hi havia implicat fins i tot el governador civil per impedir els robatoris dels materials destinats a la reconstrucció per part dels masovers de les finques properes.[52] A les excavacions era qui repartia la feina als soldats i als jornalers, a més d'encarregar-se de tota la tasca de classificació i inventari dels aixovars de les tombes de la necròpolis de la Muralla Robert, que Almagro no va voler desempaquetar al Museu de Barcelona fins que Oliva va poder desplaçar-s'hi.[53] Al seu costat, Almazán era l'encarregat de les qüestions econòmiques; amb els diners que Almagro li enviava abonava els jornals a la tropa, comprava materials per a les excavacions i pagava les reparacions a l'edifici del museu i les obres de condicionament de la casa del director.[54] Progressivament, i després de la negativa de Manuel Gamito a continuar en les excavacions, va ser el seu fill Domingo qui s'encarregà de dirigir els treballs; informava setmanalment per carta el director i rebia de

51 Arxiu MAC-Barcelona. Correspondència Almagro 1950. Carta Almagro-Oliva del 27-06-1950.
52 Arxiu MAC-Barcelona. Correspondència Almagro 1951. Carta Oliva-Almagro del 10-01-1951.
53 Arxiu MAC-Barcelona. Correspondència Almagro 1951. Carta Almagro-Oliva del 15-01-1951.
54 Arxiu MAC-Barcelona. Correspondència Almagro 1951. Carta Almagro-Almazán del 22-02-1951.

la mateixa manera les instruccions per continuar la feina. La confiança d'Almagro en el seus encarregats era total, i per això va anar dilatant cada cop més les seves anades al jaciment.

La vinculació de l'exèrcit al jaciment va continuar fins a finals de la dècada de 1950, i Almagro va mantenir relacions excel·lents amb els successius màxims responsables de la regió militar, com Juan Bautista Sánchez González,[55] a qui visità sovint oficialment, tot i que la seva col·laboració ja no fos decisiva en els treballs. Amb tot, la presència dels soldats no estava lliure de problemes. Les condicions de l'allotjament, que ja havien estat objecte de queixes l'any 1942, van tornar a ser motiu de protesta el 1953. El 15 d'abril, Antonio Olivé, coronel del Regiment de Sapadors 4, féu una visita d'inspecció al destacament destinat a Empúries i de seguida envià una carta de protesta a Juan Sedó Peris-Mencheta, president de la Comissió d'Educació, Esports i Turisme de la Diputació:

> [...] he podido observar que dicho personal de tropa no está suficientemente alimentado, debido al elevado precio que tiene la carne por aquellos contornos que no permite su adquisición a razón de 100 gramos por hombre y día, como está ordenado, ya que no alcanza para ello los haberes del Ejército aún incrementados con el jornal que abona a dichos soldados esa Excma. Diputación. Dicho personal utiliza para descansar unas camas propiedad de esa Corporación, cuyo estado tan lamentable, hace que el descanso en ellas sea de lo más precario. Ante este estado de cosas, me dirijo a V.E. para rogarle dé las órdenes oportunas para que sobre los jornales que actualmente reciben los zapadores que efectúan las excavaciones se les faciliten diariamente un Kg. de carne de buena calidad y también que ordene la reparación de las telas metálicas de las 10 camas correspondientes [...] esperando de su atención me comunique el acuerdo adoptado, con objeto de poder obrar en consecuencia.[56]

Dit d'una altra manera, l'exèrcit imposà de nou les seves condicions, i el destacament, format per un sergent i deu soldats, continuà a les excavacions permanentment, excepte en els períodes en què retornaven al campament de Los Castillejos per fer tasques d'instrucció. Val a dir que el destí a les excavacions d'Empúries resultava atractiu per a alguns dels estudiants i afeccionats a l'arqueologia que feien el servei militar, com l'alferes J. Ar-

55 «Cuarta Región Militar. Audiencia del Capitán General». *La Vanguardia Española*, edició del 25-11-1953, pàg. 14.
56 Arxiu MAC-Barcelona. Correspondència Almagro 1953. Carta Sedó-Almagro del 28-04-1953.

quer, que es va encarregar del destacament durant un breu període, entre 1952 i 1953.[57]

Consolidat el treball a Empúries, Almagro es plantejà l'opció de fer servir el jaciment i les seves instal·lacions com un referent per a la docència i la investigació especialitzades, com a contrapès de la manca de professionalització impulsada per Martínez Santa Olalla des de la Comissaria General d'Excavacions Arqueològiques. En un moment en què les relacions exteriors d'Espanya estaven bloquejades per les resolucions de l'ONU, la idea d'organitzar un Curs Internacional d'Arqueologia a Empúries va ser una fórmula òptima per rellançar les relacions científiques i personals dels arqueòlegs espanyols després de la fi de la Segona Guerra Mundial. La primera edició del curs es desenvolupà entre el 25 d'agost[58] i el 15 de setembre de 1947 sota la direcció dels fundadors, Martín Almagro i Lluís Pericot, amb l'ajut de Joan Maluquer de Motes.[59] L'objectiu declarat era «convertir los viejos solares de las ruinas de Emporion en un centro de formación de todos los arqueólogos españoles y de iniciación a los métodos y secretos de la investigación científica».[60] La nòmina d'investigadors participants va ser molt àmplia, i hi van destacar figures de prestigi com Christopher Hawkes,[61] Eugenio Jalhay, Jean Mallon i Nino Lamboglia, als quals s'afegiren Blas Taracena, Antonio García y Bellido, Joaquín María de Navascués, Felipe Mateu Llopis, Serra Ràfols i Agustí Duran i Sanpere; Martínez Santa Olalla, però, no hi va ser present, ni tan sols per consideració al seu càrrec, ja que un dels objectius més clars era demostrar la possibilitat de refer les relacions internacionals sense comptar amb la Comissaria General d'Excavacions. De fet, Clarisa Millán, una de les col·laboradores principals de Martínez Santa Olalla, que sí que hi va assistir, es queixà amargament a Pericot del tracte rebut per part d'Almagro al llarg del curs, una manca de consideració que només es pot interpretar com a mostra de despit cap al mentor:

57 Arxiu MAC-Barcelona. Correspondència Almagro 1953. Carta Arquer-Almagro del 23-04-1953; Carta Arquer-Almagro del 29-04-1953.

58 «El curso de Arqueología y Prehistoria que se desarrollará en Ampurias». *La Vanguardia Española*, edició del 27-08-1947, pàg. 7.

59 S.d. (1947-1948): «Curso Internacional de Prehistoria y Arqueología en Ampurias». *Ampurias*, IX-X, pàg. 368-369.

60 S.d. (1947-1948): «Curso Internacional de Prehistoria y Arqueología en Ampurias». *Ampurias*, IX-X, pàg. 368.

61 La participació de Christopher Hawkes als Cursos Internacionals d'Arqueologia a Empúries va ser estudiada per Díaz-Andreu, que va identificar el procés de relació entre aquest investigador i Pericot. Vegeu Díaz-Andreu, 2007b.

1947, 25 d'agost. Participants en el I Curs Internacional d'Arqueologia d'Empúries. D'esquerra a dreta, primera fila: Martín Almagro Basch, Blas Taracena, Antonio García y Bellido, Adolf Schulten, alferes de navili de l'estació de Sant Feliu de Guíxols no identificat, Nino Lamboglia, Jean Mallon i Lluís Pericot; segona fila: Mercedes Montañola, Lidia Panizzi, Teresa Pericot, Maria Lluïsa Pericot, Concepción Fernández Chicarro, María Luisa Galván, Isabel de Ceballos-Escalera, Carola Martínez, Catalina María Ferrer, Luisa Vilaseca, Pilar Sanz i Sra. Serra Ràfols; tercera fila: Pere de Palol, Augusto Fernández de Avilés, Miguel Oliva Prat, Francisco Riuró, Octavio Gil Farrés, Carlos Cid Priego, I. Puig, Federico Wattemberg, Tomás Magí, Miguel Ángel García Guinea, Antonio Beltrán, August Panyella, Francisco Jordá Cerdá, José Milicia, Luis Amorós, Miquel Tarradell, Ricardo Apráiz, Luisa Arrufat, Concepción Gener, Josep de Calassanç Serra Ràfols, Javier Bordanova, Joaquín Maria de Navascués, Teógenes Ortego i Josep María Corominas. Fotografia: MAC-Barcelona.

[...] la inconveniente y grosera actitud que Almagro ha tenido en todo momento hacia mí, procurando amargar mi estancia en Ampurias por el solo hecho de no participar yo en la hostilidad hacia Santa Olalla de que él hace gala a todas horas. Me hizo una escena Almagro sumamente desagradable delante de varios cursillistas, cosa que me dolió enormememente y tuve que hacer esfuerzos para no hablarle entonces de ello a usted.[62]

62 BC. Llegat Lluís Pericot. Carta Clarisa Millán-Pericot del 16-09-1947.

Els organitzadors tingueren des del principi el suport de diverses institucions, entre les quals la Universitat de Barcelona, la Direcció General de Belles Arts, el Ministeri d'Educació Nacional i el CSIC, per mitjà de José María Albareda; l'èxit internacional de la convocatòria tingué també ressò polític amb visites dels participants a l'Ajuntament de Barcelona, la Diputació i el Govern Civil.

Però sens dubte un dels elements més interessants per veure la importància que el govern espanyol atorgà al Curs Internacional d'Arqueologia és el suport econòmic que el CSIC donà a la presència de Hawkes, i les gestions del Ministeri d'Afers Exteriors per facilitar-li el viatge.[63] Tot i això, i malgrat que Pericot ja mantenia una relació professional amb Hawkes abans de la guerra civil, represa el 1940,[64] no va ser la primera opció entre els investigadors britànics, ja que Pericot preferí convidar primer John Grahame Clark i Gordon Childe, que declinaren l'assistència, i només en tercera opció es pensà en Hawkes, probablement pels interessos d'Almagro pels seus estudis sobre l'edat del ferro.[65] De fet, l'estada a Barcelona i Empúries va causar una gran impressió en Hawkes, que lloà a Pericot la tasca dels arqueòlegs espanyols, la qual es comprometé a difondre entre els seus estudiants i col·legues, i que serví per iniciar un intercanvi regular de publicacions.[66]

Els contactes entre investigadors de diferents països es desenvoluparen més enllà de les seves conviccions polítiques personals; s'establí el que Díaz Andreu va definir com un «col·legi invisible»,[67] fent referència a una idea d'Acadèmia supranacional en la qual no importaven les orientacions polítiques monàrquiques d'Almagro i Pericot, la ideologia marxista de Gordon Childe o el credo feixista de Martínez Santa Olalla i Nino Lamboglia, per citar-ne només uns quants. Aprofundint en aquest sentit, considerem que les reunions internacionals, i especialment el Comitè Permanent del CICPP, van ser el màxim exponent d'aquesta xarxa de relacions i vinculacions per damunt de la situació política entre els estats i les opinions personals; això es pot desprendre, per exemple, dels moviments gens soterrats per assolir les places de representació d'Espanya en els CICPP entre els anys 1948 i 1952, o del fet que per a l'organització del V Congrés Internacional, celebrat a Hamburg el 1956, s'escollissin a Madrid quatre anys abans com a màxims responsables Gerhard Bersu, que

---

63 Arxiu MAAEE. Lligall R-2477, exp. 55.
64 BC. Llegat Lluís Pericot. Carta Hawkes-Pericot del 17-0671940.
65 Díaz-Andreu, 2007b, pàg. 25.
66 BC. Llegat Lluís Pericot. Carta Hawkes-Pericot del 21-09-1947.
67 Vegeu en aquest sentit el discurs expositiu de Díaz-Andreu. Díaz-Andreu, 2007a.

va exiliar-se com a conseqüència de la persecució nazi, per a la presidència, i Wolfgang Dehn, un antic integrant de l'estructura arqueològica de recerca nazi, com a secretari.

Almagro demostrà així la importància de les seves relacions internacionals per refermar encara més la seva posició,[68] i, de fet, podia estar satisfet en comprovar la nòmina d'assistents a la conferència de clausura pronunciada per Adolf Schulten al paranimf de la Universitat de Barcelona, encapçalada pel governador civil, Baeza Alegría, i el president de la Diputació, al costat de l'inspector general dels museus arqueològics, Joaquín María de Navascués, el director del Museu Arqueològic Nacional de Madrid, Blas Taracena, i el rector de la Universitat de Barcelona, Enrique Luño Peña.[69] No era encara al cim del seu prestigi a Barcelona, però s'hi acostava.

L'any següent, 1948, aconseguí fer coincidir les jornades del Segon Curs Internacional d'Arqueologia a Empúries amb el Congrés Internacional d'Estudis Lígurs. Es va desplaçar a Nimes al capdavant d'una delegació de la qual també formaven part Maluquer de Motes, Antonio Beltrán, Tarradell i Pere de Palol,[70] i els actes van continuar dies després a la Universitat de Barcelona, amb la presència, un cop més, de les principals autoritats polítiques de la ciutat.[71] Com a resultat dels contactes establerts, es constituí a Barcelona la secció espanyola de l'Istituto Internazionale di Studi Liguri, amb seu al Museu Arqueològic; la junta directiva d'aquest Institut estava integrada per Almagro com a president; Pericot com a vicepresident; Maluquer de Motes, secretari; Mercedes Montañola, tresorera, i Juan Antonio Cremades, José Alfonso Tarragó Pleyán i Salvador Vilaseca com a vocals. L'Institut va conferir dos llocs en el seu consell executiu a la secció espanyola, que van ser ocupats per Almagro i Pericot, i Almagro va quedar alhora incorporat al comitè de redacció de la *Rivista di Studi Liguri*.[72]

Però Almagro no en tenia prou i intentà controlar totes les relacions arqueològiques entre Espanya i Itàlia. Quan el 1947 s'assabentà que Serra Ràfols era el representant a Espanya de l'edició dels *Fasti Archaeologici Imperii Roma-*

---

68 «Los cursos de Prehistoria y Arqueología de Ampurias». *La Vanguardia Española*, edició del 28-08-1947, pàg. 2.

69 «Clausura del Curso Internacional de Prehistoria y Arqueología». *La Vanguardia Española*, edició del 16-09-1947, pàg. 9.

70 «Semana española del Congreso de Estudios Ligures». *La Vanguardia Española*, edició del 23-08-1948, pàg. 10.

71 «Inauguración de las jornadas del Congreso Internacional de Estudios Ligures. El solemne acto se celebró ayer en la Universidad». *La Vanguardia Española*, edició del 10-09-1948, pàg. 6.

72 MALUQUER DE MOTES, 1947-1948a, pàg. 375-376.

ni, auspiciada per la International Association for Classical Archaeology, intentà desacreditar-lo tant davant dels investigadors italians com de les autoritats de Madrid per aconseguir el seu lloc, alhora que proposava que els altres representants fossin Taracena i García y Bellido.[73] De fet, el mateix Serra Ràfols va comunicar la pròpia designació a Lozoya,[74] en primer lloc per demostrar-li que altres investigadors del Museu de Barcelona també tenien contactes i reconeixement internacional, i després per assegurar-se, paper en mà, que Almagro no pogués maniobrar en contra seu, com de fet va succeir.

Els cursos internacionals d'arqueologia es van consolidar com un referent en la docència i recerca de l'arqueologia clàssica a Espanya, i encara se celebren actualment. La major part dels arqueòlegs i prehistoriadors espanyols i gran part de les figures més representatives de l'arqueologia europea —aquests últims especialment entre les dècades de 1950 i 1970— hi han pres part. Amb tot, l'any 1952, Almagro va tenir la idea de suprimir-los, o bé de deslligar-se'n, ja que considerà que la tasca essencial per a la qual havien estat creats —la difusió de la tasca feta a Empúries a nivell internacional— ja s'havia assolit. Un dels motius d'aquesta idea era que Almagro devia estar cansat per les múltiples funcions que acumulava, i en especial per la preparació d'una gran exposició d'art religiós que sota el títol Exposició Nacional d'Art Eucarístic Antic s'havia de presentar al Palau Reial Major de Barcelona coincidint amb la celebració del XXXV Congrés Eucarístic Internacional. Però a instàncies de Pericot, Palol i Montañola, continuà amb l'organització, si bé, com expressà a Lamboglia, fent dels cursos «un solaz y una tarea útil para nuestra formación científica».[75]

Almagro desenvolupà a Empúries un gran treball, però un cop obtinguts els primers rendiments científics i professionals delegà encara més la tasca dels treballs de camp, que quedaren en mans, com hem indicat, de Domingo Gamito i Miquel Oliva; Almagro espaià cada cop més les seves estades al jaciment, que concentrà en pocs dies de l'estiu i al voltant dels cursos internacionals, una tendència que encara es va fer més patent arran del seu trasllat a Madrid i de l'inici d'altres projectes com les excavacions a Itàlia. Probablement hauria hagut de renunciar a la direcció o bé suspendre la intensitat de les intervencions en funció de la seva disponibilitat, però no ho va fer, conscient que una de les seves cartes de presentació davant dels responsables de la Diputació de Barcelona eren precisament les excavacions a Empúries, ja qüestionades per la Dipu-

73 MSI-MO. ASO. 18-406.1. Carta Serra Ràfols-Martínez Santa Olalla del 22-25-05-1948.

74 ACCHIS-CSIC. Carta Serra Ràfols-Lozoya del 23-04-1947.

75 Arxiu MAC-Barcelona. Correspondència Almagro 1946-1953. Carta Almagro-Lamboglia del 25-02-1952.

tació de Girona, que volia assumir el control del jaciment. No va dubtar, doncs, a mantenir el ritme de treball lliurant per carta les seves instruccions:

> [...] agradezco aún más las noticias que me dá de las excavaciones y le recomiendo que si salen tumbas no las excaven y las guarde Ud., para ver si hay posibilidad cuando yo vaya de hacer algunas fotografías. Al menos espero que Ud. tome buena nota de la situación y condiciones en que se encuentren y no mezclen ustedes, referencias de ajuares y tierras, pues ya tiene su padre bastante experiencia para saber qué cosa corresponde a cada tumba, qué es lo importante en las excavaciones de este tipo de hallazgos.[76]

Per la seva part, Oliva continuà prestant bons serveis a Almagro com a intermediari amb la Comissió de Monuments de Girona i amb les autoritats polítiques de la província; facilità que es fessin les obres necessàries a Empúries i donà suport a la tasca d'Almagro com a cap de zona de l'SDPAN. A més, Oliva, tot i continuar personalment vinculat a Pericot, després de la dimissió temporal d'aquest i el seu nomenament inicial com a comissari provincial d'excavacions arqueològiques a proposta de Martínez Santa Olalla, es trobà a principi de 1955 en una posició que considerà feble davant de la figura d'Almagro, i començà a vincular al director del museu no només la seva tasca professional, sinó també la seva recerca, amb informacions i consultes continuades en relació amb les excavacions del Puig de Sant Andreu, el seu gran projecte.[77]

La producció científica d'Almagro va ser molt extensa. L'any 1943 s'edità *Ampurias, guía de las excavaciones*,[78] text acollit amb expectació pels cercles intel·lectuals barcelonins,[79] així com una versió breu del mateix text,[80] i el 1951 una revisió: *Ampurias, historia de la ciudad y guía de las excavaciones*,[81] que constituí el text de referència fins el que va fer Eduard Ripoll al principi de la dècada de 1970. Treballà també en l'edició de la sèrie «Monografías Ampurita-

76 Arxiu MAC-Barcelona. Correspondència Almagro 1954. Carta Almagro-Domingo Gamito de l'11-04-1954.

77 Arxiu MAC-Barcelona. Correspondència Almagro 1954. Carta Oliva-Almagro del 05-11-1954; Carta Almagro-Oliva del 09-11-1954; Carta Almagro-Oliva del 03-12-1954; Carta Oliva-Almagro del 12-12-1954; Carta Almagro-Oliva del 21-12-1954; Carta Oliva-Almagro del 16-02-1956; Carta Almagro-Oliva del 27-02-1956; Carta Oliva-Almagro del 26-05-1956; Carta Almagro-Oliva del 15-06-1956; Carta Oliva-Almagro de l'11-11-1956.

78 ALMAGRO BASCH, 1943a.

79 «"Ampurias. Guía de las Excavaciones", por Martín Almagro». *La Vanguardia Española*, edició del 23-10-1943, pàg. 7.

80 ALMAGRO BASCH, 1943b.

81 ALMAGRO BASCH, 1951.

nas», on recollí totes les fonts clàssiques referides a la colònia grega en l'obra *Las fuentes escritas referentes a Ampurias* (1951), «una obra en la que la erudición del señor Almagro no se limita a moverse con desenvoltura entre los textos antiguos, sino que abraza con la misma minuciosidad los trabajos de la Edad Moderna, deteniéndose especialmente en la nueva escuela histórica comenzada a raíz del movimiento neoclásico».[82] També recollí l'epigrafia del jaciment a *Inscripciones ampuritanas griegas ibéricas y latinas* (1953), «una paciente y minuciosa recopilación de todos los frutos de la ciencia epigráfica referentes a Ampurias, a la cual antecede un sólido estudio bibliográfico que viene a completar otros trabajos del mismo autor acerca de la ciencia arqueológica mundial [...] la madurez, la precisión y la severidad metodológica del trabajo convierten a esta monografía en ejemplo brillantísimo de los avances de la ciencia arqueológica española».[83] I tingueren una rellevància especial els dos volums de *Las necrópolis ampuritanas* (1953-1955), editades amb el patrocini del financer Julio Muñoz Ramonet,[84] sens dubte l'aportació més important feta fins a aquell moment sobre el jaciment i que consolidà el prestigi internacional d'Almagro, que també aconseguí per aquest treball el Premi Martorell d'Arqueologia Espanyola l'any 1952.[85]

De fet, entre els anys 1939 i 1955, en què es traslladà a Madrid, Almagro dedicà no menys de trenta articles a temes emporitans, des de monografies fins a notes divulgatives, que abastaven temes compresos cronològicament entre la protohistòria i el món visigot. Tota aquesta producció sens dubte superà amb escreix la duta a terme pels anteriors responsables de les excavacions i constituí la seva millor carta de presentació en els cercles científics. Caldria analitzar, però, l'impacte d'aquestes publicacions, evident pel que fa a les memòries de la sèrie «Monografías Ampuritanas», però no tan gran en el cas dels articles, que concentrà especialment a la revista *Ampurias*, en la qual combinà treballs de fons amb un gran nombre de notes curtes, ressenyes de congressos i reunions científiques i necrològiques. Un repàs de la seva bibliografia mostra com el primer text d'Almagro publicat fora d'Espanya porta data de 1948, una petita nota referida a les excavacions d'Empúries apareguda a *Cahiers d'Histoire et Archéologie*, de Nimes,[86] i fins a l'esmentada data de 1955 només va fer tres articles per

---

82 «Las fuentes escritas referentes a Ampurias». *La Vanguardia Española*, edició del 29-11-1951, pàg. 10.

83 «Los libros del día. Las inscripciones ampuritanas, griegas, ibéricas y latinas». *La Vanguardia Española*, edició del 15-07-1953, pàg. 13.

84 Arxiu MAC-Barcelona. Correspondència Almagro 1955. Carta Almagro-Batalla del 28-09-1955.

85 «El premio Martorell de Arqueología». *La Vanguardia Española*, edició del 29-06-1952, pàg. 15.

86 ALMAGRO BASCH, 1948.

a la *Rivista di Studi Liguri*[87] i el capítol sobre el nord d'Àfrica a l'antiguitat en la sèrie *Historia Mundi*.[88] Sens dubte un recull massa curt per a algú que trepitjava fort en el camp internacional a partir de la seva presència permanent en congressos i reunions científiques.

De les 127 publicacions de tota mena que Almagro va escriure en la fase indicada (1939-1955), 39 (30,7%) van ser a *Ampurias*; 12 —la major part notes— a *Archivo Español de Arqueología* (19,44%); 10 a *Memorias de los Museos Arqueológicos Provinciales* (7,87%); 7 a *Teruel* (5,51%) i altres col·laboracions en revistes com *Atlantis* (1), *Boletín del Seminario de Estudios de Arte y Arqueología de Valladolid* (1), *Correo Erudito* (1), *Investigación y Progreso* (1), *Saitabi* (1), *África* (2), *Estación de Estudios Pirenaicos* (1), *Pirineos* (3), *Anales del Instituto de Estudios Gerundenses* (1), *Analecta Sacra Tarraconensia* (1), *Boletín Arqueológico* (1), *Arbor* (2), *Zephyrus* (1), *Publicaciones del Seminario de Arqueología y Numismática Aragonesa* (1), *San Jorge* (1), *Archivo de Prehistoria Levantina* (1), *Liceo* (1), *Revista de Gerona* (1), *Estudios Clásicos* (1) i *Boletín de la Biblioteca Museo Víctor Balaguer* (1). D'altra banda, publicà comunicacions en diferents reunions científiques, tant a Espanya —*Crónica del III Congreso Arqueológico del Sudeste* (1), *Crónica del IV Congreso Arqueológico del Sudeste* (1), *Crónica del VI Congreso Arqueológico del Sudeste* (2), *II Conreso Arqueológico Nacional* (1), *I Congreso Arqueológico del Marruecos Español* (1)— com en menor mesura i a partir de 1953 a Europa, especialment en les actes dels CICPP en les reunions de Zuric (1) i Madrid (2).

Sens dubte les publicacions principals d'Almagro són les monografies; n'aconseguí editar un nombre considerable al llarg de la seva etapa barcelonina, i les principals són, a més de les relacionades amb Empúries: *Introducción a la Arqueología. Las culturas prehistóricas europeas* (1941), *Carta Arqueológica de España. Barcelona*, amb Colominas i Serra Ràfols (1945), *Prehistoria del Norte de África i del Sahara Español* (1946*)*, *El Paleolítico Español* (1947), *Arte Prehistórico* (1947), *El covacho con pinturas rupestres de Cogul (Lérida)* (1952) i *La invasión céltica en España* (1952).

Després de les reformes finalitzades l'any 1947, la corporació provincial de Barcelona continuà donant suport a les intervencions arqueològiques a Empúries;[89] els regidors feien visites anuals d'inspecció durant les quals Almagro aprofitava per explicar els avanços obtinguts al llarg de la temporada d'excava-

---

87 ALMAGRO BASCH, 1949, 1950b i 1955.
88 ALMAGRO BASCH, 1953.
89 «Nueva etapa de trabajos en Ampurias». *La Vanguardia Española*, edició del 09-06-1954, pàg. 11.

cions, i amb el temps aquestes visites es van convertir en un ritual social.[90] Almagro no desaprofità cap ocasió per publicitar el jaciment i donar-lo a conèixer, i fins i tot l'any 1950 establí relacions amb la productora cinematogràfica britànica Romulus Films LTD per oferir les ruïnes d'Empúries com a localització d'algunes escenes per al rodatge del film *Pandora i l'holandès errant* gràcies a les gestions de Luis Antonio Bolín Bidwell, però tot i que en principi els productors restaren encantats amb les possibilitats del jaciment, en darrer terme preferiren recrear les ruïnes de la ciutat a la platja de Palamós per indicació d'Alberto Puig Palau.[91]

Durant els anys següents es procedí a una nova i profunda ampliació de les instal·lacions del Museu Monogràfic, que va ser inaugurat el 7 de juliol de 1961 pel director general de Belles Arts, Gratiniano Nieto Gallo, en representació del ministre d'Educació Nacional, i en presència dels presidents de les diputacions de Barcelona i Girona, Joaquim Buxó d'Abaigar, marquès de Castellflorite, i Juan de Llobet Llavarí; del governador civil de Girona, José Pagés Costart, i d'un gran nombre de convidats.[92] En tots els parlaments es lloà la tasca feta pel director, però els temps havien canviat i les circumstàncies polítiques de 1961 no eren les de 1940,[93] i l'exaltació política va deixar pas a una visió més científica del jaciment. Així doncs, Almagro, poc després, tot i recordar encara el paper d'Empúries com a porta per a Espanya dels valors de l'hel·lenisme i el cristianisme, indicà:

[...] Ampurias ejerció en Cataluña un magisterio espiritual y artístico profundo y continuado de admiración y respeto, de cuya influencia nacerá, no sólo nuestro arte ibérico, que al fin, es esencialmente un arte provincial griego, sino un eco continuado de admiración y respeto al nombre de Grecia, que hará en plena Edad Media fundar un Estado feudal a los carolingios sobre el solar y nombre de la antigua Emporion, y que el Renacimiento se sintiera en Cataluña doblemente restaurado en su casa, dando el nombre de Ampurias y el recuerdo de la tradición helénica no interrumpida, vigor al sentimiento de amor al clasicismo, que va del poeta Juan Boscán al escultor Company y a la plástica del maestro José Clará. Como un eco de la presencia griega en tierras catalanas, por boca del cronista y

90 «Visita corporativa de la Diputación a las excavaciones de Ampurias». *La Vanguardia Española*, edició del 17-06-1950, pàg. 13.

91 Arxiu MAC-Barcelona. Correspondència Almagro 1950. Carta Albert Lewin-Almagro del 06-04-1950.

92 «Inauguración del Museo Arqueológico de Ampurias». *ABC*, edició del 08-07-1961, pàg. 54. Ripoll, 1960-1961, pàg. 382-383.

93 «Crónicas de la Región. Inauguración del Museo Monográfico-Arqueológico de Ampurias». *La Vanguardia Española*, edició del 08-07-1961, pàg. 6.

soldado Ramón Muntaner a comienzos del siglo XIV cantará a España antes que a ninguna nación de Europa la grandeza de la Acrópolis de Atenas, y el cronista Jerónimo Pujadas llorará en el siglo XVI en su famosa crónica, aunque sea incidentalmente, la destrucción y menosprecio de las ruinas griegas que el Ampurdán ofrecía y que Cataluña y España entera considerarán siempre parte integrante e importante de su acervo histórico y artístico.[94]

Un llenguatge i unes referències impensables el 1939. Eduard Ripoll va prendre el relleu del seu mestre en la direcció de les excavacions, que mantingué fins al 1982.

No hi ha cap dubte que la dedicació d'Almagro a les excavacions d'Empúries va constituir una de les bases del seu treball i del seu prestigi professional. Però no es tracta de l'únic tema que estudià. Almagro concentrà durant els primers anys d'estada a Barcelona bona part dels seus esforços en la investigació de l'art rupestre, un tema al qual ja s'havia aproximat el 1935 quan decidí iniciar la protecció d'alguns abrics amb pintures a la seva regió natal d'Albarracín. Com indicà molts anys després, un cop finalitzada la guerra civil va tenir la idea de continuar un antic projecte del seu mestre Obermaier i de l'alemany Leo Frobenius per fer les còpies i catalogar les estacions amb mostres d'art a la Península.[95] Va iniciar aquests treballs recorrent els abrics i coves de l'àrea de Tarragona ja investigats per Bosch Gimpera al final de la dècada de 1910 i principi de la següent; posteriorment, amb l'ajut econòmic de la Direcció General de Belles Arts i fins i tot de l'SDPAN, que li facilità 8.697,30 ptes. per als treballs de còpia de pintures l'any 1944,[96] centrà els seus esforços en la catalogació de les estacions de l'àrea de Terol —un treball en què l'ajudà la seva dona— per refer també els treballs d'Henri Breuil i Juan Cabré, que havien estat objecte de polèmica per la seva interpretació anys abans. Almagro acceptava al principi dels anys quaranta el mestratge de Pericot pels seus descobriments:

[...] he hallado una cueva nueva totalmente desconocida. Sólo, no sé si te lo dije alguna vez, había la referencia de que un pastor la conocía y me la enseñaría. Contiene arte de transición del estilo naturalista de los toros de Albarracín cerca de los cuales está (200 mts) el arte esquemático pleno [...] el abrigo que viene a ser una covacha lo he excavado y me ha proporcionado la más bella industria del neolítico de tradición capsiense que diría Vaufrey (medias lunas bellísimas, punti-

---

94 ALMAGRO, M. (1962): «Grecia en Cataluña: Ampurias». ABC, edició del 15-07-1962, pàg. 59-60.
95 GRACIA ALONSO, 2009c.
96 IPCE. Fons SDPAN. Caixa 77. Correspondència 1944-1951. Carta Íñiguez Almech-Almagro del 13-07-1944.

tas retocadas, etc.). Creo que la cosa tiene su interés [...] He corregido plenamente de una manera irrevocable las copias de Cabré-Breuil y las que había hecho Pacheco-Benítez con notables omisiones y errores. Pienso si tal vez han reaparecido pinturas perdidas entonces. Tan grandes omisiones y errores había. Ya lo contará Benítez [...] he hallado otros grabados como en Cogul contornando las pinturas [...] además del famoso caballo hemos encontrado otros dos grabados nuevos, entre ellos un caballo finísimo. Así verá que no he perdido el tiempo.[97]

Posteriorment encarregà la continuació de les feines de documentació a Ripoll, que completà una part de les imatges de l'àrea de Terol, materials que també li eren de gran utilitat per als seus propis estudis sobre l'art llevantí. Quan un cop instal·lat a Madrid Almagro fundà l'Instituto Español de Prehistoria del CSIC, un dels projectes que desenvolupà va ser la confecció del Corpus d'Art Rupestre Llevantí (CARL), una idea que s'ha presentat com a influenciada per les sèries de recopilacions com les del Corpus Vasorum Hispaniorum,[98] però que enllaça molt més amb treballs anteriors de documentació com els que havien fet Obermaier i Leo Frobenius. Per fer aquest estudi, que no arribà a ser publicat per problemes econòmics, va disposar de l'ajut del fotògraf Fernando Gil Carles, que aconseguí documentar i contextualitzar la major part dels principals conjunts llevantins entre els anys 1971 i 1976. Un cop Almagro es jubilà l'any 1981, la documentació del projecte quedà a la seu de l'IEP, i posteriorment el departament de Prehistòria de l'Institut d'Història del CSIC el digitalitzà i el va difondre a través d'Internet.[99]

97 BC. Llegat Lluís Pericot. Carta Almagro-Pericot del 05-09-1943.
98 CRUZ BERROCAL et al., 2005, pàg. 28.
99 Inventari accesible del CARL: www.prehistoria.ih.csic.es-AAR.

La marxa a l'exili de Bosch Gimpera va escapçar, sens dubte, l'anomenada Escola de Barcelona si considerem aquesta com una estructura unitària de recerca, difusió i docència organitzada a partir del Museu Arqueològic i la Universitat. Si bé és cert que la gran majoria dels deixebles de Bosch van romandre a Catalunya en acabar la guerra civil i van continuar exercint les seves funcions tant a la Universitat de Barcelona, casos de Pericot i Del Castillo, com al museu, com Serra Ràfols i Colominas, la figura preeminent del nou director trasbalsà les relacions d'escola, que van passar a ser essencialment administratives. Des d'un punt de vista exclusivament teòric, hauria d'haver estat Pericot qui es posicionés al capdavant dels membres de l'Escola i continués la tasca del seu mestre. No ho va fer. Per molt que més endavant intentés presentar-se i fins i tot se'l reconegués com el continuador de la tasca de Bosch, el fet és que hi havia prou motius que li impediren fer-ho. En primer lloc, Pericot es va haver de sotmetre a un llarg procés de depuració per assegurar-se el manteniment de la seva càtedra a la Universitat de Barcelona, on s'havia traslladat des de València a petició del Patronat de la Universitat Autònoma, un fet que, sumat a la seva proximitat personal i científica a Bosch, el feia força sospitós davant les noves autoritats franquistes. Se'n va sortir amb l'ajut del seu vell amic, el marquès de Lozoya, director general de Belles Arts del Ministeri d'Educació, i factor clau gràcies a la seva orientació monàrquica per assolir el suport del ministre José Ibáñez Martín.[1] Però, tot i consolidar-se a la càtedra d'història d'España antiga i mitjana d'acord amb una ordre ministerial del 5 d'agost de 1943[2] i obtenir de Martínez Santa Olalla el nomenament de comissari provincial d'Arqueologia per la província de Girona, Pericot no disposava ni dels recursos econòmics per incentivar la recerca, ni de prou influència personal per liderar els antics deixebles de Bosch i atreure'n de nous.

Qui sí que tenia els recursos i les influències polítiques era Martín Almagro. Controlant el museu i les dotacions econòmiques fornides per la Diputa-

---

1 Gracia Alonso, 2009a, pàg. 116-118.
2 BOE, núm.2, de l'01-10-1943.

C. 1955. Martín Almagro Basch amb els seus principals col·laboradors al Museu Arqueo-
lògic Provincial de Barcelona: Eduard Ripoll, Pere de Palol i Antoni Arribas. Fotografia:
MAC-Barcelona.

ció de Barcelona, era l'únic, durant els primers anys de la postguerra, que po-
dia encarregar feines retribuïdes, intervencions arqueològiques i, el que era encara
més important per a tots els qui aspiraven a fer carrera en el món de l'arqueo-
logia, mobilitzar quan fos necessari relacions i coneixences polítiques per asso-
lir objectius. Així, doncs, a partir de 1940 es van vincular al museu com a tèc-
nics eventuals retribuïts però com a treballadors no qualificats —sota epígrafs
variats com ara *vidriers* o *ciclistes*—, tant Joan Maluquer de Motes, el darrer
alumne directe de Bosch, com els nous estudiants que accediren a la universi-
tat a partir de 1939, com Miquel Tarradell, August Panyella i Pere de Palol.[3]
Van constituir la primera gran fornada de deixebles d'Almagro a Catalunya, als
quals se n'hi van afegir posteriorment d'altres com Antoni Arribas Palau, Glo-
ria Trías, Carlos Cid Priego i Eduard Ripoll. Exceptuant aquests dos últims,
que col·laboraren directament amb Almagro tant a la Comissaria de Zona de
l'SDPAN com en la direcció del museu, la vinculació de la resta no es pot res-
seguir a través de contractes directes, però sí en funció d'una vinculació perso-

3 NAVARRO, 2011, pàg. 468-472.

nal, projectes i publicacions molt més estreta del que s'ha volgut reconèixer en molts casos.

Com hem dit, Almagro distribuí feines entre els joves professionals, tant en intervencions arqueològiques, com les de Palol a Empúries, la necròpolis de Can Bech de Baix a Agullana o el poblat visigot de Puig Rom a Roses, com en tasques de gestió, com la redacció en cap de la revista *Ampurias* o la secretaria dels Cursos Internacionals d'Arqueologia a Empúries que exercí Maluquer de Motes. Almagro actuava com un suport de les seves carreres, i va dirigir les tesis doctorals de Maluquer, *Las invasiones europeas en el nordeste de España durante la Edad del Bronce y la primera Edad del Hierro* (1945); de Palol, *Bronces hispanovisigodos de origen mediterráneo. Jarritas y páteras liturgicas* (1948); de Tarradell, *La cultura de El Argar* (1949); de Arribas, *Jaime II y Cerdeña. Las negociaciones diplomáticas inmediatas y la conquista de la isla* (1954), en col·laboració amb Alberto del Castillo; d'Alberto Balil, *La casa romana en España* (1957); de Gloria Trías, *Las cerámicas griegas en la península Ibérica* (1963), i d'Ana María Muñoz Amilibia, *La cultura de los sepulcros de fosa neolíticos en Cataluña* (1964), finalitzada sota la direcció de Maluquer de Motes. Com es pot veure, cap tesi dels investigadors principals de la generació de postguerra sota la direcció de Pericot, un clar exemple pràctic de les relacions de poder. A més, Almagro actuà com a guia de les carreres d'aquests joves a l'Administració.

En el cas de Tarradell,[4] tot i ser deixeble d'Almagro, es vinculà també a Pericot a partir de la seva etapa d'estudiant: «com pot fàcilment imaginar-se la cosa em faria molta il·lusió, ja que seria la primera vegada que tindria ocasió d'excavar al seu costat i d'aprofitar-me del seu mestratge i de la seva agradabilíssima companyia».[5] Tarradell li donava sovint informacions i li demanava consells al llarg del procés de recerca i redacció de la seva tesi doctoral, període en què les relacions de Pericot li van obrir moltes portes: «a tot arreu, al presentar-me en nom seu se m'ha obert totes les portes i tothom ha estat amabilíssim amb mi. Per aquestes terres parlar de Don Luis és com una clau màgica que demostra l'extraordinari afecte i la molta consideració que tothom li té».[6] Va ser, però, Almagro qui aconseguí el 1946 el nomenament de Tarradell com a director del Servei d'Arqueologia de la província de Granada, un organisme creat pel governador civil José María Fontana Tarrats, destacat membre de la

---

4 Sobre la figura de Miquel Tarradell, i especialment per a la franja cronològica posterior a aquest treball vegeu: PREVOSTI, 2011; ARANEGUI, 2011; ARANEGUI, 2000; FERRÉ, 1995; RAFEL FONTANALS, 2003; SANMARTÍ GREGO, 2011a.

5 BC. Llegat Lluís Pericot. Carta Tarradell-Pericot de l'11-08-1944.

6 BC. Llegat Lluís Pericot. Carta Tarradell-Pericot del 30-12-1945.

Falange a Catalunya, partit al qual s'uní el 1932 procedent de les JONS. Reusenc afeccionat a l'arqueologia, Fontana volgué copiar a Granada el model del Servei d'Investigacions Arqueològiques de les diputacions de Barcelona i València, amb el propòsit d'articular un organisme «que además de excavaciones, efectuara una labor de enlace entre los distintos técnicos y aficionados existentes, aumentando especialmente el número de éstos hasta formar una red en toda la provincia, interesando especialmente en nuestros estudios a algunos núcleos deportivos excursionistas, preparando, en fin, un ambiente que podría ser de gran interés para la obtención de noticias de yacimientos desconocidos, que darían así una necesaria aportación a la Carta arqueológica de Granada, que era una de las labores que se proponía realizar el Servicio».[7]

Però el naixent organisme va tenir l'oposició —més política que tècnica— de les altres autoritats granadines, especialment de l'Ajuntament (tot i estar dirigit per Antonio Gallego Burin, que amb el temps va arribar a ser director general de Belles Arts)[8] i de la Universitat, així com del bisbat, enfrontats amb la Falange i el Govern Civil.[9] Tarradell aprofità el càrrec per aprofundir en els seus estudis sobre la cultura argàrica abans d'iniciar les primeres intervencions a Montefrío, i demanà a Pericot el seu ajut per posicionar-se davant la Universitat de Granada. D'altra banda, intentà refermar-se amb l'ajut dels nuclis de poder de Madrid, especialment Gómez Moreno, Taracena, Caro Baroja i alguns deixebles de Martínez Santa Olalla, com Julián San Valero i Eduardo del Val,[10] amb la qual cosa va descobrir astorat que la diplomàcia donava moltes més opcions de treballar que el coneixement. Però no va subsistir un cop Fontana abandonà el càrrec per traslladar-se a Madrid, substituït per Servando Fernández-Victorio Campos, que no tingué cap interès per mantenir el servei i tallà les subvencions. Això, unit a la manca de recursos de la Diputació i a les maniobres de Martínez Santa Olalla, que escriví al governador civil per exigir-li que prohibís «las excavaciones clandestinas y altamente perjudiciales de un tal Sr. Tarradell», acabaren per enfonsar el projecte a mitjan 1947 tot i una gestió feta a darrera hora davant el governador per Almagro i Pericot.[11]

Almagro influí també decisivament en el nomenament de Tarradell com a director del Servei d'Arqueologia del protectorat espanyol al Marroc (1948-1956) i del Museu de Tetuan. Els tres nomenaments van ser gestionats per Almagro,

7 TARRADELL, 1947-1948, pàg. 223-224.
8 GRACIA ALONSO, 2009a, pàg. 493-495.
9 BC. Llegat Lluís Pericot. Carta Tarradell-Pericot del 21-08-1946.
10 BC. Llegat Lluís Pericot. Carta Tarradell-Pericot del 18-10-1946
11 BC. Llegat Lluís Pericot. Carta Tarradell-Pericot del 17-05-1947.

com han indicat altres investigadors,[12] tot i que una interpretació recent sugge-
reix sense base que va ser Pericot qui manegà els successius destins de Tarradell
per refermar la seva política de recerques a l'Àfrica com a representant d'Espa-
nya en els congressos internacionals d'africanistes.[13] Tarradell va ser reticent a
acceptar; tot i comprovar en un viatge previ les possibilitats de feina existents i
disposar de seguretats de suport per part del delegat de cultura al protectorat,
Tomás García Figueras, tenia els seus dubtes: «no estoy convencido del todo de
que haya hecho un buen hallazgo con este cargo. Temo quedar desvinculado
de Barcelona, de mis maestros y de un activo centro de trabajo».[14] Els càrrecs,
però, no van suposar un allunyament, sinó tot al contrari, la potenciació de la
dependència personal, ja que va ser Almagro qui va fer directament les gestions
oportunes[15] i volia mantenir el contacte per explorar noves possibilitats de re-
cerca. I Tarradell va tenir aviat ocasió de comprovar fins on arribava la influència
i el prestigi d'Almagro, perquè l'agost del 1948 es va convocar el premi Francis-
co Franco sobre prehistòria marroquina, i García Figueras, influït per Tarradell,
va publicar un article a la revista *África* parlant dels possibles guanyadors en
funció del seu prestigi, en el qual citava expressament Almagro i Pericot, que
van ser avisats immediatament per Tarradell de la proposta,[16] tot i que no van
aportar cap treball i el premi es declarà desert.[17] Tarradell es convertí ràpida-
ment en un referent al territori per als arqueòlegs peninsulars, que van fer
viatges d'estudi freqüents, com García y Bellido, i que seguien amb atenció els
resultats de les primeres intervencions de Tarradell a Tamuda i Lixus,[18] així com
les tasques de condicionament del museu de Tetuan, que va ser reinaugurat a
mitjan 1949. Tarradell treballà també en la redacció de la seva tesi doctoral sobre
la cultura d'El Argar, que, tot i estar dirigida per Almagro, discutia sovint amb
Pericot per rebre orientació i consells[19] abans de presentar-la a Madrid el 1949.

El febrer de 1950 Tarradell informà a Almagro sobre les gestions que havia
iniciat per a l'atorgament del premi Francisco Franco, convocat de nou, en re-
lació amb l'obra sobre la prehistòria del Marroc que Almagro redactava amb
Pericot, i l'apressava a presentar fins i tot un text incomplet per afavorir «la alta

---

12 PREVOSTI, 2011, pàg. 355.

13 ARANEGUI, 2011, pàg. 341.

14 BC. Llegat Lluís Pericot. Carta Tarradell-Pericot del 25-02-1948.

15 Arxiu MAC-Barcelona. Correspondència Almagro 1953. Carta Almagro-Álvaro d'Ors de
l'11-05-1953.

16 BC. Llegat Lluís Pericot. Carta Tarradell-Pericot del 03-08-1948.

17 BC. Llegat Lluís Pericot. Carta Tarradell-Pericot del 04-08-1949.

18 BC. Llegat Lluís Pericot. Carta Tarradell-Pericot del 09-11-1948.

19 BC. Llegat Lluís Pericot. Carta Tarradell-Pericot del 14-01-1949.

cultura que intentamos levantar en el Marruecos español».[20] A més a més, Tarradell expressà l'interès perquè Almagro s'informés sobre la composició del tribunal de les properes oposicions a càtedres.[21] No es tractava d'una petició desproveïda de lògica, ja que Tarradell no feia més que recordar a Almagro que ja s'havia presentat —i les havia perdut— a les primeres càtedres d'arqueologia convocades després de la guerra, per cobrir les vacants de Saragossa i Salamanca, proves que havien finalitzat el 22 de novembre de 1949, és a dir, poc més de dos mesos abans, i que havien guanyat Maluquer de Motes i Antonio Beltrán Martínez; van quedar fora Palol, Tarradell i Augusto Fernández de Avilés, per decisió del tribunal del qual formaven part, a més d'Almagro, Cayetano de Mergelina, Antonio García y Bellido, Blas Taracena i José Vicente Amorós Barra.[22] La correspondència que Maluquer va sostenir amb Pericot en relació amb el desenvolupament de les oposicions és força significativa de la doble dependència dels joves arqueòlegs catalans. Indubtablement, Almagro, com a membre del tribunal, jugà fort en favor de Maluquer de Motes fent pinya amb Amorós,[23] però al mateix temps aquest cercà les influències de Pericot sobre altres membres del tribunal, especialment Taracena i Mergelina,[24] i també del mateix Bosch Gimpera a Taracena,[25] probablement una gestió feta a petició de Pericot, que comentà amb Bosch l'èxit del seu deixeble.[26] Una pràctica en tot cas habitual, ja que Mergelina també maniobrà en favor de Fernández de Avilés fins que aquest es retirà en el tercer exercici, i Gómez Moreno influí molt sobre els membres del tribunal tot i no formar-ne part.[27] A la fi les pressions d'Almagro van estirar el vot favorable de Taracena, i Maluquer va aconseguir el número dos a les oposicions.[28]

Taracena volgué compensar a Tarradell i Palol l'esforç de preparar les oposicions i establí des de l'Instituto Diego Velázquez de Arte y Arqueología, en col·laboració amb la secció de Relacions Culturals del Ministeri d'Afers Estrangers, dues beques d'ampliació d'estudis a l'estranger.[29] Tarradell va obtenir així un ajut per marxar a Nova York com a becari de l'Institut of Fine Arts al costat d'A. J. Cook,[30] amb el suport d'Almagro i Pericot, que intervingueren a

20 Arxiu MAC-Barcelona. Correspondència Almagro 1950. Carta Tarradell-Almagro de l'01-03-1950.
21 Arxiu MAC-Barcelona. Correspondència Almagro 1950. Carta Tarradell-Almagro del 07-02-1950.
22 GRACIA ALONSO, 2009a, pàg. 132-133.
23 BC. Llegat Lluís Pericot. Carta Maluquer-Pericot del 02-11-1949.
24 BC. Llegat Lluís Pericot. Carta Maluquer-Pericot del 12-07-1949.
25 BC. Llegat Lluís Pericot. Carta Maluquer-Pericot del 09-11-1949.
26 BC. Llegat Lluís Pericot. Carta Bosch Gimpera-Pericot del 14-11-1949.
27 BC. Llegat Lluís Pericot. Carta Maluquer-Pericot del 16-11-1949.
28 BC. Llegat Lluís Pericot. Carta Maluquer-Pericot del 22-11-1949.
29 BC. Llegat Lluís Pericot. Carta Tarradell-Pericot del 02-12-1949.
30 BC. Llegat Lluís Pericot. Carta Tarradell-Pericot del 13-12-1949.

darrera hora davant del Ministeri per impulsar la resolució. Abans de l'inici del viatge,[31] Almagro recordà clarament la seva posició a Tarradell:

[...] aproveche su estancia en EE.UU., no olvide nunca que representa Ud. a España y que en todo momento debe Ud. servirla con la corrección y laboriosidad que le son habituales [...] haga Ud. muchos cambios con *Ampurias* y nos proporcione muchos libros a cambio de cosas españolas ya que no tenemos dólares. Es una obligación que también creo debe Ud. sentir. La de servir a este Museo Arqueológico y Seminario de Prehistoria de Barcelona donde Ud. se ha formado y al que debe seguir pensando siempre servir.

Tarradell afirmà que no va oblidar mai aquestes recomanacions, ja que sempre es considerà deixeble i col·laborador d'Almagro,[32] tot i el seu destí a Tetuan:

[...] no le sorprenda mi impaciencia cuando llevo tiempo sin carta suya puesto que yo aquí estoy muy aislado y de ninguna manera quisiera que la distancia que nos separa contribuyera a enfriar, aunque fuera levemente, la cordialidad que ha reinado siempre entre nosotros y el recuerdo en Ud., de este viejo y fiel discípulo.[33]

Tarradell va recórrer poques setmanes després a Almagro, ja des de Nova York, en relació amb la convocatòria d'una càtedra a la Universitat de Sevilla, amb arguments de caràcter personal i de grup: «sé que ha salido a concurso Sevilla. Espero que no se cubra ahora, esta es la cátedra que me convendría, puesto que podría mantener Marruecos y ampliar el campo de nuestro grupo hacia Andalucía, lo que sería interesante para todos. Sería el copo. Espero que con su ayuda puedo contar con esta posibilidad».[34] En aquest cas, però, Almagro no hi va poder fer res, tot i respondre a Tarradell que no es preocupés i que es faria tot el possible per assignar-li la càtedra de Sevilla.[35] Finalment, la càtedra de prehistòria i història universal de les edats antiga i mitjana i d'història general de la cultura antiga i mitjana la va guanyar Octavio Gil Munilla, un destacat membre de l'Opus Dei. Tarradell, però, no es va resignar, ja que va continuar insistint en la necessitat de comptar amb el suport d'Almagro per aconseguir una càtedra.[36]

31 Arxiu MAC-Barcelona. Correspondència Almagro 1950. Carta Almagro-Tarradell del 10-02-1950.
32 Arxiu MAC-Barcelona. Correspondència Almagro 1950. Carta Tarradell-Almagro del 31-10-1950.
33 Arxiu MAC-Barcelona. Correspondència Almagro 1950. Carta Tarradell-Almagro del 21-11-1950.
34 Arxiu MAC-Barcelona. Correspondència Almagro 1950. Carta Tarradell-Almagro del 16-04-1950.
35 Arxiu MAC-Barcelona. Correspondència Almagro 1950. Carta Almagro-Tarradell del 15-05-1950.
36 Arxiu MAC-Barcelona. Correspondència Almagro 1951. Carta Tarradell-Almagro del 23-06-1951.

Per contra, Almagro i Pericot sí que van aconseguir finalitzar la redacció de la seva monografia sobre la prehistòria del Marroc i van obtenir l'esmentat premi Francisco Franco, un assumpte que s'havia convertit més en una qüestió política que científica a causa de les pressions que tant Tarradell com Tomás García Figueras rebien del tinent general José Enrique Varela Iglesias, alt comissari espanyol al Protectorat;[37] aquest premi contribuí al mateix temps a assentar la posició de Tarradell al Marroc espanyol perquè podia demostrar que tenia el suport de dues de les figures més reconegudes de la recerca arqueològica a Espanya. Alhora, Tarradell continuava amb les intervencions a Lixus i a Ad Mercuri, en el que considerava el seu «exili», atès que no podia participar en les reunions organitzades pel grup de Barcelona, com ara el congrés de les Balears el 1950.[38] Amb tot, la publicació del llibre d'Almagro i Pericot s'allargà més de dos anys, davant la desesperació de García Figueras.[39]

Almagro va mantenir ferma la relació amb Tarradell i, juntament amb Maluquer de Motes, els considerà els seus millors deixebles fins a l'any 1950, al mateix temps que lamentava el seu allunyament professional del Museu de Barcelona. Tarradell, de comú acord amb el seu mestre, rebutjà la proposta de García y Bellido per assumir la secretaria de l'Institut Rodrigo Caro del CSIC, tant per motius econòmics com professionals —per la incompatibilitat de les tasques a Madrid i al Marroc—, i continuà depenent de l'ajut d'Almagro per prosseguir la seva formació a França i Itàlia els anys 1951 i 1952 mitjançant beques atorgades a través de l'Institut de Prehistòria Mediterrània del CSIC.[40] En el transcurs de la primera va conèixer Bosch Gimpera a París: «especialment de les converses amb el Dr. Bosch que he tret molt profit. No cal dir que em va rebre amb extraordinària cordialitat. Ens veiem molt sovint i es pot dir que fem veritables sessions de Seminari. Ell està molt content de tenir algú per parlar de prehistòria espanyola». També treballà amb Henri Breuil, Roland Vaufrey, François Bordes i Harper Kelly per analitzar els materials prehistòrics del Marroc,[41] un viatge que allargà a Tunis amb l'ajut de Pericot.[42]

En el decurs de la seva estada a Itàlia, Tarradell treballà al costat de Lamboglia, de qui aprengué l'estudi estratigràfic en les excavacions de Tindari,[43] i a qui considerà l'impulsor principal de l'arqueologia clàssica i de la recerca estra-

37 Arxiu MAC-Barcelona. Correspondència Almagro 1950. Carta Tarradell-Almagro del 05-07-1950.
38 BC. Llegat Lluís Pericot. Carta Tarradell-Pericot del 23-09-1950.
39 BC. Llegat Lluís Pericot. Carta Tarradell-Pericot del 27-08-1952.
40 Arxiu MAC-Barcelona. Correspondència Almagro 1951. Carta Tarradell-Almagro del 24-09-1951.
41 BC. Llegat Lluís Pericot. Carta Tarradell-Pericot del 09-04-1951.
42 BC. Llegat Lluís Pericot. Carta Tarradell-Pericot del 05-06-1951.
43 BC. Llegat Lluís Pericot. Carta Tarradell-Pericot del 23-06-1952.

1951. Candamo. Visita dels participants al V Curs Internacional d'Arqueologia d'Empúries. Entre d'altres, a primera fila, Carlos Cid Priego, Francisco Jordá Cerdá, Martín Almagro Basch, Miquel Tarradell, Lluís Pericot i Antonio Beltrán. Fotografia: Arxiu Família Fullola-Pericot.

tigràfica a Catalunya, alhora que mestre seu.[44] Tarradell afermà la seva connexió amb Barcelona facilitant que els dos nous deixebles principals d'Almagro, Arribas i Ripoll, gaudissin respectivament de beques de recerca al Protectorat l'any 1951 per estudiar els jaciments prehistòrics i colonials,[45] concedides per la secció de cultura de l'Alta Comissaria d'Espanya al Marroc, que dirigia Tomás García Figueras.[46] La seva vinculació amb Almagro li va permetre demanar el seu ajut —així com el de Pericot— per obtenir ell també el premi de recerca Francisco Franco del CSIC, amb un treball de conjunt sobre les excavacions a Lixus:

[...] me parece que cuando se puede exhibir un aspecto así en favor de nuestro Protectorado merece la pena que desde Madrid se le de toda la resonancia nacional. En fin, perdone Ud. mi insistencia y lo que pueda parecer auto-elogio, que

44 CORTADELLA, 1999, pàg. 560-561.
45 Arxiu MAC-Barcelona. Correspondència Almagro 1951. Carta Tarradell-Almagro del 29-09-1951.
46 ARRIBAS, 1952, pàg. 239.

en realidad no lo es, pues si he podido aplicar estos métodos es gracias a haber pertenecido a su escuela y haber tenido precedentes como sus «Necrópolis de Ampurias». Sobre otros argumentos posibles me parece que no es preciso insistir, pues Ud. está más al corriente que yo mismo. Espero también que pueda hablar con Ibáñez Martín y con Balbín de nuevo.[47]

I, en efecte, el premi li va ser concedit gràcies a les gestions de Pericot[48] i, especialment, d'Almagro, fet que repercutí favorablement en la seva posició en el Protectorat:

[...] aquí el premio ha caído muy bien, como era de esperar, ya me han anunciado una audiencia especial del Alto Comisario, que quiere le informe con detalle. Creo tendrá repercusiones en la marchas de las futuras excavaciones.[49]

Pericot,[50] però sobretot Almagro, van ajudar Tarradell en la gestació del I Congrés Arqueològic del Marroc Espanyol,[51] que tingué lloc entre els dies 22 i 26 de juny de 1953 a Tetuan, sota el patrocini de la delegació de cultura de l'Alta Comissaria d'Espanya al Marroc. La crida va ser un èxit i Almagro vehiculà els participants en el VII Curs Internacional d'Arqueologia d'Empúries per assistir-hi;[52] es va assolir una xifra de congressistes propera als dos-cents, entre els quals hi havia investigadors alemanys com Helmut Schlunk, italians com Jole Bovio Marconi i Vincenzo Tusa, i especialment francesos com Marcel Leglay, Lionel Balout i Georges Vuillemot. Quan el tinent general Rafael García Valiño y Marcén, alt comissari al Marroc, clausurà la reunió, era evident que Tarradell —i també Almagro, com a mentor seu— havia assolit un èxit indiscutible.[53]

Tarradell, tot i l'èxit de les intervencions a Lixus —que Almagro va anar incloent en diversos números d'*Ampurias* per donar-les a conèixer—,[54] considerades una de les principals actuacions d'Espanya al Protectorat,[55] sempre sota

47 Arxiu MAC-Barcelona. Correspondencia Almagro 1954. Carta Tarradell-Almagro del 22-03-1954.
48 BC. Llegat Lluís Pericot. Carta Tarradell-Pericot del 04-11-1953.
49 Arxiu MAC-Barcelona. Correspondència Almagro 1954. Carta Tarradell-Almagro del 28-06-1954.
50 BC. Llegat Lluís Pericot. Carta Tarradell-Pericot del 20-05-1953.
51 Tarradell, 1953-1954, pàg. 377-378.
52 Arxiu MAC-Barcelona. Correspondència Almagro 1953. Carta Almagro-Pedro Bretcha de l'11-05-1953.
53 Tarradell, 1953-1954, pàg. 377-378.
54 Tarradell, 1950 i 1951.
55 Aranegui, 2008; Aranegui, 2011.

la supervisió de l'Alta Comissaria,[56] va haver d'esperar encara uns quants anys per assolir la desitjada càtedra; finalment va obtenir la d'arqueologia, epigrafia i numismàtica de la Universitat de València l'any 1954, tot i que el concurs es retardà fins al 1956. Demanà de nou l'ajut del seu mestre per aconseguir la plaça, però Almagro li explicà amb tota franquesa en el moment de la convocatòria que les seves influències a Madrid eren molt poques en aquell moment, i que faria millor si demanava l'ajut de Pericot: «es el único que está al servicio del grupo ministerial y podría pedírsele algo. En cuanto a mí no diré que me odien, pero desde luego no me quieren, o por lo menos no soy de su confianza y nada puedo hacer por Ud.»,[57] cosa que farà de forma insistent al llarg de 1955.[58] Però, tot i les dificultats que Tarradell, Almagro i Pericot creien que existirien, l'endarreriment en els terminis de la convocatòria, a més de la renúncia de Cayetano de Mergelina a presidir el tribunal, van provocar que el Ministeri d'Educació Nacional reorganitzés el jurat, cosa que va acabar amb el nomenament del mateix Almagro com a president,[59] i Tarradell guanyà la càtedra de València. En la mateixa convocatòria, Palol obtingué l'altra plaça a concurs, la d'Arqueologia a la Universitat de Valladolid. En total, tres de les quatre primeres càtedres d'arqueologia convocades en torn lliure després de la guerra les obtindrien deixebles d'Almagro que es consideraven —o es van considerar, anys després, quan la figura de Bosch tornà a ser un referent polític convenient— membres de l'Escola de Barcelona.

A partir del trasllat de Tarradell a València, i coincidint amb la marxa d'Almagro a Madrid, la relació entre tots dos es va fer menys estreta un cop equiparats en grau acadèmic, tot i les protestes d'Almagro,[60] que havia fet les gestions necessàries per facilitar que Tarradell fes el seu projecte d'excavació a Pollentia (Mallorca) amb el suport de la Fundació Bryant.[61] Tarradell, tot i mantenir la direcció dels projectes al Marroc, es vinculà molt més a partir de llavors a Pericot, nou catedràtic de prehistòria a la Universitat de Barcelona després de la marxa d'Almagro a la Universitat de Madrid l'any 1954, tant pel que feia a les seves noves línies de recerca, en especial l'estudi de la cultura ibèrica al País Valencià, que Pericot ja havia iniciat abans de la guerra civil, com per afavorir anys després el seu trasllat definitiu a la Universitat de Barcelona: «voldria avançar-li,

56 Arxiu MAC-Barcelona. Correspondència Almagro 1951. Carta Ripoll-Almagro del 26-10-1951.
57 Arxiu MAC-Barcelona. Correspondència Almagro 1954. Carta Almagro-Tarradell (sense data); Carta Almagro-Tarradell del 14-07-1954.
58 BC. Llegat Lluís Pericot. Carta Tarradell-Pericot del 25-05-1955.
59 Arxiu MAC-Barcelona. Correspondència Almagro 1955. Carta Almagro-Tarradell del 29-10-1955.
60 Arxiu MAC-Barcelona. Correspondència Almagro 1956. Carta Almagro-Tarradell del 03-11-1956.
61 Arxiu MAC-Barcelona. Correspondència Almagro 1956. Carta Almagro-Tarradell del 15-06-1956.

de cara a la meva futura acció a València, que des d'abans de començar les opo-
sicions jo estava disposat, cas de treure València, a posar-me incondicionalment
a la seva disposició, per treballar i actuar no sols d'acord amb vostè, sinó sota
la seva direcció moral. No vaig voler parlar-ne abans perquè hauria pogut sem-
blar una coacció sobre el seu vot. Sé que València no es fàcil des del punt de
vista de relacions personals, i sé també el prestigi i la simpatia que vostè hi té.
No tinc cap ganes de crear un nou focus de pertorbació dintre de l'arqueologia,
i espero que en podré sortir, a base sempre de tenir la seva ombra protectora al
meu davant i d'actuar sempre sota la seva experiència».[62] Sens dubte, Tarradell
havia trencat clarament la seva dependència d'Almagro i reprenia el camí enyo-
rat de l'Escola de Barcelona. De fet, Marta Prevosti ha afirmat recentment[63]
que Tarradell es considerà, arran dels dies passats a París amb Bosch Gimpera
el 1951, el continuador de la seva tasca en el camp de la prehistòria, és a dir, com
a deixeble del mestre absent abans que del seu professor Almagro.

Poc temps després, en el moment de plantejar-se el projecte d'excavació a
Núbia, va dubtar que l'expedició, encapçalada per Almagro, fos gaire oportuna:

> [...] en principi no penso col·laborar, per falta de temps i sobretot perquè no sa-
> bent absolutament res de com es pensa organitzar temo que acabi no sent una
> cosa seriosa i francament em fa por que tots plegats fem una mica el ridícul da-
> vant les institucions d'autèntics egiptòlegs que hi enviaran altres països. Jo crec
> que l'única cosa que podríem fer honradament els espanyols és prehistòria[64] [...]
> he vist a *La Vanguardia* que ja han creat la comissió egípcia i que naturalment la
> presideix l'Almagro (ja s'entendran amb Presedo?), ara encara estic més content
> de no haver-m'hi volgut embolicar.[65]

I, fins i tot, en una entrevista concedida el 1987, va negar qualsevol valor a
Almagro com a arqueòleg clàssic o especialista en el món romà tot i els seus
treballs a Empúries, Gabii o Segóbriga; indicà que es tractava essencialment
d'un prehistoriador, alhora que reivindicava el treball fet en aquest camp per
Puig i Cadafalch i Serra Ràfols, de qui afirmà que no va poder desenvolupar
tot el seu potencial després de la guerra civil per problemes —llegiu: ostracis-
me— de tipus polític,[66] en una gens velada referència al paper dominant que

62 BC. Llegat Lluís Pericot. Carta Tarradell-Pericot del 17-02-1956.
63 PREVOSTI, 2011, pàg. 353.
64 BC. Llegat Lluís Pericot. Carta Tarradell-Pericot del 30-09-1960.
65 BC. Llegat Lluís Pericot. Carta Tarradell-Pericot del 14-10-1960.
66 CORTADELLA, 1999, pàg. 561.

Almagro assumí al Museu Arqueològic i en les intervencions arqueològiques a Catalunya. Per la seva banda, Almagro, tot i no exemplificar la ruptura, sí que va deixar algunes pistes del seu desencís ja el 1957, quan comentà la recerca arqueològica a la província de Granada, encapçalada per Alfonso Gámir Sandoval, delegat d'excavacions del districte universitari després de la remodelació que seguí a la caiguda de Martínez Santa Olalla, i en fer un repàs dels treballs duts a terme des de mitjan segle XIX no citá l'etapa del Servei d'Investigacions Arqueològiques que dirigí Tarradell per encàrrec de Fontana Tarrats.[67]

Com hem indicat, Maluquer de Motes s'incorporà a la càtedra d'arqueologia de Salamanca l'any 1949, després de les oposicions que havia guanyat l'any abans. Tot i les diferències posteriors que va tenir amb Almagro arran del seu retorn a Barcelona una dècada més tard, al principi de 1950 es declarava deixeble absolut seu, i li demanava consell sobre la seva participació com a vocal del tribunal de la càtedra d'epigrafia i numismàtica de la Universitat de Madrid, que guanyà Joaquín María de Navascués tot i l'intent d'Antonio Beltrán per aconseguir el trasllat a Madrid;[68] Maluquer declarava també la seva predisposició a treballar en benefici del grup de Barcelona:

[...] por Salamanca mucha cordialidad y si tengo que quedarme en ella, confío crear el brazo occidental de tu Instituto Arqueológico [...] en mi primera reunión de Seminario hablaré del actual movimiento arqueológico de la Universidad y Museo Arqueológico de Barcelona, haciendo propaganda de nuestro grupo y preparando el terreno a Tarradell y Palol para futuras oposiciones.[69]

Maluquer, efectivament, va romandre a Salamanca, on, segons Antonio Tovar, encaixà perfectament i es guanyà l'afecte de tothom amb «su buen genio y su hidalguía catalana. Creo que está llamado a hacer gran labor por estas mesetas carpetovetónicas y vacceas. Falta les hacía un arqueólogo serio»,[70] i on intentà repetidament que el CSIC, i en especial Albareda, autoritzés la creació d'una delegació de l'Instituto Diego Velázquez de Arte y Arqueología. Però el CSIC, probablement per indicació de Taracena, que volia també suprimir o reestructurar la delegació de Barcelona,[71] denegà la creació de la secció a Salamanca, tot i nomenar Maluquer col·laborador de l'Instituto Diego Velázquez

---

67 ALMAGRO BASCH, 1957-1958, pàg. 195-196.
68 Arxiu MAC-Barcelona. Correspondència Almagro 1950. Carta Almagro-Maluquer del 13-02-1950.
69 Arxiu MAC-Barcelona. Correspondència Almagro 1950. Carta Maluquer-Almagro del 10-02-1950.
70 Arxiu MAC-Barcelona. Correspondència Almagro 1950. Carta Tovar-Almagro del 06-04-1950.
71 Arxiu MAC-Barcelona. Correspondència Almagro 1950. Carta Almagro-Maluquer del 18-11-1950.

de Arte y Arqueología i encarregar-li la redacció de la carta arqueològica de la província, fet que va fer confessar a Almagro la seva preferència per mantenir-se com a membre de l'Institut de Prehistòria Mediterrània, és a dir, vinculat directament a Barcelona, al Museu Arqueològic i, evidentment, a Almagro.

Almagro tranquil·litzà Maluquer mantenint-li diverses aportacions econòmiques pels seus treballs, i aquest se centrà aleshores en la potenciació del Seminari d'Arqueologia i la creació d'una revista específica, *Zephyrus*, un nom que al seu mentor li semblà massa poètic,[72] però de la qual Maluquer va aconseguir publicar el primer volum ja l'any 1950;[73] a partir d'aquest moment es va convertir en una de les revistes de referència de la prehistòria espanyola. La seva idea no era altra que reproduir a Salamanca el nucli de treball de Barcelona,[74] objectiu en el qual Almagro l'animà.[75] Però la feina que podia fer era més aviat poca per manca de mitjans i d'alumnes, circumstàncies agreujades per un clima rigorós que impedia que es fessin treballs de camp. Així no és estrany que Maluquer centrés el seu interès a mantenir els contactes amb Barcelona, tant pels intercanvis d'articles entre *Zephyrus* i *Ampurias*, com per la participació en els cursos d'estiu organitzats per Almagro, Pericot i Beltrán, per les peticions per constituir-se una secció de l'Institut de Prehistòria, i, cap a mitjan 1951, per demanar a Almagro el seu ajut per tornar a Barcelona a impartir la matèria de geografia a la Universitat.[76]

Una mica més jove que els anteriors, Pere de Palol[77] va ingressar a la Universitat de Barcelona l'any 1940; des del primer moment es va vincular a Almagro, primer com a estudiant i ràpidament com a auxiliar contractat al Museu Arqueològic. Palol treballà a les excavacions d'Empúries i, gràcies al seu mentor, el 1943 va dirigir les intervencions a la necròpolis hallstàttica de Can Bech de Baix (Agullana), una de les seves aproximacions principals al camp de la prehistòria, per a la qual tingué l'ajut de personal de l'exèrcit gràcies als bons oficis d'Almagro. Poc després, els anys 1946 i 1947, va dirigir els treballs al poblat visigot de Puig Rom (Roses). Molt vinculat a Girona, amb el suport també de Pericot, Palol arribà a dirigir el Museu Arqueològic i de Belles Arts de Girona entre els anys 1948 i 1956, càrrec que assumí en paral·lel a la lectura de la seva tesi doctoral a Madrid sota la direcció d'Almagro, amb qui també col·laborà

72 Arxiu MAC-Barcelona. Correspondència Almagro 1950. Carta Almagro-Maluquer del 13-10-1950.
73 Arxiu MAC-Barcelona. Correspondència Almagro 1951. Carta Maluquer-Almagro del 22-01-1951.
74 Arxiu MAC-Barcelona. Correspondència Almagro 1951. Carta Maluquer-Almagro del 25-02-1951.
75 Arxiu MAC-Barcelona. Correspondència Almagro 1951. Carta Almagro-Maluquer del 03-03-1951.
76 Arxiu MAC-Barcelona. Correspondència Almagro 1951. Carta Maluquer-Almagro del 28-04-1951.
77 Sobre Pere de Palol, vegeu NAVARRO, 2011; GRACIA ALONSO, 2009b; GURT, 2002; PALOL, 2002; RIPOLL, 1996.

com a professor auxiliar a la Universitat de Barcelona. Finalitzat el primer període de formació, Palol obtingué un ajut per ampliar estudis a l'estranger en el camp de l'arqueologia cristiana i bizantina: primer mitjançant els contactes establerts als primers cursos d'Empúries, que li permeteren fer la primera estada de treball a Itàlia el 1949 i iniciar la seva vinculació amb l'Institut Pontifici d'Arqueologia Cristiana, i després, el 1950, gràcies als oficis d'Almagro i Albareda[78] davant les autoritats militars perquè permetessin la seva sortida d'Espanya, i d'Almagro i de Helmut Schlunck[79] davant Herbert Kühn,[80] organitzador de la reunió, va poder assistir al II Congrés Internacional d'Art de l'Alta Edat Mitjana, en què refermà la seva relació amb el professor Friedrich Gerke, que constituí una de les bases de la seva projecció internacional.

Palol romangué a Girona i Barcelona fins l'any 1956, en què guanyà la càtedra d'arqueologia a la Universitat de Valladolid. De la seva vinculació amb Almagro com a deixeble i ajudant al llarg de més de quinze anys entre 1940 i 1956, Palol en va presentar en una data tan avançada com el 2002 una visió ambivalent, sense negar en cap moment l'ajut rebut, però emmarcant-lo en el procés dolorós de la substitució de Bosch Gimpera i en la continuació de l'esperit del mestre absent per part de Pericot:

[...] el Dr. Almagro em va admetre directament i sense cap condicionant al Museu. Era un món, en aquells moments, ben conflictiu, on no hi havia tota l'arqueologia de Catalunya [...] ben aviat vaig adonar-me d'un cert buit, sobretot en el camp de la prehistòria i la protohistòria, més detectable per la falta del Dr. Bosch i Gimpera, i en tot el que l'havia envoltat, malgrat la permanència i l'esforç del Dr. Pericot. La substitució del Dr. Bosch pel Dr. Almagro, tant al Museu com a les excavacions d'Empúries, des de l'any 1939, i a la càtedra d'arqueologia l'any següent, representava tot un altre esperit i, naturalment, una altra orientació.[81]

Si els primers deixebles corresponien a la generació que va accedir a la Universitat tot just finalitzada la guerra, val a dir que la influència d'Almagro va ser encara més gran amb els que van demanar el seu mestratge no per la necessitat imperiosa derivada de l'exili de Bosch Gimpera, sinó per voluntat pròpia quan Almagro era ja una figura de prestigi acadèmic reconegut a Espanya i disposava d'una cada cop mes sòlida projecció internacional. Es tracta dels llicenciats

---

78 Arxiu MAC-Barcelona. Correspondència Almagro 1950. Carta Albareda-Almagro del 23-05-1950.
79 Arxiu MAC-Barcelona. Correspondència Almagro 1950. Carta Almagro-Schlunk (sense data).
80 Arxiu MAC-Barcelona. Correspondència Almagro 1950. Carta Almagro-Kühn del 22-04-1950.
81 Palol, 2002, pàg. 20-21.

i estudiants situats a cavall de la transició entre les dècades de 1940 i 1950, entre els quals destaquen Antoni Arribas Palau[82] i Gloria Trías Rubies. En el cas d'aquesta última, Almagro l'ajudà a obtenir una beca de recerca a la Universitat d'Oxford a través de Walter F. Starkie, director de la delegació del British Council a Madrid,[83] on treballà amb John D. Beazley per especialitzar-se en ceràmica grega; va estar sempre tutoritzada a distància per Almagro, que li encarregà diverses gestions a la Gran Bretanya per ampliar els fons del museu.[84] L'interès que mostrà per la carrera de Gloria Trías es manifesta en el fet que l'esmentada beca no va ser el resultat d'una convocatòria oficial, sinó un acord establert pel mateix Almagro amb els gestors britànics, de manera que oferia en compensació una beca d'estada al Museu de Barcelona per valor de mil cinc-centes pessetes mensuals. L'acord en principi es prorrogà per al curs 1953-1954, i Almagro proposà que fos Arribas qui en gaudís per poder treballar a la Universitat de Cambridge amb Glyn Edmund Daniel. Almagro va continuar tutelant la carrera professional de Trias i, amb la seva dona Clotilde, l'ajudà també en el terreny personal, com indicà al seu pare Joaquim Trias i Pujol:

> [...] con su nueva situación ella tendrá un sueldo sino holgado, suficiente, y una esta-bilidad absoluta de funcionaria estatal [...] en cuanto a sus estudios no ha avanzado mucho, me parece en primer lugar porque yo no me he podido ocupar de ella y en segundo lugar porque sus hermanas la han necesitado; según ella cuenta, ha hecho de arquitecto y ha deshecho a Uds. el piso y yo no sé qué otras travesuras [...] desde luego, aunque digo que no me he ocupado de ella no dejo de tenerla afecto y ya saben que si algo necesitara haríamos incluso de padres, y en cuanto a sus estudios estoy pendiente de que se despachen aquí algunas cosas, pues tengo idea de mandarla a Roma y a Atenas para que acabe su formación de especialista en cerámica griega.[85]

I, en efecte, Trias va aconseguir gràcies a Almagro una beca per a l'Escola Espanyola de Roma, on treballà amb el suport de Renato Bartoccini i Massimo Pallottino, que li facilitaren l'accés als museus i les col·leccions italianes.[86]

Pel que fa a Arribas, inicià la seva vinculació amb el Museu d'Arqueologia abans d'obtenir la llicenciatura el 1950; va participar en les excavacions d'Empúries i va dur a terme diversos treballs d'estudi i classificació de materials.

---

82 Sobre la figura d'Antoni Arribas, vegeu ORFILA, 2011.
83 Arxiu MAC-Barcelona. Correspondència Almagro 1953. Carta Starkie-Almagro del 05-01-1953.
84 Arxiu MAC-Barcelona. Correspondència Almagro 1953. Cartes Almagro-Trias de dates 21-05-1953 i 03-06-1953.
85 Arxiu MAC-Barcelona. Correspondència Almagro 1954. Carta Almagro-Trias del 05-11-1954.
86 Arxiu MAC-Barcelona. Correspondència Almagro 1955. Carta Trias-Almagro (sense data).

L'any següent va continuar la formació al Marroc, a les excavacions de Lixus, al costat de Tarradell, becat per l'Alta Comissaria Provincial per estudiar els materials lítics de la regió atlàntica i els assentaments púnics i romans de la regió del Rif i la costa de la badia d'Alhucemas.[87] Però el desenvolupament del projecte d'intervenció al poblat de Los Millares (Almeria), que dirigia Almagro amb el suport de la Comissaria General d'Excavacions Arqueològiques, va ser el veritable inici de la seva carrera professional, un factor en què el seu mentor va influir decisivament. De fet, va ser Almagro qui va convèncer el president de la Diputació Provincial d'Almeria, Lorenzo Gallardo Gallardo, de la conveniència de crear un museu arqueològic i un servei d'investigacions arqueològiques dependent de la corporació, una clara expansió del model barceloní, al capdavant del qual catapultà el seu deixeble:

> [...] le envío a Ud. un borrador de reglamento que podría servir para la creación del Servicio de Investigaciones Arqueológicas y dirección del Museo conforme quedamos [...] si Ud. crea el Museo cuente también con la más generosa acogida por parte de D. Joaquín Mª de Navascués, a quien pueden uds ir a hablar una vez hayan decidido dar este paso, pues está dispuesto a atenderles de la manera más generosa y a ayudarles en todo cuanto sea posible, pues a mi paso por Madrid hablé con él y le encontré en disposición muy favorable [...] es mi intención como Ud. sabe que el Sr. Arribas se quede en misión durante algunos años ahí [...] yo le garantizo que si Ud. me ayuda acabaremos creando un Museo y aumentaremos el patrimonio arqueológico y artístico de esa provincia en gran manera valorando como merece su pasado.[88]

En poques setmanes aconseguí el seu propòsit, ja que la Diputació acordà la constitució del Servei d'Excavacions el mes de març de 1953 i n'encarregà la direcció, com havia demanat, a Arribas.[89] Per indicació del president de la Diputació Provincial, Almagro s'encarregà de redactar el projecte tècnic de creació del Servei i de fixar-ne unes directrius que permetrien ampliar el seu radi d'acció natural i, en conseqüència, la influència d'Arribas i la seva pròpia com a mentor de l'empresa:

> [...] la finalidad del Servicio es el estudio de la Arqueología en la acepción más amplia del concepto: excavaciones, prospecciones, viajes arqueológicos, estudios

87 ARRIBAS, 1952, pàg. 239.
88 Arxiu MAC-Barcelona. Correspondència Almagro 1953. Carta Almagro-Lorenzo Gallardo del 24-03-1953.
89 Arxiu MAC-Barcelona. Correspondència Almagro 1953. Carta Arribas-Almagro del 27-03-1953.

C. 1955. Personal tècnic i administratiu del Museu Arqueològic Provincial de Barcelona. Primera fila, d'esquerra a dreta: Antoni Arribas, Martín Almagro, Mercedes Montañola, Pere de Palol i Eduard Ripoll. Segona fila: Gloria Trías, Juan Fábregas, Montserrat Marvá Margarit, Maria Lluïsa Pericot, Maria Petrus, Teresa Fábregas, Mercè Comes, Carmen Gener, no identificada i Ana María Muñoz Amilibia. Fotografia: MAC-Barcelona.

magistrales y monográficos, publicaciones, enseñanza y divulgación de los conocimientos arqueológicos de cualquier lugar y género para servir a los editores, estudiosos y centros similares y especialistas extranjeros, asistencia a Congresos y reuniones científicas, etc. etc., sin excluir la conservación y restauración de los monumentos arqueológicos para lo cual contará con el Museo Arqueológico Provincial que se crea en Almería y los comarcales que puedan originarse dependientes del mismo [...] la actividad del Servicio no se circunscribe a los límites de la provincia de Almería, sino que se extenderá a todos los lugares donde su labor pueda ser provechosa, dando de todas maneras preferencia en igualdad de interés, a los trabajos relacionados con la arqueología de la provincia de Almería y regiones inmediatas.[90]

Arribas inicià així una tasca àmplia a la província de la qual anà donant compte detallat al seu mentor, que també li transmetia per escrit les instruccions

90 Arxiu MAC-Barcelona. Correspondència Almagro 1953. *Proyecto para la creación de un Servicio de Investigaciones Arqueológicas y Museo Arqueológico Provincial dependiente de la Excma. Diputación Provincial de Almería.*

per continuar amb les intervencions a Los Millares,[91] tasca que Arribas dugué a terme intentant complir sempre amb les ordres d'Almagro. Arribas romangué al capdavant del Servei i del museu fins al juliol de 1954, en què abandonà per les difícils condicions de treball, i passà al Museu Arqueològic Nacional de Madrid per estudiar els materials de les excavacions de Los Millares conservats en la col·lecció Siret[92] i per preparar la campanya següent al jaciment, que s'inicià al principi de febrer de 1955 a partir de la documentació estudiada per ell mateix. Almagro utilitzà les seves relacions amb la Diputació Provincial d'Almeria per obtenir ajuts econòmics complementaris als que ja rebia de la Direcció General de Belles Arts, amb la promesa de grans resultats:

[...] mi intención es comenzar después de Reyes y luego ya no interrumpir los trabajos hasta que el calor nos impida seguir trabajando. Este año los trabajos tendrán trascendencia nacional e internacional como Ud.-verá y mucho me alegraría que la Diputación de Almería colaborase en ellos honrándonos a todos con alguna aportación económica.[93]

Tot i així, un cop més va ser Arribas, amb el suport de Félix Merino, director de la biblioteca Francisco Villaespesa d'Almeria en l'àmbit organitzatiu,[94] qui va dirigir els treballs, va anar informant Almagro per carta de la marxa de les excavacions[95] i va continuar aplicant les ordres —cada cop més difuses— que rebia del director per organitzar la tasca:[96]

[...] en cuanto a nuestros trabajos yo me marcho camino de Italia y volveré hacia el 20 de abril a Barcelona. Inmediatamente me iré a Almería y estaré con Ud., tomando las medidas que creamos oportunas para terminar la campaña. Entre tanto, insista en que la Diputación le siga pagando y calcule Ud. el dinero de manera que pueda resistir hasta primero de mayo por lo menos.[97]

Finalitzades les intervencions, Almagro ajudà Arribas a obtenir plaça al Cos Facultatiu d'Arxivers, Bibliotecaris i Arqueòlegs, i a retornar al Museu de Bar-

91 Arxiu MAC-Barcelona. Correspondència Almagro 1953. Carta Almagro-Arribas del 28-04-1953.
92 Arxiu MAC-Barcelona. Correspondència Almagro 1954. Carta Arribas-Almagro del 10-11-1954.
93 Arxiu MAC-Barcelona. Correspondència Almagro 1955. Carta Almagro-Lorenzo Gallardo (sense data).
94 Arxiu MAC-Barcelona. Correspondència Almagro 1955. Carta Almagro-Merino del 02-06-1955.
95 Arxiu MAC-Barcelona. Correspondència Almagro 1955. Carta Arribas-Almagro del 15-02-1955.
96 Arxiu MAC-Barcelona. Correspondència Almagro 1955. Carta Almagro-Arribas del 24-02-1955.
97 Arxiu MAC-Barcelona. Correspondència Almagro 1955. Carta Almagro-Arribas del 02-04-1955.

celona, on treballà de conservador, així com al museu Víctor Balaguer de Vilano-va i la Geltrú. Almagro també ajudà Arribas, després de la campanya de 1956,[98] a gaudir de dues beques, una de l'Institut Britànic —per a la qual Almagro ja l'ha-via proposat l'any 1953—[99] i una altra del Ministeri d'Educació Nacional[100] per fer una estada de recerca al Regne Unit amb la finalitat d'estudiar els materials de Los Millares i altres relacionats. A la Gran Bretanya va ser acollit per Gordon Childe a l'Institut d'Arqueologia de la Universitat de Londres i per Thomas Kendrick al British Museum, així com per J. G. Clark i J. Evans a Cambridge; aquest compartia amb Almagro un interès notable per la prehistòria de Malta,[101] i participà amb Stuart Piggott a les excavacions d'Stonehenge com a contrapar-tida a l'estada de Beatrice M. Blance a Los Millares.[102] Posteriorment Arribas visità diversos jaciments a Irlanda i Escòcia cercant sempre l'anàlisi de les es-tructures constructives dels sepulcres de corredor[103] com a comparativa de les intervencions al sud de la Península.[104] Va romandre al museu fins al 1958, en què passà a la Universitat de Barcelona com a docent.

Però sens dubte el deixeble principal d'Almagro a Barcelona, i a qui a la fi traspassà les seves funcions quan va marxar definitivament a Madrid, va ser Eduard Ripoll Perelló.[105] Es vinculà a Almagro i al Museu Arqueològic l'any 1947, quan encara era estudiant, i, sota la direcció de qui havia de ser el seu mestre, amplià estudis a París els anys 1950 i 1951 a l'Institut de Paleontolo-gie Humaine:

> [...] nunca he aspirado al magisterio universitario y por ello no me ha corrido prisa el hacer mis estudios, prefiriendo siempre la consecución de una buena for-mación científica a otras muchas cosas. Esto fue en todo caso lo que me llevó a trabajar a sus órdenes, y a Ud. debo muchas posibilidades de trabajo que antes no conocía y muchos conocimientos de los que no tenía noticia. La búsqueda de esta formación científica ha sido el motivo de que me haya quedado en París.[106]

---

98 Arxiu MAC-Barcelona. Correspondència Almagro 1956. Carta Almagro-Lorenzo Gallardo del 27-06-1955; Carta Almagro-Lorenzo Gallardo de 17-12-1955.

99 Arxiu MAC-Barcelona. Correspondència Almagro 1953. Carta Almagro-J. Grant-Robertson del 24-03-1953.

100 Arxiu MAC-Barcelona. Correspondència Almagro 1956. Carta Almagro-Arribas del 15-06-1956.

101 Arxiu MAC-Barcelona. Correspondència Almagro 1955. Carta Almagro-Evans de l'01-02-1955.

102 Arxiu MAC-Barcelona. Correspondència Almagro 1956. Carta Arribas-Almagro del 20-06-1956.

103 Arxiu MAC-Barcelona. Correspondència Almagro 1956. Carta Arribas-Almagro de l'01-09-1956.

104 Arxiu MAC-Barcelona. Correspondència Almagro 1956. Carta Arribas-Almagro del 24-07-1956.

105 Sobre la figura d'Eduard Ripoll, vegeu ALMAGRO GORBEA, 2006; CORBETO, 2011; GRACIA ALONSO, 2007b; RIPOLL LÓPEZ, 2006.

106 Arxiu MAC-Barcelona. Correspondència Almagro 1950. Carta Ripoll-Almagro del 05-12-1950.

Principi de la dècada de 1950. Lluïsa López, esposa d'Eduard Ripoll, Clotilde Gorbea de Urquijo i Martín Almagro Basch en un viatge a París. FOTO MAC-Barcelona.

Aquesta vinculació personal va motivar que Ripoll agafés ja l'any 1948 la responsabilitat del secretariat i producció de la revista *Ampurias* i altres publicacions, com ara la segona edició de la *Guía de Ampurias*; va substituir progressivament Carlos Cid Priego, molt menys dinàmic, fet que va comportar enfrontaments entre tots dos.

Almagro estava molt interessat en la recerca sobre l'art rupestre, tema que constituïa el nucli de la seva actuació en el si dels CICPP. La presència de Ripoll a París li va permetre mantenir una relació constant amb els principals especialistes francesos en aquest tema, com Vaufrey —amb qui Almagro animà Ripoll a estudiar els materials dels jaciments paleolítics cantàbrics diposats a Franca procedents de les excavacions fetes per Breuil i Obermaier abans de la guerra,[107] i fins i tot a iniciar intervencions arqueològiques conjuntes per a les quals assegurava el suport del marquès de Lozoya—, André Leroi-Gourhan, Pierre Baudet i especialment Henri Breuil;[108] d'aquesta manera els podia nodrir amb les darreres notícies dels treballs fets a Barcelona i difondre les seves tesis, especialment respecte a la cronologia de l'art rupestre

---

107 Arxiu MAC-Barcelona. Correspondència Almagro 1951. Carta Almagro-Vaufrey del 05-01-1951.
108 Arxiu MAC-Barcelona. Correspondència Almagro 1951. Carta Almagro-Ripoll del 10-05-1951.

C. 1952. Reunió dels investigadors del Museu Arqueològic Provincial de Barcelona Eduard Ripoll, Martín Almagro Basch i Pere de Palol amb l'*abbé* Henri Breuil. Fotografia: MAC-Barcelona.

llevantí. De tots aquests especialistes francesos, va ser amb Breuil, a qui Almagro visità en diverses ocasions a París, amb qui tingué més relació i a qui feia partícip amb assiduïtat dels seus projectes i investigacions.[109] De fet, però, Almagro era un nouvingut en les relacions amb el prehistoriador francès, que sí que tenia, en canvi, una amistat estreta amb Pericot que es remuntava almenys a l'any 1928, segons es desprèn de la seva correspondència privada. Tanmateix Almagro i Breuil s'havien conegut a Madrid el setembre de 1941 arran d'una gira de conferències en què Breuil va ser hoste de Martínez Santa Olalla i Juan Cabré, i la seva impressió sobre Almagro, expressada a Pericot, va ser demolidora:

> [...] he visto a Almagro en Madrid de paso; no me gusta en nada este muchacho, el cual es un fresco sinvergüenza, y que me parece muy peligroso. Eso entre ambos. Es la opinión de St. O. también. La cantidad de estupideces que dijo en el escaso tiempo que le ví indica una escasa [...] sinceridad. No comprendo como salió un tal muchacho a tomar la dirección del Museo. No tiene otra originalidad que el decir el contrario de todo lo que se sabe y lo que se ha hecho, por distinguirse de los demás.[110]

Les opinions de Breuil respecte d'Almagro van trigar a canviar. L'any 1952 Pericot havia de ser, juntament amb Almagro, l'amfitrió de Breuil en la seva visita a Espanya, però a la fi va ser el director del museu qui el va guiar entre finals d'octubre i principi de novembre en un llarg recorregut per les províncies d'Alacant, Albacete, València, Castelló, Terol i Lleida, en el transcurs del qual li mostrà els seus treballs en els jaciments de la regió valenciana i, especialment, els de la zona d'Albarracín, la Sénia i el Cogul.[111] Com a fruit d'aques-

109 Arxiu MAC-Barcelona. Correspondència Almagro 1954. Carta Breuil-Almagro del 09-01-1954; Correspondència Almagro 1955. Carta Breuil-Almagro del 27-05-1955.

110 BC. Llegat Lluís Pericot. Carta Breuil-Pericot del 22-11-1951.

111 BC. Llegat Lluís Pericot. Carta Almagro-Pericot del 21-08-1952.

Agost de 1952. Henri Breuil i Martín Almagro Basch prop de l'abric del Cogul (Lleida) examinant les pintures rupestres del Cogul (Lleida).Fotografia: MAC-Barcelona.

ta visita hi hagué un apropament entre les postures de tots dos respecte de la identificació i interpretacions dels diferents conjunts de figures.[112] Ripoll engrandí posteriorment aquesta relació, i amb els anys es convertí en el referent principal de Breuil a Espanya, per tal com hi havia una amistat profunda entre tots dos. Però ja des de la seva etapa d'estudis a París, Ripoll es vinculà també a Pericot, a qui reconegué igualment com a mestre, en una relació que al llarg dels anys fou molt més afectiva que acadèmica, a diferència del que va succeir amb Almagro. Així, Ripoll també explicà a Pericot l'estat de les seves investigacions a França, especialment en relació amb els prehistoriadors entre els quals Pericot tenia un gran prestigi, com Harper Kelley, Leroi-Gourhan, Vaufrey, Garrod i Saint Mathurin, és a dir, coneixences establertes abans de la Segona Guerra Mundial i en molts casos vinculades també a Bosch Gimpera.[113] No és d'estranyar, doncs, que Pericot fos l'únic representant espanyol en el comitè d'honor de l'homenatge a Breuil amb motiu del seu vuitantè aniversari l'any 1957.[114]

Roland Vaufrey va ser un dels convidats per Almagro al curs del 1951, la qual cosa confirmava la relació entre tots dos gràcies a —entre altres coses— les simpaties de l'investigador francès pel règim polític espanyol:

[...] malgré la brièveté de notre séjour, nous rapportons de l'Espagne, sous les aspects de la Catalogne, un souvenir profond et durable, à la fois par l'impression que nous gardons du peuple lui-même (qui n'est pas encore livré aux pas-

112 BC. Llegat Lluís Pericot. Carta Breuil-Pericot del 07-11-1952
113 BC. Llegat Lluís Pericot. Carta Ripoll-Pericot del 02-04-1951.
114 BC. Llegat Lluís Pericot. Documentació comitè Henri Breuil (sense data).

sions de la démocratie), de ses danses villageoises admirables qui expriment cet humanisme, des restes admirables de l'art roman, quand la révolution a bien voulu les épargner (je veux dire la guerre civile), et même de sa cuisine maritime. Malheureusement nous avons fait la sottise de ne pas aller le lundi à la course de taureaux.[115]

De fet, Vaufrey ja havia deixat clares les seves simpaties pels franquistes quan ajudà Martínez Santa Olalla a tornar a Espanya des del camp d'internament francès on estava reclòs l'any 1938[116] i en la seva correspondència amb Pericot: «j'espère et je souhaite bien vivement que le régime nationaliste espagnol pour lequel, soyez-en persuadé, la France réelle a toujours fait des voeux, s'attache un noble serviteur de la Science tel que vous», en la qual no es va estar de criticar vivament Bosch:

[...] pour revenir à la question de la révolution et du triomphe de l'ordre, et de l'opinion que je pouvais en avoir, vous pensez bien que je n'acceptais pas sans réserves les affirmations (du reste toujours modérées) du confrère dont vous me parlez sans doute, que j'ai vu arriver, fuyant devant les armées de Franco, en conditions physiques ultra-florissantes. Je me suis toujours demandé s'il avait du sang juif?[117]

Les seves relacions amb els ocupants nazis a França li van costar un dur procés de depuració en què es van veure implicats la major part dels principals prehistoriadors i antropòlegs francesos,[118] que van declarar en contra seu, com Paul Rivet i Breuil.[119] Així, doncs, Almagro tenia forts lligams amb Vaufrey, que reafirmà l'any 1954 en el congrés de Madrid:[120]

[...] je faisai mention à votre magnifique chronique se rapportant au Congrès de Madrid. Vous les français soyez très exagerés quand il s'agit de l'Espagne, mais heureusement votre opinion auprès de nous est très louable tandis qu'il y en a de vos compatriotes que ne parlant pas si bien de notre pays. Nous vos sommes tous très reconnaissants par l'amabilité de votre chronique. ¿Quand pensez vous visi-

115 Arxiu MAC-Barcelona. Correspondència Almagro 1951. Carta Vaufrey-Almagro del 05-10-1951.
116 MSI-MO. ASO 5-309. Carta Vaufrey-Martínez Santa Olalla del 10-04-1938.
117 BC. Llegat Lluís Pericot. Carta Vaufrey-Pericot del 03-08-1939.
118 IF. Fons Lantier MS 7988, pàg. 215-273.
119 BC. Llegat Lluís Pericot. Carta Vaufrey-Pericot del 30-04-1946.
120 Arxiu MAC-Barcelona. Correspondència Almagro 1955. Carta Vaufrey-Almagro del 19-11-1955.

ter de nouveau Espagne? Vous pouvez être sur qu'avec beaucoup de plaisir je vous attendrai ici à Madrid avec votre femme [...] j'attend avec un véritable intêret ou plutôt expectation, votre livre sur le nord de l'Afrique. Il n'est pas encore arrivé, mais je ferai le compte-rendu qu'il meritera.[121]

Al mateix temps, Almagro completà les seves relacions amb els investigadors francesos que treballaven en el camp de l'art rupestre, a més d'Henri Vallois[122] i Lantier; alhora, també s'havia vinculat als protohistoriadors del sud, encapçalats per Maurice Louis, Jean Jannoray[123] i Ferdinand Benoit. Amb aquest últim treballà especialment la problemàtica de les ceràmiques d'importació gregues i discutí les teories de la presència ibèrica al sud de França, amb la qual cosa contradeia les tesis de Bosch, Pericot i Schulten, partidaris d'aquesta hipòtesi.[124]

Almagro va mantenir bones relacions amb Bosch Gimpera al llarg del període 1948-1952, en què el prehistoriador català va exercir un càrrec directiu a la Unesco, i utilitzà aquest suport a la seva feina. Tot i les opinions polítiques i científiques expressades i publicades per Almagro sobre Bosch, va ser Almagro qui inicià els contactes a mitjan 1950, un any i mig després de l'arribada de Bosch al seu càrrec:

[...] ahora que está ud. más cerca de nosotros debiéramos hacer ambos un esfuerzo por ver si intercambiamos nuestra producción científica y aunque la suya no sea grande en estos momentos por las necesidades de su cargo, para nosotros es siempre muy valiosa. Acabo de enterarme que ha publicado Ud. un artículo en «Art Butlletin» sobre la cronología del Arte Levantino en lo que por cierto me parece que no estamos de acuerdo, pues yo me inclino a bajar la fecha de este conjunto artístico. No podría Ud., querido profesor, mandarme todas las cosas que publique y nosotros le mandaríamos también todo lo que no tenga nuestro? No es la primera vez que intento este intercambio pues ya estando Ud. en Méjico le remití libros míos, revistas de *Ampurias* y otras cosas, pero parece que nada o casi nada llegó a sus manos, incluso con fondos del Instituto del Consejo que dirijo enviamos alguna publicación del Dr. Pericot que también hubo que repetir. En resumen, si a Ud. le es grato el tener lo nuestro a nosotros nos es necesario tener lo de Ud., incluso a mí particularmente me gustaría tenerlo además de lo

121 Arxiu MAC-Barcelona. Correspondència Almagro 1955. Carta Almagro-Vaufrey del 20-12-1955.
122 Arxiu MAC-Barcelona. Correspondència Almagro 1955. Carta Almagro-Vallois del 31-01-1955; Carta Almagro-Vallois del 25-06-1956.
123 Arxiu MAC-Barcelona. Correspondència Almagro 1947. Carta Jannoray-Almagro del 23-05-1951.
124 Arxiu MAC-Barcelona. Correspondència Almagro 1947. Carta Almagro-Benoit del 31-10-1947.

que le pido para la Biblioteca de este Museo que Ud. fundó y dirigió y donde yo quisiera que no faltara nada de Ud.[125]

Es tractava, òbviament, d'una posició molt diferent del tractament de la figura i l'obra de Bosch que Almagro havia fet l'any 1939. Les circumstàncies havien canviat per a tots, i Bosch va reprendre la relació epistolar donant a Almagro indicacions sobre referències bibliogràfiques als Estats Units, al mateix temps que li lliurava alguns articles que Almagro es comprometé a ressenyar a *Ampurias*.[126] A partir d'aquest moment els contactes van ser freqüents cada cop que Almagro viatjava a París, i s'oferia a qui ara qualificava com a «mestre, professor i amic» per aconseguir qualsevol gestió que li fos necessària a Espanya.[127]

Però la figura de Bosch era objecte d'un doble joc a Espanya per part dels grups d'arqueòlegs enfrontats. En un moment en què necessitava desesperadament nous suports, Martínez Santa Olalla intentà mitjançar davant les autoritats franquistes per aconseguir els permisos per facilitar l'entrada i sortida del país de la dona de Bosch Gimpera, que desitjava visitar la seva mare malalta a Madrid i tenia negat el visat per la seva nacionalitat mexicana i pel passat polític del seu marit. Martínez Santa Olalla intentà així apropar-se al grup de deixebles de Bosch encapçalat per Pericot, per afeblir la posició d'Almagro. Però va topar amb les influències del seu rival, que va fer servir els textos de Bosch contraris al principi de la sacrosanta unitat uniformitzadora dels territoris d'Espanya per desprestigiar-lo davant l'almirall Bastarreche, mediador que Pericot, Clarisa Millán i Emeterio Cuadrado volien fer servir per aconseguir el salconduit.[128] A la fi Millán i Cuadrado van visitar Bastarreche per aclarir les posicions i, evidentment, carregar les tintes contra Almagro: «Bosch quedó en su sitio y Almagro en el despreciable que merece».[129] No deixa de ser significatiu que els contactes indicats tinguessin lloc la tardor de 1950, després del congrés de Florència, i mentre Almagro intentava per la seva banda establir relacions amb Bosch a través de Ripoll. El viatge de Josefina García, tot i l'interès que van demostrar Beltrán i Maluquer per afavorir-lo, no es va poder fer fins a l'octubre de 1952 i sense cobertura legal.[130]

125 Arxiu MAC-Barcelona. Correspondència Almagro 1950. Carta Almagro-Bosch del 14-06-1950.

126 Arxiu MAC-Barcelona. Correspondència Almagro 1950. Carta Almagro-Bosch del 18-10-1950.

127 Arxiu MAC-Barcelona. Correspondència Almagro 1951. Carta Almagro-Bosch del 17-02-1951; Carta Almagro-Bosch del 19-06-1951.

128 BC. Llegat Lluís Pericot. Carta Clarisa Millán-Pericot del 30-09-1950.

129 BC. Llegat Lluís Pericot. Carta Clarisa Millán-Pericot del 28-11-1950.

130 BC. Llegat Lluís Pericot. Carta Bosch-Pericot del 13-08-1952; Carta Bosch-Pericot del 13-10-1952.

Almagro impulsà des del principi la carrera de Ripoll: va ser l'introductor dels seus treballs en les reunions científiques, com ara el Segon Congrés Nacional d'Arqueologia celebrat a Madrid el març de 1951,[131] al mateix temps que li va mantenir la plaça al museu amb la promesa de fer-lo fix, a més d'ajudar-lo econòmicament a cobrir les despeses de la seva estada a París.[132] Finalitzada aquesta, Almagro encarregà a Ripoll que prosseguís les recerques en els conjunts de pintures rupestres d'Alacón (Terol)[133] amb el suport de la Diputació Provincial de Terol i, un cop reincorporat Ripoll al Museu i represes les funcions de coordinació de tasques diàries i publicacions,[134] acceptà la proposta de beca d'estudi al Marroc feta per García Figueras i Tarradell; d'aquesta manera tancà el cercle de connexió i interdependència entre els dos deixebles, Ripoll i Tarradell, ja que també havien coincidit a París.

Tot i treballar a les ordres d'Almagro al Museu, Ripoll es vinculà cada cop més a Pericot, especialment a partir del Congrés de Madrid de 1954, en què col·laborà estretament amb ell i amb Beltrán en la logística de la reunió.[135] Amb la marxa d'Almagro a Madrid, la vinculació amb Pericot va ser encara més estreta, especialment a la universitat, on Ripoll exercí com a ajudant docent i de gestió seu, atès que Pericot estava cada cop més centrat en els cicles de conferències i els viatges d'estudi a l'estranger,[136] i posteriorment al Servei d'Investigacions Arqueològiques de la Diputació quan Pericot va substituir Almagro. En aquest moment Ripoll portà a terme l'avaluació dels jaciments localitzats en el transcurs de la realització d'obres públiques, com la necròpolis de la Pedrera a Vallfogona de Balaguer;[137] el seguiment de les subvencions aprovades per a jaciments com Muricecs o Vilafranca; la redacció i preparació per a la publicació dels informes i les memòries de les intervencions i el pagament dels col·laboradors.[138] Tota aquesta feina demostra com Ripoll exercí de fet la direcció efectiva del Servei al llarg del mandat de Pericot i que continuà ja com a cap visible després de la renúncia d'aquest; el nomenament, d'altra ban-

---

131 Arxiu MAC-Barcelona. Correspondència Almagro 1951. Carta Almagro Ripoll del 17-02-1950.
132 Arxiu MAC-Barcelona. Correspondència Almagro 1951. Carta Almagro-Ripoll del 28-02-1950.
133 Arxiu MAC-Barcelona. Correspondència Almagro 1951. Carta Ripoll-Almagro del 03-07-1951; Carta Almagro-Ripoll del 07-07-1951.
134 Arxiu MAC-Barcelona. Correspondència Almagro 1951. Carta Ripoll-Almagro del 26-07-1951.
135 BC. Llegat Lluís Pericot. Cartes Ripoll-Pericot de dates 03-04-1954 i 05-04-1954.
136 BC. Llegat Lluís Pericot. Carta Ripoll-Pericot del 28-08-1957.
137 BC. Llegat Lluís Pericot. Cartes Ripoll-Pericot de dates 17-03-1958, 16-07-1958 i 04-02-1949.
138 BC. Llegat Lluís Pericot. Carta Ripoll- Pericot del 23-03-1961.

da, es va obtenir gràcies a l'aval del mateix Pericot.[139] Va ser també Ripoll, amb l'ajut de Cid i la supervisió de Pericot, qui va prendre la responsabilitat d'organitzar de manera efectiva els cursos d'Empúries davant el poc interès i els nous objectius prioritaris que Almagro assumí a partir de 1959;[140] però sens dubte el punt culminant de la relació entre Ripoll i Pericot va ser l'àrdua i costosa lluita per aconseguir la publicació de les actes del simposi d'art rupestre de Burg-Wartenstein.[141]

Cal no reduir, però, la llista dels deixebles d'Almagro —o investigadors a qui va ajudar decisivament en l'inici de les seves carreres— als seus alumnes de la Universitat de Barcelona. Mercedes Vegas Minguell i María Ángeles Mezquíriz Irujo van obtenir beques de recerca a Itàlia gràcies a les seves gestions. Just després de guanyar la càtedra de Madrid, donà suport als estudis de José María Blázquez Martínez i a la seva especialització a l'estranger, amb l'intent d'obtenir una beca per ampliar estudis a Oxford a través dels seus corresponsals a l'Institut Britànic, una opció que va acabar fracassant per les condicions de l'intercanvi exigides pels britànics.[142] Blázquez sí que va anar a Roma l'any 1956, on va aprofitar les recomanacions d'Almagro amb Pallottino per fer estudis d'etruscologia a la Universitat de Perugia, al mateix temps que redactà alguns dels seus treballs més reeixits sobre protohistòria, com el dedicat a la problemàtica del cavall en l'infern etrusc. Blázquez, molt agraït a Almagro pel seu ajut, tot i estar vinculat principalment a la secció d'Arqueologia del CSIC, i a García y Bellido, li demanà que prologués l'edició de la seva tesi doctoral.[143] També va ser becari a Roma Arturo Díaz Martos, estudiant de Madrid que participà al curs d'Empúries el 1955[144] i marxà posteriorment a Itàlia per preparar la tesi doctoral, i a qui Almagro va recomanar també a Pallottino. En aquest cas, però, l'intent d'escollir Almagro com a director de la seva tesi va provocar una discussió en la reunió del claustre de la Universitat de Madrid quan García y Bellido reclamà assumir la direcció de totes les tesis de temàtica relacionada amb l'arqueologia clàssica, ja que ell era el titular de la matèria. És evident que la multiplicitat de camps de treball exercida per Almagro duia a uns enfronta-

139   BC. Llegat Lluís Pericot. Carta Ripoll-Pericot del 09-03-1961.

140   BC. Llegat Lluís Pericot. Cartes Ripoll-Pericot del 07-08-1959 i 25-08-1960.

141   BC. Llegat Lluís Pericot. Carta Ripoll-Pericot del 03-10-1963. BC. Carta Ripoll-Alexander J. Morin (sense data).

142   Arxiu MAC-Barcelona. Correspondència Almagro 1955. Carta Blázquez-Almagro del 31-05-1955; Carta Almagro-Blázquez del 02-06-1955; Carta Almagro-Blázquez del 27-06-1955.

143   Arxiu MAC-Barcelona. Correspondència Almagro 1956. Carta Blázquez-Almagro del 17-07-1956.

144   Arxiu MAC-Barcelona. Correspondència Almagro 1955. Carta Almagro-Díaz Martos del 20-06-1955.

ments que molt intel·ligentment intentà evitar al llarg dels seus primers anys a Madrid; en aquest cas demanà a Díaz Martos un canvi de director o, si no volia fer-ho, un canvi d'universitat.[145]

La conclusió és molt clara. Almagro tingué deixebles «administratius» que ell considerà també científics, però que només —en el cas dels catalans— van romandre al seu costat per la necessitat de supervivència, i en el moment en què van assolir una posició estable van optar per reorganitzar les seves relacions. Un fet en què tindrà una importància decisiva el canvi progressiu en la situació política.

145 Arxiu MAC-Barcelona. Correspondència Almagro 1957. Carta Almagro-Díaz Martos del 30-01-1957.

Un cop reobert el museu l'agost de 1939, calia reorganitzar-ne el funcionament intern. Almagro aprofità la seva influència per aconseguir millores. Al principi de 1940 inicià el procés de catalogació de la biblioteca i va demanar l'assignació de nou personal,[1] i proposà Serra Ràfols com a conservador habilitat el 7 de març,[2] nomenament que el diputat ponent de Cultura va acceptar el dia 9. Serra va mantenir aquesta responsabilitat fins a l'abril de 1941, quan va ser substituït per Juan Fábregas Cercós que, procedent de la Secció de Pompes Fúnebres, s'incorporà al museu l'1 d'abril i es va convertir en home de confiança d'Almagro tant al Museu Arqueològic com més endavant a la Comissaria de Zona del Servei de Defensa del Patrimoni Artístic Nacional.[3]

Les obres de condicionament de l'edifici continuaren a bon ritme, centrades en les sales de prehistòria, per a les quals es va obtenir una primera partida de 46.735,60 ptes., que va resultar del tot insuficient; el 14 de maig se'n va demanar una de segona per valor de 120.000 ptes., que no va poder ser atesa per la Diputació per manca de fons.[4] Com a solució d'emergència es desvià una partida de 30.000 ptes. destinada inicialment a l'Instituto Español de Estudios Mediterráneos.[5] Però l'asfíxia econòmica obligà fins i tot a dedicar aquesta quantitat al pagament de les nòmines del personal. Una situació propera al col·lapse que encara es va agreujar més quan la Comissaria General d'Excavacions Arqueològiques va demanar a la Diputació de Barcelona que col·laborés econòmicament en el manteniment de les intervencions arqueològiques programades dins del Plan Nacional.[6]

1 AHDB. Lligall Q. 441. Exp. 8. Secció de Cultura-Expedient general 1940.Ofici del 09-02-1940.

2 AHDB. Lligall Q. 441. Exp. 8. Secció de Cultura-Expedient general 1940. Ofici del 07-03-1940.

3 AHDB. Lligall Q-567. Exp. 8. Secció Cultura-Expedient general 1941. Carta Almagro-Diputat de Cultura del 04-04-1941.

4 AHDB. Lligall Q. 411. Exp. 8. Secció de Cultura-Expedient general 1940. Ofici Almagro-Ponència de Cultura del 14-05-1940.

5 AHDB. Lligall Q. 411. Exp. 8. Secció de Cultura-Expedient general 1940. Ofici Diputat Ponent de Cultura-Almagro del 03-06-1940.

6 AHDB. Lligall Q. 441. Exp. 8. Secció de Cultura-Expedient general 1940. Carta Carlos Alonso del Real-President de la Diputació Provincial de Barcelona del 02-09-1940.

El 19 d'octubre, el diputat ponent de Cultura cursà una negativa en què deixava clara la independència d'actuació de la Diputació respecte de la CGEA, sens dubte després de consultar el director del museu: «me es grato manifestar a Ud. que esta Corporación al contar entre sus instituciones culturales con el Servicio de Investigaciones Arqueológicas, con personal especializado y con un presupuesto de 51.500 pesetas anuales, viene a cooperar a la obra de defensa y conservación de una parte y a la nueva exploración e investigación por otra, de nuestro patrimonio arqueológico».[7] Però Martínez Santa Olalla no es va donar per satisfet i va mantenir la seva pressió envers Almagro per mitjà de la Diputació: va negar subvencions per a les excavacions i va reclamar informes i memòries de les que ja s'havien fet, i el març de 1943 va comunicar a la Diputació l'incompliment de la legislació vigent en matèria d'intervencions arqueològiques. La Diputació va respondre de nou i va recordar a Santa Olalla que no era responsabilitat seva, sinó en tot cas del Servei d'Investigacions Arqueològiques; d'aquesta manera el comissari general va fracassar de nou en l'intent d'enfrontar Almagro amb la corporació provincial, el seu suport[8] principal.

El 23 de novembre de 1940 es van inaugurar les sales de prehistòria, caracteritzades segons la premsa pels magnífics diorames que reproduïen escenes de la vida quotidiana del paleolític.[9] A l'acte, presidit pel marquès de Lozoya, hi assistiren el capità general, Luis Orgaz; el governador civil, Wenceslao González Oliveros; el governador militar, general Salvador Mújica Buhigas; l'alcalde, Miguel Mateu; el president de la Diputació, Antonio María Simarro; el diputat de Cultura, Bonet del Río; el comissari de la zona del Llevant de l'SDPAN, Luis Monreal Tejada; el secretari de la Junta de Museus, Javier de Salas; els tinents d'alcalde Rives Seva, Carreras Artau i Ventosa Despujol; el rector accidental de la Universitat, Francisco Gómez del Campillo; el cap de la policia armada, tinent coronel Asensi; el cap provincial del SEU, Andrés Rodríguez Villa, i el director del Museu Marítim, Francisco Condeminas Mascaró.[10] Poc més d'un any després del seu primer èxit, Almagro tornava a convocar les màximes autoritats de la ciutat per mostrar-los els resultats de la seva gestió, però aquest cop amb una diferència: la presència del marquès de Lozoya feia paleses les seves bones relacions amb els cercles de poder a Madrid.

---

7 AHDB. Lligall Q. 441. Exp. 8. Secció Cultura-Expedient general 1940. Carta Luis Riviere-Martínez Santa Olalla del 19-10-1940.

8 AHDB. Lligall Q-567. Exp. 8. Secció de Cultura-Expedient general 1941. Ofici de la Secció de Cultura a la Comisaría General de Excavaciones Arqueológicas del 25-03-1941.

9 *El Correo Catalán*, edició del 24-I-1940, pàg. 2.

10 *Solidaridad Nacional*, edició del 24-II-1940, pàg. 4.

23 de novembre de 1940. Inauguració de les sales de Prehistòria del Museu Arqueològic Provincial de Barcelona. D'esquerra a dreta: Martín Almagro Basch; l'alcalde de Barcelona, Miguel Mateu; personatge sense identificar; el director general de Belles Arts, marquès de Lozoya; el president de la Diputació Provincial de Barcelona, Antonio Simarro, i Josep de Calassanç Serra Ràfols. Fotografia: AHDB.

La tasca duta a terme per Almagro al llarg dels primers anys com a director del museu és més meritòria si es tenen en compte les dificultats econòmiques durant els primers anys de la postguerra, especialment en una ciutat amb manca de molts serveis, i amb dificultats per obtenir aprovisionaments —les referències en la correspondència d'Almagro a l'obtenció de queviures en els pobles propers a Empúries i el seu trasllat a Barcelona són freqüents— i subministraments de tota mena; les dificultats també afectaven els fons necessaris per dur a terme qualsevol tipus de recerca que pogués ser considerada superficial. Per això cal analitzar els pressupostos i les provisions de fons lliurades per la Diputació. Els diners assignats al Museu Arqueològic s'incloïen a la partida d'Instrucció Pública, subpartida de Serveis Arqueològics, Històrics i Artístics, en la qual al seu torn figuraven les dotacions consignades al Museu Arqueològic i al Servei d'Investigacions Arqueològiques. Segons les xifres conservades als arxius de la Diputació —val a dir que no sempre completes i fàcils de resseguir—, el Museu va rebre l'any 1940 una dotació de 60.000 ptes., és a dir, el 0,12% del pressupost total de la Diputació. Aquest percentatge augmentà lleugerament el 1941 fins a assolir el 0,16% i arribà al 0,23% l'any 1942.

A partir d'aquell moment, però, es va mantenir pràcticament inamovible, amb valors compresos entre el 0,18% els anys 1945 i 1947 i el 0,25% l'any 1944, fins al 1949, data en què es pot parlar d'una certa estabilització de la situació econòmica i de l'inici d'un període de majors ingressos per part de l'Estat i les Diputacions que, en principi, s'hauria d'haver reflectit en els pressupostos del museu. Però no va ser així. Al contrari: el museu va augmentar la seva dotació en quantitat absoluta, de manera que va passar de les 60.000 ptes. del 1940 a les 208.000 ptes. els anys 1952 i 1953, 234.000 el 1954, i va assolir una xifra màxima el 1956 amb 431.000 ptes.; tot i així, aquestes quantitats constitueixen un percentatge molt més baix que els citats anteriorment pel que fa als diners aportats per la Diputació. Del 0,20% que s'havia assolit com a xifra més o menys estable l'any 1949, es descendí fins al 0,17% el 1952, el 0,15% el 1953 i el 0,07% el 1955; és a dir, de 236.203.890,62 ptes. que constituïen el pressupost global de la corporació provincial de Barcelona, només es va considerar necessari destinar 184.000 ptes. per assegurar el funcionament del Museu Arqueològic, i tot i que la xifra va pujar l'any següent fins al 0,14%, la tendència a la baixa va persistir.

Si considerem —com veurem tot seguit— que la major part d'aquesta dotació s'havia de destinar al capítol 1, és a dir, al pagament de les nòmines dels empleats, quedava clar, en primer lloc, que el museu estava cada cop més condemnat a una paràlisi d'actuació, atès que no disposava de prou diners per poder planificar qualsevol tipus d'activitat —un fet que es demostra en la manca, per exemple, d'exposicions temporals al llarg del període estudiat—; i, en segon lloc, feia palès que s'havia produït una certa deixadesa per part dels responsables polítics de la Diputació envers el museu, que havien considerat tal vegada que un cop finalitzades les obres de remodelació i condicionament de les sales per presentar els fons de la col·lecció permanent no feia falta invertir-hi més recursos que els estrictament necessaris per mantenir obert l'equipament cultural, ja que no existia —almenys en primera instància— cap possibilitat d'extreure un rendiment polític i social al museu més enllà del que ja s'havia obtingut entre el 1939 i el 1941, quan la reobertura de la seu es podia presentar a la ciutadania com una prova més de l'eficàcia de les noves administracions sorgides de la victòria en la guerra.

Les queixes reiterades d'Almagro per la manca de recursos són ben comprensibles a la vista de les xifres. El director tan sols podia aspirar que l'edifici no caigués a trossos i a mantenir les portes obertes, però era impossible pensar a definir projectes de recerca i activitats de dinamització. En principi, es podia suposar que els gestors de la Diputació diferenciaven clarament els conceptes de museografia i didàctica, que assignaven al museu, i recerca arqueològica, que associaven al Servei d'Investigacions Arqueològiques, i que era en aquest últim on es concentraven els recursos necessaris per a les intervencions arqueològiques. Però tampoc no va ser així. L'any 1940, el Servei va rebre una provisió de fons per valor de 51.500 ptes., equivalent al 0,10% del pressupost global de la Diputació, percentatge que es va mantenir l'any següent i que quasi es va doblar el 1942, fins a assolir el 0,19%, equivalent a 87.000 ptes. Fins a finals de la dècada de 1940, les quantitats aportades no van passar del 0,20%, amb fortes davallades puntuals com el 1947, en què els diners només van significar el 0,09%. Val a dir que un cop estabilitzada la situació econòmica, quan la Diputació disposava de més recursos, les aportacions van quedar estancades al voltant del 0,10%. En total, unes quantitats molt baixes, equiparables percentualment durant molts anys a les assignades al Museu Arqueològic i que tenien el mateix llast: el pagament dels treballadors amb els diners inclosos en les partides citades, una partida captiva a la qual s'havia d'afegir la despesa corrent per assegurar el funcionament del Servei, tot i compartir locals amb el museu, de manera que restaven pocs diners reals per dedicar-los a intervencions. Davant d'aquest panorama, i tenint en compte també el boicot exercit per Martínez Santa Olalla des de la Comissaria General d'Excavacions Arqueològiques a les propostes d'actuació d'Almagro, és lògic que aquest es veiés obligat a cercar fonts alternatives de finançament per mantenir les activitats de recerca, ja fos demanant diners a institucions públiques com l'Ajuntament de Barcelona, o a entitats privades com els Amigos de Ampurias.

A partir de mitjan 1941, Almagro intentà estabilitzar la situació econòmica del museu: va presentar un pressupost detallat[11] per un import global de 174.750 ptes., dividit en despeses de personal, 95.750 ptes., i material, 79.000 ptes. Fent-ho així superava la pràctica comuna fins en aquell moment consistent a demanar a la Diputació el pagament de les factures per ordre d'arribada, pagaments que es feien contra una única partida comuna sense subdivisions per conceptes de despesa. Amb tot, les quantitats disponibles continuaven sent del tot insuficients.

11 AHDB. Lligall Q-567. Exp. 8. Secció de Cultura-Expedient general 1941. Ofici del Diputat de Cultura al President de la Diputació del 06-05-1941.

Concepte	Quantitat (ptes.)
Manteniment del Museu d'Empúries	5.000
Manteniment del museu de la vil·la romana de Tossa de Mar	5.000
Publicacions, memòries i revista *Ampurias*	15.000
Despeses del taller de restauració	12.000
Ampliació de la biblioteca	10.000
Despeses d'oficina, intercanvi científic, neteja del museu i despeses menors	5.000
Conservació de l'edifici i atenció a les instal·lacions del museu i biblioteca	10.000
Viatges del personal facultatiu i del taller	5.000
Assistència a congressos i conferències científiques oficials	2.000
Excavacions diverses i prospeccions	10.000
Total	**79.000**

La distribució indicada és una mostra clara de la necessitat que Almagro tenia d'obtenir recursos més enllà de la Diputació per poder assegurar un mínim manteniment de la dinàmica de treball. A més, les partides no eren de lliure disposició, atès que la ponència de Cultura i els serveis d'intervenció de la corporació havien d'aprovar qualsevol pagament prèvia presentació de les factures corresponents i, un cop complert aquest tràmit, les saldaven. Aquest sistema, necessàriament lent, feia augmentar la burocràcia entre les diferents instàncies implicades, perquè els proveïdors lliuraven les factures a la direcció del museu, que les remetia a la ponència de Cultura, i aquesta al servei d'intervenció amb l'ordre de pagament. No és estrany, doncs, que les reclamacions de factures —o de justificants— fossin freqüents entre tots els nivells de la cadena administrativa.

De fet, la distribució pressupostària de les partides concedides per la corporació mostren, com hem indicat, que la major part dels fons assignats al Museu Arqueològic es destinaven a despeses de personal; això provocava una manca continuada de recursos per atendre les necessitats de l'edifici i el tractament de les col·leccions, que haurien dut a la paràlisi del museu si no hagués estat per les contínues demandes d'augment de partides i petició de liquidació de factures que van configurar la gestió de la institució al llarg del mandat d'Almagro. Els problemes indicats es poden comprovar en el quadre de repartició següent:

Any	Pressupost	Sous	Manteniment	Compres	Funcionament	Referència
1940	60.000	–	–	–	–	R-8567
1941	80.000	–	–	–	–	MA-34
1942[1]	140.062,50	82.312,5	22.500	24.000	11.250	R-8568
1943	–	–	–	–	–	J-994
1944	179.750	114.750	30.000	15.000	20.000	R-8569
1945	179.750	114.750	30.000	15.000	20.000	R-8570
1946	176.750	141.750	–	15.000	20.000	R-8571
1947	192.750,22	157.750,22	–	15.000	20.000	R-8572
1948	195.000	150.000	–	5.000	40.000	R-8573
1949	197.500	152.500	–	5.000	40.000	R-8574
1950 (1S)	98.750	76.250	–	2.500	20.000	FE-118
1950 (2S)	128.637,50	96.137,50	–	12.500	20.000	R-8575
1951[2]	257.275	192.275	–	25.000	40.000	FE-120
1952	208.000	128.000	10.000	30.000	40.000	R-8576
1953	208.000	128.000	10.000	30.000	40.000	FE-122
1954	234.000	–	30.000	60.000	144.000	FE-123
1955	184.000	–	30.000	60.000	94.000	R-8577
1956	431.000	–	200.000	75.000	156.000	R-8578

1 Les informacions corresponen a la liquidació del 2n, 3r i 4t trimestres.
2 Les informacions corresponen a la liquidació del 2n semestre.

Com es pot veure, l'anàlisi de la distribució detallada del pressupost assignat al Museu Arqueològic mostra clarament on eren els problemes de gestió. El 1942 els sous del personal importaven 83.312,5 ptes. sobre un total de 140.062,50 ptes., és a dir, el 58,76% del total, o, el que és el mateix, gairebé dos terços dels diners disponibles, la qual cosa deixava unes quantitats que només poden ser qualificades de ridícules per fer front a les despeses de manteniment, compres i funcionament. Però aquesta distorsió encara es va agreujar més els anys següents: va assolir el 63,83% el 1944, el 80,19% el 1946 i fins i tot el 81,84% el 1947. Què es podia fer al llarg de tot un any quan només es tenien 15.000 ptes. per a compres i 20.000 per a despeses de funcionament? Res, o quasi res. I tot i que els percentatges van disminuir fins al 76,92% el 1948 i el 61,53% el 1952, és evident que la Diputació mai no va lliurar al museu els recursos necessaris per possibilitar-ne l'expansió com a centre de recerca i difusió. En una paraula, el Museu Arqueològic va restar fossilitzat —almenys pel que fa a recursos— al llarg de tota l'etapa d'Almagro. El fet que, no obstant això, arribés a ser considerat un centre de referència i pogués dur a terme els projectes i les relacions internacionals que encetà especialment a partir de l'any 1947 es deu essencialment a dos factors: l'empenta d'Almagro, que lligà raonablement la seva projecció personal amb la de la institució que dirigia, i les possibilitats que va tenir per concentrar en la seva persona i en el Museu Arqueològic de manera física recursos procedents d'altres institucions com ara la delegació a Barcelona del CSIC, l'Instituto Español de Estudios Mediterráneos i la Comissaria de Zona de l'SDPAN, sense oblidar les aportacions que el marquès de Lozoya hi derivava directament des de la Direcció General de Belles Arts sense comptar amb Martínez Santa Olalla. Els fruits de la gestió són tangibles i probablement sense una personalitat forta com la seva els resultats no haurien arribat i el museu s'hauria convertit en una institució, si no morta, almenys inoperant. Una altra cosa són, però, les directrius que va prendre la recerca.

El 1941, Almagro també aconseguí de la Diputació la represa del pagament dels terminis de les adquisicions d'obres i col·leccions compromeses abans de l'inici de la guerra, i que es destinessin altres quantitats a la compra de materials nous per ampliar els fons. En concret, el 1941 van ser abonats els terminis del mosaic romà de les curses de carros de Bell-lloc (Girona) a María González Muñoz, vídua de Fabrés —no sense que aquesta hagués de reclamar el compliment del compromís en diferents ocasions—;[12] del mosaic del Sacrifici d'Ifigènia d'Empúries a Ramon Oliveras Traspell; de la col·lecció de materials prehistòrics de José Bento, i de la compra d'una creu d'or visigoda procedent de Torredonjimeno (Jaén), amb un import global de 17.250 ptes.[13] Cap al final d'any, Almagro era ja plenament conscient d'haver aconseguit complir la major part dels seus objectius. S'havien publicat els tres primers volums de la revista *Ampurias*, que es convertí ràpidament en un referent de la recerca arqueològica a Espanya tant pel seu contingut com per la paràlisi de les sèries que a Madrid depenien del CSIC i del Ministeri d'Educació Nacional; d'altra banda, les donacions d'Amigos de Ampurias augmentaren en ampliar-se el nombre d'associats; i, finalment, les excavacions a Empúries anaven a bon ritme gràcies al treball dels soldats-treballadors enviats pel capità general, èxits que qualificà com a importantíssims per «enriquecer

---

12　Arxiu MAC-Barcelona. 1992. Expedient Mosaic Bell-lloc. Acta de l'acord Almagro-González Muñoz del 10-04-1939; Carta González Muñoz-Almagro del 28-01-1941.

13　AHDB. Lligall Q-567. Exp. 8. Secció de Cultura-Expedient general 1941. Ofici Martín Almagro-Diputat de Cultura del 27-01-1941.

nuestro patrimonio arqueológico y aumentar el interés turístico de nuestra región catalana».[14]

Però les conseqüències del procés d'estabilització econòmica dels primers anys de postguerra van començar a afectar també el museu. La Diputació va lliurar —o va abonar— partides amb liquidacions mensuals i per imports molt reduïts, que no permetien programar grans inversions i van servir només per mantenir mínimament les infraestructures. Privat de les obres de consolidació necessàries al llarg de la guerra, i afectat per l'ona expansiva de les bombes que van caure a prop seu, especialment al Palau de l'Agricultura, actual Mercat de les Flors, situat a l'atra banda del carrer de Lleida, l'edifici del museu necessitava reparacions contínues per mantenir una operativitat mínima: per exemple, el març de 1942 corrien perill d'enfonsar-se els sostres de les dues llotges de la façana principal, per la qual cosa la Diputació va haver d'habilitar un crèdit extraordinari de 15.393,38 ptes. per adobar una estructura que el mateix arquitecte provincial qualificà d'«"edificio" destinado a Museo Arqueológico», deixant ben clar, per l'ús de les cometes, la manca d'idoneïtat de la construcció.[15]

Tot i els problemes, Almagro no renuncià a expandir les actuacions del museu; els tècnics participaven en tasques de consolidació i adequació de les instal·lacions d'altres centres, o en actuacions fora de Catalunya, com la restauració dels mosaics de la vil·la romana de Fraga a càrrec de Serra Ràfols i Francesc Font i Alomar.[16] D'altra banda, Almagro insistí molt especialment en la política de compres: demanava a la corporació la liquidació dels terminis de les peces ja citades —que aquesta només afrontava en part a causa de la manca de liquiditat, de manera que el pagament va finalitzar definitivament al principi de 1943, en què van quedar saldades les 30.000 ptes. de la taxació del mosaic de Girona i les 15.000 del d'Empúries— i se n'incorporaven d'altres, com 120 objectes visigòtics adquirits a Juan García Sánchez per 6.500 ptes.[17]

L'any següent, Almagro aconseguí de la Diputació la liquidació del romanent de deute de la col·lecció de José Bento, adquirida el 8 de maig de 1936 i de la qual encara restaven per abonar 10.000 ptes., decisió que impedí el retorn de les peces al seu propietari, significat membre del règim i president del

14 AHDB. Lligall Q-571. Exp. 8. Secció de Cultura-Expedient general 1942. Carta Almagro-Bonet del Río de desembre de 1941.

15 AHDB. Lligall Q-571. Exp. 8. Secció de Cultura-Expedient general 1942. Carta de l'arquitecte provincial al Diputat de Cultura del 27-03-1942.

16 AHDB. Lligall Q-571. Exp. 8. Secció de Cultura-Expedient general 1942. Carta Almagro-President de la Diputació del 13-05-1942.

17 AHDB. Lligall Q-571. Exp. 8. Secció de Cultura-Expedient general 1942. Carta Almagro-President de la Diputació de l'01-06-1942.

Tribunal de Responsabilitats Polítiques a Oviedo;[18] i també la compra de dos lots de materials procedents de la cova sepulcral del Forat de les Tombes (Santa Maria de Besora) i del sepulcre megalític de Vinya del Rei (Vilajuïga), que van ser abonats a Agustí Salvadó i a Miquel Tarradell, i que van ser completats amb noves adquisicions l'any 1944.

Val a dir que Almagro havia explorat una altra fórmula per enriquir les col·leccions del museu: no tornar les peces confiscades per la Generalitat l'any 1936 als propietaris legítims, davant els quals s'adduïen problemes d'inventari o s'esgrimia la importància i la singularitat dels materials, de tal manera que interpretava la legislació al seu favor. Es tracta, per exemple, del cas d'un parell de capitells procedents de la catedral de Barcelona, insistentment reclamats pel bisbat perquè constituïen la base de l'Ara Magna de l'altar major de la catedral, que no podia ser consagrada de nou perquè estava incompleta.[19] També fou el cas de les col·leccions de Caterina Albert i Paradís (*Víctor Català*), que encara avui romanen a les vitrines i als magatzems de les seus de Barcelona i Empúries del Museu d'Arqueologia de Catalunya, amb les sigles CA, un afer en què es van barrejar els forts caràcters de l'escriptora i l'arqueòleg, a més d'unes poc dissimulades referències a la filiació republicana d'alguns parents de la col·leccionista.

Uns altres casos van ser el de l'anomenat Tresor d'Eivissa, propietat del Dr. Simón,[20] i el del tresor ibèric de Tivissa que reclamà el Museu de Tarragona i del qual pactà la permanència al Museu Arqueològic de Barcelona amb el seu amic Navascués, inspector general dels museus arqueològics. De fet, els materials del poblat del Castellet de Banyoles van ser localitzats el 30 de gener de 1913 per un pagès de Móra d'Ebre que els lliurà al Museu Arqueològic de Tarragona. El lot consistia en sis peces de penjoll d'or; 29 monedes, en la seva major part dracmes emporitanes; 4 penjolls d'or; 2 braçalets d'argent, una sivella llisa, i dos anells també de plata. Els materials van ser comprats primer per Francisco Poblet i posteriorment adquirits als seus hereus per la corporació provincial. Traslladats al Museu de Barcelona per a la seva protecció durant la guerra, van seguir la sort de la resta de materials i, un cop tornats a Barcelona, s'afegiren als altres materials del jaciment obtinguts en les excavacions sufragades per la Diputació de Barcelona.

18 AHDB. Lligall Q-575. Exp. 8. Secció de Cultura-Expedient general 1943. Carta Almagro-President de la Diputació del 28-06-1943.

19 Arxiu MAC-Barcelona. Caixa 1940. Carta Miguel de los Santos Díaz de Gomara-Almagro del 27-10-1941.

20 AHDB. Lligall Q-575. Exp. 8. Secció de Cultura-Expedient general 1943. Carta Almagro-President de la Diputació del 23-02-1943.

Però a Tarragona no es va perdre la memòria dels materials ni dels fets i el 28 d'agost de 1949, Lluís Brull Cedó, veí de Tivissa i col·laborador del comissari provincial de Tarragona, Salvador Vilaseca, publicà al *Diario Español*[21] de Tarragona un article amb el pseudònim *Petrófilo* en què es feia ressò de la història dels materials i en demanava el retorn en atenció a les obres que la corporació feia per organitzar una nova seu per al museu. Brull era la persona que continuava excavant al terme de Tivissa, tot i que la seva proposta com a comissari local va ser rebutjada pels seus antecedents polítics durant la guerra.[22] *Petrófilo* insistí de nou en un altre article el mes d'octubre, però el tema es refredà. El 30 de maig de 1953, quatre anys més tard, la Comissió de Monuments de Tarragona reclamà a la Direcció General de Belles Arts que fes gestions en el sentit d'ordenar a la direcció del Museu Arqueològic de Barcelona el retorn dels materials; no es va obtenir resposta, i es va fer una nova petició en el mateix sentit el 14 de febrer de 1954. En aquesta ocasió, la Direcció General i la Inspecció General dels Museus Arqueològics no van poder endarrerir més la seva implicació en el tema i el 24 de gener de 1955 ordenaren a Almagro que iniciés els tràmits per a la devolució. Tot i això, Almagro encara va aconseguir endarrerir un cop més el retorn, i el 5 de setembre Enrique Guasch Giménez, president de la Diputació Provincial de Tarragona i procurador a les Corts, tornà a reclamar directament al director del museu els materials.[23] Almagro contestà el dia 17 amb indicació dels tràmits que calia fer, gest que Guasch va agrair,[24] però un cop més el procés es paralitzà, i aquest cop Navascués no va tenir més remei que ordenar a Almagro que retornés els materials.[25] De fet, quan es va fer efectiva la devolució feia més de quinze anys del final de la guerra, i durant aquest temps les peces havien estat perfectament documentades i localitzades. El cas era encara més sagnant pel fet que Almagro era comissari de la zona del Llevant de l'SDPAN i, per tant, l'encarregat de retornar els materials robats i/o confiscats durant la guerra als propietaris legítims. Probablement a finals de 1955, instal·lat ja amb preferència a Madrid, la sortida d'un conjunt tan valuós com el de Tivissa del museu que dirigia ja no era un tema de transcendència per a ell, com sí que ho havia estat mentre el museu era la base preferencial de la seva activitat professional.

---

21 Agraïm al Dr. Jaume Noguera, de la Universitat de Barcelona, el coneixement dels dos articles esmentats.

22 GRACIA ALONSO, 2009a, pàg. 263-264.

23 Arxiu MAC-Barcelona. Correspondència Almagro 1955. Carta Guasch-Almagro del 05-09-1955.

24 Arxiu MAC-Barcelona. Correspondència Almagro 1955. Carta Guasch-Almagro del 22-09-1955.

25 Arxiu MAC-Barcelona. Correspondència Almagro 1955. Carta Navascués-Almagro del 13-12-1955.

El problema de les devolucions s'allargà en el temps. A tall d'exemple, el 25 de febrer de 1966 es retornaren al Museu Arqueològic de Girona un seguit d'objectes arqueològics propietat d'aquesta institució que havien estat dipositats per l'SDPAN al Museu Arqueològic de Barcelona el 1939, és a dir, vint-i-set anys abans.[26] I el tema no es tancà aquí, perquè en aquest cas concret el Museu de Girona també reclamà un seguit de materials procedents d'Empúries i lliurats també per l'SDPAN que Almagro havia incorporat al Museu d'Empúries i que en el moment de la reclamació no van ser tornats; es va adduir un acord verbal entre els presidents de les diputacions de Barcelona i Girona, un tema tan enquistat que va haver d'intervenir-hi la Direcció General de Belles Arts, la qual va demanar la documentació corresponent a l'acord esmentat i, en no poder-se presentar, acordà el retorn dels materials en litigi.[27] Fins i tot l'any 1971, els hereus de José Graells Pinós van reclamar al Museu la devolució d'un seguit de joies visigodes dipositades que no van ser retornades.[28]

A poc a poc, Almagro aconseguí consolidar econòmicament el seu projecte científic principal: Empúries, que el 1942 va obtenir ja 36.000 ptes. de la Diputació per a despeses d'excavació, a les quals es van afegir les partides destinades a pagar els treballadors forçats i posteriorment els soldats de lleva a raó de 1.500 ptes. mensuals. La Diputació va pagar també les intervencions al poblat ibèric de la Creueta (Quart), al recinte romà de Girona, i a diverses estructures megalítiques de les comarques gironines per import de 7.500 ptes., i va destinar les altres 1.500 al jaciment del Pilaret (Fraga).[29]

La gestió d'Almagro va tenir ressò també a Madrid. El 20 de desembre de 1943, Navascués lliurà al marquès de Lozoya un informe sobre la seguretat dels museus arqueològics provincials. En el text expressà molt clarament la importància del Museu de Barcelona:

> [...] es extraordinaria, equivalente a la del Arqueológico Nacional en cuanto a volumen de fondos. El local es muy grande y cuenta con numerosas salas. Según los datos a que me atengo, cuenta con cinco subalternos. El Museo Arqueológico Nacional tiene en plantilla diecisiete, que son escasos para las necesidades del centro. Compárense unas y otras cifras y aunque se entienda que supera en importancia el de Madrid al de Barcelona, nunca esa diferencia puede ser más de

26 Arxiu MAC-Barcelona. *Acta de lliurament de materials de 25-02-1966 signada per Miguel Oliva Prat i Eduard Ripoll Perelló.*

27 Arxiu MAC-Barcelona. *Informe del director Eduard Ripoll de 06-03-1967.*

28 Arxiu MAC-Barcelona. *Museu Arqueològic de Catalunya. Col·lecció Graells. Donacions.*

29 AHDB. Lligall Q-571. Exp. 8. Secció de Cultura-Expedient general 1942. Carta del president accidental de la Diputació-Comissaria General d'Excavacions Arqueològiques del 21-11-1942.

dos tercios a favor del Nacional, supuesto que la importancia de los Museos pueda medirse en esta forma.

Com a resultat de l'informe s'autoritzà que els directors dels museus, inclòs el de Barcelona, poguessin demanar que la policia armada vigilés externament l'edifici a les hores de visita, i, en el cas d'Empúries, a ampliar la vigilància també a l'interior del recinte.[30] Les dades que Navascués recollí a Barcelona indicaven l'existència d'un conserge de plantilla i quatre vigilants proporcionats per la Diputació. Per solucionar el problema, el 16 de febrer de 1944 es van convocar cinc places del cos de Porters dels Ministeris Civils per al Museu de Barcelona, amb la qual cosa es reconeixia així la inexistència de cap plaça a la plantilla.[31]

De fet, la plantilla del Museu Arqueològic, segons indiquen les nòmines mensuals de personal preparades i lliurades a la Diputació per l'habilitat del museu, incloïen, a més del director Almagro, les persones[32] següents:

Càrrec	Nom	Pessetes
Conservador	Josep Colominas Roca	625
Conservador	Josep de C. Serra Ràfols	625
Conservador	Alberto del Castillo Yurrita	625
Bibliotecària	Mercedes Montañola Garriga	458,33
Cap de Taller	Francisco Font Contel	500
Restaurador	Lorenzo Alomar Guillamet	416,66
Dibuixant	José Tersol Artigas	500
Auxiliar de Biblioteca	Concepción Gener Roca	416,66
Fuster	Ramón Riu Ribera	416,66
Conservador	Joan Maluquer de Motes Nicolau	429,35

La resta del personal que treballava al museu rebia els seus havers en concepte de gratificacions aprovades també mensualment pel president de la Diputació, sempre amb imports variables en funció de les obres i serveis duts a terme, però que, com a exemple, el gener de 1944 arribaven a 5.493 ptes. De la mateixa manera, el personal adscrit al Servei d'Investigacions Arqueològiques

30 AGA. 3. Cultura. Caixa 349. *Museos arqueológicos. Servicio permanente de vigilancia por la Policía Armada en los edificios de los Museos Provinciales 1943-1944.*

31 AGA. 3. Cultura. CA. 349. *Museos arqueológicos. Plantillas de porteros de los Ministerios Civiles.*

32 AHDB. Lligall Q-579. Exp. 8. 1944. *Sección Cultura-Expediente Museo Arqueológico-Expediente general.*

s'havia reduït considerablement, de tal manera que es donava una clara super-posició de funcions:[33]

Càrrec	Nom	Pessetes
Arqueòleg	Josep Colominas Roca	416,66
Arqueòleg	Josep de C. Serra Ràfols	375
Reconstructor	Francisco Font Contel	333,33
Ajudant	Lorenzo Alomar Guillament	291,65
Conserge Empúries	Juan Bautista Escrivá	416,66
Guarda Excavacions Empúries	Nicasio Arraiza Oyarzábal	416,66

Almagro prosseguí el condicionament dels museus de Barcelona, Empúri-es i Tossa de Mar: va introduir elements museogràfics ja previstos en la pla-nificació de Bosch, com ara les maquetes del recinte dels temples d'Empúries i de la ciutat grega, sense descuidar el rastreig a les botigues d'antiquaris de les peces susceptibles de ser adquirides, especialment si es tractava de materials procedents d'Empúries, com un petit lot de joies i monedes comprades per un import global de 1.000 ptes., i un altre de materials visigots per 5.100 ptes.

Amb tot, els problemes de gestió principals van continuar derivant de les condicions de l'edifici del museu, perquè, malgrat les reformes dirigides per Gudiol abans de la guerra, es tractava d'una construcció que originalment s'ha-via plantejat com a temporal. Les estructures, ja malmeses per manca de man-teniment durant els anys de la guerra, no resistien cap inclemència temporal; eren freqüents els problemes a la teulada, les humitats i fins i tot l'entrada d'aigua a les sales, cosa que ocasionava reparacions continuades que havien de ser ate-ses la major part de les vegades amb càrrec als pressupostos ordinaris —la qual cosa provocava descompensacions entre partides— o, quan el problema era molt gran, a contribucions extraordinàries assumides per la Diputació. L'ar-quitecte de la corporació provincial elaborarà l'octubre de 1944 un informe en què donava compte de l'estat de l'edifici i en què demanava 15.893,50 ptes. per fer obres de reparació urgents en terrats, teulades i finestres; l'informe va ser aprovat sense dilació, però en cap cas va ser l'últim. Menys d'un any després, el 26 de juliol de 1945, l'arquitecte provincial tornava a demanar una ampliació de crèdit per fer front als desperfectes en les sales de prehistòria per import de

---

33 AHDB. Lligall Q-579. Exp. 8. 1944. *Sección Cultura-Expediente Museo Arqueológico-Expediente general.* Ofici del 20-01-1944. *Relación del Personal que figura en la nómina del mes de enero de 1944.*

24.738 ptes., en una minuta d'obres que no incloïen cap modificació o reforma estructural, sinó només reparacions de desperfectes.[34] Es tracta de les primeres referències a un mal endèmic de l'edifici: els defectes estructurals de construcció. Els contactes polítics d'Almagro en aquest cas també van donar fruit, i el Ministeri d'Educació Nacional aprovà l'octubre de 1945 un pressupost extraordinari per a obres de reforma del Museu per valor de 249.975,92 ptes., quantitat que també va servir per augmentar les retribucions del personal en nòmina del museu a partir de gener de 1946,[35] que van quedar de la manera següent:

Càrrec	Nom	Pessetes
Conservador	Josep Colominas Roca	833,33
Conservador	Josep de C. Serra Ràfols	833,33
Conservador	Alberto del Castillo Yurrita	833,33
Bibliotecària	Mercedes Montañola Garriga	583,33
Auxiliar de Biblioteca	Concepción Gener Roca	500
Cap de Taller	Francisco Font Contel	583,33
Restaurador	Lorenzo Alomar Guillamet	500
Dibuixant	José Tersol Artigas	541,66
Fuster	Ramón Riu Ribera	416,66

Aquesta dotació també va servir per a les retribucions del personal eventual que feia tasques discontínues a les dependències, de manera que es reservaven unes quantitats anuals que eren distribuïdes segons les necessitats de feines cobertes. A tall d'exemple, per al mateix any 1946 es van gestionar amb càrrec a la partida número 650 de «jornals fixos i eventuals» les quantitats següents:

Càrrec	Nom	Pessetes	Anual
Sereno	Enrique Rodríguez Sanpedro	250	3.000
Ajudant de taller	Joaquín Alcalá Flores	516,66	6.200
Dibuixant	Francisco Benítez Mellado	416,66	5.000
Mosso	Ignacio García Gil	516,66	6.200
Auxiliar	Lolita Arbuniés Andreu	416,66	5.000

34 AHDB. Lligall Q-583. Exp. 8. 1945. *Sección de Cultura-Expediente Museo Arqueológico-Expediente General. Presupuesto del arquitecto provincial de 21-06-1945.*

35 AHDB. Lligall Q-621. Exp. 8. 1946. *Sección de Cultura-Expediente Museo Arqueológico-Expediente General. Relación de personal que figura en la nómina del mes de enero de 1946.*

Tot i les dificultats, Almagro no renuncià a gestionar el museu. Al princi-pi de 1945 va aconseguir que nomenessin Esteban Pujals Codina com a guarda del Museu de Tossa de Mar en substitució del seu pare, traspassat, i continuà amb la compra de materials al mercat d'antiguitats —en aquest cas uns lots de peces neolítiques, de l'edat del bronze i de l'edat del ferro procedents de Cas-telló i Terol— per valor de 12.000 ptes., adquisicions que van ser periòdiques: pocs mesos després el museu va adquirir nous materials d'Empúries i una es-cultura ibèrica del Cerro de los Santos (Montealegre del Castillo, Albacete) per 600 ptes.[36]

L'anàlisi de les compres, però, mostra una política erràtica pel que fa a l'in-terès dels materials, que en molts casos responien més a ofertes puntuals de lots o col·leccions que a un discurs museogràfic específic. Així, el maig de 1946 es comprà a Joaquín Mateu una col·lecció d'objectes etnogràfics contemporanis de cuir i fusta procedents de Mauritània i del Sàhara espanyol per 3.000 ptes.,[37] que no tenia cap sentit que ingressessin en els fons del Museu Arqueològic, i el mes de juliol quatre peces procedents d'Empúries per 1.600 ptes. Destaquen posteriorment la compra per 3.750 ptes. d'un lleó ibèric de pedra i un cap de marbre romà procedents d'Andalusia el gener de 1947,[38] i especialment les ad-quisicions a l'antiquari Gudiol (un vas de terra sigil·lada d'Almendralejo —Ba-dajoz— i un morter de marbre decorat amb un cap de lleó per 2.500 ptes. el 9 de maig de 1950; un bronze grecoromà pel mateix import el 28 de setembre de 1950, i un gerro de bronze procedent de les Balears per 5.000 ptes. el 30 de març de 1951) i a diferents particulars com els senyors Pujol i Manuel Gamito.

La taxació de les compres va experimentar un gran augment els anys se-güents: per exemple, es van pagar 1.500 ptes. per una fíbula hispanoroma-na; 5.000 per un mosaic policrom de Còrdova el 1954, i 7.500 per dos mosaics policroms de la vil·la romana de La Cocosa (Badajoz). En tots els casos el pro-ceediment va ser, oficialment, el mateix. Les peces eren ofertes al museu, exa-minades pels tècnics i el director —que en fixava el preu— i, un cop taxades, es traslladava la petició oficial de compra a la Diputació pel preu taxat. Esta-blert l'interès de la corporació, s'encarregava un informe tècnic al director del museu que servia per avalar la compra, i així es tancava el cercle. De totes

---

36 AHDB. Lligall Q-621. Exp. 8. 1946. *Sección de Cultura-Expediente Museo Arqueológico-Expe-diente General. Carta Almagro-President de la Diputació del 20-03-1946.*

37 AHDB. Lligall Q-621. Exp. 8. 1946. *Sección de Cultura-Expediente Museo Arqueológico-Expedien-te General. Carta Almagro-President de la Diputació del 08-05-1946. Inventario de los objetos.*

38 AHDB. Lligall Q-627. Exp. 8. *Sección de Cultura-Expediente Museo Arqueológico-Expediente General. Carta Almagro-President de la Diputació del 27-01-1947.*

les compres fetes al llarg del mandat d'Almagro, sens dubte una de les més importants va ser la col·lecció de vidres antics Espona, adquirida l'1 de setembre de 1959.[39]

El 14 de febrer de 1946, Almagro lliurà a la Diputació un informe d'activitats en què refermava la importància donada a les instal·lacions: «no es posible ver pasivamente cómo materiales de interés primordial para la arqueología española, siguen años y años sin poder ser expuestos a estudio para los amantes de las antigüedades y dar facilidades a los investigadores». Però, tot i les reformes, el museu havia perdut més de tres-cents visitants i el nombre total era de 3.194 persones, incloses les 51 visites col·lectives fetes per diferents institucions, una bona part de les quals van ser guiades pel personal del museu. De fet, bona part de l'informe eren queixes i retrets: la catalogació no avançava a causa de les sortides de treball del personal tècnic; els tallers de reconstrucció i restauració anaven amb retard per la manca de mitjans econòmics, i la revista *Ampurias* endarreria també la sortida del número anual per l'encariment dels productes relacionats amb les arts gràfiques. Un resum gens encoratjador.[40]

Tot i això, i de cara a la Diputació i a la Direcció General de Belles Arts, la gestió del museu era impecable, com mostra l'acta de la inspecció feta per Navascués el 18 de setembre de 1947.

Las salas [...] presentan un aspecto magnífico y organizadas principalmente con vistas a la función docente del Museo [...] se han hecho extraordinarios progresos en la redacción del Inventario General que alcanza en el presente un total de 13.000 cédulas [...] resultando inventariadas las secciones de Paleolítico, Ampurias, de antigüedades griegas no ampuritanas y casi todas las secciones romana, etrusca y visigótica [...] la biblioteca del establecimiento sigue siendo un centro de investigación arqueológica de importancia extraordinaria en España [...] la eficacia de esta Institución ha quedado plenamente demostrada en el curso de Prehistoria y Arqueología celebrado en Ampurias [...] tanto el director del Museo como los colaboradores del Servicio de Investigaciones Arqueológicas de la Diputación de Barcelona han demostrado su gran capacidad.

Amb aquests prolegòmens, la conclusió no podia ser sinó positiva:

[...] se haga constar a la Excma. Diputación Provincial de Barcelona la satisfacción con que se ve su acertada y entusiasta intervención en favor de la cultura,

39 AHDB. Lligall R-477. Exp. 33.
40 AHDB. Lligall Q-985. *Extracto de la Memoria anual del Servicio de Investigaciones Arqueológicas de la Diputación de Barcelona.*

tanto en el mismo Museo de Barcelona como en las obras del Museo de Ampurias y en las excavaciones de la vieja ciudad. Felicitar efusivamente al Director del Museo y a todo el personal del mismo por el celo e inteligencia con que desempeñan su cometido y especialmente por la cohesión que entre todos ellos se manifiesta en el cariño por la obra común.[41]

Decididament, Navascués no s'havia adonat de res o, més probablement, no tenia cap intenció de fer-ho.

Amb reparacions constants, reorganització dels fons i manteniment de les sales, el museu millorà la presentació de les col·leccions. El 27 de maig de 1947, el ministre Ibáñez Martín, acompanyat de les autoritats provincials i locals principals, inaugurà les noves sales de Prehistòria del Museu i va dedicar elogis a la tasca realitzada:

> [...] el Museo Arqueológico de Barcelona es una institución viva, impulsada por un ardiente deseo de superación que lo ha convertido en uno de los mejores centros de su clase dentro de España [...] felicitar al director del Museo y a todos sus colaboradores que han sabido poner su inteligencia y su pasión al servicio de la ingente riqueza arqueológica de Cataluña. Sin exageración puede afirmarse que el Museo Arqueológico de Barcelona es ejemplar.[42]

No calien més paraules. I més si es coneixia, com era lògic, el rerefons del treball fet.

El primer d'abril de 1948, la corporació provincial va reorganitzar els serveis del personal del Museu i en va definir les noves funcions i sous. Les relacions de les nòmines permeten veure, d'una banda, la incorporació de noves persones a la plantilla tècnica, que quedà integrada per:

Càrrec	Nom	Pessetes	Anual
Director	Martín Almagro Basch	500	6.000
Conservador	Josep de Calassanç Serra Ràfols	416,66	5.000
Conservador	Josep Colominas Roca	500	6.000
Conservador	Alberto del Castillo Yurrita	833,33	10.000

(Continua a la pàgina següent)

41 AHDB. Lligall Q-985. *Acta de la visita del Inspector General de Museos Arqueológicos. 1947.*
42 «El ministro de Educación Nacional inauguró ayer once nuevas salas del Museo Arqueológico». *La Vanguardia Española*, edició del 28-05-1947, pàg. 1.

Càrrec	Nom	Pessetes	Anual
Bibliotecària	Mercedes Montañola Garriga	583,33	7.000
Auxiliar Biblioteca	Concepción Gener Roca	500	6.000
Cap de Taller	Francisco Font Contel	333,33	4.000
Restaurador	Lorenzo Alomar Guillamet	291,65	3.500
Dibuixant	José Tersol Artigas	541,66	6.500
Fuster	Ramón Riu Ribera	583,33	7.000
Ordenança	Isidro Pey Font	583,33	7.000
Aj. Conservador	Joan Maluquer de Motes	583,33	7.000
Ciclista	Santiago García Ramírez	416,66	5.000

D'altra banda, les relacions de les nòmines indiquen l'existència d'un elevat nombre de persones que, tot i veure els seus sous abonats mensualment, van continuar a la categoria de personal eventual,[43] atès que les retribucions es comptaven i es feien a partir de jornals i dies treballats. En aquest grup figuraven:

Càrrec	Nom	Pessetes
Administrador	Juan Fábregas Cercós	516,46
Ajudant de taller	Joaquín Alcalá Flores	551,80
Mecanògrafa	Teresa Fábregas Sánchez	516,46
Dibuixant	Francisco Benítez Mellado	424,70
Taquimecanògrafa	Montserrat Marvá Margarit	424,70
Sereno	Martín Martínez Valero	551,80
Mosso	Ignacio García Gil	551,80
Mosso	Enrique Delgado Fernández	551,80
Sereno	Francisco Aramburo Goristidi	551,80
Ajudant	Pedro Alsius Granés	516,46
Ajudant	Enrique Giménez Marín	516,46
Ajudant	Victoriano García Ramírez	254,20

Així, la Diputació autoritzà la direcció del museu a augmentar la quantitat mensual destinada al pagament de nòmines de personal eventual en funció dels jornals treballats fins a 5.963,78 ptes., un augment considerable si es té

---

43 AHDB. Lligall Q-985. Exp. 18. *Sección Cultura-Expediente Museo Arqueológico-Expediente General. Dictamen de 18-05-1948.*

en compte que fins llavors la quantitat disponible era només de 2.116,64 ptes. mensuals.

Però no hi havia res a fer. Les tasques museogràfiques quedaven sempre subsumides —tot i les reorganitzacions de fons indicades— pels problemes d'instal·lació. El manteniment de l'edifici engolia quantitats cada cop més elevades, i sempre es tractava de diners destinats a reparacions, no a obres de millora o de reorganització interna dels espais. El 31 de desembre de 1948, l'arquitecte provincial resumia un cop més amb claredat la situació:

> [...] el edificio que ocupa el Museo Arqueológico de esta Diputación ha sido objeto de consolidación parcial a medida que se han realizado las obras de instalación de la institución que hoy alberga. Quedan, no obstante, grandes sectores de edificio y en especial de las cubiertas, en estado muy defectuoso. No ha sorprendido por ello que, debido a su apolillamiento, hayan cedido unas vigas de madera y con ellas se haya derrumbado un sector del techo y el cielo raso inferior.[44]

Però ningú no volia prendre la decisió més lògica: tancar el museu i sotmetre l'edifici a una restauració integral que resolgués definitivament els defectes estructurals fruit d'una construcció precària no destinada a sobreviure un cop finalitzada l'exposició universal de 1929, o bé traslladar el museu a un nou emplaçament. Acceptar una de les dues possibilitats, a més del cost econòmic impossible d'assumir en el context social i polític de l'aïllament internacional, hauria demostrat una mala gestió dels recursos per part dels dirigents de la Diputació i un revés en el seu prestigi. Calia, doncs, continuar apuntalant l'edifici i pregar perquè les necessitats de les reparacions no excedissin els límits assumibles, però sempre amb el benentès que es tractava només de pedaços. En conseqüència, només l'any 1949 i per a reparacions imprescindibles, els mateixos serveis tècnics de la Diputació van demanar partides de 5.000 ptes. (19-01), 24.979,60 ptes. (15-03), i 24.988,45 ptes. (20-06); a aquesta quantitat s'hi van afegir diferents pressupostos per a fusteria i actuacions menors per un valor no inferior a 60.000 ptes. al llarg de l'any.

El 1950 hi hagué un canvi en el personal tècnic que va tenir conseqüències més endavant. Joan Maluquer de Motes renuncià al seu lloc de feina com a ajudant de conservador després de guanyar la càtedra d'arqueologia de la Universitat de Salamanca i deixà el Museu Arqueològic, al mateix temps que van

---

44 AHDB. Lligall Q-986. Exp. 13. *Sección Cultura-Expediente Museo Arqueológico-Expediente General.* Carta arquitecte provincial-president de la Diputació del 31-12-1948.

entrar com a personal a jornal Carlos Cid Priego i Eduard Ripoll Perelló amb la categoria d'ajudants.[45] A poc a poc, i després de més d'una dècada al capdavant del museu, Almagro podia iniciar una renovació en profunditat del personal tècnic, ja que Cid i Ripoll serien els primers tècnics ingressats no vinculats a l'època de la República. Quan Colominas i Serra Ràfols deixessin vacants els seus llocs de treball a mitjan dècada, el director tindria ja el relleu ben encarrilat. Però fins que aquest moment no arribés, la dinàmica de la institució va continuar en la mateixa línia d'anys anteriors: hi va haver poques modificacions a l'exposició permanent, oberta ara a les tardes durant els mesos d'estiu com a resultat d'una certa pressió popular i de les mesures en el mateix sentit adoptades per l'Ajuntament. També es va comprar un nombre petit de materials per augmentar les col·leccions, especialment a proposta de Josep Gudiol. I, a més, es van continuar les inacabables reparacions de l'edifici, especialment per causa de goteres:

> [...] con motivo de las recientes lluvias este Museo ha sufrido una verdadera inundación por las muchas goteras que el viento ha producido al remover las numerosas claraboyas que lo cubren y las tejas del tejado que requieren una reparación inmediatamente. Sobre todo se ha visto que el techo que cubre la parte delantera del vestíbulo se cala enormemente habiéndose tenido que retirar algunas vitrinas pues caía a chorros el agua.[46]

Aquesta nova súplica, del 3 d'octubre, arribà només cinc mesos després d'una altra, feta per l'arquitecte provincial, de noves reparacions per import de 35.453,25 ptes. Cal dir que al llarg d'aquests anys, ni Almagro ni els responsables de la Diputació no van plantejar mai, almenys per escrit, el tancament del museu per reorganitzar-lo de manera integral, ni tampoc la cerca d'un nou edifici i el trasllat de la seu. I potser caldria haver-ho fet, perquè si les pluges de la tardor van afectar les cobertes, el gener de 1952 es col·lapsà el sistema d'aigües pluvials i les canonades es van rebentar, amb la qual cosa les sales de la planta baixa es van inundar i la reparació va ser difícil a causa del sòl de qualitat instal·lat.

En aquest punt, l'arquitecte provincial va donar proves de desesperació quan va demanar un nou ajut a la corporació:

45 AHDB. Lligall Q-988. Exp. 6. *Sección de Cultura-Expediente Museo Arqueológico-Expediente General*. Oficis de dates 29-04-1950 i 13-07-1950.

46 AHDB. Lligall Q-991. Exp. 22. *Sección Cultura-Expediente Museo Arqueológico-Expediente General*. Carta Almagro-Diputat president de la Comissió d'Educació del 03-10-1951.

[...] su estructura no tiene aquellas garantías de solidez que, normalmente, concurren en una construcción levantada con una idea de perdurabilidad. Uno de los elementos de más dudosa solidez es la cubierta del edificio que viene siendo objeto de atenciones periódicas, encaminadas a su conservación, y en esta cubierta sobresale una parte correspondiente a la fachada principal del edificio resuelta en forma de azotea o terrado, contrariamente a la generalidad de la cubierta que es de teja árabe. La azotea mencionada, con una superficie aproximada de 240 metros cuadrados, ha dado señales frecuentes de filtraciones que obligan a rejuntar el pavimento con material bituminoso. Mas, en las pasadas lluvias, debido a su caudal y persistencia, las lesiones del terrado mencionado aumentaron y dieron paso abundante a las aguas hasta el interior del edificio que se inundó materialmente, con perjuicio evidente para el material de valor que se guarda en el Museo.

La Diputació acordà el 13 de març un nou ajut de vint mil pessetes per reparar les cobertes, però va resultar insuficient. El 4 d'agost es va haver de fer front a una nova factura de 7.750 ptes. per a treballs a la mateixa zona, i el 12 d'agost a una altra, com a derivació del pressupost inicial d'11.682,27 ptes.[47]

Tots els esforços van resultar inútils. La tasca principal tant d'Almagro com de l'arquitecte provincial continuà sent la redacció d'informes i peticions de fons per fer front a les reparacions constants a l'edifici. La Diputació, sense poder fer-se càrrec d'una intervenció a gran escala, va recórrer a la Direcció General de Belles Arts, que acordà concedir, el setembre de 1953, 391.189,44 ptes. per sufragar les despeses de condicionament de tres noves sales al museu. A partir d'aquest ajut, la corporació decidí remodelar dues estances annexes per un import de 79.426,76 ptes., i també la sala circular amb un pedestal de marbre per col·locar-hi una estàtua que representava un faune, actuació que va tenir un cost de 23.450 ptes. A aquestes quantitats, un cop més, s'hi van sumar les despeses puntuals de manteniment per un valor no inferior, de nou, a les 60.000 ptes. anuals. L'any 1953, Antoni Arribas Palau, que havia treballat durant uns mesos com a dibuixant, va deixar el seu lloc; per substituir-lo es va proposar Mercedes Vegas Minguell, fins llavors bibliotecària, lloc que, al seu torn, Almagro volgué cobrir amb la incorporació de Gloria Trías Rubies.[48]

La feina feta comportà el 13 de gener de 1955 la felicitació explícita de la Diputació:

47 AHDB. Lligall Q-994. Exp. 21. *Sección Cultura-Expediente Museo Arqueológico-Expediente General.* Carta Arquitecte provincial-President de la Diputació de l'11-02-1952.

48 AHDB. Lligall R-132. Exp. 11. *Sección de Cultura-Expediente Museo Arqueológico-Expediente General.*

C. 1955. Martín Almagro Basch al seu despatx de director del Museu Arqueològic Provincial de Barcelona, posant amb els primers volums de la sèrie «Monografies Emporitanes». Fotografia: MAC-Barcelona.

[...] el director del Museo Arqueológico y del Servicio de Investigaciones Arqueológicas, lleva a cabo al frente de dichas instituciones una labor digna de encomio, no sólo en la concienzuda y vigilante dirección de todos sus servicios, sino también en la tarea de divulgación de los trabajos realizados, llevándolos a conocimiento de los medios científicos mediante artículos monográficos y conferencias, que han elevado el prestigio de la Corporación y de sus Instituciones. [...] resulta justo, consideradas las circunstancias expuestas, compensar en forma adecuada el extraordinario esfuerzo que ha exigido esa constante actividad y entusiasmo del Director del Museo Arqueológico, al servicio de la Corporación.[49]

El decret va donar lloc a una compensació extraordinària per un import de 6.000 ptes. I el mateix any Almagro pogué estrenar una remodelació important del discurs expositiu del museu amb la inauguració de set noves sales destinades a exposar les col·leccions emporitanes i etrusques i els bronzes romans,

49 AHDB. Lligall. R-263. Exp. 14. *Sección de Cultura-Expediente Museo Arqueológico-Expediente General. Decreto 13-01-1955.*

que va ser presentada com «una pequeña idea de la vitalidad de esta modélica institución en la que, además de los funcionarios de la Diputación afectos al Museo, laboran los alumnos del Seminario de Prehistoria de la Universidad, que también viene funcionando en el Museo y donde vienen a trabajar continuamente investigadores extranjeros y nacionales atraídos por la riqueza de los materiales que el Museo guarda y por la completísima Biblioteca especializada que allí se mantiene al día para prestigio de Barcelona y de la ciencia española».[50]

Però no tot havia de ser tan fàcil. Els projectes de recerca que Almagro dirigia i en els quals participaven essencialment els membres del cos tècnic del museu provocaven l'absència reiterada d'aquests de la seu de Barcelona, a la qual s'havia d'afegir la del mateix director un cop va iniciar el seu trasllat a Madrid precisament la tardor de 1955. Les queixes i els rumors sobre l'abandonament reiterat del lloc de treball del personal —tot i tenir en molts casos els permisos i les notificacions escaients— i les notícies sobre una quasi segura marxa d'Almagro a Madrid per encarregar-se de la direcció de la secció de Prehistòria del Museu Arqueològic Nacional segons un pla previst per la Direcció General de Belles Arts,[51] van motivar una inspecció per part del servei de personal de la Diputació, que es personà de manera imprevista al museu el 16 de juny, per constatar *de visu* el nombre de treballadors que eren al seu lloc de feina, i per comprovar la dispersió total del personal tècnic i administratiu, així com les absències d'uns quants auxiliars. Almagro va haver de donar explicacions i va indicar que en la data de la inspecció ell es trobava a Empúries; Serra Ràfols a Brussel·les assistint a una reunió de la Unió Acadèmica Internacional; Ripoll a Itàlia fent les intervencions a la cova de I Pipistrelli; Gloria Trías i Mercedes Vegas a Roma en les respectives estades de recerca a l'Escola Espanyola d'Arqueologia; Alberto Balil a Saragossa; Mercedes Montañola, Concepción Gener i Mercè Comes feien tasques fora del museu aprofitant l'absència del director, mentre que Antonio Bregante es trobava a Lleida fent el servei militar, el bidell Francisco Tejedor havia sortit per assumptes propis, i només en el cas de l'ordenança Gregorio Iguacel es podia parlar d'una absència injustificada, tot i que Almagro declarà que ja se n'havia cursat l'informe corresponent perquè feia un mes que durava.[52] El control no tingué conseqüències

---

50 Ripoll, 1956a, pàg. 304-305.

51 Arxiu MAC-Barcelona. Correspondència Almagro 1955. Ofici Almagro-Rector de la Universitat de Madrid del 06-06-1955.

52 Arxiu MAC-Barcelona. Correspondència Almagro 1955. Ofici Almagro-President de la Diputació de Barcelona del 21-06-1955.

immediates, però demostra fins a quin punt la Diputació de Barcelona no veia ja amb bons ulls que el director d'un dels seus museus principals i de les excavacions d'Empúries, base en bona mesura del seu prestigi i projecció social, es desentengués progressivament de les seves obligacions en benefici dels seus projectes de recerca personals, extrem que comportava una certa paralització de les tasques del museu. Almagro aconseguí mantenir durant uns anys la dualitat, però la corda es tensà massa amb la direcció dels projectes a Egipte, i la Diputació, perduda la confiança, forçà la seva sortida.

Referent de l'arqueologia espanyola

La carrera professional d'Almagro pujà com l'escuma, recolzada tant en la tasca arqueològica incessant com en les relacions personals. En els primers anys del franquisme, el Museu Arqueològic es convertí en visita obligada de les personalitats del règim durant les estades que feien a Barcelona, com el ministre Ibáñez Martín el 29 d'abril de 1940[1] i el 3 d'octubre de 1941,[2] i el director del museu es convertí en personatge de referència en els actes polítics i socials que tenien lloc a la ciutat: per exemple, la creació de l'Associació Hispano-germana el juliol de 1942, presidida pel general Moscardó a Madrid i el rector de la Universitat de Barcelona Francisco Gómez del Campillo en la delegació catalana,[3] integrada per Sebastián Cirac Estopañán, Pere Gual Villalbí, Fernando Valls Taberner, Francisco Bonet Ramón, María Josefa Viñamata Castañer, Aurelio Joaquinet Extremo, Luys Santamarina, Eduard Alcobé i Arenas, Rafael Ramos, Martí de Riquer i Morera, Ángel Traval, Paulino Castell, Manuel Rodríguez Codolá i Martín Almagro.

Altres actes en què Almagro va participar van ser l'exposició d'arquitectura moderna alemanya, un panegíric de les construccions nacionalsocialistes;[4] la visita del ministre d'Indústria i Comerç, Demetrio Carceller Segura, per inaugurar la Fira Internacional de Mostres el setembre de 1942;[5] o la visita de José María Albareda, secretari general del CSIC, el febrer de 1943.[6] Almagro sempre va formar part també del seguici del marquès de Lozoya en les seves visites a Barcelona[7]

---

1 «Almuerzo íntimo. Visita al Museo Arqueológico». *La Vanguardia Española*, edició del 30-04-1940, pàg. 1.

2 «La tarde del ministro». *La Vanguardia Española*, edició del 04-10-1941, pàg. 3.

3 «La Asociación Hispanogermana». *La Vanguardia Española*, edició del 14-07-1942, pàg. 9.

4 «Brillante ceremonia inaugural del Certamen de alta técnica de la construcción alemana». *La Vanguardia Española*, edició del 21-10-1942, pàg. 1.

5 «Solemne inauguración de la X Feria Internacional de Muestras». *La Vanguardia Española*, edició del 09-09-1942, pàg. 1.

6 «La estancia del secretario general del Consejo Superior de Investigaciones Científicas». *La Vanguardia Española*, edició del 17-02-1943, pàg. 8.

7 «Diputación provincial. Visita del marqués de Lozoya». *La Vanguardia Española*, edició del 15-03-1947, pàg. 9; «Apertura de la I Exposición Nacional de Numismática en Tarrasa». *La Vanguardia Española*, edició del 03-07-1949, pàg. 11.

fins a la fi del seu mandat,[8] tot i que en moltes ocasions el director general de Belles Arts no visités al Museu Arqueològic.[9] A més, acompanyava el ministre d'Educació Ibáñez Martín[10] cada cop que es traslladava a Catalunya[11] —i molt especialment després del seu nomenament com a comissari de zona de l'SDPAN—,[12] i l'almirall Francisco Bastarreche, gran protector de l'arqueologia al llarg del primer franquisme,[13] de qui Almagro fou molt proper a través d'Antonio Beltrán.[14] Totes aquestes relacions no van ser païdes pels seus detractors, com mostra Serra Ràfols en el seus informes a Martínez Santa Olalla:

[...] el marqués de Lozoya viene a Barcelona con gran frecuencia. Yo, en algunas ocasiones, le saludo y nada más; otras veces ni tan sólo lo veo. Pero el Virrey se le cuelga de los faldones y no lo deja ni un momento cumpliendo con su papel de lacayo. Ahora, ayer, ha vuelto por aquí y sin decir nada a nadie, lo ha llevado a Tarrasa, supongo a ver lo que allí nosotros descubrimos, de lo que no entiende ni una palabra, y que además ignora cómo salió ya que en todo el curso de las excavaciones no vino por allí, ni se le convidó a venir, pues nada tenía que hacer por aquellos lugares. En fin, es muy suyo.[15]

El director va cuidar també les relacions amb les associacions culturals catalanes, a les quals oferia visites guiades a les instal·lacions del museu que ell mateix, o un dels conservadors, s'encarregaven de conduir. Algunes d'aquestes associacions van ser Amigos de Ampurias, Amigos de los Museos[16] i el Fomento de las Artes Decorativas.[17]

---

8 «Estancia del director general de Bellas Artes». *La Vanguardia Española*, edició del 07-02-1950, pàg. 12.

9 «Apertura de la I Exposición de obras de los alumnos de la Escuela de Bellas Artes». *La Vanguardia Española*, edició del 30-05-1943, pàg. 8.

10 «Estancia del ministro de Educación Nacional. Almuerzo con los universitarios». *La Vanguardia Española*, edició del 27-06-1946, pàg. 1.

11 «En la Antigua Escuela del Mar. Personalidades asistentes». *La Vanguardia Española*, edició del 27-11-1948, pàg. 8.

12 «La estancia del ministro de Educación Nacional en nuestra ciudad». *La Vanguardia Española*, edició del 03-05-1950, pàg. 16.

13 «El almirante Bastarreche». *La Vanguardia Española*, edició del 03-06-1949, pàg. 4.

14 «Homenaje al almirante Bastarreche en Alcoy». *La Vanguardia Española*, edició del 28-04-1950, pàg. 4.

15 MSI-MO. ASO. 18-382.1. Carta Serra Ràfols-Martínez Santa Olalla de l'01-07-1949.

16 «Amigos de los Museos». *La Vanguardia Española*, edició del 14-06-1941, pàg. 4.

17 «Las visitas del Fomento de las Artes Decorativas al Museo Arqueológico». *La Vanguardia Española*, edició del 15-12-1940, pàg. 8.

Aquestes relacions van facilitar fruits com la concessió a Almagro, el 1944, del premi Raimundo Lulio del CSIC pel seu treball *La invasión céltica en España*; l'altre premi reservat a les humanitats en la mateixa convocatòria, el Francisco Franco, va ser concedit a Fray Justo Pérez de Urbel, molt proper al dictador,[18] la qual cosa donava idea de la transcendència del premi d'Almagro. Amb tot, es tractava d'un text incomplet que Almagro va intentar finalitzar els anys següents al llarg de reiterades estades de recerca a Alemanya fins a disposar d'una redacció definitiva, que va veure la llum l'any 1952 dins de la *Historia de España* dirigida per Ramón Menéndez Pidal.[19] No es pot dir, per tant, que es premiés una obra rodona, sinó, més aviat, els serveis prestats per Almagro fins en aquell moment a Barcelona.

Però convé no oblidar que Almagro també atenia els actes de caire més local, que li servien per estrènyer els lligams amb autoritats i entitats, i assistia a esdeveniments de tota mena, des de la commemoració del centenari del naixement de sor Rita Mercader a Igualada[20] fins a la inauguració d'una mostra d'obres de Josep Maria Sert[21] o una recepció en honor del periodista Augusto Assía.[22]

Almagro va ser, a més, un conferenciant quasi compulsiu; aprofitava qualsevol oportunitat per dissertar sobre temes d'arqueologia, entre les quals hi va haver les reunions dels Amigos de los Museos,[23] les ja citades dels Amigos de Ampurias,[24] les fires i festes de Girona,[25] l'Ateneo de Madrid,[26] el Conferentia Club[27] —en què va substituir Bosch Gimpera en les reunions socials organitzades per Isabel Llorach i Dolsa a casa seva, i en les quals es reunia bona part dels intel·lectuals catalans amb els membres de la burgesia més proclius a la

---

18 «El pleno del Consejo Superior de Investigaciones Científicas. Reparto de premios». *La Vanguardia Española*, edició del 17-12-1944, pàg. 1.

19 ALMAGRO BASCH, 1952.

20 «Notas de la Región». *La Vanguardia Española*, edició del 06-12-1947, pàg. 4.

21 «La exposición de obras, bocetos y maquetas de José María Sert». *La Vanguardia Española*, edició del 12-12-1947, pàg. 8.

22 «Recepción en honor de Augusto Assía en el Instituto Británico». *La Vanguardia Española*, edició del 8-12-1946, pàg. 5.

23 «El doctor Martín Almagro en el curso de Amigos de los Museos». *La Vanguardia Española*, edició del 30-01-1943, pàg. 9.

24 «Disertación del director del Museo Arqueológico de Berlín». *La Vanguardia Española*, edició del 29-04-1943, pàg. 6.

25 «Las Ferias y Fiestas de Gerona. El programa oficial». *La Vanguardia Española*, edició del 24-10-1944, pàg. 16.

26 «Participación barcelonesa en los ciclos de conferencias del Ateneo de Madrid». *La Vanguardia Española*, edició del 27-01-1951, pàg. 9.

27 «Conferentia Club». *La Vanguardia Española*, edició del 14-02-1952, pàg. 10.

cultura—,[28] la Residencia de Estudiantes Ramón Llull[29] i, naturalment, els actes d'extensió cultural organitzats per la Universitat de Barcelona.[30]

Però sens dubte l'instrument principal de la seva projecció va ser la revista *Ampurias*. Tot i els problemes per assegurar-ne la periodicitat anual per les dificultats en l'obtenció de paper i les repetides pujades en el preu, l'òrgan portaveu de la recerca arqueològica al voltant del museu es convertí ràpidament en un referent de la bibliografia arqueològica peninsular en un moment en què el nombre de publicacions de caire científic era molt reduït. La tramesa dels volums, i les cartes de recepció corresponents, van constituir una de les bases de la correspondència professional d'Almagro a partir de 1940, quan tots els investigadors lligats a les universitats o als centres de recerca sol·licitaven reiteradament la publicació per mantenir al dia les seves sèries. L'anàlisi dels índexs dels volums editats entre 1939 i 1960 mostra com Almagro utilitzà la revista no només per donar a conèixer la seva producció científica i la dels seus col·laboradors més propers, sinó que també aprofità aquest mitjà per mantenir i estendre la seva xarxa de relacions personals tant a Catalunya com a Espanya i, allò que va ser més important, també en el pla internacional en funció de les fluctuacions de la situació política europea durant i després de la Segona Guerra Mundial.

Així, en els primers números, els articles de fons els signava Almagro, que publicà estudis com «La cerámica excisa de la primera Edad del Hierro de la Península Ibérica»[31] i «El hallazgo de la Ría de Huelva y el final de la Edad del Bronce en el occidente de Europa»[32] i que van contribuir —especialment el segon— a cimentar el seu prestigi; a més d'Almagro, els articles de fons també els signaven Colominas, Serra Ràfols i Alberto del Castillo, tots tres conservadors del museu, i Lluís Pericot i Antonio Palomeque, professors a la Universitat de Barcelona. Un nucli, doncs, reduït, al qual es van anar sumant en anys successius els nous llicenciats que s'anaven vinculant a les tasques del museu, com Maluquer de Motes, Tarradell i Palol. Però també hi van tenir cabuda un bon nombre d'estudiosos locals que treballaven en diferents zones de Catalunya, com Salvador Vilaseca, Francesc Riuró i Llapart, Pere Batlle, August Pa-

---

28 Arxiu MAC-Barcelona. Correspondència Almagro 1950. Carta Soldevila-Almagro del 27-02-1950.

29 «Residencia de Estudiantes Ramón Llull». *La Vanguardia Española*, edició del 06-03-1953, pàg. 10.

30 «El doctor Martín Almagro en la Universidad». *La Vanguardia Española*, edició del 09-05-1953, pàg. 12.

31 ALMAGRO, M. (1939): «La cerámica excisa de la Primera Edad del Hierro de la Península Ibérica». *Ampurias*, 1, pàg. 138-152.

32 ALMAGRO, M. (1940): «El hallazgo de la Ría de Huelva y el final de la Edad del Bronce en el occidente de Europa». *Ampurias*, 2, pàg. 85-143.

nyella, Josep Maria Pons Guri, Miquel Oliva Prat o Albert Ferrer. En aquest sentit, la creació a partir del número 3, corresponent a 1941, de la secció Noticiario Arqueológico, va permetre incloure a la revista un seguit de petits treballs que donaven compte de la tasca duta a terme en diverses contrades del territori. L'objectiu d'aquestes col·laboracions, petites notes de recerca, era assegurar la fidelitat científica i personal dels estudiosos i els afeccionats locals, que podien nodrir d'informacions els científics professionals, un tipus de pràctica que Bosch Gimpera ja havia fet servir per mantenir-se informat del que passava al territori; després d'Almagro, Maluquer de Motes també el va utilitzar des de la Universitat amb les reunions setmanals organitzades per l'Institut d'Arqueologia i Prehistòria, en què els afeccionats locals sabien que podien presentar en un marc adient com era la Universitat les troballes que feien en els seus territoris, dades que es convertien en moltes ocasions en la base documental de futurs plans de recerca.

Almagro va obrir també la revista a investigadors de prestigi com Ramón Menéndez Pidal —amb qui col·laborà, com hem indicat,[33] en l'edició dels primers volums de la seva *Historia de España,* per recomanació de Taracena i García y Bellido, en substitució de Juan Cabré, que no havia lliurat a temps l'encàrrec rebut—[34] i Antonio García y Bellido, catedràtic d'arqueologia a la Universitat de Madrid i deixeble, com ell, d'Hugo Obermaier. En el camp de les aportacions d'investigadors estrangers va ser on es va veure més el canvi d'orientació. Al llarg dels números corresponents als primers anys de la Segona Guerra Mundial, van destacar les col·laboracions del sacerdot jesuïta Enrique Heras, professor a l'Indian Historical Research Institute de la Universitat de Bombai, i especialment dels alemanys Adolf Schulten —que oblidà ràpidament les seves relacions amb Bosch Gimpera—, l'especialista en numismàtica establert a Sant Sebastià Wilhelm Reinhart, vinculat també a Martínez Santa Olalla i interessat en l'estudi del món visigot,[35] i l'antic professor d'Almagro i responsable de l'educació pública a Àustria després de l'annexió alemanya, Oswald Menghin.[36]

---

33 ALMAGRO BASCH, 1947 i 1952.

34 Arxiu MAC-Barcelona. Correspondència Almagro 1940-1941. Carta Alcocer-Almagro del 23-12-1941.

35 Arxiu MAC-Barcelona. Correspondència Almagro 1951. Carta Reinhart-Almagro del 03-03-1951.

36 Oswald Menghin (Meran, 19-04-1988-Buenos Aires, 29-11-1973). Rector de la Universitat de Viena el 1935, va ser nomenat ministre d'Educació en el gabinet nazi presidit per Arthur Seyss-Inquart després de l'annexió d'Àustria a Alemanya, a qui Almagro ja coneixia per haver estat tots dos membres de la societat nacionalista Deutsche Gemeinschaft. Al llarg del seu mandat es van aplicar els decrets d'arianització de la Universitat, i van ser destituïts el 40% dels professors per la seva ascendència jueva. La seva

Finalitzada la Segona Guerra Mundial, Almagro va continuar la relació professional i personal amb els seus antics mestres i col·legues a Àustria i Alemanya, amb independència del paper que havien tingut durant el règim nazi. Menghin va reprendre el contacte amb Almagro al principi del 1950, un cop assentat definitivament a l'Argentina, on en poc temps va aconseguir una posició acadèmica sòlida. Políticament va mantenir una postura anticomunista que compartia amb el seu antic deixeble, de qui coneixia, per exemple, les bones relacions polítiques que mantenia amb José María de Areilza, ambaixador d'Espanya a Buenos Aires:

> [...] comparto perfectamente tu pesimismo. Es solamente una prosperidad ficticia en la cual se encuentra la Europa actual. La miseria general sólo vendrá. En el caso del verdadero peligro los EEUU desampararán Europa como lo hicieron con China. No obstante deseo que evolucionen buenas condiciones entre la España y los EEUU y que se rompa la cadena alrededor de tu país.[37]

Mentrestant, Almagro va aprofitar la relació amb Menghin per difondre la pròpia recerca a Amèrica del Sud, i també per fixar la seva posició en l'àmbit de la investigació arqueològica a Espanya, alhora que va criticar la tasca de Martínez Santa Olalla quan aquest intentà estendre la seva influència a Amèrica:

> [...] te envío [...] una información sobre una reseña firmada por un secretario de Santa Olalla, donde se ataca sin razón a la Dirección General de Marruecos y Colonias, organismo oficial de la Presidencia del Consejo de Ministros. Todo ello dicho veladamente ha pasado desapercibido para vosotros, pero como Santa Olalla fue apartado del CIAO por su intemperancia y jaleos que allí armó y que es cosa que yo no conozco bien, ha reaccionado contra el Instituto de Estudios Africanos, que sigue haciendo una fructífera labor en África occidental en el campo de la investigación [...]. En fin, es una pequeña cosa pero creo que merecería la pena que todo lo que venga de Santa Olalla tú lo tomes un poco en cuarentena. Él va poniendo siempre bombas explosivas en los sitios más extraños y como tiene enemigos por todas partes estos también exageran lo que él hace.[38]

---

actuació li va valer el rebuig dels cercles i associacions catòlics de Viena. Finalitzada la guerra, va ser detingut com a criminal de guerra per haver format part del govern de Seyss-Inquart, però després d'un temps de detenció en un campament militar nord-americà va poder emigrar a l'Argentina el 1948. Sobre Menghin, vegeu JERNEJ 2007, JANKUHN 1974 i PITTIONI 1974.

37 Arxiu MAC-Barcelona. Correspondència 1950. Carta Menghin-Almagro del 15-01-1950.

38 Arxiu MAC-Barcelona. Correspondència Almagro 1950. Carta Almagro-Menghin del 09-06-1950.

Al llarg d'uns quants anys, Menghin va ser el corresponsal principal d'Almagro a Llatinoamèrica; l'informava tant de les recerques i intervencions arqueològiques a la regió de la pampa argentina com de les relacions personals amb altres científics, així com de les notícies que rebia dels seus amics a Europa; en la relació d'amistat no va pesar, sinó ben al contrari, l'actuació política de l'antic mestre a Àustria, com indicà a Sánchez Albornoz: «dará de mi parte muchos recuerdos a Menghin. Es un verdadero sabio y merece que en su destierro en ese país donde tan poco ambiente encuentra se le ayude; además es persona buenísima y yo sé bien que nada tuvo que ver en su país con la política nazi que otros hacían más que él, precisamente los que ahora se convierten en sus perseguidores e intentan hablar mal aunque nada pueden decir».[39] Una visió com a mínim parcial.

Almagro fins i tot va fer algunes gestions per aconseguir que Menghin s'instal·lés a Espanya:

[...] es muy amable tu oferta de una gestión en mi favor incluso para quedarme en España. Me gustaría muchísimo vivir en España y particularmente en la cercanía tuya y bajo la protección tuya. Teniendo aquí entre mis amigos un hombre que es amigo personal del Caudillo, tal vez sería posible realizar esta mudanza bajo condiciones favorables. Por el otro lado, comprenderás que tengo el deseo de estabilidad después de tantas peripecias de mi vida. Hay que añadir que la vida en este país me gusta y particualrmente también a mi señora, a pesar de que llevamos una vida bastante proletarizada, muy lejos de nuestro nivel de vida en Viena.[40]

Almagro negà, però, la seva relació de proximitat amb Franco, i fins i tot considerà que el seu mestre estaria més segur a l'Argentina, davant de la situació política: «esta Europa da siempre un poco de miedo ante la guerra que se avecina de Norteamérica y rusos, por eso pensándolo bien no sé si estás más seguro en la Argentina que cerca del futuro frente».[41] Menghin va acceptar aquesta afirmació amb desgana, tenint en compte les dificultats econòmiques que patia, amb contractes que el govern no pagava mai, i en una societat en què, segons afirmà, «muchos no creen que los rendimientos científicos tienen más importancia para el prestigio de un país que las proezas de boxeadores, futbo-

39 Arxiu MAC-Barcelona. Correspondència Almagro 1950. Carta Almagro-Sánchez Albornoz del 20-02-1950.

40 Arxiu MAC-Barcelona. Correspondència Almagro 1954. Carta Menghin-Almagro del 09-01-1954.

41 Arxiu MAC-Barcelona. Correspondència Almagro 1954. Carta Almagro-Menghin del 25-02-1954.

listas, corredores automovilistas, etc.».[42] Menghin va visitar Barcelona l'any 1962 convidat per Almagro, però va mantenir la seva residència a l'Argentina, on assolí, com hem dit, una posició de prestigi[43] que no va ser qüestionada fins fa pocs anys, quan els investigadors argentins van començar a retreure-li el seu passat nazi.

Menghin no va ser pas l'únic investigador alemany amb qui Almagro va mantenir contacte. Cap al final de la dècada dels quaranta, quan les autoritats d'ocupació van permetre gradualment la represa dels intercanvis científics, Almagro tornà a cartejar-se amb altres investigadors alemanys a qui ja coneixia del període 1935-1945, com ara Wolfgang Dehn, director del museu de Treveris, membre de les SA i de les SS i responsable de les intervencions arqueològiques en el Luxemburg ocupat durant la guerra i que, després d'un temps com a presoner de guerra, va ser nomenat catedràtic d'arqueologia a la Universitat de Marburg el 1949.[44] També reprengué el contacte amb D. W. Wagner, de l'Institut Arqueològic Alemany, amb qui va concloure un acord per intercanviar investigadors entre els centres de Frankfurt i Barcelona, a més de les revistes respectives, *Germania* i *Ampurias,* fet que li proporcionà una gran satisfacció personal i professional.[45] Amb el seu antic professor a Marburg, Gero Von Merhart, restablí la comunicació després que aquest coincidís amb Pericot al Congrés de Prehistòria Mediterrània celebrat a Florència la primavera de 1950,[46] i amb ell discutí diversos aspectes del seu treball sobre les invasions cèltiques i, en especial, sobre la cuirassa protohistòrica de Calaceit[47] i la seva cronologia.[48]

Altres investigadors amb els quals va reprendre el contacte van ser: el també antic mestre seu a la Universitat de Viena, Richard Pittioni, a qui va convidar al curs d'arqueologia que organitzà a les Balears[49] i en el qual va pronunciar dues conferències sobre les relacions entre el neolític africà i europeu;[50] Hans Rheinfelder, investigador del Ministeri de Cultura de l'Estat de Baviera;[51] Hermann Trimborn, un hispanista que ja havia impartit cursos a la Universitat de

42   Arxiu MAC-Barcelona. Correspondencia Almagro 1954. Carta Menghin-Almagro del 07-08-1954.

43   Arxiu MAC-Barcelona. Correspondència Almagro 1964. Carta Menghin-Almagro del 08-08-1964.

44   Frey 2002; Olivier, 2007.

45   Arxiu MAC-Barcelona. Correspondència Almagro 1950. Carta Almagro-Wagner del 10-02-1950.

46   Arxiu MAC-Barcelona. Correspondència Almagro 1950. Carta Merhart-Almagro del 12-06-1950.

47   Arxiu MAC-Barcelona. Correspondència Almagro 1952. Carta Merhart-Almagro del 08-03-1952.

48   Arxiu MAC-Barcelona. Correspondència Almagro 1953. Carta Almagro-Merhart del 13-03-1953.

49   Arxiu MAC-Barcelona. Correspondència Almagro 1950. Carta Almagro-Pittioni del 14-02-1950; Carta Montañola-Pittoni del 06-05-1950.

50   Arxiu MAC-Barcelona. Correspondència Almagro 1950. Carta Pittioni-Almagro del 03-05-1950.

51   Arxiu MAC-Barcelona. Correspondència Almagro 1950. Carta Rheinfelder-Almagro del 14-05-1950.

Madrid abans de la guerra civil, professor ara a la Universitat de Bonn;[52] Karl Tackenberg, també de la Universitat de Bonn i responsable, amb el professor Valjavec, de la redacció de la *Historia Mundi*, en la qual van convidar a participar Almagro,[53] i, com indicarem més avall, Herbert Kühn. A tots aquests s'ha d'afegir Philip Jacobsthal, exiliat a Oxford per la seva posició contrària al règim nazi i professor el 1950 al Christ Church College,[54] amb qui va discutir els seus treballs sobre els materials etruscs documentats a Empúries.[55] Cal no oblidar tampoc, entre els investigadors de llengua alemanya, el suís Emil Vogt, director del Landesmuseum de Zuric, un antic estudiant a la Universitat de Berlín a la dècada de 1920 on va coincidir amb alguns dels arqueòlegs nazis més representatius, i responsable com a membre de la direcció dels CICPP de la represa dels Congressos Internacionals de Prehistòria i Protohistòria després de la Segona Guerra Mundial[56] i de la tercera reunió plenària que va tenir lloc a Zuric l'any 1950; Vogt també va prendre part en diversos congressos a Espanya els anys 1950 i 1951, on va ser hoste d'Almagro.[57]

Tot i els contactes que Almagro va mantenir amb investigadors francesos i britànics durant aquests anys, es va haver d'esperar fins al número 6 d'*Ampurias*, corresponent a l'any 1944, per veure una petita nota de l'australià Gordon Childe[58] sobre el treball de Lluís Pericot a la cova del Parpalló; la nota va ser inclosa a la secció de noticiari, quan pel valor de la firma hauria d'haver figurat entre els articles principals. Un segon treball, encarregat per al volum de l'any 1951,[59] coincidint amb la presència de l'investigador australià al curs arqueològic celebrat a les Balears, va tenir un tractament molt diferent, demostratiu del canvi en les relacions internacionals, tant polítiques com acadèmiques: «el honor que Ud. nos hace de colaborar en la revista exige por nuestra parte el que no le pongamos condiciones y haga querido profesor lo que más oportuno le parezca».[60] Almagro, però, no comptava que Gordon Childe tingués al mateix temps una relació excel·lent amb Martínez Santa Olalla. L'article

---

52 Arxiu MAC-Barcelona. Correspondència Almagro 1951. Carta Trimborn-Almagro de l'11-07-1951.

53 Arxiu MAC-Barcelona. Correspondència Almagro 1951. Carta Tackenberg-Almagro del 19-05-1951.

54 Arxiu MAC-Barcelona. Correspondència Almagro 1950. Carta Jacobsthal-Almagro del 31-01-1950.

55 Arxiu MAC-Barcelona. Correspondència Almagro 1950. Carta Almagro-Jacobsthal del 30-03-1950; Carta Jacobsthal-Almagro del 07-03-1950.

56 Gracia Alonso, 2009a, pàg.443-444.

57 Arxiu MAC-Barcelona. Correspondència Almagro 1951. Carta Vogt-Almagro del 18-04-1951; Carta Almagro-Vogt del 18-06-1951.

58 Gordon Childe, 1944.

59 Gordon Childe, 1951.

60 Arxiu MAC-Barcelona. Correspondència Almagro 1948-1950. Carta Gordon Childe-Almagro del 08-06-1950 i cartes Almagro-Gordon Childe de dates 14-06 i 23-06-1950.

es va acabar publicant tot i els problemes que sorgiren amb la traducció espanyola, que portaren Childe a expressar a Pericot el seu disgust.[61] Es tractava d'una personalitat massa influent per supeditar la seva relació a les picabaralles amb el comissari general.

Així, Almagro, al principi de l'any 1950, el mateix any en què s'havia de celebrar a Zuric el III Congrés Internacional de Ciències Prehistòriques i Protohistòriques en el qual Almagro aconseguí fixar la seva posició en el context europeu en detriment de Martínez Santa Olalla, convidà Childe a participar en la quarta edició dels Cursos Internacionals d'Arqueologia d'Empúries, que aquell any va tenir lloc a les Balears. Es tractava d'un gran aparador de la posició dominant d'Almagro, per tal com la reunió tingué el suport del marquès de Lozoya i Albareda, o el que és el mateix, del Ministeri d'Educació Nacional i del CSIC. A més, com que la secretaria general l'exercia Antonio Beltrán,[62] s'obtingué la col·laboració de l'organització dels Congressos Nacionals d'Arqueologia, que Beltrán dirigia, i també, gràcies a l'amistat de Beltrán amb l'almirall Bastarreche, el suport logístic de l'Armada espanyola per disposar d'un vaixell de guerra per fer el trasllat entre les illes. Childe va ser convidat a impartir una conferència sobre els problemes del neolític i l'edat del bronze a la Mediterrània occidental,[63] cosa que acceptà immediatament[64] i suggerí com a títol de la seva participació «Las relaciones entre las islas Británicas y las regiones costeras e Islas del Mediterráneo Occidental al final del Neolítico y comienzo del Bronce».[65] Però, tot i que confirmà a finals de maig el seu pla de viatge a Barcelona i Mallorca tant a Almagro[66] com a Pericot[67] i que al llarg dels mesos de juny i juliol va mantenir correspondència en relació amb l'article que es trobava en premsa a *Ampurias*,[68] a finals d'agost s'excusà al·legant problemes de salut i la por de patir un cop de calor;[69] d'aquesta manera, tras-

61 BC. Llegat Lluís Pericot. Carta Gordon Childe-Pericot del 08-06-1950. Citat a Díaz-Andreu, 2007c, pàg. 84.

62 Gracia Alonso, 2009, pàg. 358-359.

63 Arxiu MAC-Barcelona. Correspondència Almagro 1950. Carta Almagro-Gordon Childe del 14-02-1950.

64 Arxiu MAC-Barcelona. Correspondència Almagro 1950. Carta Gordon Childe-Almagro del 23-02-1950.

65 Arxiu MAC-Barcelona. Correspondència Almagro 1950. Carta Montañola-Gordon Childe del 05-05-1950.

66 Arxiu MAC-Barcelona. Correspondència Almagro 1950. Carta Gordon Childe-Montañola del 25-05-1950.

67 BC. Llegat Lluís Pericot. Carta Gordon Childe-Pericot del 08-06-1950.

68 Arxiu MAC-Barcelona. Correspondència Almagro 1950. Carta Gordon Childe-Almagro del 08-06-1950; Carta Almagro-Gordon Childe del 14-06-1950; Carta Almagro-Gordon Childe del 23-06-1950.

69 BC. Llegat Lluís Pericot. Carta Gordon Childe-Pericot del 29-08-1950.

passava la representació britànica a les intervencions de Christopher i Jaquetta Hawkes.

Va ser força significatiu el fet que Childe donés cita a Almagro, en acomiadar-se, per a la reunió de Madrid l'any 1954,[70] és a dir, després de la reunió de Zuric en què s'escollí la capital com a seu del IV Congrés dels CICPP, moment en què Martínez Santa Olalla va ser deixat de banda com a representant d'Espanya en benefici del grup format per Pericot, Taracena, García y Bellido i Almagro. Una cita a quatre anys vista era, en efecte, massa dilatada en el temps per pensar que el motiu real de l'absència fos només una petita malaltia de la qual el prehistoriador australià es declarava guarit quinze dies abans de la data prevista per a la seva intervenció a la reunió de les Balears. En aquest sentit, es pot aprofundir en la realitat dels fets: mentre que la correspondència amb Almagro s'interrompé, Childe va mantenir una relació epistolar i científica fluida amb Pericot entre els anys 1950 i 1954, amb intercanvi de publicacions i dades relatives als CICPP, un fet que, en bona mesura, descansa en la data d'inici de la coneixença entre tots dos, que tingué lloc l'any 1928 arran d'una estada de Gordon Childe a Barcelona. La relació va ser potenciada posteriorment, abans de la guerra civil, per l'interès de Childe pels treballs de Pericot a la cova del Parpalló, que Bosch Gimpera presentà[71] en les sessions del I Congrés Internacional de Ciències Prehistòriques i Protohistòriques que se celebrà a Londres l'any 1932.[72] Almagro i Childe es van trobar de nou, efectivament, a Madrid, però la relació no va ser fluida, ja que Almagro l'informà l'any següent sobre els seus treballs a Los Millares, però sense obtenir resposta.[73]

Per al curs de les Balears va ser convidat, com hem indicat, Chistopher Hawkes,[74] l'altre investigador britànic influent vinculat a Espanya i als CICPP, que acceptà[75] la invitació, en companyia de la seva esposa Jaquetta, en aquell moment vicepresidenta del Council for British Archaeology, i del seu fill Nicolás, en el que preveia que serien unes vacances[76] excel·lents. Pericot, Montañola i Almagro van fer tot el possible per arreglar els problemes burocràtics i econò-

---

70 Arxiu MAC-Barcelona. Correspondència Almagro 1950. Carta Gordon Childe-Almagro del 29-08-1950.

71 BC. Llegat Lluís Pericot. Carta Bosch-Pericot del 05-08-1932.

72 Vegeu detalls a DÍAZ-ANDREU, 2007c, pàg. 88-90.

73 Arxiu MAC-Barcelona. Correspondència Almagro 1955. Carta Almagro-Gordon Childe del 18-03-1955.

74 Arxiu MAC-Barcelona. Correspondència Almagro 1950. Carta Almagro-Hawkes del 14-02-1950.

75 Arxiu MAC-Barcelona. Correspondència Almagro 1950. Carta Hawkes-Almagro del 12-03-1950.

76 BC. Llegat Lluís Pericot. Carta Hawkes-Pericot del 29-03-1947.

mics per als desplaçaments de la família Hawkes a Espanya.[77] Hawkes i els seus van quedar encantats del viatge i dels contactes establerts amb diferents investigadors espanyols, especialment amb Beltrán i amb Del Castillo, tot i que arran del viatge va caure malalt de tifus i va necessitar dos mesos d'hospitalització.[78] La presència de Hawkes serví per refermar els contactes britànics de Pericot i Almagro, que van continuar a través de diferents articles per a *Ampurias*[79] i de l'intercanvi de publicacions. A més a més, al congrés de Madrid el 1954,[80] les intervencions d'Almagro van causar una impressió forta a Hawkes:

> [...] You were Splendid! Your reception in Barcelona, your marvelloushy skiful conduct of the excursion of Aragon and the Levante, and your admirable Conference on the Iron Age of the Peninsula —these three things wile always flourish in my memory— and your personal enthusiasm and generous benevolence to all your congressist guest won all their hearts, and delightedd everybody.[81]

Stuart Piggott[82] també es mostrà molt satisfet pel tracte d'Almagro al congrés de Madrid; arran d'aquesta coneixença Piggott inicià una forta relació amb el Museu de Barcelona, que va incloure la vinguda a Espanya de dos dels seus alumnes: d'una banda, Beatrice M. Blance,[83] que va venir amb una beca concedida pel British Council,[84] treballà a la seu de l'Institut Arqueològic Alemany a Madrid i col·laborà amb Almagro i Arribas a les excavacions de Los Millares;[85] i, de l'altra, William Culican,[86] a qui Almagro guià en el seu estudi sobre els materials fenicis a la península Ibèrica, especialment les col·leccions eivissenques del museu.[87]

Però el 1947, arran de la celebració de la primera edició del Curs Internacional d'Arqueologia d'Empúries, de l'estada a Barcelona d'investigadors de dife-

---

77 Arxiu MAC-Barcelona. Correspondència Almagro 1950. Carta Montañola-Hawkes del 20-03-1950; Carta Hawkes-Montañola del 03-04-1950; Carta Hawkes-Almagro del 03-04-1950; Carta Montañola-Hawkes del 06-05-1950; Carta Montañola-Hawkes del 08-07-1950; Carta Hawkes-Montañola del 28-07-1950.

78 BC. Llegat Lluís Pericot. Carta Hawkes-Pericot del 23-10-1950.

79 Arxiu MAC-Barcelona. Correspondència Almagro 1951. Carta Almagro-Hawkes del 17-03-1951. HAWKES, 1947-1948 i 1952.

80 Arxiu MAC-Barcelona. Correspondència Almagro 1953. Carta Hawkes-Almagro del 20-04-1953.

81 Arxiu MAC-Barcelona. Correspondència Almagro 1954. Carta Hawkes-Almagro del 30-06-1954.

82 Arxiu MAC-Barcelona. Correspondència Almagro 1954. Carta Piggott-Almagro de l'01-05-1954.

83 Arxiu MAC-Barcelona. Correspondència Almagro 1954. Carta Almagro-Piggott del 28-05-1954.

84 Arxiu MAC-Barcelona. Correspondència Almagro 1954. Ofici MAAEE-Almagro del 12-05-1954.

85 Arxiu MAC-Barcelona. Correspondència Almagro 1955. Carta Almagro-Blance del 23-05-1955; Carta Almagro-Blance del 27-02-1956.

86 Arxiu MAC-Barcelona. Correspondència Almagro 1954. Carta Piggott-Almagro del 28-09-1954.

87 Arxiu MAC-Barcelona. Correspondència Almagro 1954. Carta Culican-Almagro del 12-10-1954.

rents països i de la vinculació d'Almagro a organismes francesos i italians, es produí un canvi profund en els continguts d'*Ampurias*. Entre els signants dels articles principals hi van començar a ser ara Maurice Louis, Eugenio Jalhay, Christopher Hawkes, Jean Taffanel, Jean Arnal, Nino Lamboglia, Luigi Bernabò Brea, Gordon Childe, i Massimo Pallottino, és a dir, una representació excellent de la recerca prehistòrica a Europa, sovint amb articles de fons i síntesi que demostraven una implicació i un reconeixement de la qualitat de la revista. En molts casos, els articles principals d'un mateix número eren coberts per especialistes de fora de Barcelona, o bé per altres que, com Miquel Tarradell, desenvolupaven la seva tasca professional fora de Catalunya; en aquest grup hi havia inclosos un cert nombre de comissaris provincials d'arqueologia com Luis Diego Cuscoy o Fermín Bouza Brey, en principi més lligats a Martínez Santa Olalla. *Ampurias* va fugir així del localisme i l'endogàmia, tot i mantenir les notícies de les intervencions geogràficament properes a la secció de noticiari.

Quan Almagro va marxar a Madrid, la revista havia assolit un prestigi indiscutible. De fet, l'any 1951 una nota interna del museu recollia la trajectòria de la revista i deixava palesos els trets essencials que es volien retenir pel que feia a la seva història interna: «esta revista fue fundada en 1939 por el profesor Martín Almagro y es el órgano del Instituto de Prehistoria Mediterránea del CSIC, del Servicio de Investigaciones Arqueológicas de la Excma. Diputación Provincial de Barcelona y del Seminario de Prehistoria de la Facultad de Filosofía y Letras de la Universidad de Barcelona», és a dir, no del Museu Arqueològic, fet força significatiu, per tal com es tractava d'un organisme molt més actiu que els altres citats. La nota continuava: «el Director de la Revista es el profesor Dr. Martín Almagro, Director del Museo Arqueológico de Barcelona y catedrático de la Universidad. La revista cuenta entre sus colaboradores la casi totalidad de los arqueólogos y prehistoriadores españoles y numerosos especialistas y profesores extranjeros. Los redactores de la revista han sido sucesivamente los Sres. J. Maluquer de Motes, C. Cid Priego y E. Ripoll Perelló». De fet, amb la nota es pretenia estrènyer els lligams amb el CSIC i repartir amb el nou Instituto de Prehistoria y Arqueología Rodrigo Caro les àrees d'influència. Mentre que l'arqueologia clàssica tindria el seu òrgan d'expressió en *Archivo Español de Arqueología*, editat a Madrid, Almagro aspirava a quedar-se per a *Ampurias* amb tota la crònica científica de la prehistòria i l'etnologia,[88] idea per a la qual tenia la conformitat de García y Bellido, amb qui van acordar

88 Arxiu MAC-Barcelona. Correspondència 1946-1953. *Ampurias. Revista de Arqueología, Prehistoria y Etnología. Barcelona.*

que les matèries comunes, com les edats dels metalls, les colonitzacions o el món ibèric, podrien ser publicades indistintament.[89] Els intercanvis generats pels successius volums de la revista, ben gestionats per Mercedes Montañola i Concepción Gener, contribuïren decisivament a fer de la biblioteca del museu una de les més ben dotades dels centres de recerca arqueològica de l'Estat: a mitjan dècada de 1950 va assolir els quinze mil volums i prop de cent cinquanta intercanvis, fins al punt de cedir en préstec a investigadors d'altres ciutats volums del fons propi, fet que proporcionà sovint maldecaps a les gestores per recuperar-los.

Però la revista era també considerada un actiu valuós pels gestors de la Diputació de Barcelona, que l'any 1963, en ocasió de celebrar els 25è aniversari de la seva fundació, van poder recordar un cop més les tres línies d'actuació política-científica del museu i el seu òrgan de difusió: la tasca duta a terme en el camp de la recerca arqueològica ininterrompudament per la Diputació des de 1915 —el moment de la creació del SIA per l'IEC—; els motius fundacionals que Almagro destacà en el seu pròleg del 1939 —«una obra que nació con la ilusión puesta en el mejor servicio al país»— i la projecció de la tasca patrocinada per la Diputació, que «se enorgullece en patrocinar y sostener, y que básicamente al tesón del Profesor don Martín Almagro y de sus colaboradores [...] no se olvide que de los rangos de investigadores del Museo Arqueológico de Barcelona y de su Instituto de Prehistoria y Arqueología, cuyo carácter de gran centro de formación de profesionales supo mantener durante tantos años el Profesor Almagro, han salido la casi totalidad de los profesores universitarios españoles de las repetidamente citadas especialidades».[90]

Si bé Almagro es va sentir temptat d'apropar-se als arqueòlegs nazis al principi dels anys quaranta, especialment per la seva relació de deixeble amb Menghin, a qui acompanyà en la seva estada a Barcelona l'any 1942,[91] abandonà ràpidament aquesta línia tant pel gir militar de la Segona Guerra Mundial com per la seva nova militància monàrquica. L'any 1941 participà, al costat d'Alcobé, Arribas, Eduardo Hernández Pacheco, Carlos Vidal Box i Emilio Guinea López, en una expedició científica al Sàhara Espanyol organitzada per l'Institut d'Estudis Polítics, que també havia donat suport als treballs a la zona dirigits per Martínez Santa Olalla. Però quan el març de 1943 aquest organisme passà a ser dirigit per Fernando María de Castiella y Maíz, la situació canvià i Alma-

89 García y Bellido, 1951, pàg. 167.
90 Brugués, 1963, pàg. v-vi.
91 «El arqueólogo alemán, profesor Menghin, en la Universidad». *La Vanguardia Española*, edició del 18-06-1942, pàg. 6.

1944. Martín Almagro Basch al costat de membres de l'exèrcit durant l'expedició científica al Sàhara espanyol. Fotografia: MAC-Barcelona.

gro, que féu una nova visita al Protectorat al principi de juliol i expressà a Pericot que «por patriotismo debemos orientar un poco nuestra actividad todos los investigadores españoles [...] hacia unas tierras llenas de interés completamente vírgenes para la ciencia»,[92] rebé finançament per dur a terme l'hivern de 1944 una àmplia campanya de prospeccions sistemàtiques amb l'ajut de la Direcció General del Marroc i les Colònies, dirigida per Juan Fontán Lobé,[93] i de l'Institut d'Estudis Polítics, que dirigia Castiella.

Per a l'esmentada campanya va obtenir permís de la Diputació de Barcelona, i va ser substituït al capdavant del museu per Serra Ràfols;[94] d'altra banda, l'Institut d'Estudis Polítics compensà la Diputació amb el lliurament de diferents lots de materials al Museu Arqueològic perquè s'exposessin i s'estudiessin.[95] Almagro tingué també l'ajut de les unitats de l'exèrcit espanyol al territori, que

92 BC. Llegat Lluís Pericot. Carta Almagro-Pericot del 02-07-1943.

93 «El Sahara ya no es el Sahara». *La Vanguardia Española*, edició del 03-08-1946, pàg. 3.

94 AHDB. Lligall Q-579. Exp. 8. *Sección Cultura-Expediente Museo Arqueológico-Expediente general.* Ofici Almagro-President de la Diputació del 07-01-1944.

95 AHDB. Lligall Q-579. Exp. 8. *Sección Cultura-Expediente Museo Arqueológico-Expediente general.* Carta del director de l'Institut d'Estudis Polítics al president de la Diputació del 24-04-1944.

l'escortaren i el guiaren en els seus desplaçaments.[96] Els resultats de la seva feina van formar part d'un primer estudi sobre l'art rupestre publicat el 1944,[97] un altre sobre el jaciment neolític de Las Sebjas de Tarume (Seguía el Hamra) el 1945,[98] i la monografia sobre la prehistòria del nord d'Àfrica i el Sàhara espanyol publicada el 1946[99] i que, en una reafirmació clara de la seva vinculació ideològica amb el règim de Franco, dedicà «al Ejército español de África, mantenedor del espíritu heorico, civilizador y misionero de España». Però el més important va ser que els dos viatges van desenvolupar el seu interès per la prehistòria del territori i van constituir una de les raons del seu suport a Tarradell per obtenir la direcció de la recerca arqueològica al Protectorat espanyol; d'altra banda, van servir per facilitar noves expedicions i treballs, com els de Joaquín Mateu sobre els gravats rupestres de l'àrea de Smara, identificats entre desembre de 1944 i gener de 1945,[100] i els d'Arribas i Ripoll la tardor de 1951.[101] Un altre objectiu per a Almagro, no menys important, era disputar la direcció de la recerca arqueològica a les colònies espanyoles a Martínez Santa Olalla, extrem que, amb la suma de resultats científics i d'influències polítiques, va aconseguir plenament.

A més, el nomenament de José Díaz de Villegas, un antic membre de la División Azul, com a director general de Plazas y Provincias Africanas l'agost de 1944 donà peu a la creació de l'Institut d'Estudis Africans, en el qual Almagro assolí un paper rellevant, amb la qual cosa aconseguí un altre triomf sobre el seu rival Martínez Santa Olalla, que als anys trenta ja frisava per controlar la recerca arqueològica i etnogràfica espanyola a l'Àfrica dins d'un projecte polític de recuperació de l'Imperi espanyol.[102] La promoció política d'Alberto Martín Artajo com a ministre d'Afers Exteriors el juliol de 1945 permeté aprofundir en aquesta via de treball pel seu suport a l'Institut d'Estudis Africans, com un dels eixos de la política exterior espanyola, amb la col·laboració de l'Institut d'Estudis Polítics:

[...] fomentar estos estudios científicos y de incorporarlos con sentido político al pensamiento y al ideal español, marcan un rumbo y una voluntad que ha de llenarnos de satisfacción y de esperanza, porque revela con qué clara visión el

96 ALMAGRO BASCH, 1946, pàg. 8-10.
97 ALMAGRO BASCH, 1994, pàg. 273-284.
98 ALMAGRO BASCH, 1945, pàg. 69-81.
99 ALMAGRO BASCH, 1946.
100 MATEU, 1947, pàg. 301-317.
101 ARRIBAS, 1952, pàg. 239-243.
102 Detalls a GRACIA ALONSO, 2009a.

nuevo Estado mira a África como lo que es, como el ideal exterior mejor definido de España.[103]

Com a resultat dels treballs, Almagro publicà la seva monografia *Prehistoria del Norte de África y del Sáhara Español* l'any 1946, així com diversos articles,[104] i conjuntament amb Pericot va obtenir el 1949 el premi Francisco Franco pels seus treballs sobre aquest període del Marroc, en una convocatòria pràcticament *ad hoc* sota el títol «Prehistoria marroquí. Estudio de sus diferentes períodos y de las relaciones con España y el resto de África», i un resultat esperat:

[...] el tema de la Prehistoria marroquí ha sido desarrollado, parece innecesario decir que magistralmente, por dos figuras sobresalientes de la cultura española, Martín Almagro y Pericot. El objetivo propuesto ha quedado así brillantemente alcanzado; un tema tan complejo y tan difícil como éste, en el que la investigación moderna tiene cada día cosas nuevas que decir y se mueve ilusionadamente en un campo en el que se esperan cada vez nuevos y decisivos resultados, se pone al día por auténticos valores españoles y se ofrece con cariño a los estudiosos marroquíes para que puedan llenar ese gran vacío científico que hoy presentan sus obras históricas.[105]

Almagro intentà també que Díaz de Villegas aprovés la creació d'una secció de l'Institut d'Estudis Africans a Barcelona, però el projecte no s'arribà a concretar.[106]

Almagro i Alcobé[107] van planejar una nova expedició per a l'any 1946, integrada també per Antoni Prevosti, August Panyella, el geògraf Manuel de Terán Álvarez i l'escultor Serra.[108] L'objectiu d'Almagro era dur a terme intervencions arqueològiques per determinar l'existència de jaciments de closquers, així com identificar noves estacions d'art rupestre. Alcobé, en canvi, tenia en ment completar els seus estudis sobre somatologia humana completant les sèries ja iniciades l'any 1941 per analitzar la biologia de la població indígena del Sàhara

---

103 «España y el Desierto». *La Vanguardia Española*, edició del 25-02-1945, pàg. 3.
104 ALMAGRO BASCH, 1944.
105 «Prehistoria marroquí». *La Vanguardia Española*, edició del 02-08-1950, pàg. 1.
106 BC. Llegat Lluís Pericot. Carta Almagro-Pericot de l'01-07-1947.
107 Autors diversos, 1994, pàg. 54-56.
108 Arxiu MAC-Barcelona. Correspondència Almagro 1944. *Componentes de la expedición proyectada al Sahara español. Proyecto de presupuesto para una expedición científica al Sahara español.*

espanyol.[109] Per la seva banda, Panyella, a més de comprar diferents materials etnològics per al futur Museu d'Àfrica, volia analitzar el sistema organitzatiu —social i familiar— de les tribus nòmades. Val a dir que l'expedició tenia un pressupost de quasi dues-centes mil ptes. (quinze mil específicament destinades a excavacions arqueològiques) i l'ajut de les forces militars enclavades al territori com a escortes i guies.

Amb el suport de la Direcció General del Marroc i les Colònies, així com de l'Institut d'Estudis Africans, Alcobé va dirigir també el 1949 una expedició als territoris espanyols del golf de Guinea,[110] que s'anava gestant ja des de 1947,[111] de la qual van formar part Jesús Fernández Cabeza, Panyella, Juan Gómez Menor, Joaquín Mateu, Eugenio Ortiz i Manuel Alia, que van romandre cinc mesos fent treballs de camp. Un dels resultats principals de l'expedició va ser la recollida de materials etnològics que van ser dipositats al Museu Etnològic i Colonial de Barcelona, en principi com a pas previ per ser també lliurats al Museu d'Àfrica, però que finalment van romandre al museu barceloní, impulsat per Tomás Carreras Artau i inaugurat pel marquès de Lozoya el 4 de febrer de 1949, centre que es vinculà amb l'Institut de Prehistòria Mediterrània.[112]

Almagro, amb l'ajut de Pericot, Lozoya i Ibáñez Martín, es va anar posicionant en el camp internacional. Pas a pas. En primer lloc, van ser gires de conferències per cimentar unes relacions personals i professionals fins llavors inexistents, com la feta a Oporto i Lisboa el mes d'abril de 1945, convidat amb Pericot, Taracena i Garcia y Bellido per l'Associació Portuguesa d'Antropologia, Etnografia i Prehistòria,[113] i amb una beca per a les despeses de viatge atorgada pel CSIC.[114] En el decurs de la visita, programada per Taracena per contrarestar la gira de treball que va fer a Portugal l'abril de 1944 Martínez Santa Olalla, Almagro impartí el 16 d'abril una conferència sobre les intervencions arqueològiques a Empúries, mentre que el dia 9 Pericot dissertà sobre les excavacions a la cova del Parpalló. Un any després, Almagro es traslladà al Regne Unit amb una pensió de la Junta de Relacions Culturals del Ministeri d'Afers Exteriors, inici d'un seguit de viatges en què era substituït a les classes per Maluquer de Motes i al museu per Serra Ràfols, no sense que el rectorat expressés el seu desacord per les freqüents absències en període lectiu. Després van venir

109 PANYELLA, 1951, pàg. III-114.
110 PANYELLA, 1949a, pàg. 208-209.
111 BC. Llegat Lluís Pericot. Carta Almagro-Pericot de l'01-07-1947.
112 PANYELLA, 1949b, pàg. 209-210.
113 «Catedráticos de la Universidad de Barcelona, a Lisboa». *La Vanguardia Española*, edició del 24-03-1945, pàg. 10.
114 AHUB. ES CAT-UB 01 EP *Almagro Basch, Martín.*

els contactes amb els arqueòlegs francesos i italians en el marc de les activitats de l'Institut d'Estudis Lígurs, del qual va ser nomenant membre del comitè executiu;[115] aquestes activitats van ser potenciades per l'inici de l'obertura de les excavacions d'Empúries amb els Cursos Internacionals d'Arqueologia, que li permeteren fer viatges freqüents a ambdós països com a representant oficial de la Diputació o de la Universitat.[116]

10.1. Una porta a Europa: Nino Lamboglia i l'Institut d'Estudis Lígurs

Al llarg dels primers anys de la postguerra, les possibilitats de relació exterior dels investigadors espanyols es limitaven, com hem indicat, als nacionals dels països que donaven suport polític al règim de Franco, especialment portuguesos, alemanys i italians. Es tractava, però, d'unes relacions marcades pel curs de la Segona Guerra Mundial, i més concretament pel seu desenllaç. Almagro va mantenir relacions amb els prehistoriadors de Portugal, però les possibilitats de col·laborar eren molt petites i poc interessants i, així, suspesos els contactes amb els científics alemanys fins al final de la dècada de 1940 a causa dels processos de depuració i reorganització dels centres de recerca alemanys, va ser amb el italians amb qui més ràpidament es van restablir els contactes a partir dels interessos polítics i els lligams existents entre els governs espanyol i italià un cop acabada la guerra; en aquests contactes es va mirar de donar una imatge de pertinença a un mateix tronc cultural comú[117] i de definir un marc de cooperació entre els dos projectes imperials.

La relació amb Itàlia es consolidà en l'acte de reinauguració de l'estàtua d'August ubicada davant les muralles de Tarragona,[118] una donació del règim de Mussolini que va ser retirada al llarg de la guerra, i de la qual ara Serrano Suñer i el comte Galeazzo Ciano presidiren l'acte de desgreuge.[119] Tant en aquest cas com en la visita guiada a l'Arc de Berà, i en la Semana Augustea de Saragossa l'any següent, les cerimònies giraren sempre al voltant de les mateixes idees: el ressorgir de l'Espanya imperial agermanada amb la Itàlia feixista here-

---

115 «Don Martín Almagro, a Italia». *La Vanguardia Española*, edició del 08-01-1955, pàg. 12.

116 «Regresa de Italia el catedrático doctor don Martín Almagro». *La Vanguardia Española*, edició del 20-04-1948, pàg. 9.

117 Duplá, 1997.

118 «La próxima visita del conde Ciano a España. Asistirá en Tarragona a la colocación en su pedestal de la estatua de César Augusto». *ABC*, edició del 04-07-1939.

119 Gracia Alonso, 2010, pàg. 431-432.

va de l'antiga Roma, i la presència de legionaris italians durant la guerra civil, hereus d'aquells que van difondre la cultura occidental a la Península, i que Serrano Suñer lloà a Tarragona l'11 de juliol de 1939 comparant Mussolini amb l'emperador August: «parecía saludar el paso de las legiones hispano-romanas, dispuestas hoy, como ayer, como mañana, como siempre, a defender a golpes de heroísmo y a punta de bayonetas el patrimonio indivisible e indescriptible de este mar y de la civilización que naciera de una a otra orilla».[120] Un mar que, segons Ciano, «une y unirà siempre en el futuro las dos grandes naciones fascistas en la defensa de aquellos principios que constituyen el patrimonio común».[121] No és gens estrany, doncs, l'interès per establir relacions científiques entre els investigadors espanyols i italians.

De fet, la documentació mostra que el primer pas el va fer el director de l'Institut d'Estudis Lígurs, Nino Lamboglia, que el juny de 1941 va demanar l'intercanvi de publicacions entre *Ampurias* i la *Rivista Ingauna e Intemenlia*,[122] una petició que va tenir el suport de Navascués des del Ministeri d'Educació Nacional, que va considerar que la relació contribuiria al «comú interès d'una sempre més íntima comprensió cultural i espiritual entre les nostres dues nacions llatines».[123] Almagro acceptà l'intercanvi amb la nova publicació de l'Institut, la *Rivista di Studi Liguri*.[124] Els contactes es van aturar al final de 1942 per la proximitat de la desfeta italiana en la guerra, tot i que Lamboglia volia en aquell moment estendre les seves relacions a altres centres de recerca espanyols a través d'Almagro.[125] Lamboglia va prendre de nou la iniciativa de reactivar les relacions el març de 1946, centrades de nou en l'intercanvi de publicacions.[126] Aquest cop, però, Almagro encarà l'intercanvi des d'una perspectiva diferent, tan diferent que molts anys després situà en aquest moment la seva primera relació amb l'investigador italià, amb la qual cosa esborrava tots els contactes mantinguts els anys 1941 i 1942, com si el record de les vinculacions entre científics al servei dels governs franquista i feixista italià no haguessin existit mai, i com si només l'estudi que Lamboglia va fer de l'obra de Christoph Simonett, *Tessiner Gräberfelder* —precisament al llarg de la seva convalescència a causa d'una ferida de guerra— els hagués posat en relació.[127]

120 «Discurso del ministro de la Gobernación». *ABC*, edició del 12-07-1939.
121 «Discurso del conde Ciano». *ABC*, edició del 12-07-1939.
122 Arxiu MAC-Barcelona. Correspondència Almagro 1941. Carta Lamboglia-Almagro del 26-06-1941.
123 Arxiu MAC-Barcelona. Correspondència Almagro 1942. Carta Lamboglia-Almagro del 26-01-1942.
124 Arxiu MAC-Barcelona. Correspondència Almagro 1942. Carta Lamboglia-Almagro del 14-03-1942.
125 Arxiu MAC-Barcelona. Correspondència Almagro 1942. Carta Lamboglia-Almagro del 10-12-1942.
126 Arxiu MAC-Barcelona. Correspondència Almagro 1946. Carta Lamboglia-Almagro del 18-03-1946.
127 ALMAGRO BASCH, 1977, pàg. 17.

L'aïllament polític d'Espanya en acabar la guerra mundial tancà les portes a les relacions europees més enllà de contactes puntuals. Calia, doncs, cercar una fórmula per establir relacions i Itàlia, tot i els problemes socials i econòmics que arrossegava arran de la seva participació a la guerra, era una bona opció, i no només per les possibles vinculacions amb els arqueòlegs italians, sinó també pels contactes que es podien establir a través d'ells.[128] Així, Almagro respongué a Lamboglia i acceptà els intercanvis —tot i considerar que la balança dels beneficis s'inclinava del cantó transalpí—[129] per establir uns lligams sòlids que li permeteren, per exemple, contactar amb una col·laboradora de la *Rivista di Studi Liguri*, la professora Pia Laviosa Zambotti,[130] i amb el director del museu de Burgg (Suïssa), Christoph Simonett. L'ocasió per fixar definitivament la relació arribà la primavera de 1947 amb la convocatòria del primer curs internacional d'arqueologia a Empúries. Lamboglia no només acceptà la invitació a participar feta per Almagro en nom del govern espanyol, sinó que hi correspongué invitant-lo a les jornades del congrés arqueològic italosuís que s'havia de celebrar entre el 24 de juny i el 2 de juliol del mateix any a Bordighera, Como, Varese i Locarno, i en el qual es preveia tractar la problemàtica de la protohistòria a l'àrea mediterrània; en darrer terme Almagro no va poder assistir a la reunió, tot i tenir el permís i l'ajut econòmic del Ministeri. Aquesta invitació va ser molt ben valorada per Albareda i el CSIC, que insistí personalment davant J. Cañal, director general de Relacions Culturals del Ministeri d'Afers Exteriors, per obtenir els permisos de sortida d'Espanya i els diners necessaris per fer el viatge per a Almagro i també per a Blas Taracena en la seva condició de director del Museu Arqueològic Nacional:

[...] desde el punto de vista científico la presencia de España en el Congreso tiene indudable interés pues sería ocasión de reanudar las relaciones que las circunstancias del mundo pasadas y presentes dificultan y los temas tanto prehistóricos como

128 Arxiu MAC-Barcelona. Correspondència Almagro 1946. Carta Almagro-Lamboglia del 20-05-1946.
129 Arxiu MAC-Barcelona. Correspondència Almagro 1946. Carta Lamboglia-Almagro del 13-06-1946. Nota manuscrita.
130 El cas de Laviosa Zambotti és un exemple de com no tots els contactes establerts per Almagro amb investigadors italians fructificaren en una relació consolidada. Tot i realitzar diversos viatges a Barcelona al llarg de la primera meitat de la dècada del 1950, Laviosa Zambotti es vinculà especialment amb el grup de seguidors de Julio Martínez Santa Olalla: va participar en diversos cicles de conferències organitzades pel Seminario de Història primitiva del Hombre i la Sociedad Española de Etnografía, així com en el I Curs d'Arqueologia de Camp que Martínez Santa Olalla organitzà a Granada el setembre de 1953. Gracia Alonso, 2009a, pàg. 411-412. BC. Llegat Lluís Pericot. Cartes Laviosa Zambotti-Pericot de dates 18-10-1950, 10-11-1950, 15-11-1950, 29-12-1950, 20-02-1951, 23-03-1951, 02-05-1951, 05-06-1951, 31-10-1951, 15-02-1952, 06-08-1952, 16-08-1953, 05-04-1954 i 05-01-1956.

protohistóricos que se han de tratar no son ajenos a España, donde entre otros
está desde hace bastante tiempo planteado el problema de si aquí hubo una inva-
sión ligur.[131]

I, en efecte, la presència de Taracena tingué una gran importància per al go-
vern, per tal com el cònsol d'Espanya a Gènova va emetre el 3 de juliol de 1947
un informe en què explicava les activitats dutes a terme:

> [...] algunas comunicaciones que han sido objeto del Congreso se relacionaban
> con España [...] habiendo expuesto el mencionado representante español una so-
> bre «El problema de los ligures en España» tema que ha interesado y ha sido obje-
> to de numerosas conversaciones. Durante todo el Congreso el Sr. Taracena ha
> dado a conocer a los Congresistas las publicaciones de Arqueología editadas por
> el Consejo Superior de Investigaciones Científicas previamente enviadas al Isti-
> tuto di Studi Liguri y que eran desconocidas de los franceses y de casi todos los
> italianos, ha recabado de algunos de estos profesores colaboración para nuestras
> revistas y dado a conocer a todos la bibliografía española de la especialidad pos-
> terior a 1940 y de la que no tenían noticia.[132]

Podia semblar que amb el seu èxit Taracena podia haver desplaçat les relacions
amb els italians cap a Madrid, però Lamboglia va fer quelcom més. Explicà a Al-
magro que Maurice Louis, director d'antiguitats del sud-oest de França, estava
molt interessat a restablir els contactes amb els arqueòlegs de Catalunya interrom-
puts arran del tancament de fronteres,[133] i li havia demanat convertir-se en inter-
mediari amb el Museu Arqueològic de Barcelona per intercanviar publicacions
i informacions. Paral·lelament, Lamboglia facilità també a Almagro el contacte
amb Luigi Bernabò Brea, responsable de les intervencions arqueològiques a l'illa
de Sicília, que acabava de publicar una monografia recull de les seves interven-
cions al jaciment d'Arene Candide.[134] Almagro el convidà a participar a la reunió
a les Balears,[135] invitació que aquest acceptà, un gest que també agraí a Pericot.[136]

---

131 AMAAEE. Lligall R-2491. Exp. 40. Carta Blas Taracena-J.Cañal.
132 AMAAEE. Lligall R-2491. Exp. 40. Minuta de la DG de Relacions Culturals del MAAEE al
subsecretari d'Educación Nacional del 17-07-1947.
133 BC. Llegat Lluís Pericot. Carta Lamboglia-Pericot del 27-12-1947.
134 Arxiu MAC-Barcelona. Correspondència Almagro 1947. Carta Lamboglia-Almagro de l'11-04-1947.
135 Arxiu MAC-Barcelona. Correspondència Almagro 1950. Carta Almagro-Bernabò Brea del
14-02-1950.
136 Arxiu MAC-Barcelona. Correspondència Almagro 1950. Carta Bernabò Brea-Almagro del
23-02-1950. BC. Llegat Lluís Pericot. Carta Bernabò Brea-Pericot del 19-12-1950.

Almagro havia aconseguit d'un cop el que van ser les bases principals de la seva projecció internacional al llarg de la dècada següent, com a mínim i gairebé exclusivament, al nord d'Itàlia i a la regió meridional de França. Contactes que no van deixar d'augmentar, ja que evidentment acceptà amb entusiasme els intercanvis proposats per Louis.[137]

Lamboglia participà en la reunió d'Empúries i restà encantat per les atencions que Almagro li dispensà,[138] fins al punt de proposar la celebració de reunions científiques periòdiques, a més de continuar amb l'intercanvi de publicacions i facilitar estades de recerca a estudiants italians i espanyols. Lamboglia també establí una bona relació amb Pericot, però tot i que fou cordial i prolongada en el temps, va ser molt menys fluida i d'un caràcter més protocol·lari.[139] L'estada de Lamboglia a Empúries fructificà en diferents acords de col·laboració basats en el corrent de simpatia creat entre ell i Almagro, molt propers socialment i ideològicament: convé recordar que l'investigador lígur havia defensat el règim de Mussolini fins al final de la guerra i que havia format part de la comissió italiana que va tenir cura de les qüestions d'art com a resultat de l'armistici entre França i Itàlia entre els anys 1940 i 1943, fet que li va suposar resultar ferit en una acció de la resistència a Niça durant l'ocupació.[140] Lamboglia s'encarregà de l'estudi de la ceràmica sigil·lada del jaciment empordanès i acceptà participar en les excavacions d'Empúries per poder analitzar el registre estratigràfic, tasca per a la qual demanà l'ajut de Francesc Riuró, a qui considerà un dibuixant excel·lent. Almagro deixà intacta la zona excavada per Lamboglia —amb l'ajut de Lidia Panizzi—[141] a fi que fos l'arqueòleg italià qui continués l'excavació; a tots dos els interessava l'estudi de l'etapa compresa entre el segle II i el baix Imperi romà per relacionar les seqüències d'ocupació d'Empúries i de Ventimiglia.[142] La primera estada de Lamboglia serví també perquè conegués les produccions ibèriques i els vasos de ceràmica grisa emporitana, que poques setmanes després va identificar entre els materials de les campanyes de Ventimiglia, fet que comunicà a Almagro com a mostra de la necessitat de prosseguir la col·laboració endegada.[143] En la seva nota oficial d'agraïment va unir amb habilitat les referències a la recerca amb la realitat política: «esperem haver fet un bon treball per afavorir la represa de les relacions científiques ita-

137 Arxiu MAC-Barcelona. Correspondència Almagro 1947. Carta Almagro-Lamboglia del 09-06-1947.
138 Arxiu MAC-Barcelona. Correspondència Almagro 1947. Carta Lamboglia-Almagro del 23-09-1947.
139 BC. Llegat Lluís Pericot. Carta Lamboglia-Pericot del 27-12-1947.
140 CORTADELLA, 1999, pàg. 556-558.
141 Arxiu MAC-Barcelona. Correspondència Almagro 1947. Carta Panizzi-Almagro de l'01-10-1947.
142 Arxiu MAC-Barcelona. Correspondència Almagro 1947. Carta Almagro-Lamboglia del 20-10-1947.
143 Arxiu MAC-Barcelona. Correspondència Almagro 1947. Carta Lamboglia-Almagro del 15-12-1947.

loespanyoles, així com per un durador agermanament entre els nostres dos pobles, i esperem que trobades d'aquest tipus es puguin repetir i intensificar en el futur»,[144] mentre que Almagro expressà a Panizzi les seves conviccions respecte a les relacions polítiques hispanoitalianes:

> [...] nosotros pondremos en usted mucho del cariño y agradecimiento que sentimos por la Italia eterna, aunque nos desilusione y nos dé tristeza la actualidad de la que tal vez no estemos bien informados. Para un español de vieja estirpe Italia es siempre un país amigo que ha hecho durante siglos la misma política que España, al menos en gran parte frente a los resquebrajamientos de Europa y que sentiríamos verla lejos de nuestra cordialidad. Un italiano en España, aunque él no lo perciba, cosa que puede ocurrir, está en su propia casa y le atendemos igual que a un español. Para nosotros, los italianos son casi tan hermanos como los portugueses; así que no le extrañe que en unas partes y en otras se la haya tratado bien y que en unas y otras partes le hayan enseñado lo bueno y lo malo que puede haber en España.[145]

Lidia Panizzi i Mercedes Montañola van ser les encarregades d'organitzar les trameses de llibres i publicacions entre l'Istituto di Studi Liguri i el Museu de Barcelona i de dur a terme les tasques administratives de les noves relacions.

Al mateix temps, Lamboglia acordà amb Louis la participació d'Almagro i d'alguns dels seus alumnes —establí una relació especial amb Maluquer de Motes— tant en el col·loqui que Lamboglia planejava celebrar a Nimes l'any següent, amb l'ajut de Louis, com en el I Congrés d'Estudis Lígurs que el mateix Lamboglia volia organitzar a Bordighera tot i les dificultats econòmiques en què es trobava l'Estat italià,[146] penúries que van dur Almagro a qualificar-lo d'heroi per poder publicar la *Rivista di Studi Liguri* en condicions tan dures.[147]

Però, tot i les perspectives, les relacions no van ser fàcils. Els intercanvis de publicacions van topar amb els problemes a la duana italiana, i els llibres van acabar sent passats gairebé de contraban pels consignataris d'una línia marítima entre Barcelona i Gènova. Els entrebancs amb el investigadors francesos van ser encara més importants perquè, segons Lamboglia, els «parisencs» van pressionar els «meridionals» per tallar les incipients relacions amb els espanyols i també amb els italians, temorosos els primers de perdre el control dels con-

---

144 Arxiu MAC-Barcelona. Correspondència Almagro 1947. Ofici Lamboglia-Almagro de l'01-10-1947.
145 Arxiu MAC-Barcelona. Correspondència Almagro 1947. Carta Almagro-Panizzi del 20-10-1947.
146 Arxiu MAC-Barcelona. Correspondència Almagro 1947. Carta Lamboglia-Almagro de l'01-10-1947.
147 Arxiu MAC-Barcelona. Correspondència Almagro 1947. Carta Almagro-Lamboglia del 26-11-1947.

tactes internacionals;[148] aquest comentari va fer sorgir, de nou, la vena antifrancesa d'Almagro, gens temperada tot i els anys transcorreguts des de la publicació dels seus articles de batalla a la premsa falangista:

> [...] me hacen reír tus comentarios sobre el chauvinismo de los franceses. Dios los perdone; siempre han sido lo mismo para Europa, de un egoísmo terrible, más tontos que un gallo y recibiendo más patadas que una gallina. Menos mal que hay algunos italianos por el mundo que les admiran y algunos alemanes que les perdonan la vida cuando les tienen con la pata encima. Así siempre resucitan para hacer las mismas tonterías de pocos años antes. Ya toda Europa estaría unida si no hubiera sido por los Felipe-Augusto, los Francisco I, los Guisa, los Enrique IV, etc. Cuando en Francia sale un Carlomagno habla alemán; Juana de Arco era también alemana y Napoleón que pensó por encima de los franceses era italiano. En fin, lo bueno que sale de Francia para Europa son productos «no francés». Por Dios no hagas correr estos juicios míos que son los de muchas gentes de Europa hartas de aguantar el egoísmo francés. A veces me dan ganas de hacerme comunista para ver si acabamos con este lastre que es la patriotería francesa.[149]

Però, tot i les pressions, la bona relació s'imposà i Lamboglia comptà amb Almagro i els seus alumnes, malgrat haver fet una invitació —més protocol·lària que sentida— a Taracena i Martínez Santa Olalla, perquè era plenament conscient dels problemes existents entre aquest últim i Almagro.[150]

Almagro amb la seva dona Clotilde Gorbea de Urquijo, amb qui s'havia casat a Barcelona l'any 1939, i Maluquer de Motes van assistir entre els dies 29 de març i 4 d'abril de 1948[151] al curs organitzat per Lamboglia; a causa de les restriccions pressupostàries no pogué concedir més beques a alumnes espanyols com Tarradell, Palol i Panyella,[152] amb la presència dels quals en principi havia comptat. Tots tres —el matrimoni Almagro i Maluquer— viatjaren a Bordighera al final de març; el director del museu va pronunciar una conferència sobre «Las excavaciones de Ampurias y las relaciones arqueológicas ínter mediterráneas»,[153] intervenció que s'afegí a les pronunciades per Bernabò Brea, Louis, Lamboglia, Jannoray, Pia Laviosa Zambotti i Pietro Romanelli. L'estada

---

148 Arxiu MAC-Barcelona. Correspondència Almagro 1947. Carta Lamboglia-Almagro del 15-12-1947.
149 Arxiu MAC-Barcelona. Correspondència Almagro 1948. Carta Almagro-Lamboglia del 05-01-1948.
150 Arxiu MAC-Barcelona. Correspondència Almagro 1948. Carta Lamboglia-Almagro del 05-02-1948.
151 MALUQUER DE MOTES, 1947a, pàg. 370-371.
152 Arxiu MAC-Barcelona. Correspondència Almagro 1948. Carta Lamboglia-Almagro del 19-02-1948.
153 Arxiu MAC-Barcelona. Correspondència Almagro 1948. Carta Lamboglia-Almagro del 14-03-1948.

C. 1945. Martín Almagro Basch acompanyat de la seva esposa, Clotilde Gorbea de Urquijo, en una visita al poblat ibèric de Sant Miquel (Olèrdola). Fotografia: MAC-Barcelona.

a Bordighera, en el transcurs de la qual es visità l'excavació de Ventimiglia i les coves principals de la regió lígur com Arene Candide, Arma dell'Aquila i Grotte delle Fatte, serví per donar forma al colloqui que Lamboglia i Louis tenien pensat organitzar a Nimes al final del mes d'agost, sumant els esforços de l'Istituto di Studi Liguri i del Centre de Prehistòria de l'Institut d'Estudis Occitans. Lamboglia i Louis proposaren a Almagro sumar-se a l'organització en un pla d'igualtat, definint un curs de tres setmanes de durada de les quals la darrera tindria lloc en terres catalanes; Pericot[154] va restar fora de l'organització. Així, després d'una primera part a Narbona, Nimes i Montpeller, els participants es desplaçarien a la regió de l'Arieja per visitar les coves amb pintures rupestres i, posteriorment, recalarien a Empúries i Barcelona.

Els bons oficis de Lamboglia permeteren a Almagro establir relacions amb altres investigadors del sud de França, i el mateix Almagro fou l'encarregat, el mes de maig, de rebre a la frontera Louis —i Jean— Jannoray, responsable de les excavacions al jaciment d'Enserune, per acompanyar-los al congrés arqueològic del sud-est peninsular que, organitzat per Beltrán amb el suport de l'almirall Bastarreche, havia de tenir lloc a Elx. També a través de Lamboglia consolidà la relació amb Bernabò Brea, a qui convidà a desplaçar-se a Espanya per estudiar les col·leccions prehistòriques dels museus de Barcelona, Madrid i el llevant amb l'ajut de Taracena i el CSIC.[155] De fet, aquesta primera estada d'Almagro a Bordighera va ser el germen no només de les futures relacions amb Lamboglia, sinó també dels contactes necessaris per a l'intent que va fer pocs anys després per obtenir una concessió arqueològica a l'illa de Sicília a través

---

154   BC. Llegat Lluís Pericot. Carta Lamboglia-Pericot del 17-06-1948.
155   Arxiu MAC-Barcelona. Correspondència Almagro 1948. Carta Almagro-Lamboglia del 10-05-1948.

1948. Congrés Arqueològic d'Elx. Juan Bautista Porcar, Alberto del Castillo, Martín Almagro i Lluís Pericot. Fotografia: Arxiu Família Fullola-Pericot.

de Brenabò Brea, i el projecte de recerca en els jaciments neolítics de Finale Ligure.

Les gestions fetes a tres bandes fructificaren i el col·loqui s'inicià a Nimes el 23 d'agost amb la presència de la delegació espanyola encapçalada per Almagro, fet que Lamboglia considerà decisiu per decidir futures actuacions:

> [...] deseo absolutamente que no dejes de venir a Nîmes, porque se trata de subrayar ante todo el mundo con nuestra presencia la relación ligur-provenzal-ibérica. Se llevará a cabo una reunión interna para establecer la organización definitiva en el ámbito internacional del Instituto, y deseo que tú participes.[156]

Maluquer pronuncià un parlament en representació de la delegació espanyola, mentre que Lamboglia parlà en representació dels italians i Louis dels investigadors francesos.[157] Almagro pronuncià a Nimes una conferència amb el títol «La cerámica gris minor asiática y las especies derivadas de Ampurias», que s'afegí a les dictades per Beltrán i Palol, la d'aquest últim «Las excavaciones

---

156 Arxiu MAC-Barcelona. Correspondència Almagro 1948. Carta Lamboglia-Almagro del 08-08-1948.
157 Maluquer de Motes, 1947b, pàg. 374-375.

del castro visigodo de Rosas». El curs continuà a Tarascon d'Arieja, des d'on es visitaren els jaciments amb pintures rupestres principals de la zona com Niaux, Bédeilac i Mas d'Azil; aquí la representació de Barcelona tingué també un paper preponderant: al costat de Beltrán, dictaren conferències Pericot, que parlà sobre «La cultura megalítica pirenaica»; Tarradell, que presentà una part dels resultats dels seus treballs al Marroc en la ponència «Nuevos mosaicos romanos descubiertos en Lixus», i Maluquer de Motes, que exposà les seves investigacions en la conferència «Relaciones entre las culturas neolíticas de Cataluña y Liguria».

Però més enllà dels resultats científics obtinguts en les tres setmanes que durà el curs, la trobada va constituir un èxit per a Almagro que, al llarg de la primera jornada a Espanya, celebrada a Ripoll, pogué mostrar les seves influències en l'Administració amb la presència de Navascués com a representant oficial del ministre Ibáñez Martín, mentre que José María Vives ho fou del CSIC i d'Albareda. Pallottino, Benoit i Aldo Crivelli, representants dels arqueòlegs suïssos, lloaren la tasca desenvolupada per Almagro abans de prosseguir les sessions de treball al Museu Arqueològic de Barcelona i a Empúries. Lamboglia, que en acabar la reunió continuà el treball al tall estratigràfic d'Empúries amb l'ajut de Riuró i Lidia Panizzi,[158] quedà encantat amb el treball fet i proposà a Almagro organitzar un nou curs l'any següent, que s'hauria de desenvolupar al llarg d'una setmana a Enserune i dues més a Empúries. Lamboglia proposà a Almagro publicar regularment els seus treballs a la revista de l'Istituto di Studi Liguri, i aquest acceptà; va començar per un estudi sobre els lígurs a la península Ibèrica, tema que fou recurrent en els seus contactes futurs amb el grup de Bordighera i que tenia una doble intenció: mostrar el seu coneixement d'aquesta fase i substituir en la bibliografia les opinions de Bosch Gimpera sobre el tema, que considerava que havien de ser relegades.[159] Finalment, però, el primer article que Almagro publicà a la revista dirigida per Lamboglia, l'any 1949, versà sobre les importacions de ceràmica grega dels segles VI i V aC. a Empúries.[160]

Sens dubte, però, el fruit principal de les relacions amb Lamboglia va ser la constitució d'una secció espanyola de l'Institut d'Estudis Lígurs amb seu al Museu Arqueològic de Barcelona. Inicialment la junta directiva quedava integrada per Almagro, president; Pericot, vicepresident; Maluquer de Motes, secretari; Mercedes Montañola Garriga, tresorera, i Juan Antonio Cremades, secretari de

---

158 Arxiu MAC-Barcelona. Correspondència Almagro 1948. Carta Panizzi-Almagro del 29-09-1948.
159 Arxiu MAC-Barcelona. Correspondència Almagro 1948. Carta Almagro-Lamboglia del 18-10-1948.
160 ALMAGRO BASCH, 1949.

l'Estació d'Estudis Pirenaics de Saragossa, José Alfonso Tarragó Pleyán, secretari de l'Institut d'Estudis Ilerdencs de Lleida, i Salvador Vilaseca Anguera, director del Museu de Reus, com a vocals.[161] Palol, Josep Maria Pons Guri, José Sánchez Real, Pedro Giró Romeu, Bartomeu Enseñat Estrany, Joaquim Pla i Cargol, Josep Maria Corominas Planellas, Nicolás Primitivo Gómez i Emeterio Cuadrado Díaz[162] es donaren de seguida d'alta com a membres, nombre que augmentà ràpidament gràcies a les gestions d'Almagro i especialment de Montañola, encarregada de les relacions executives de la secció.[163]

Constituïda la secció espanyola, els contactes s'afermaren arran de la pertinença d'Almagro al consell directiu de l'Istituto di Studi Liguri. De fet, la relació va ser tan estreta que Lamboglia estigué en condicions d'opinar respecte de les relacions internes entre els investigadors espanyols, especialment sobre les disputes entre Taracena, Almagro i Martínez Santa Olalla:[164] va demanar a Almagro si era convenient convidar el comissari general a fer una conferència a Itàlia, que Almagro respongué d'acord amb la seva línia d'actuació:

> [...] te quiero hablar finalmente del asunto Santa Olalla que está tan envenenadísimo como cuando tú te fuiste. Yo creo que no debes invitarlo este año. Hasta que la cosa tome un cariz definitivo no debes hacerlo pues te expones a indisponerte con todos los arqueólogos españoles y tampoco Santa Olalla hablando seriamente merece que se le considere un grupo puesto que es solo y toda prudencia es poca en este caso. Yo personalmente no me molestaría porque hagas lo que quieras y tú mismo cargues con la responsabilidad de la decisión. Aquí en Barcelona aún vivimos un poco al margen pero en Madrid la cosa está que arde y un día u otro estoy seguro que terminará saltando Santa Olalla de su cargo y se encontrará completamente aislado. Pensando en este futuro te aconsejo prudencia y como no te creo muy obligado tiempo tendrás para preocuparte cuando esté más caído; entonces te lo agradecerá más y nadie te reprochará tus atenciones para con él, puesto que a los caídos normalmente en España todo el mundo los quiere más que a los poderosos.[165]

A més, Lamboglia també opinà sobre polítiques com ara el desig de l'ingrés d'Espanya a l'ONU, extrem sobre el qual el mateix Almagro el desencantà:

161 MALUQUER DE MOTES, 1947b, pàg. 375.
162 Arxiu MAC-Barcelona. Correspondència Almagro 1948. Carta Lamboglia-Almagro del 08-10-1948.
163 Arxiu MAC-Barcelona. Correspondència Almagro 1948. Carta Montañola-Panizzi del 23-10-1948.
164 Arxiu MAC-Barcelona. Correspondència Almagro 1948. Carta Lamboglia-Almagro del 05-11-1948.
165 Arxiu MAC-Barcelona. Correspondència Almagro 1948. Carta Almagro-Lamboglia del 13-11-1948.

[...] nosotros no creo que entremos en la ONU ni en el Plan Marshall. Subiremos la cuesta como podamos con la dureza y aspereza celtibéricas. Espero que los hispanoamericanos nos defiendan en la ONU si nos atacan y además hagan presión sobre los yanquees para que nos dejen en paz.

I tenia raó, atès que el règim de Franco encara trigaria anys a poder trencar el bloqueig internacional.

La secció espanyola de l'Institut es constituí el mes de novembre de 1948, i Lamboglia convocà Almagro i Pericot[166] el 9 de gener de 1949 per a la constitució oficial del nou Institut internacional a Bordighera. A causa de diversos problemes a la Universitat i de l'interès per fer primer uns sondejos estratigràfics a Ensèrune i Cayla de Mailhac per invitació de Jannoray, Almagro renuncià a assistir-hi, i Palol hi anà com a representació espanyola;[167] aquesta decisió no agradà a Lamboglia, perquè volia donar a l'acte de constitució la màxima representativitat i també organitzar les activitats comunes per a l'any 1949.[168] Entre aquestes activitats havia de figurar la concessió de quatre borses d'estudi recíproques per a estudiants espanyols i italians, que proposà concedir directament a Palol, Beltrán i Tarradell; una reunió a Albenga, Ventimiglia i Mònaco entre el 3 i el 12 d'abril, i la celebració d'un curs a l'estiu a Ensèrune i Empúries, entre el 20 juliol i el 15 d'agost, centrat en l'anàlisi de les tipologies ceràmiques ibèriques.[169] Les propostes van ser acceptades i Almagro, que viatjà a Itàlia entre els mesos de febrer i març per impartir conferències a Roma i Florència, on va ser molt ben acollit pels investigadors italians,[170] va ser nomenat membre del comitè de redacció de la *Rivista di Studi Liguri*.[171] No va assistir,[172] però, al Curs de l'Institut d'Estudis Lígurs que tingué lloc entre els dies 3 i 14 d'abril a Bordighera i al sud de França, i al qual sí que van assistir Pericot, Palol, Montañola i Blas Taracena, que dissertà sobre els sistemes organitzatius dels museus arqueològics espanyols; aquesta va ser la primera participació d'un investigador de Madrid en les relacions amb el grup de Lamboglia i Louis,[173] mentre que Pericot dictà tres lliçons sobre les relacions entre el nord d'Espanya, el sud de França i Itàlia al llarg de la prehistòria.[174]

166 BC. Llegat Lluís Pericot. Carta Bobba-Pericot del 29-12-1948.
167 Arxiu MAC-Barcelona. Correspondència Almagro 1948. Carta Almagro-Lamboglia del 18-12-1948.
168 BC. Llegat Lluís Pericot. Carta Lamboglia-Pericot del 31-12-1948.
169 Arxiu MAC-Barcelona. Correspondència Almagro 1948. Carta Lamboglia-Almagro del 24-12-1948.
170 BC. Llegat Lluís Pericot. Carta Almagro-Pericot del 06-03-1949.
171 Arxiu MAC-Barcelona. Correspondència Almagro 1949. Carta Almagro-Lamboglia del 21-04-1949.
172 BC. Llegat Lluís Pericot. Carta Almagro-Pericot del 09-04-1949.
173 PERICOT, 1949, pàg. 210-212.
174 BC. Llegat Lluís Pericot. Cartes Lamboglia-Pericot de dates 31-12-1948 i 31-01-1949.

Palol treballà com a becari al costat de Lamboglia a les excavacions de Ventimiglia[175] i pogué comprovar la transcendència de l'excavació estratigràfica per datar els nivells d'ocupació dels jaciments: «es maravilloso como se llegan a fechar ahora grandes monumentos como el anfiteatro por medio de pocas y escasas estratigrafías. Llevaré a España una infinidad de nuevas experiencias que adaptadas a nuestras necesidades espero nos serán muy útiles. Estoy estudiando bien terra sigillata, cerámica campaniense, lucernas y paredes finas que tienen aquí tanto valor cronológico como las monedas».[176] Les experiències de Palol, com ell mateix indicà, van suposar la superació del mètode d'excavació «a lo Mélida» en relació amb les excavacions tradicionals dirigides per José Ramón Mélida y Alinari entre finals del segle XIX i principi del XX, que encara era utilitzat majoritàriament a les excavacions a la península Ibèrica. Almagro i els seus alumnes, a partir de les experiències apreses a Empúries, Ventimiglia, Gènova, Ensèrune i Cayla de Mailhac havien sens dubte iniciat la renovació de la recerca arqueològica a Espanya: s'havien obert sense complexos a la investigació més innovadora que es desenvolupava a Itàlia, país en què també existia, però, un domini quasi absolut dels antics sistemes de recerca i excavació en el camp de l'arqueologia clàssica.

Tot i la bona relació personal entre Almagro i Lamboglia, va ser força difícil mantenir la constància en els treballs conjunts a causa de les respectives atapeïdes agendes, amb convocatòries i cites acceptades i cancel·lades a darrera hora.[177] Així, Almagro tampoc no va assistir al plenari de l'Istituto di Studi Liguri de 1950;[178] Pericot tampoc no hi va ser present[179] i Almagro delegà el vot al mateix Lamboglia. En aquest plenari es va aprovar la creació de les seccions de l'Istituto di Studi Liguri a Narbona, València i Oporto,[180] expansió amb què Almagro es mostrà d'acord malgrat que significava una certa pèrdua del seu paper predominant en les relacions espanyoles amb Lamboglia.[181] Tot i el fet que Taracena i Beltrán convoquessin el congrés d'Alcoi en les mateixes dates que la reunió proposada per Lamboglia a Bordighera, cosa que demostrava la seva preferència per la segona convocatòria, Almagro obtingué el reconeixement de l'italià, queixós per la manca de tacte dels espanyols en superposar dues reunions.[182]

175 Arxiu MAC-Barcelona. Correspondència Almagro 1949. Carta Panizzi-Montañola del 09-02-1949.
176 Arxiu MAC-Barcelona. Correspondència Almagro 1949. Carta Palol-Almagro (sense data).
177 Arxiu MAC-Barcelona. Correspondència Almagro 1949. Carta Lamboglia-Almagro del 29-03-1949.
178 Arxiu MAC-Barcelona. Correspondència Almagro 1949. Carta Montañola-Panizzi del 10-12-1949.
179 Arxiu MAC-Barcelona. Correspondència Almagro 1949. Carta Almagro-Lamboglia del 10-12-1949.
180 Arxiu MAC-Barcelona. Correspondència Almagro 1950. Carta Lamboglia-Almagro del 14-01-1950.
181 Arxiu MAC-Barcelona. Correspondència Almagro 1950. Carta Almagro-Lamboglia del 07-02-1950.
182 BC. Llegat Lluís Pericot. Carta Lamboglia-Pericot del 28-12-1949.

Almagro establí també relacions amb l'Istituto di Paleontologia de la Universitat de Florència per mitjà de Paolo Graziosi; van intercanviar les revistes *Studi Etruschi* i *Ampurias*, i Almagro el convidà a desplaçar-se a Espanya per visitar diversos jaciments de l'àrea llevantina,[183] mentre que Almagro va ser convidat al Congrés Internacional de Prehistòria i Protohistòria Mediterrània, del qual va ser nomenat membre del comitè organitzador.[184]

Amb Piero Leonardi, director de l'Istituto Ferrarese di Paleontologia Umana,[185] amb Giuseppe Bovini, professor a la Universitat Catòlica del S. Cuore de Milà,[186] i amb Piero Barocelli, director del Museu Prehistòric i Etnogràfic Luigi Pigorini de Roma, a qui també convidà al col·loqui de les Balears,[187] establí els intercanvis de publicacions corresponents i acollí al museu i a la Universitat un dels seus alumnes, Renato Penna,[188] que participà en les tasques de recerca dirigides per Almagro.

El 14 de maig de 1954, Almagro va ser nomenat membre corresponent de l'Istituto di Studi Etruschi;[189] poc després, el 16 de desembre de 1954,[190] i a proposta dels professors G. A. Blanc i Alberto Carlo Blanc, va ser també nomenat membre corresponent de l'Istituto Italiano di Paleontologia Umana de Roma,[191] i encara l'1 de juny de 1956, membre de l'Istituto Italiano di Prehistoria e Protohistoria,[192] un darrer pas en la reafirmació del seu prestigi a Itàlia.[193] Tot i que gran part d'aquest prestigi s'havia fonamentat en els contactes i intercanvis personals endegats el 1947, dos factors van ser decisius per a la consolidació definitiva: la victòria en les oposicions a la càtedra de Madrid i el seu paper en el IV Congrés Internacional de Ciències Prehistòriques i Protohistòriques que tingué lloc a Madrid entre els dies 21 i 27 d'abril de 1954 amb l'èxit de l'exposició que organitzà sobre l'art rupestre llevantí en el local dels Amics de l'Art a Madrid: es presentaren calcs de pintures fetes per Breuil, Joan Baptista Porcar Ripollès, Salvador Vilaseca i el mateix Almagro, i en les tasques de preparació de la mostra hi van participar Hernández Pacheco i Navascués. També

183 Arxiu MAC-Barcelona. Correspondència Almagro 1949. Carta Graziosi-Almagro del 20-05-1949.
184 Arxiu MAC-Barcelona. Correspondència Almagro 1949. Carta Almagro-Graziosi del 09-11-1949.
185 Arxiu MAC-Barcelona. Correspondència Almagro 1952. Carta Leonardi-Almagro del 07-09-1952.
186 Arxiu MAC-Barcelona. Correspondència Almagro 1954. Carta Almagro-Bovini del 02-12-1954.
187 Arxiu MAC-Barcelona. Correspondència Almagro 1950. Carta Almagro-Barocelli del 15-06-1950.
188 Arxiu MAC-Barcelona. Correspondència Almagro 1950. Carta Barocelli-Almagro del 29-01-1950.
189 Arxiu MAC-Barcelona. Correspondència Almagro 1954. Carta Almagro-Minto del 21-05-1954.
190 Arxiu MAC-Barcelona. Correspondència Almagro 1955. Carta Pellati-Almagro del 20-01-1955.
191 Arxiu MAC-Barcelona. Correspondència Almagro 1950. Carta Blanc-Almagro del 20-01-1955; Carta Almagro-Blanc del 21-01-1955.
192 Arxiu MAC-Barcelona. Correspondència Almagro 1956. Carta Leonardo-Almagro de l'01-06-1956.
193 Arxiu MAC-Barcelona. Correspondència Almagro 1955. Carta Almagro-Pellati del 31-01-1955.

va ser important el suport que rebé en enfrontar-se a Martínez Santa Olalla per la manera com havia dut i presentat els resultats de les intervencions als jaciments paleolítics del Manzanares.

De fet, l'ensopegada del comissari general d'excavacions arqueològiques havia esta propiciada pel mateix Almagro, ja que en les reunions preparatòries del congrés l'any 1952 va donar suport a Martínez Santa Olalla perquè dugués a terme tasques de recerca en els jaciments del Manzanares per preparar-los per ser presentats als congressistes dos anys després, de manera que s'anul·lava així la comissió de control que el mateix comitè espanyol havia acordat l'any anterior per a aquests jaciments. Dit d'una altra manera, Almagro va ajudar a afluixar la corda amb què després Martínez Santa Olalla es va penjar. El suport que Almagro rebé probablement tingué molt a veure amb la concessió, per part de la Comissaria General, del permís d'excavació i de les subvencions necessàries per escometre l'excavació del jaciment de Los Millares (Almeria), però també es pot pensar que tant Almagro com altres membres del comitè, integrat també per Pericot, Navascués, García y Bellido, Maluquer i Beltrán, podien haver pensat que Martínez Santa Olalla no se'n sortiria tot sol i que el seu prestigi quedaria molt malmès davant la comunitat científica internacional quan presentés els resultats del seu treball, com de fet va passar.

Com hem indicat en les referències a la correspondència amb els investigadors britànics, Almagro va preparar amb molta cura la seva participació en el congrés de Madrid. Per desmarcar-se de les dues grans gires pels jaciments arqueològics peninsulars organitzades en acabar la reunió, Almagro dirigí una excursió oficial per estudiar les pintures rupestres llevantines: es van visitar les estacions del Polvorín (la Sénia, Tarragona), El Mortero (Alacón, Terol), Prado del Navazo, Cocinilla del Obispo y Cueva de Doña Clotilde (Albarracín, Terol) i els museus i monuments de Tarragona, Alcanyís, Terol, Albarracín i València.[194] El recorregut era una presentació en exclusiva dels treballs d'Almagro, atès que, tot i la proximitat, no es van visitar, per exemple, els grans conjunts de La Valltorta o de La Gasulla a Castelló; de fet, el viatge diferia molt del que va ser aprovat inicialment en la reunió del comitè espanyol del congrés el 9 de desembre de 1952, quan es fixà un itinerari per a l'excursió que comprenia exclusivament els museus de Barcelona i València i les pintures rupestres de La Valltorta i Albacete, és a dir, una gira en què el protagonisme d'Almagro es limitava al museu que dirigia.[195]

---

194 RIPOLL, 1955-1956c, pàg. 307.

195 Arxiu MAC-Barcelona. Correspondència Almagro 1952. *IV Congreso Internacional de Ciencias Prehistóricas y Protohistóricas. Acta de la III sesión celebrada en Madrid el día 9 de diciembre de 1952.*

Cal imaginar el ressò de la visita entre els congressistes quan, un cop a Madrid, Breuil va apadrinar en l'esmentada exposició el treball d'Almagro. I la participació d'Almagro en la reunió no es limità a l'art postpaleolític, sinó que el dia 26 va impartir la conferència marc sobre protohistòria amb el títol «La Edad del Hierro en España», en què va aprofitar per explicar les seves tesis sobre la penetració cèltica a la península Ibèrica.[196] No és estrany, doncs, que Almagro comentés a Graziosi que el seu nomenament a l'Istituto Italiano di Palentologia Umana era un canvi en la posició de Blanc, que pocs mesos abans, en les sessions del congrés, havia donat suport a Martínez Santa Olalla.[197]

Però no tot van ser facilitats. La multiplicació de les reunions a França, Itàlia i Espanya acabà per produir efectes contraris, perquè era molt difícil no només presentar novetats a cadascuna, sinó també disposar dels fons necessaris per assistir-hi: «tengo que hacer un viaje al África; hay el proyecto de un curso por las costas del norte de África; hay el congresillo de Alcoy, la reunión de Dordoña; la semana de Estudios Pirenaicos Hispano Francés en San Sebastián, un curso de Prehistoria en Suiza, un curso de Prehistoria Mediterránea en Italia, un curso de estudios ligures en Bordighera y algunos otros más. Creo que todo esto es demasiado; no podemos asistir a tantas cosas, yo por lo menos este año quiero darme de baja de casi todo. De ir a alguno iré al tuyo de Bordighera y después de todo lo dicho aún tengo que añadir que tengo el compromiso moral con la Universidad de Barcelona de hacer el curso de Arqueología y Prehistoria de cada año, una semana en Barcelona y dos en Mallorca. Pero será algo menos. Como me darán dinero celebraremos una reunión de arqueólogos españoles y extranjeros en Mallorca. Dedicaremos una semana a Prehistoria Mediterránea y otra semana a problemas arqueológicos a base de las excavaciones de Pollentia que vamos a abordar con alguna actividad».[198] Lamboglia i Panizzi van ser els primers convidats a la reunió de les Balears, i el museu es va encarregar de la gestió i el pagament de les seves despeses,[199] una oferta que van acceptar immediatament pel seu interès per les estratigrafies de Pollentia, que volien comparar amb les de Ventimiglia, i també per la possibilitat de contactar amb l'almirall Bastarreche en un moment en què Lamboglia acabava de dur a terme amb èxit l'excavació del derelicte romà d'Albenga.[200]

---

196 Autors diversos, 1954, s.p.
197 Arxiu MAC-Barcelona. Correspondència Almagro 1955. Carta Almagro-Graziosi de l'01-03-1955.
198 Arxiu MAC-Barcelona. Correspondència Almagro 1950. Carta Almagro-Lamboglia del 05-01-1950.
199 Arxiu MAC-Barcelona. Correspondència Almagro 1950. Carta Almagro-Lamboglia del 14-02-1950.
200 Arxiu MAC-Barcelona. Correspondència Almagro 1950. Carta Lamboglia-Almagro del 25-02-1950.

Així, l'any 1950, Almagro, centrat en la preparació del curs de les Balears, renuncià a participar al I Congresso Internazionale di Studi Liguri,[201] que es desenvolupà a Mònaco i Bordighera entre els dies 10 i 17 d'abril i en el qual Pericot assumí la representació del grup de Barcelona[202] i dissertà sobre les relacions entre el paleolític espanyol i el lígur,[203] i durant el qual quedà gratament commogut perquè va assistir a les cerimònies d'entronització del príncep Rainier. Durant el congrés es van presentar els resultats de les intervencions de Bernabò Brea a la cova d'Arene Candide, que va ser un dels punts de partida del projecte que Almagro desenvolupà a la zona. Almagro tampoc no va participar en el Congrés de Prehistòria Mediterrània que tingué lloc a Florència i Nàpols, al qual sí que assistí Pericot,[204] i del qual li traslladà les seves impressions: «está Bosch, amable como siempre y que me encarga te salude así como a los colegas del Museo, cosa que puedes hacer tú en mi nombre, está Benoit, Louis, Grenier, Reygasse, Merhart, Pittioni, Hawkes, Frankfort, Stékelis, etc. El comisario general no ha venido, enfadado por no haberle dado el Ministerio de Asuntos Exteriores los medios que pedía. Han venido en cambio Cuadrado y Sra., muy simpáticos, Clarisa Millán y la Sta. Mariví. He dado tus cartas a Lamboglia, Graziosi y Pallottino; todos lamentan no hayas venido», fet que li serà confirmat, entre d'altres, per Pallottino.[205] Pericot aprofità la reunió per reiterar amb èxit als investigadors italians la invitació al curs de les Balears: va confirmar la presència de Lamboglia, Graziosi, Panizzi i Pallottino —que portà la representació oficial del Ministeri d'Educació italià, un exemple del ressò que el curs va assolir—,[206] entre d'altres.[207]

A més, els problemes monetaris van començar a fer trontollar els acords entre Lamboglia i Almagro per la base, i es van haver de cancel·lar les beques i els ajuts per a publicacions a causa de la manca de fons, tant a Itàlia com a Espanya. Almagro fins i tot arribà a pensar de suprimir els cursos d'Empúries per a l'any 1951.[208] En aquesta data, el nombre d'integrants de la secció espanyola era prou nombrós, perquè s'havien afegit als inicials molts dels investigadors i col·laboradors amics d'Almagro. Sota la presidència ara de Pericot, hi havia: Almagro, Beltrán, Julio Caro Baroja, Josep Maria Corominas, Al-

201 Arxiu MAC-Barcelona. Correspondència Almagro 1950. Carta Lamboglia-Almagro del 15-02-1950.
202 PERICOT, 1950a, pàg. 264-265.
203 BC. Llegat Lluís Pericot. Carta Lamboglia-Pericot del 19-01-1950.
204 PERICOT, 1951, pàg. 256-258.
205 Arxiu MAC-Barcelona. Correspondència Almagro 1950. Carta Pallottino-Almagro del 06-05-1950.
206 Arxiu MAC-Barcelona. Correspondència Almagro 1950. Carta Pallottino-Almagro del 17-07-1950.
207 Arxiu MAC-Barcelona. Correspondència Almagro 1950. Carta Pericot-Almagro del 21-04-1950.
208 Arxiu MAC-Barcelona. Correspondència Almagro 1950. Carta Almagro-Lamboglia (sense data).

berto del Castillo, María Luisa Galván, Maluquer, Carolina Martínez Muni-lla, Navascués, Oliva, Palol, Joan Ainaud de Lasarte, Luis Rafael Amorós, José María Benet Capará, Juan Antonio Cremades Royo, Emeterio Cuadrado Díaz, Pedro Díaz de Espada y Mercader, Agustí Duran i Sanpere, Bartolomé Enseñat Estrany, Albert Ferrer i Soler, Angelo Chirelli, Pedro Giró Romeu, Mercedes Montañola, Pablo Martínez del Río, Joaquim Pla i Cargol, Josep Maria Pons Guri, Nicolás Primitivo Gómez, José Sánchez Real, José Alfonso Tarragó Pleyán, Salvador Vilaseca, Alejandro Ramos Folques, Carlos Cid Priego, Francisco Jordá Cerdá, Tarradell, Ripoll, San Valero, Primitivo Gómez Serrano i Ramón Sobrino Lorenzo-Ruza. Molts eren residents a Catalunya o vinculats a Almagro a través de la seva activitat com a comissari de zona de l'SDPAN.

La correspondència constata també un cert desinterès per les relacions institucionals, amb retards en la tramesa de les actes de les reunions de la secció espanyola,[209] en el cobrament de les quotes als socis —alguns dels quals es van anar donant progressivament de baixa—, en la presentació de les liquidacions i, fins i tot, en la participació als actes programats. Aquesta política es va reflectir, per exemple, en les contínues dilacions d'Alberto del Castillo per desplaçar-se a Bordighera dins del programa d'intercanvis, o en la manca de candidats a Barcelona per gaudir d'una de les beques, fet que provocà un augment de la relació de Lamboglia amb Madrid fins a la mort de Taracena, i posteriorment amb Beltrán a Saragossa i Julián San Valero a València.[210]

La difícil situació econòmica d'Espanya, en un moment crític per a la política autàrquica del govern franquista, tampoc no era aliena a aquest problema. Durant un cert temps Lamboglia es vinculà amb Beltrán i va participar als cursos d'estiu de la Universitat de Saragossa a Canfranc i Osca, acompanyat per Paolino Mingazzini;[211] al seu torn, convidà l'alumna de Beltrán María Ángeles Mezquíriz a fer una estada de recerca a Bordighera[212] i a treballar a les excavacions de Ventimiglia, activitat en la qual va impressionar el director de l'Institut, que la va qualificar d'«esperança per al futur». Lamboglia no va fer cap intervenció arqueològica a Empúries l'any 1951, on va romandre obert el tall estratigràfic iniciat anys abans, i lamentà també l'absència dels representants de la Universitat de Barcelona en els cursos de Bordighera.[213]

209 BC. Llegat Lluís Pericot. Carta Lamboglia-Pericot del 23-12-1950.
210 Arxiu MAC-Barcelona. Correspondència Almagro 1951. Carta Almagro-Lamboglia (sense data).
211 Arxiu MAC-Barcelona. Correspondència Almagro 1951. Carta Beltrán-Almagro del 24-01-1951.
212 Arxiu MAC-Barcelona. Correspondència Almagro 1951. Carta Lamboglia-Almagro del 21-10-1951.
213 Arxiu MAC-Barcelona. Correspondència Almagro 1951. Carta Lamboglia-Almagro del 04-07-1951.

No es tractà, però, d'una ruptura entre Lamboglia i Almagro, que va mantenir una relació excel·lent amb Beltrán, tot i no assistir als cursos de Jaca i Canfranc,[214] i Almagro fins i tot li arribà a proposar, quan Beltrán encetà la publicació d'una nova revista a la Universitat de Saragossa, *Publicaciones del Seminario de Arqueología y Numismática de Zaragoza*, fer un treball conjunt amb *Ampurias*: la revista de Barcelona es convertiria en la plataforma per publicar textos de fons, mentre que l'aragonesa, amb una periodicitat mensual o bimensual, assumiria les tasques de noticiari arqueològic per transmetre les novetats de la recerca amb rapidesa.[215] Beltrán no ho acceptà i la proposta quedà en no res, però val a dir que no es tractava del primer cop que Almagro intentava racionalitzar el panorama de les publicacions arqueològiques a Espanya: d'aquesta mateixa idea, també sense èxit, ja n'havia parlat amb Maluquer de Motes quan aquest inicià la publicació de *Zephyrus*. De fet, la postura dels catedràtics d'arqueologia de Saragossa i Salamanca és lògica si es té en compte que tenir un òrgan d'expressió propi era la fórmula més adequada per permetre la visualització de la feina dels seus seminaris, així com el punt de partida per crear o potenciar una xarxa pròpia de relacions.

En la sessió plenària de l'Institut d'Estudis Lígurs de gener de 1951, a la qual tampoc no van assistir Almagro ni Pericot, es produí el relleu de Lidia Panizzi com a secretària a causa del seu matrimoni amb l'advocat Michele Brusasca i del seu trasllat a Milà;[216] va ser substituïda per la Dra. Dede Restagno, anteriorment secretària de la secció de Savona,[217] que va mantenir per espai de poc més d'un any la correspondència administrativa amb Montañola. De fet, la reunió va servir per presentar la nova estructura de la secció de Barcelona, decidida el desembre anterior, en la qual Almagro passava de president a vicepresident i Pericot n'assumia la presidència, una decisió que Lamboglia no va arribar a entendre: «no he comprendido la razón de vuestro intercambio, pero una vez realizado, espero que nada cambie»,[218] com tampoc no va entendre que la resta del comitè estigués format per Palol com a secretari i Montañola com a tresorera, i que en canvi no hi figuressin Beltrán, Maluquer i San Valero, com ja havien parlat anteriorment. Lamboglia no assistí al Congrés Nacional d'Arqueologia que s'havia de celebrar a Madrid durant el mes de març, però sí que ho va fer al curs d'Empúries, ja que la seva intenció era

214 BC. Llegat Lluís Pericot. Carta Almagro-Pericot del 09-08-1951.
215 Arxiu MAC-Barcelona. Correspondència Almagro 1951. Carta Almagro-Lamboglia del 05-03-1951.
216 BC. Llegat Lluís Pericot. Carta Panizzi-Pericot del 14-02-1951.
217 Arxiu MAC-Barcelona. Correspondència Almagro 1951. Carta Lamboglia-Almagro del 17-01-1951.
218 Arxiu MAC-Barcelona. Correspondència Almagro 1951. Carta Lamboglia-Almagro del 05-02-1951.

finalitzar l'estudi estratigràfic per poder publicar un estudi de conjunt sobre la ceràmica campaniana.

Cap a la fi de l'any 1951, i després d'haver estat absent al col·loqui de Cuneo, Almagro va veure clar que calia reprendre el to de la relació amb Lamboglia i l'informà de la seva intenció de convocar un nou curs monogràfic l'any següent dedicat a la problemàtica de la romanització i la introducció del cristianisme a la Tarraconense; també l'informà de la marxa de Gloria Trías a Bordighera per substituir Mezquíriz com a becària a les excavacions de Ventimiglia,[219] i li comunicà el seu interès per visitar Còrsega i Sardenya aprofitant la cada cop més freqüent relació amb l'Escola de Roma.[220] D'altra banda, li va fer una proposta per revisar conjuntament la cronologia de les ceràmiques campanianes arran de la preparació de la publicació de la monografia sobre les necròpolis d'Empúries. Es tractava d'un pas absolutament necessari, atès que Lamboglia no comprenia les absències dels investigadors espanyols en les reunions del consell de l'Institut, en què va haver de representar personalment la secció espanyola.[221]

Coneixedor de la visita que Bosch Gimpera pensava fer a Bordighera el gener coincidint amb la reunió de l'Institut,[222] i a la qual també assistirien la major part dels investigadors francesos vinculats, com Louis, Benoit, Jannoray i Michel Ponsich, Almagro es decidí a viatjar a Itàlia per ser-hi present,[223] però a la fi no es va poder desplaçar. La representació espanyola, per tant, va restar en mans de Trías i Mezquíriz; Lamboglia va arribar a proposar que la primera es fes càrrec de la secretaria de la secció espanyola en substitució de Montañola, i va rebutjar acceptar la proposta de dimissió de Pericot com a director de la secció. Lamboglia va concloure que era millor donar un nou rumb a les relacions amb els arqueòlegs espanyols i especialment amb Almagro i el Museu de Barcelona. Proposà, doncs, reduir al màxim els contactes personals i centrar l'activitat en l'intercanvi i la formació d'estudiants i en la represa de les excava-

219 Arxiu MAC-Barcelona. Correspondència Almagro 1951. Carta Lamboglia-Almagro del 29-12-1951. Lamboglia valorà positivament la tasca de Trías, i encara més la de Mezquíriz, que va dur a terme amb ell la classificació dels materials de l'excavació al jaciment de l'Oficina del Gas de Ventimiglia, continuació de les intervencions que el mateix Lamboglia va iniciar l'any 1938. BC. Llegat Lluís Pericot. Carta Lamboglia-Pericot del 29-01-1952.

220 Arxiu MAC-Barcelona. Correspondència Almagro 1951. Carta Almagro-Lamboglia del 08-11-1951.

221 BC. Llegat Lluís Pericot. Carta Lamboglia-Pericot del 29-01-1952.

222 Finalment, Bosch no va assistir a la reunió del Consell de l'Institut d'Estudis Lígurs, però sí que va pronunciar a Milà una conferència sobre les invasions cèltiques, a la qual Lamboglia no hi va poder anar. BC. Llegat Lluís Pericot. Carta Lamboglia-Pericot del 10-02-1953.

223 Arxiu MAC-Barcelona. Correspondència Almagro 1952. Carta Lamboglia-Almagro del 03-01-1952.

cions a Empúries,[224] idees que refermà en una reunió mantinguda a Tarragona la tardor de 1952.[225] D'aquesta manera les relacions van tornar de nou al seu esperit inicial; l'any següent els contactes es van mantenir, quan Almagro va romandre a Itàlia per espai de més d'un mes durant la primavera, temps en què va recórrer Roma i Sicília[226] abans de desplaçar-se a Florència i Bordighera.

Amb tot, les dificultats per a la bona marxa de la secció espanyola eren cada cop més grans. La pujada de les quotes al principi de 1953 va generar un rebuig molt gran entre els associats espanyols, que veien com sufragaven una revista que cada cop tenia menys pàgines i, a més, contenia pocs articles vinculats a la Península, fins al punt que Palol va plantejar a Lamboglia la seva dimissió del secretariat,[227] de la mateixa manera que ho van fer la resta de membres de la secció de Barcelona.[228] La resposta negativa de la presidència del consell de l'Istituto di Studi Liguri refredà les relacions i, per primer cop, Lamboglia anteposà el seu treball a Itàlia a la participació al curs d'Empúries, fart de donar conferències sense obtenir-ne un clar rendiment científic;[229] posant com a excusa el seu estat de salut, envià en representació la seva ajudant Dede Restagno.[230] A finals d'octubre del mateix any, el mateix Lamboglia va haver de recordar a Palol la manca al llarg de molts mesos de notícies referides a la «povera Sezione Spagnola dell'Istituto»;[231] la impressió que ja havia traslladat a Pericot al final de 1949 en relació amb la manca d'activitats per part de la delegació espanyola[232] encara continuava, i ara la hi tornà a recordar.[233] El mateix consell, en la reunió plenària del 17 de gener de 1954, va prendre la decisió de reclamar a la secció espanyola «una activitat més gran per donar a conèixer i vendre les publicacions de l'Institut, i un augment del nombre de socis».[234]

Com indiquem més avall, l'any 1954 va ser el de l'inici de les intervencions creuades a Finale i Empúries, projectes que van quedar fixats per al futur al llarg d'una estada d'Almagro a Bordighera a mitjan novembre, un cop finalitzades les oposicions a la càtedra de Madrid; Almagro presentà a Lamboglia la

224 Arxiu MAC-Barcelona. Correspondència Almagro 1952. Carta Lamboglia-Almagro del 28-01-1952.

225 BC. Llegat Lluís Pericot. Carta Lamboglia-Pericot del 30-11-1952.

226 Arxiu MAC-Barcelona. Correspondència Almagro 1953. Carta Almagro-Lamboglia del 23-03-1953; Carta Almagro-Lamboglia del 27-04-1953.

227 BC. Llegat Lluís Pericot. Carta Lamboglia-Pericot del 10-02-1953.

228 Arxiu MAC-Barcelona. Correspondència Almagro 1953. Carta Palol-Lamboglia del 23-01-1953.

229 Arxiu MAC-Barcelona. Correspondència Almagro 1953. Carta Lamboglia-Palol del 19-05-1953.

230 BC. Llegat Lluís Pericot. Carta Lamboglia-Pericot del 12-06-1953.

231 Arxiu MAC-Barcelona. Correspondència Almagro 1953. Carta Lamboglia-Almagro del 20-10-1953.

232 BC. Llegat Lluís Pericot. Carta Lamboglia-Pericot del 28-12-1949.

233 BC. Llegat Lluís Pericot. Carta Lamboglia-Pericot del 08-09-1953.

234 Arxiu MAC-Barcelona. Correspondència Almagro 1954. Carta Lamboglia-Almagro del 25-01-1954.

qüestió de la càtedra com a «sorollosa», a més d'indicar que «esta victoria moral y científica representará un refuerzo para nuestras relaciones que se han visto perturbadas en sus comienzos con la absorción que he tenido al dedicarme plenamente a la realización de los ejercicios».[235] Però tot i que les intervencions van assegurar la fluïdesa de les relacions,[236] especialment amb la presència d'Almagro en la reunió del plenari del consell de l'Istituto di Studi Liguri el gener de 1955[237] i d'una altra visita a Itàlia el mes d'abril,[238] la seva marxa a Madrid va fer alentir les activitats de la secció espanyola —com el mateix Almagro reconegué anys més tard—[239]; tot i així, la secció espanyola va mantenir la seva seu al Museu de Barcelona[240] i va incorporar nous socis com ara Ripoll i Ana M.ª Muñoz, mentre que la marxa de Palol i Mercè Montañola a Valladolid va fer que Montserrat Marvá i Concepción Gener assumissin la tasca administrativa.

De fet, van ser Ripoll, Muñoz, Maria Lluïsa Pericot Raurich i Eduardo del Val Caturla els representants espanyols en la XVII Reunió de l'Istituto, que tingué lloc a La Spezia entre els dies 26 i 29 de juny, i en la qual Ripoll presentà, en representació d'Almagro, els primers resultats de les intervencions a Finale en la comunicació «La reciente campaña en la cueva de I Pipistrelli (Finale)».[241] El mateix Lamboglia demanà a finals de 1955 una reactivació de les activitats, atès que corrien el risc de reduir-se a un estat «platònic».[242] La raó de la davallada en unes activitats ja molt reduïdes va ser l'interès d'Almagro per reorganitzar tota la secció espanyola, de manera que la major part de les activitats es traslladessin a Madrid; Almagro, a més, va proposar a Lamboglia una nova alternança en la direcció, és a dir, substituir Pericot en la presidència.[243] Però l'alternança no es produí, i si bé Lamboglia continuà la relació amb Almagro per les excavacions d'Empúries,[244] es recolzà cada cop més en Pericot[245] i també en Ripoll, per mantenir vius els contactes entre el museu i la Universitat de Barcelona i l'Institut d'Estudis Lígurs. Proposà, per exemple, a Pericot encarregar-se de la direcció de la delegació espanyola en el Congrés d'Arqueo-

235 Arxiu MAC-Barcelona. Correspondència Almagro 1954. Carta Almagro-Lamboglia del 29-10-1954.
236 Arxiu MAC-Barcelona. Correspondència Almagro 1954. Carta Almagro-Lamboglia del 10-12-1954.
237 Arxiu MAC-Barcelona. Correspondència Almagro 1955. Carta Almagro-Lamboglia del 17-01-1955.
238 Arxiu MAC-Barcelona. Correspondència Almagro 1955. Carta Almagro-Lamboglia del 25-03-1955.
239 ALMAGRO BASCH, 1977, pàg. 18.
240 Arxiu MAC-Barcelona. Correspondència Almagro 1955. Carta Almagro-Lamboglia del 29-12-1955.
241 RIPOLL, 1955-1956c, pàg. 313-314.
242 Arxiu MAC-Barcelona. Correspondència Almagro 1955. Carta Lamboglia-Almagro del 30-12-1955.
243 BC. Llegat Lluís Pericot. Carta Lamboglia-Pericot del 20-12-1955.
244 BC. Llegat Lluís Pericot. Carta Lamboglia-Pericot del 08-04-1958.
245 BC. Llegat Lluís Pericot. Carta Lamboglia-Pericot del 21-01-1956.

logia Submarina el 1958[246] i l'instà a reprendre les relacions amb el grup de Montpeller, ara dirigit per Gallet de Santerre.[247] Però tot i l'interès de Lamboglia i Pericot per fer avançar la relació, els problemes van ser freqüents per motius externs i interns, després de la marxa d'Almagro, fins al punt que Pericot va voler dimitir l'any 1964, cosa que Lamboglia no volgué acceptar:

[...] desidero chiarire subito che l'Istituo ed io personalmente Ti rimarremo sempre fedeli e attaccatissimi, come al Suo fondatore e Presidente, per cui non è più il caso di parlare che Tu sia di ostacolo! Viceversa, per cuanto riguarda il funzionamento della Segreteria, la signorina Pallarès non potendo occuparsene, è del tutto naturale che si cerchi un'altra persona, e la signora Pascual è adatta anche perchè si occupa nello stesso tempo dell'archeologia sottomarina. Ne avrei senz'altro parlato con Te a Barcelona se ci fossimo visti. Quanto alla sede della Sezione, nessuno ha mai pensato di portarla via dal Museo, e se l'attuale Direttore Ripoll se ne occupa più di prima, tanto meglio, per l'Istituto e per Te. Questo indipendentemente da tutti gli accordi possibili e auspicabili con Maluquer e con l'Università, che abbiamo sempre tenuto vivi e, nei limiti del possibile, operanti.[248]

És la crònica d'una mort lenta, tot i que Pericot va mantenir la presidència de la secció espanyola fins ben entrada la dècada de 1970.[249]

Les vinculacions amb Itàlia van dur Almagro a iniciar contactes per aconseguir el permís d'intervenció en un jaciment italià, tasca per a la qual disposà de l'ajut d'Íñiguez Almech, responsable de l'SDPAN i també director de l'Escuela Española de Historia y Arqueología de Roma entre 1947 i 1955.[250] Almagro inicià els contactes amb Luigi Bernabò Brea[251] per desplaçar-se a Sicília amb Íñiguez a fi de reunir-se amb els directors del sistema de preservació del patrimoni sicilià.[252] En la proposta de col·laboració s'establia la concessió de beques pel termini d'un any a alumnes d'Almagro a la Universitat de Barcelona per dur a terme estades de pràctiques als museus i jaciments sicilians, que serien compensades amb altres a alumnes italians bàsicament per assistir a les

246 BC. Llegat Lluís Pericot. Carta Lamboglia-Pericot del 08-04-1958.

247 BC. Llegat Lluís Pericot. Carta Lamboglia-Pericot del 08-01-1959.

248 BC. Llegat Lluís Pericot. Carta Lambolgia-Pericot del 22-12-1964.

249 BC. Llegat Lluís Pericot. Carta Zaccari-Pericot del 10-07-1973.

250 Sobre l'etapa romana d'Íñiguez Almech, vegeu JIMÉNEZ DÍAZ, 2010.

251 Arxiu MAC-Barcelona. Correspondència Almagro 1953. Carta Almagro-Bernabò Brea del 14-02-1953; Carta Almagro-Bernabò Brea del 23-03-1953.

252 Arxiu MAC-Barcelona. Correspondència Almagro 1953. Carta Bernabò Brea-Almagro del 28-03-1953.

excavacions d'Empúries, Mallorca i Los Millares;[253] però el nucli essencial de la col·laboració era una concessió en un dels principals jaciments grecs i colonials de l'illa, entre un ampli ventall que l'Assessorato Regionale della Pubblica Istruzione havia plantejat. Els primers contactes van ser positius i tant Bernabò Brea com Bovio Marconi, responsables arqueològics de Sicília i Palerm, hi van estar d'acord i prometeren treballar davant les autoritats polítiques per fer-los fructificar.[254]

La proposta topà amb la realitat econòmica. La missió espanyola havia de sufragar la totalitat de les despeses de la intervenció, i el Ministeri no podia proporcionar els diners necessaris, o almenys la quantitat mínima per situar la tasca dels científics espanyols a l'alçada de les altres missions arqueològiques a l'illa.[255] De fet, l'intent fracassà en gran part pel canvi en les condicions ofertes pels italians des de les primeres converses l'any anterior. No obstant això, Almagro es desplaçà a Roma l'abril de 1953 per impartir una conferència sobre els lígurs a l'Escola Espanyola[256] i tractar amb el marquès de Lozoya els termes d'una futura activitat arqueològica a Itàlia.[257] Pallottino va ser el seu hoste a la ciutat i un gran suport per a la naixent activitat de la renovada escola espanyola.[258]

Mentre avançaven els contactes, Almagro decidí actuar directament i, aprofitant la seva excel·lent relació amb Nino Lamboglia, el 31 de març de 1954 establí un conveni de col·laboració amb l'Istituto di Studi Liguri[259] per facilitar que es fessin excavacions recíproques i que implicava —almenys nominalment— el govern italià i l'Escola Espanyola de Roma.[260] La proposta inicial va consistir en una intervenció a la Caverna dei Boragni (Finale), ja estudiada per Bernabò Brea, però la decisió final quedava pendent d'una valoració sobre el terreny del mateix Almagro.[261] L'excavació a Finale, però, tenia també per a Almagro un interès propagandístic. Necessitava demostrar als investigadors i a les autoritats italianes que podia dur a terme un projecte de recerca a Itàlia com a primer pas

253   Arxiu MAC-Barcelona. Correspondència Almagro 1953. Carta Almagro-Íñiguez Almech (sense data).

254   Arxiu MAC-Barcelona. Correspondència Almagro 1953. Carta Almagro-Bernabò Brea del 29-04-1953; Carta Almagro-Bovio Marconi del 30-04-1953.

255   Arxiu MAC-Barcelona. Correspondència Almagro 1953. Carta Íñiguez Almech-Almagro del 24-02-1953.

256   Arxiu MAC-Barcelona. Correspondència Almagro 1953. Carta Almagro-Pallottino del 23-03-1953.

257   Arxiu MAC-Barcelona. Correspondència Almagro 1953. Carta Almagro-Íñiguez Almech del 29-04-1953.

258   Arxiu MAC-Barcelona. Correspondència Almagro 1953. Carta Almagro-Pallottino del 29-04-1953.

259   TORTOSA, 2010.

260   Arxiu MAC-Barcelona. Correspondència Almagro 1954. Carta Almagro-Graziosi del 15-06-1954.

261   Arxiu MAC-Barcelona. Correspondència Almagro 1954. Carta Lamboglia-Almagro del 25-01-1954.

per a la projecció de la nova secció d'arqueologia de l'Escola Espanyola i, d'acord amb Íñiguez Almech, determinà:

> [...] le escribiré más detenidamente dentro de unos días en que ya habremos comenzado las excavaciones de Finale. Esta campaña dará para una Memoria que divulgaremos porque yo procuraré que así sea, aunque me tenga que ir quince días a Italia abandonándolo todo, pues en el principio hay que comenzar bien. Esta Memoria será suficiente para hacer algo de sensación y ruido y yo procuraré además airearla con conferencias en algunos sitios y así esperaremos además que nos concedan lo de Roma que es problema más gordo y es mejor venga más adelante. Entretanto, haré 500 separatas a nombre de la Escuela, del trabajo de Bernabò Brea publicado en la revista Ampurias y parecerá una monografía independiente y que hará muy bien. Detrás vendrán otras, e incluso la de esta excavación que vamos emprendiendo. Ud. se dará cuenta del éxito de estas Memorias cuando vea ponerse en marcha y en pie, una biblioteca, sólo a base de un pequeño sacrificio económico.[262]

I, en efecte, Almagro procurà la creació d'una biblioteca de referència per a l'Escola per intentar disposar d'un àmbit de treball, si no equiparable a les d'altres institucions arqueològiques estrangeres a Roma, sí almenys digna. Per a aquesta tasca va disposar de la col·laboració de la seva alumna Mercedes Vegas, becària la primavera de 1955 a l'Escola, i que ja s'havia format a Alemanya i Bèlgica amb l'ajut d'Almagro, no sense problemes, perquè en aquest últim país no existia el costum que les dones participessin en els treballs de camp.[263] Vegas s'encarregà de tots els intercanvis i de la tramesa de publicacions, i en poc temps va aconseguir reunir un nombre apreciable de volums. Val a dir que en molts casos l'activitat de l'Escola causà sorpresa entre els corresponsals que consideraven aquesta institució com una estructura ineficaç en el camp de la recerca arqueològica, com ara Maluquer de Motes, que contestà a la petició de la revista *Zephyrus* indicant: «en la esperanza de que ahora con el Dr. Almagro esa Escuela hará por primera vez honor a su título... de Arqueología y en consecuencia publicarà sobre este aspecto de la Ciencia Histórica», paraules que la mateixa Vegas comentà que eren una bona lliçó per als antics gestors de l'Escola.[264] En pocs mesos, i amb el suport de Gloria Trías, també becària a Roma,

262 Arxiu MAC-Barcelona. Correspondència Almagro 1954. Carta Almagro-Íñiguez Almech del 31-05-1954.
263 Arxiu MAC-Barcelona. Correspondència Almagro 1954. Carta Mertens-Almagro (sense data).
264 Arxiu MAC-Barcelona. Correspondència Almagro 1955. Carta Vegas-Almagro del 14-05-1955.

van aconseguir posar en peu una biblioteca amb la major part del fons de publicacions espanyoles.[265]

El projecte s'endarrerí uns mesos arran d'un greu accident de trànsit que Almagro patí amb la seva dona al principi d'any[266] quan va anar a fer unes conferències a la Universitat de Saragossa, i en el qual es va trencar un peu i va patir altres ferides menors que necessitaren una hospitalització a Terol.[267] Per això, i davant la insistència de Lamboglia per iniciar les intervencions, delegà inicialment l'execució dels treballs en Ripoll,[268] tot i que posteriorment va ser un altre alumne seu, Enric Pla i Ballester,[269] qui va prendre la direcció de les intervencions a Finale segons les directrius marcades per Almagro, que no va ser present en els treballs a causa dels seus compromisos,[270] i no es desplaçà a Itàlia fins al final de juny[271] per avaluar els resultats i tancar la campanya.[272] Va ser, doncs, Lamboglia qui va supervisar el treball de Pla i va informar puntualment Almagro dels resultats obtinguts,[273] que en la primera campanya[274] van ser més aviat minsos.

L'objectiu final va ser el projecte d'intervenció a la Caverna de I Pipistrelli (Ligúria), on en tres campanyes successives desenvolupades els anys 1954-1956 Almagro intentà comprovar la seqüència neolítica que Luigi Bernabò Brea havia establert uns anys abans al jaciment d'Arene Candide.[275] Per a aquesta tasca tingué l'ajut de Ripoll, que va dirigir efectivament les intervencions en absència d'Almagro[276] el 1955,[277] després de la renúncia a participar-hi de Pla i també de Francisco Jordá Cerdá, a qui Almagro oferí la coordinació, segons una programació aprovada per Lamboglia: «trabajarías allí durante unos dos meses y quiero que tengas asistentes para la clasificación de la fauna, estudios polínicos, etc., etc., pues quiero llevar la excavación con todo rigor científico y todos los medios auxiliares convenientes. Trabajarías con seis obreros a los cuales pagaría

265 Arxiu MAC-Barcelona. Correspondència Almagro 1955. Carta Vegas-Almagro del 04-07-1955.

266 Arxiu MAC-Barcelona. Correspondència Almagro 1954. Carta Almagro-Lamboglia del 16-02-1954.

267 Arxiu MAC-Barcelona. Correspondència Almagro 1954. Carta Almagro-Emilio Garrigues del 15-03-1954.

268 Arxiu MAC-Barcelona. Correspondència Almagro 1954. Carta Almagro-Lamboglia del 27-02-1954.

269 Arxiu MAC-Barcelona. Correspondència Almagro 1954. Carta Almagro-Íñiguez Almech del 21-05-1954.

270 Arxiu MAC-Barcelona. Correspondència Almagro 1954. Carta Almagro-Lamboglia del 28-05-1954.

271 Arxiu MAC-Barcelona. Correspondència Almagro 1954. Carta Almagro-Lamboglia del 15-07-1954.

272 BC. Llegat Lluís Pericot. Carta Almagro-Pericot del 02-07-1954.

273 Arxiu MAC-Barcelona. Correspondència Almagro 1954. Carta Lamboglia-Almagro del 26-06-1954.

274 Arxiu MAC-Barcelona. Correspondència Almagro 1954. Carta Almagro-Bernabò Brea del 26-07-1954.

275 ALMAGRO BASCH, 1955; ALMAGRO BASCH, RIPOLL PERELLÓ i MUÑOZ, 1957.

276 Arxiu MAC-Barcelona. Correspondència Almagro 1955. Carta Almagro-Lamboglia del 23-06-1955.

277 Arxiu MAC-Barcelona. Correspondència Almagro 1955. Carta Almagro-Ripoll del 23-06-1955.

el gobierno italiano».[278] Almagro, en aquest cas, hi havia renunciat per diferents motius personals.[279]

En els treballs van prendre part l'investigador argentí Juan Schobinger[280] i una col·laboradora de Lamboglia, Ermelinda Pognante.[281] Ripoll va dirigir també les excavacions de l'any 1956 entre el 12 de juny i el 3 d'agost, un cop finalitzades les intervencions a l'abric romaní de Capellades i enllestida la seva tesi doctoral.[282] Hi van col·laborar Ana María Muñoz i tres alumnes d'Almagro a Madrid: Del Barco, Losada i Morán, i va centrar essencialment el treball en la recerca d'enterraments neolítics, tot i que els resultats van ser tan minsos que Ripoll plantejà a Lamboglia la necessitat de treballar en un altre jaciment;[283] Almagro decidí fer un tall estratigràfic per cercar possibles nivells paleolítics[284] i va plantejar la fi de l'excavació per a la darreria del mes de juliol, quan visità Finale de pas cap a l'inici de les excavacions de Gabii.

Finalment, Almagro també va dur a terme prospeccions a la regió de Toirano (Savona) al llarg dels mesos de novembre i desembre de 1957,[285] i les intervencions al jaciment neolític i de l'edat del bronze de Grotta del'Olivo[286] dirigides per Muñoz per delegació d'Almagro, que es mostrà també imbuïda per l'esperit patriòtic del projecte:

tanto en el orden científico como en el de las relaciones culturales entre España e Italia, así como por renovar la presencia espiritual de España en esta región, unida a la Corona española durante dos siglos, los trabajos de la Escuela Española de Historia y Arqueología en Roma, en la ciudad de Finale, han logrado con éxito servir a los altos ideales que la Escuela se propone alcanzar al servicio de la investigación científica de ambos países y en especial el patrocinio de la labor de los investigadores españoles en tierra italiana.

En contrapartida a les excavacions dirigides per Almagro, s'oferí al director de l'Institut d'Estudis Lígurs, Nino Lamboglia, la possibilitat d'excavar un sec-

278 Arxiu MAC-Barcelona. Correspondència Almagro 1955. Carta Almagro-Jordá del 04-04-1955.
279 Arxiu MAC-Barcelona. Correspondència Almagro 1955. Carta Almagro-Lamboglia del 22-04-1955.
280 Arxiu MAC-Barcelona. Correspondència Almagro 1955. Carta Lamboglia-Almagro del 31-05-1955.
281 Arxiu MAC-Barcelona. Correspondència Almagro 1954. Carta Almagro-Pognante del 29-12-1954. Correspondència Almagro 1955. Carta Pognante-Almagro del 07-04-1955; Carta Almagro-Pognante del 21-04-1955; Carta Pognante-Almagro del 26-04-1955.
282 Arxiu MAC-Barcelona. Correspondència Almagro 1956. Carta Ripoll-Almagro del 21-04-1956.
283 Arxiu MAC-Barcelona. Correspondència Almagro 1956. Carta Ripoll-Almagro del 20-06-1956.
284 Arxiu MAC-Barcelona. Correspondència Almagro 1956. Carta Almagro-Ripoll del 25-06-1956.
285 MUÑOZ, 1957, pàg. 291.
286 MUÑOZ, 1958.

tor de la ciutat romana d'Empúries,[287] com a continuació dels treballs que ja duia a terme des de l'any 1947. Lamboglia proposà iniciar una excavació en extensió a mitjan juliol que continués la recerca a l'àrea del decumanus que ja havia estat excavant en campanyes anteriors, al mateix temps que s'iniciaria una nova àrea de treball en la zona central de la ciutat, al costat de les cases ja estudiades.[288] Els seus objectius van ser treballar una zona del fòrum per identificar els nivells inicials i finals de les ciutats romana i ibèrica.[289] Almagro acceptà el pla de treball i posà a disposició del seu amic les infraestructures del museu i Alberto Balil com a ajudant;[290] finalment, però, va ser Arribas qui ajudà l'equip italià, amb el qual van iniciar les intervencions al costat de la senyoreta Grosso, desplaçada des d'Itàlia per supervisar les actuacions abans de l'arribada de Lamboglia, endarrerida diversos cops i que no tingué lloc fins el setembre a causa d'algunes intervencions urgents i de la participació al col·loqui de Varese sobre estructures palafítiques.[291] Almagro supervisà els treballs a Empúries i fixà els límits de la col·laboració:

> [...] yo te dejo libertad de elegir el trozo de Decumanus que quieras excavar para redactar tu memoria sobre la estratigrafía de Ampurias conforme tenemos convenido en nuestro cambio; entre otras razones he dado esta orden porque si se reúne demasiado material no estando tú presente ni yo tampoco, puede acabar siendo aquello un embrollo, porque como verás sale mucho material y requiere no solo clasificación, sino luego la cuestión dibujos y demás tareas, de lo que hablaremos despacio cuando nos veamos en Ampurias. Entonces concretaremos si el trabajo se va a publicar en colaboración en cuyo caso yo tendría que tomar parte en la labor, o bien si será una monografía redactada exclusivamente por ti y hecha por ti, para lo cual tú me pedirás la ayuda que necesites y yo te la iré proporcionando en relación a lo que tú me proporciones en paridad e igualdad.[292]

Els treballs van continuar l'any 1955,[293] després de l'estudi que Lamboglia va fer dels resultats de la campanya de l'any anterior[294] i que, a la fi, van ser molt

287 «Tras una campaña arqueológica». *La Vanguardia Española*, edició del 16-07-1954, pàg. 12.
288 Arxiu MAC-Barcelona. Correspondència Almagro 1954. Carta Lamboglia-Almagro del 29-06-1954.
289 Arxiu MAC-Barcelona. Correspondència Almagro 1954. Carta Lamboglia-Almagro del 30-08-1954.
290 Arxiu MAC-Barcelona. Correspondència Almagro1954. Carta Almagro-Lamboglia del 26-06-1954.
291 Arxiu MAC-Barcelona. Correspondència Almagro 1954. Carta Lamboglia-Almagro del 22-07-1954.
292 Arxiu MAC-Barcelona. Correspondència Almagro 1954. Carta Almagro-Lamboglia del 06-09-1954.
293 Arxiu MAC-Barcelona. Correspondència Almagro 1955. Carta Lamboglia-Almagro del 06-07-1955.
294 Arxiu MAC-Barcelona. Correspondència Almagro 1955. Carta Almagro-Lamboglia del 04-04-1955.

més decisius en la carrera científica d'Almagro per la seva transcendència en l'àmbit de l'arqueologia clàssica i la definició de la seqüència estratigràfica d'Empúries, com va afirmar en el moment de la publicació dels resultats:[295]

Desde el año 1947, los Cursos Internacionales de Prehistoria y Arqueología organizados por el Museo y excavaciones de Ampurias, en colaboración con las Universidades de Barcelona y Madrid y con el Instituto Internacional de Estudios Ligures, han dado un impulso nuevo a las relaciones arqueológicas entre los países latinos del Mediterráneo, y, en primer lugar, entre Italia y España. Las excavaciones de la antigua Emporion han sido el terreno más favorable para afirmar esta colaboración, realizada sobre todo personalmente entre los que suscriben y aprovechada por los alumnos españoles y extranjeros que cada año han venido a buscar en Ampurias, como en Albintimilium, enseñanzas y conocimientos prácticos en la técnica de excavación de los yacimientos de la época clásica [...] desde 1947 a 1958, mientras íbamos realizando en Ampurias la excavación más espectacular y más rica de las casas y de las necrópolis, han sido llevados a cabo en diferentes etapas, durante varios Cursos de Verano en Ampurias, cortes estratigráficos de importancia fundamental para la enseñanza de los alumnos y también para el conocimiento concreto de la Emporion romana [...] este primer ensayo de estratigrafía en uno de los decumanos de la antigua ciudad, que flanquea la casa romana n.º 1, descubierta ya por completo, se inició por la existencia allí de algunas trincheras devastadoras que los milicianos rojos abrieron sin respeto alguno en 1936 en el suelo arqueológico de la ciudad romana [...] nos interesaba particularmente poder establecer en Ampurias una serie de niveles cronológicos análogos y paralelos a los que ha dado precisamente uno de los decumanos de Albintimilium donde se ha practicado un nuevo método de rigurosa sistematización y clasificación del material cerámico de época romana, y donde se ha podido aprovechar este método para la datación de los muros y monumentos de la ciudad, como también se ha venido haciendo en Ampurias con eficaces resultados.

De fet, el conveni establert entre el Museu de Barcelona —tot i que Almagro presentà l'excavació com una actuació de l'Escola Espanyola d'Arqueologia de Roma— i l'Istituto di Studi Liguri per dur a terme les intervencions descansà essencialment en la bona entesa entre Lamboglia i Almagro, car no existí cap mena de participació oficial ni tampoc ajuts econòmics per fer-les. Tos dos establiren un precari sistema de compensació econòmica segons el qual, per exemple, Almagro cedia a Empúries diversos obrers —i els seus jornals— dels

295 Almagro Basch i Lamboglia, 1959.

que ja tenia contractats per a les seves excavacions a canvi del pagament per part de Lamboglia del mateix nombre de jornals a les excavacions de Finale. De la mateixa manera, les despeses dels tècnics, tant arqueòlegs com auxiliars, eren abonades també mitjançant compensació entre els dipòsits de les dues institucions a Bordighera i Barcelona, comptes en què també s'incloïen les liquidacions del pagament de les quotes dels socis i la venda de llibres. És evident que amb aquest plantejament la col·laboració no podia anar més lluny del primer intercanvi.

Però va ser Íñiguez Almech, des d'una posició institucional, qui gestionà la base de l'actuació més important d'Almagro a Itàlia: les intervencions al jaciment de Gabii, a la regió del Laci. El 24 de gener de 1954 el director de l'Escola demanà el permís d'intervenció a la Soprintendenza alle Antichità di Roma i a la Direzione Generale delle Belle Arti e dell'Antichità, i l'acord es va signar el 21 d'abril. Poc després, Pallottino establí amb Almagro el programa de treball,[296] per un projecte que Almagro considerà, amb justícia, com un honor:[297] «entusiasmado por defender el prestigio de nuestra patria en el campo de la Ciencia que cultivo».[298] El 15 de juny, Romanelli, responsable de les intervencions arqueològiques de Roma, comunicà oficialment a l'Escola Espanyola l'acceptació de la petició per emprendre excavacions a Gabii sota la direcció d'Almagro i amb l'ajut d'un arqueòleg italià.[299] Almagro, que va poder expressar la seva satisfacció per la concessió de l'excavació en la reunió del Congrés Internacional d'Estudis Clàssics que es reuní a Copenhaguen entre els dies 23 i 28 d'agost i al qual assistí com a representant oficial del CSIC,[300] vinculà les operacions amb el seu càrrec com a director de les intervencions arqueològiques a l'Escola Espanyola de Roma; per a les excavacions va tenir l'ajut, a més de Pallottino, de Romanelli i Renato Bartoccini,[301] substituït aquest últim per Giulio Jacopi al final de 1956 per problemes de salut.[302]

L'estudi de les intervencions anteriors en el jaciment i les converses amb els arqueòlegs italians van fer decidir Almagro per excavar l'àrea del santuari de

296 Arxiu MAC-Barcelona. Correspondència Almagro 1954. Carta Pallottino-Almagro del 05-07-1954.

297 Arxiu MAC-Barcelona. Correspondència Almagro 1954. Carta Almagro-Pallottino del 27-07-1954.

298 Arxiu MAC-Barcelona. Correspondència Almagro 1955. Carta Almagro-Eugenio Montes del 24-05-1955.

299 ALMAGRO GORBEA, 1982b, pàg. 21-22.

300 Arxiu MAC-Barcelona. Correspondència Almagro 1954. Carta Almagro-López Rodó del 25-06-1954.

301 Arxiu MAC-Barcelona. Correspondència Almagro 1955. Carta Almagro-Bartoccini del 24-05-1955.

302 Arxiu MAC-Barcelona. Correspondència Almagro 1957. Carta Almagro-Díaz Martos del 30-01-1957.

Juno Gabina. De fet, tot i dirigir les excavacions, delegà una gran part de la tasca en Alberto Balil, vinculat a Almagro i al Museu Arqueològic, però que es llicencià a Saragossa el juny de 1955;[303] Balil el substituí efectivament com a encarregat de les intervencions arqueològiques de l'Escola, tot i no haver estat la primera opció d'Almagro, que hauria preferit situar en aquest lloc Tarradell o Palol, impossibilitats d'acceptar l'oferta perquè estaven preparant les oposicions a càtedra que tots dos guanyarien el 1956. Balil, «un experto excavador y que ha trabajado ya muchos años en Ampurias y en otros lugares de España, y también en Ventimiglia, por lo que no es del todo extraño a la colaboración italiana», va ser, doncs, el seu referent a Gabii.[304]

Instal·lat a Roma el setembre de 1955, Balil, becat per fer la tesi doctoral sobre la tipologia de la casa romana sota la direcció d'Almagro, que poc després aconseguí el seu nomenament com a professor ajudant a la Universitat de Madrid,[305] s'encarregà en primer lloc d'organitzar els fons bibliogràfics de l'Escola[306] i de tot el sistema logístic necessari per fer les excavacions amb l'ajut de les autoritats italianes, al mateix temps que reunia les informacions existents sobre el jaciment en els arxius i biblioteques romanes, una tasca en què col·laborà també el pare Javier de Silió, vicedirector de l'Escola Espanyola a Roma,[307] supervisat a distància per Almagro, que no dubtà a prevenir-lo sobre els perills de les relacions científiques i personals a Itàlia:

> [...] siga con sus negociaciones prudentemente en lo de Gabii y en sus relaciones con los italianos. Aprenda Ud. de ellos que son un modelo de diplomacia y perdone que le diga en esta carta que procure Ud. no desacreditar a nada ni a nadie. Tenga en cuenta que está en Italia en donde más que en ninguna otra parte se condena la indiscreción. A la persona que ha quedado desacreditada por su proceder se le cierra la puerta sin más explicaciones porque los italianos no hablan y en el orden de la diplomacia son muy finos. Disculpe que le haga estas observaciones pero el afecto que le tengo y la autoridad que creo debo mantener en mis relaciones con Ud., opino me permiten esta libertad. Piense que en este año se hará Ud. un hombre de provecho para la ciencia o quedará anulado, si no tiene además de capacidad para el trabajo, capacidad de trato para lo cual la virtud principal es la discreción.[308]

---

303 Arxiu MAC-Barcelona. Correspondència Almagro 1955. Carta Balil-Almagro del 17-06-1955.
304 Arxiu MAC-Barcelona. Correspondència Almagro 1955. Carta Almagro-Pallottino del 26-05-1955.
305 Arxiu MAC-Barcelona. Correspondència Almagro 1955. Carta Almagro-Balil del 17-12-1955.
306 Arxiu MAC-Barcelona. Correspondència Almagro 1955. Carta Almagro-Balil del 07-11-1955.
307 Arxiu MAC-Barcelona. Correspondència Almagro 1955. Carta Balil-Almagro del 24-09-1955.
308 Arxiu MAC-Barcelona. Correspondència Almagro 1955. Carta Almagro-Balil del 28-09-1955.

Al llarg de més d'un any Balil va fer gestions sistemàtiques per organitzar l'excavació que, a la fi, s'inicià el 5 de juliol de 1956, més de dos anys després d'aprovar-se el projecte,[309] i s'allargà fins al 12 d'agost, sota la direcció d'Almagro amb la col·laboració de Balil, J. Navascués i Antonio Blanco.

Almagro dirigí les intervencions fins al 1966, i va deixar aquesta responsabilitat després del nomenament de Manuel García Garrido com a director de l'Escola Espanyola d'Història i Arqueologia a Roma. En els deu anys en què Almagro exercí la direcció dels treballs, es van fer sis campanyes d'excavació discontínues. La segona, entre el 10 d'octubre i el 8 de novembre de 1957, tingué també Balil com a encarregat dels treballs de camp; en la tercera, entre el 17 i el 31 d'octubre de 1958, participaren J. Navascués i Miguel Ángel García Guinea; en la quarta, entre el 20 i el 26 de juny de 1960, els treballs foren supervisats per Manuel Pellicer, J. Navascués i J. A. Íñiguez; en la cinquena, entre el 6 d'agost i el 8 de setembre de 1962, Eugenio García Sandoval i J. A. Íñiguez van ser els encarregats de seguir els treballs; i la recerca feta sota la direcció d'Almagro es va tancar amb una sisena campanya entre el 4 i el 19 de maig de 1965 en què participaren Emilio Rodríguez Almeida, H. Rosas, Purificación Atrián i María José Almagro Gorbea. Els resultats de les intervencions, però, no van ser publicats, amb excepció d'alguns avanços.[310]

L'obtenció del projecte d'excavació significà també la invitació per ingressar a l'Associazione Internazionale di Archeologia Classica, i per col·laborar en la redacció de *Fasti Archaeologici* a proposta del mateix Pallottino, que considerà els beneficis del trasllat d'Almagro a Madrid i la possibilitat de vincular el seu treball amb el del president de la secció espanyola, García y Bellido.[311]

En les clàusules del conveni, i com a contrapartida, s'establí la realització d'excavacions al jaciment de Ses Païsses, a Mallorca, per part del mateix Pallottino amb l'ajut de Giovanni Lilliu, de la Universitat de Cagliari, que, en efecte, intervingué amb el suport econòmic dels governs italià i espanyol, a partir del 1955.[312] Almagro havia fet gestions per aconseguir la compra del jaciment[313] per part de la Direcció General de Belles Arts del Ministeri d'Educació Nacional a través de la seva posició com a delegat de zona de l'SDPAN[314] —cosa que acon-

309 Arxiu MAC-Barcelona. Correspondència Almagro 1956. Carta Almagro-Balil del 26-06-1956.
310 ALMAGRO BASCH, 1958b i 1961.
311 Arxiu MAC-Barcelona. Correspondència Almagro 1955. Carta Pallottino-Almagro del 21-06-1955.
312 Arxiu MAC-Barcelona. Correspondència Almagro 1955. Carta Almagro-Romanelli del 16-02-1955.
313 BC. Llegat Lluís Pericot. Carta Almagro-Pericot del 15-11-1955.
314 Arxiu MAC-Barcelona. Correspondència Almagro 1954. Carta Almagro-Íñiguez Almech del 07-09-1954.

seguí a finals de 1955—; d'aquesta manera facilitava la tasca dels italians, que, a més, es va veure afavorida pel lliurament de fons que Almagro els va fer a partir del seu càrrec com a encarregat de la recerca arqueològica de l'Escola Espanyola a Roma.[315] Però sens dubte la part guanyadora del conveni va ser l'espanyola: es van iniciar unes intervencions que encara continuen en l'actualitat. Almagro va ser substituït en la direcció del projecte pel seu deixeble Alberto Balil,[316] tot i que els resultats de les excavacions no es van publicar completament fins el 1982.[317]

10.2. La consolidació: els Congressos Internacionals de Ciències Prehistòriques i Protohistòriques

Quan les intervencions arqueològiques a Finale Ligure i Gabii s'iniciaren, Almagro ja havia obtingut una posició rellevant en el camp internacional després de la seva elecció com a representant d'Espanya en el Comitè Permanent dels Congressos Internacionals de Ciències Prehistòriques i Protohistòriques (CICPP). I ho va fer, un cop més, imposant-se a Martínez Santa Olalla.[318] Aquest organisme, fundat amb la intervenció decisiva de Bosch Gimpera a Berna l'any 1931, havia celebrat dues reunions, a Londres (1932) i Oslo (1936), abans de la Segona Guerra Mundial. El mateix Bosch, juntament amb Hugo Obermaier, Serra Ràfols i Blas Taracena n'eren els representants espanyols. El gener de 1948, Johs Böe, secretari de la reunió d'Oslo, va creure arribat el moment de revitalitzar l'organització després de la guerra[319] i convocà una reunió a Copenhaguen. S'acordà, un cop consultats els representants espanyols,[320] que Bosch, exiliat i docent a Mèxic, no podia continuar exercint la representació espanyola, fet que sumat a la mort d'Obermaier el 1946 deixava dues vacants. Tothom, començant per Taracena, que des de la seva posició de director del Museu Arqueològic Nacional podia encapçalar una posició de força, va estar d'acord que la plaça de Bosch havia d'ocupar-la el seu deixeble Pericot, però pel que feia a la segona, a la qual aspirava Martínez Santa Olalla, les coses no eren tan clares. Blas Taracena assistí a la reunió per delegació de la Direcció

315 Arxiu MAC-Barcelona. Correspondència Almagro 1955. Carta Almagro-Pallottino del 16-02-1955.
316 Sobre Alberto Balil, vegeu Delibes de Castro, 2010 i Rodà de Llanza, 2011.
317 Almagro Gorbea, 1982a.
318 Detalls a Gracia Alonso, 2009a.
319 Detalls a Gracia Alonso, 2009a.
320 BC. Llegat Lluís Pericot. Carta Taracena-Pericot del 16-02-1948,

General de Relacions Culturals[321] i, segons explicà Serra Ràfols,[322] duia ordres precises del MEN de donar suport a la candidatura d'Antonio García y Bellido, catedràtic d'arqueologia de la Universitat de Madrid i successor de José Ramón Mélida y Alinari. I triomfà. Martínez Santa Olalla obtingué només tres vots per la seva candidatura i es queixà —amb una certa raó— de l'existència d'un complot contra seu al qual Bosch, present a la reunió en la seva condició de representant de Mèxic,[323] tampoc no hauria estat aliè. Pericot i García y Bellido van ser nomenats també secretaris nacionals de la representació espanyola, fet que els va proporcionar força influència en el si de l'organització.[324]

A Copenhaguen es decidí també que Zuric, després de la renúncia de Budapest per motius polítics, seria la seu del III Congrés l'any 1950, i a la ciutat suïssa s'escollí Madrid per organitzar la IV reunió,[325] després de presentar-se les candidatures de França, Turquia, el Líban, Itàlia i Espanya; desestimades les tres primeres en la votació final, l'opció espanyola rebé 22 vots per només 11 de la italiana, fet que constituí una sorpresa per a molts, però no per a l'organitzador, Emil Vogt, que havia indicat mesos abans a Taracena que si el govern espanyol feia una petició oficial, tindria moltes possibilitats d'obtenir la designació. Aquesta proposta va ser acceptada immediatament pel CSIC i el MEN, i Taracena la va traslladar als assistents a la reunió.[326] La designació suposà un dels primers grans èxits internacionals del govern franquista en una etapa d'aïllament polític, i com a resultat un augment del prestigi dels representants espanyols que ho havien fet possible, és a dir, Taracena, Pericot —que van ser nomenats respectivament president i secretari del IV Congrés— i Almagro, que tot i no ser membre del Comitè Permanent tingué una participació activa en les sessions: va presentar una comunicació sobre la cronologia de l'art rupestre llevantí en la secció de paleolític i mesolític, i va participar activament també en la cinquena, dedicada a l'edat del ferro, en la qual discutí la cronologia dels moviments migratoris cèltics amb Julius Pokorny; en tots dos casos va aconse-

321 BC. Llegat Lluís Pericot. Carta Taracena-Pericot del 16-03-1948; Carta Taracena-Pericot del 15-05-1948.

322 MSI-MO. ASO. 8-382. Carta Serra Ràfols-Martínez Santa Olalla de l'01-07-1949.

323 BC. Llegat Lluís Pericot. Carta Blas Taracena-LP del 16-03-1948.

324 IF. Fons Lantier Ms. 7995. *Congrès International des Sciences Préhistoriques et Protohistoriques. Procès-verbal de la sepitème réunion du Conseil Permanent, Copenhague le 24 juin 1948.* SERRA RÀFOLS, 1949, pàg. 207.

325 PERICOT, 1950c, pàg. 267-270.

326 BC. Llegat Lluís Pericot. Carta Taracena-Pericot del 24-07-1950. Carta Taracena-Pericot del 29-07-1950.

guir un gran consens dels participants per les seves opinions. Era clar que Almagro havia aconseguit sembrar la llavor de la seva projecció dins l'organització, i com destacà Pericot, la reunió, la primera gran cita dels prehistoriadors després de la Segona Guerra Mundial, serví per «demostrar la cordialidad encontrada en la mayoría de los congresistas por parte de los representantes de España. Tal cordialidad, basada en amistades que en gran parte se debían a los numerosos intercambios culturales de estos últimos años y que tomaban caluroso matíz por parte de algunas delegaciones, ha sido motivo de continuado gozo para nosotros».

L'abril del 1952 es reuní a Namur la Comissió Permanent dels CICPP, en la qual s'havia d'escollir un nou representant espanyol a causa de la mort sobtada de Blas Taracena al principi de 1951, després d'una llarga malaltia.[327] Pericot va rebre tota mena de pressions abans de la votació, inclosa la de Bosch Gimpera, que defensà la candidatura de Maluquer de Motes davant de les de Martínez Santa Olalla i Almagro.[328] Obligat a navegar entre dues aigües, Pericot intentà remetre el resultat a la voluntat dels membres del comitè presents a la reunió per no haver de decantar-se per cap dels dos rivals:

[...] quiero tener la conciencia tranquila en asunto tan delicado que afecta a dos de mis más íntimos colegas y amigos. Tengo en el bolsillo para leer como presidente, las dos propuestas, la de Serra a favor de V. y la de García y Bellido a favor de Almagro. Este último (Bellido) no viene. Serra es dudoso todavía por faltarle el visado de salida y conste que he hecho cuanto estaba en mi mano para que viniera. Aunque no he de cejar en mis intentos de que el asunto tenga solución armónica, está claro que el resultado depende de la casualidad de quienes vengan a Namur. De los 100 y pico miembros no creo que pasemos de 25.[329]

Pericot va rebre pressions insistents de Martínez Santa Olalla:

[...] Amigo Pericot: Recibo su carta desde París sobre la cuestión de la reunión de Namur y debo decirle que no dudo que la propuesta de Serra habrá salido adelante, puesto que bien explícitamente, ya hace mucho tiempo, recuerdo que en presencia de su esposa reconoció Ud. el derecho que me asistía

327 Arxiu MAC-Barcelona. Correspondència Almagro 1950-1951. Carta Vázquez de Parga-Almagro del 27-12-1950; Carta Almagro-Vázquez de Parga del 05-01-1951; Carta Vázquez de Parga-Taracena del 13-02-1951.
328 BC. Llegat Lluís Pericot. Carta Bosch-Pericot de l'01-03-1951.
329 MSI-MO. ASO. 1974-1-8296 (ASO 23-1661). Carta Pericot-Martínez Santa Olalla del 10-04-1952.

y que nuestro joven discípulo Almagro bien podía esperar todavía, según su propia frase.[330]

És evident que Pericot jugava molt bé les seves cartes i volia sortir del pas sense topar amb cap dels dos. Per una banda, encara era conscient del poder i les influències de Martínez Santa Olalla a Madrid, de qui depenia a més orgànicament com a comissari provincial d'excavacions a Girona, província que el comissari general havia poc menys que deixat que Pericot, home de la terra, convertís en el seu feu personal. Per l'altra, era també evident l'ascens imparable de la figura d'Almagro, amb qui compartia tasques docents i de recerca a la Universitat. Per això, deixar que fossin els membres estrangers els qui decidissin la partida era per a ell la millor solució, conscient que la seva actuació arribaria sens falta a oïda dels dos rivals. Pericot presentà les dues candidatures en nom seu i en el dels altres dos representants espanyols, Serra Ràfols i García y Bellido, absents a la reunió, i esperà. La votació quedà així en mans de Gerhard Bersu i Wilhelm Unverzagt (Alemanya); Richard Pittioni (Àustria), Maurice Bequaert, Sigfried Jan de Laët, Marcel Mariën i François Twiesselman (Bèlgica), Peter Vilhelm Glob (Dinamarca), Breuil i Vaufrey (França), Gordon Childe i Hawkes (Gran Bretanya), Blanc (Itàlia), Joseph Meyers (Luxemburg), Bosch Gimpera (Mèxic), Johs Böe y Björn Hougen (Noruega), Willem Glasbergen (Holanda), Santos Junior (Portugal), Holger Arbman (Suècia), Karl Keller-Tamuzzer i Vogt (Suïssa), Lionel Balout (Àfrica del Nord) i Pericot (Espanya), i Antonio Beltrán actuava com a secretari. La relació de noms indica fins a quin punt Almagro duia avantatge, ja que els anys anteriors havia establert relacions fermes amb la major part dels citats i, a més, ell mateix era present a Namur per exposar els problemes de la Comissió Internacional per a l'Estudi de l'Art Prehistòric. Com era de preveure, Almagro va obtenir la plaça de representant d'Espanya per un ampli marge de vots.[331]

Raymond Lantier explicà molt bé poc després a Martínez Santa Olalla les causes del seu fracàs:

[...] a vrai dire, Pericot a présenté vos deux candidatures avec une parfaite impartialité, exposant clairement vos tiges et qualités et les raisons qui militaient en faveur de votre nomination. A mon avis, vous auriez dû être élu, ainsi que je l'aurais sostenu dès le Conseil tenu à Copenhague, à la place de M. García y Bellido. Malheureusement je n'y assistais point, étant alors soumis à des mesures d'épura-

---

330 ADPHAARQUB. Carta Martínez Santa Olalla-Pericot del 15-04-1952.
331 RIPOLL, 1952, pàg. 231-232.

tion. Depuis vous avez eu le tort, si vous me permettez de vous le dire, d'être absent à Zurich, où Almagro au contraire se trouvait et sans doute un certain nombre de membres du Conseil ont-ils été mal disposés par cet apparent ostracisme. Peut-être y a-t-il eu aussi des raisons politiques.[332]

Un cop més Almagro havia sabut jugar les seves cartes i les seves influències, i Martínez Santa Olalla no. A partir de 1950 i especialment de 1952, doncs, Almagro fou una figura habitual —i molt respectada— en el context internacional més enllà dels primers contactes sorgits arran dels cursos d'Empúries.

L'estreta vinculació que Almagro mantingué amb García y Bellido sorgí, com hem indicat, del fet de ser tots dos deixebles d'Hugo Obermaier, un lligam reforçat per les circumstàncies que motivaren l'abrupta sortida a l'exili del seu mestre l'any 1939. Ambdós, i com també ja hem dit, mantingueren un enfrontament aferrissat amb Martínez Santa Olalla pel control de la recerca arqueològica derivat de la seva diferent visió de l'organització de les estructures de la recerca a Espanya en el triangle d'oposició marcat per les vinculacions amb les universitats, la Comissaria General d'Excavacions Arqueològiques i el CSIC. García y Bellido va ser un convidat habitual en els cursos d'arqueologia d'Empúries,[333] i Almagro i ell es reuniren sovint arran dels viatges freqüents del primer a Madrid. La col·laboració orgànica superà les relacions de treball individuals al principi de l'any 1951.

Com ja hem comentat, a la conferència de Jaca l'any 1942 es va demanar una reorganització de la recerca arqueològica, de manera que es vinculés al CSIC a través de l'Instituto Diego Velázquez de Arte y Arqueología. En aquell moment, la situació política internacional i les influències de Martínez Santa Olalla van frustrar l'operació, i la seu de Madrid va seguir desenvolupant actuacions genèriques d'art i arqueologia, però sense una identitat específica en aquest darrer camp; la recerca arqueològica la dirigia García y Bellido, que també es va fer càrrec de la direcció de la revista *Archivo Español de Arte y Arqueología* el 21 de maig de 1943, en substitució del marquès de Lozoya. En la data de referència, l'Instituto de Arte y Arqueología Diego Velázquez estava format, entre d'altres, per la secció de Prehistòria, integrada per Juan Cabré Aguiló, José Pérez de Barradas i Blas Taracena Aguirre; la secció d'Arqueologia Ibèrica i Clàssica, de la qual formaven part Julio Martínez Santa Olalla —en el que

332 MSI-ASO 1974-1-8134(1) (ASO 23-41). Carta Lantier-Martínez Santa Olalla del 22-04-1952.
333 Arxiu MAC-Barcelona. Correspondència Almagro 1950. Carta Almagro-García y Bellido del 16-03-1950.

seria l'inici d'una tempestuosa relació amb els dirigents del CSIC—[334] i Antonio García y Bellido; la secció de Numismàtica i Epigrafia, integrada per Joaquín María de Navascués i José Ferrandis Torres, i la secció d'Arqueologia Medieval.

Al marge de les tasques de constitució d'una nova biblioteca, el primer projecte va consistir a fer la Carta Arqueológica de España a partir d'un encàrrec del Ministeri d'Educació Nacional. Blas Taracena va quedar encarregat de dur a terme la part corresponent a la província de Sòria, i Martín Almagro, com a director del Museu de Barcelona, la d'aquesta província. També s'iniciaren els treballs per confegir el Corpus Vasorum Hispaniorum a imatge de la sèrie del Corpus Vasorum Antiquorum publicat per la Unió Acadèmica Internacional; el primer fascicle va ser sobre les produccions ceràmiques al poblat ibèric d'Azaila (Terol), encarregat al seu excavador i membre de l'Institut, Juan Cabré.[335] L'any 1943, Blas Taracena fou nomenat secretari de l'Instituto Diego Velázquez de Arte y Arqueología, en el qual ja figurava com a vicedirector Cayetano de Mergelina; les funcions de director les exercia el marquès de Lozoya sota la presidència honorària de Manuel Gómez Moreno.[336] Tot i que Martínez Santa Olalla continuà figurant nominalment com a cap de la secció d'Arqueologia ibèrica i clàssica, el fet és que la feina i les influències eren a les mans dels tres col·laboradors de la secció: Taracena, García y Bellido i Augusto Fernández de Avilés, conservador del Museu Arqueològic Nacional de Madrid.[337]

Malgrat això, Almagro era conscient de la necessitat de disposar d'un organisme que li permetés establir relacions en termes d'igualtat amb els centres de recerca europeus i, per a aquest fi, ni el Museu d'Arqueologia ni el Servei d'Investigacions Arqueològiques tenien prou entitat. Així, l'any 1947, juntament amb Pericot, i aprofitant l'embranzida de les excavacions d'Empúries, es creà l'Institut de Prehistòria Mediterrània, integrat dins el Patronat Saavedra Fajardo del CSIC, i amb seu al museu. Aquest organisme havia de servir per agrupar els investigadors de Barcelona i projectar-ne la recerca. Però l'intent de crear una entitat autònoma separada dels organismes centralitzats a Madrid desfermà un fort rebuig per part d'alguns investigadors com ara Taracena, que el veieren com una jugada dirigida a reprendre el protagonisme quasi absolut que tingué la recerca barcelonina en l'etapa anterior a la guerra civil.[338]

334 Gracia Alonso, 2009a.
335 ACCHIS-CSIC. *Instituto Diego Velázquez. Memoria de 1940-1941.*
336 ACCHIS-CSIC. *Instituto «Diego Velázquez de Arte y Arqueología». Curso 1942-1943.*
337 ACCHIS-CSIC. *Instituto «Diego Velázquez de Arte y Arqueología». Memoria del curso 1943-1944.*
338 BC. Llegat Lluís Pericot. Carta Maluquer de Motes-Pericot del 02-11-1949.

L'institut serví perfectament als fins esperats, i en poc temps consolidà el seu organigrama: el 3 d'abril de 1950 es va nomenar Mercedes Montañola com a secretària,[339] dins d'un procés intern de potenciació en què destacà la decisió del CSIC del 29 de març de mateix any segons la qual traspassava l'Institut de Prehistòria Mediterrània del Patronat Diego de Saavedra Fajardo al Patronat Marcelino Menéndez y Pelayo.[340] En l'institut quedava integrada la secció barcelonina del Diego Velázquez, així com els fons assignats a aquesta última;[341] d'aquesta manera es configurava una única unitat que canvià posteriorment el nom pel de «Sección de Arqueología del Instituto Rodrigo Caro e Instituto de Prehistoria Mediterránea»[342] i que disposà, inicialment, d'un pressupost de 100.000 ptes. per a l'IPM i de 54.500 ptes.per a la secció d'Arqueologia; aquestes quantitats no van servir per atendre les necessitats de funcionament i, a més, arribaven sempre amb molt retard, cosa que ocasionava problemes en els pagaments.[343]

Aquesta integració va ser clau en la futura transformació de la recerca arqueològica tutelada pel CSIC. Almagro, un cop fet el traspàs i l'assumpció de competències, reclamà la resolució d'un problema enquistat: el pagament d'una nòmina mensual a Adolf Schulten acordada pel CSIC a petició de diferents investigadors encapçalats per García y Bellido[344] un cop acabada la Segona Guerra Mundial com a resultat de les dificultats econòmiques de l'hispanista en una Alemanya devastada per la guerra, i que era abonada a partir dels comptes de la secció de Barcelona. Almagro indicà a Rafael de Balbín Lucas, secretari del CSIC:

[...] está el profesor Schulten incluído y es una carga muy fuerte para mí. Por otro lado tampoco en todos los años que ha estado aquí no ha dado para publicar en el Consejo ni artículos ni libros y además actualmente se ha marchado, con lo cual creo que no se cobrará como se ha hecho otras veces el dinero para guardárselo hasta su vuelta a Barcelona por determinadas personas a quienes él encargaba de cobrar, y yo he propuesto incluso que se le dé de baja definitivamente ya que cobra su sueldo en Alemania y no tenemos con él la obliga-

339 Arxiu MAC-Barcelona. Correspondència Almagro 1950. Ofici Albareda-Almagro del 03-04-1950.
340 Arxiu MAC-Barcelona. Correspondència Almagro 1950. Ofici Albareda-Almagro del 21-04-1950.
341 ACCHIS-CSIC. *Reunión de los colaboradores del Instituto «Diego Velázquez» el día 13 de mayo de 1950.*
342 Arxiu MAC-Barcelona. Correspondència Almagro 1952. Carta Almagro-Rafael de Balbín del 07-02-1952.
343 Arxiu MAC-Barcelona. Correspondència Almagro 1950. Carta Almagro-Rafael de Balbín del 10-04-1950.
344 WULFF, 2004, pàg. CXXXI.

ción moral de atenderle como pasaba antes cuando yo propuse al Consejo que se le pagara.[345]

A més, traslladà aquesta proposta com a petició oficial el 13 de juny de 1950. De fet, Almagro no tenia en bona consideració els treballs de Schulten anteriors a la guerra civil i, en especial, la seva anàlisi de l'*Ora Maritima* d'Aviè, que considerà «llena de fatuidad, dogmatismo y arbitrariedad».[346] També havia fet una crítica sistemàtica de les seves opinions i teories arran de la publicació del seu estudi sobre les fonts escrites referides a Empúries. La petició de retirada de la nòmina mensual a Schulten va ser atesa amb força dificultat, i Almagro reclamà en aquest sentit l'actuació de José Royo Gómez, vicesecretari del CISC;[347] en va obtenir una solució provisional que va consistir que les retribucions fossin pagades directament pel Ministeri d'Educació Nacional. Amb tot, el problema no es va resoldre definitivament, atès que a la primavera del 1953 Royo[348] demanà a Almagro poder pagar la nòmina de Schulten un altre cop amb càrrec a la secció de Barcelona; Almagro s'hi negà i no va poder evitar expressar el seu esgotament per aquest tema:

> [...] de ninguna manera puedo aceptar por mi parte que dicho Sr. cobre del mismo. Yo opino que es un problema que dura demasiado ya que se marchó a vivir a Alemania y en todo caso deben ser Antonio Tovar y los institutos correspondientes los que busquen los medios económicos, pues concretamente conmigo no ha colaborado e incluso me pagó en forma descortés mis atenciones, cosa que perdono con la debida comprensión por tratarse de una persona ya de edad como él.[349]

Possiblement Almagro recordava, entre altres topades amb l'investigador alemany, la seva primera estada a Empúries l'any 1939 quan, en una posició imperativa, volgué forçar-lo a treballar en una de les idees genialoides de l'hispanista: la recerca sense mètode del campament establert per Cató a principi del segle II aC.[350] Schulten continuà cobrant del CSIC a través d'una altra instància fins al 1956.

---

345 Arxiu MAC-Barcelona. Correspondència Almagro 1950. Carta Almagro-Rafael de Balbín del 10-05-1950.

346 Wulff, 2004, pàg. CCVII

347 Arxiu MAC-Barcelona. Correspondència Almagro 1950. Carta Almagro-Royo de l'01-07-1950.

348 Arxiu MAC-Barcelona. Correspondència Almagro 1953. Carta Royo-Almagro de l'11-04-1953.

349 Arxiu MAC-Barcelona. Correspondència Almagro 1953. Carta Almagro-Royo del 26-04-1953.

350 BC. Llegat Lluís Pericot. Carta Schulten-Pericot de l'11-08-1939.

Mentrestant, la direcció de l'Instituto Diego Velázquez de Arte y Arqueología continuà el 1950 la mateixa línia d'actuació iniciada al principi de la dècada de 1940: es va encarregar, per exemple, de fer la carta arqueològica de Saragossa a Beltrán i la de Salamanca a Maluquer; també es va col·laborar en l'organització dels congressos nacionals d'arqueologia, i es va assumir en nom del CSIC una part de les tasques organitzatives del IV Congrés Internacional de Ciències Prehistòriques i Protohistòriques, atès que Taracena havia estat nomenat president a la reunió de Zuric, amb Pericot com a secretari.[351] Paral·lelament, García y Bellido treballà a Madrid per aconseguir la creació d'un nou institut deslligat dels estudis de la història de l'art, un institut que, en principi, havia de tenir la prehistòria integrada en la mateixa estructura, però només com un pas previ cap a una separació definitiva, atès que el seu objectiu —i així ho indiquen les actuacions posteriors— era «el estudio de las antigüedades griegas y romanas, incluyendo las de los pueblos sometidos directa o indirectamente a sus influjos»; aquesta finalitat s'intentà assolir per la vinculació anys després amb els instituts d'epigrafia, numismàtica i filologia clàssica dins d'una visió transversal de la recerca.

La tasca per aglutinar voluntats polítiques va ser feixuga, però, a la fi, García y Bellido aconseguí el seu propòsit.[352] En aquell moment figuraven com a membres de la secció de Barcelona Pericot, Almagro, Maluquer, Carlos Cid Priego, Joan Ainaud de Lasarte, Serra Ràfols, Colominas, Félix Gimero Rúa, Jaime Lluís Navas i Antonio Palomeque Torres.[353] Es valorava molt positivament la tasca duta a terme per la secció de Barcelona en publicar la revista *Ampurias,* i es definien les seves funcions com:

[...] los estudios de Prehistoria, Protohistoria y Arqueología clásica y germánica en España, cada día cultivados por un mayor número de especialistas y dispersos en tantas monografías y revistas han impuesto comenzar a publicar la Carta Arqueológica de España de la que han aparecido en volúmenes aislados la provincia de Soria, redactada por el Sr. Taracena, la de Barcelona por los Sres. Almagro, Serra y Colominas y se halla en prensa la de Lérida [...] además de esta serie y en el formato de la internacional del Corpus Vasorum Antiquorum se ha comenzado a publicar el total de nuestra abundante y rica cerámica ibérica iniciando esta serie titulada Corpus Vasorum Hispanorum con el fascículo de la cerámi-

---

351 ACCHIS-CSIC. *Reunión de los colaboradores del Instituto «Diego Velázquez» el día 7 de noviembre de 1950.*

352 ARCE, 1994, pàg. 298-299.

353 ACCHIS-CSIC. *Instituto «Diego Velázquez» de Arte y Arqueología. Memoria de los trabajos realizados desde 1940 a 1949.*

ca de Azaila debido a D. Juan Cabré y teniendo ya en prensa el de Líria al que después seguirà el de Numancia y otro dedicado a numerosos yacimientos menos importantes [...] de temas prehistóricos y protohistóricos también se han publicado otras importantes obras. «La Cueva del Parpalló» del Profesor Pericot que en voluminoso tomo presenta los importantes hallazgos de aquel yacimiento del Paleolítico Superior, punto de enlace entre la cultura franco-cantábrica y la meridional de la Península que ha venido a revolucionarse y esclarecer los problemas de prehistoria levantina. La obra de César Pemán «El pasaje tartésico de Avieno», sólido estudio de las fuentes literarias que tratan del nebuloso imperio y la más nebulosa localiación de Tartessos. La de García y Bellido «La Dama de Elche y el conjunto de piezas arqueológicas reingresadas en España en 1941», donde se estudia escrupulosamente el magnífico busto de Elche y un cuantioso lote de importantes esculturas ibéricas que hasta esta publicación habían sido poco atendidas por los investigadores. Y el volumen de artículos dispersos sobre Prehistoria y Edad Antigua de D. Manuel Gómez Moreno del que primero apareció como separata la parte dedicada a inscripciones ibéricas (verdadera puesta al día de los Monumenta Linguae Ibericae de Hübner) y en el que este destacado maestro no se ha resignado a reproducir sus investigaciones tal como hace años fueron publicadas, sino que ha reformado y ampliado cada artículo con nuevas noticias y puntos de vista científicos

A aquesta relació d'activitats s'hi afegiren les notícies sobre participació en congressos i reunions científiques dels membres, així com la presència d'investigadors estrangers a Espanya convidats pel CSIC, entre els quals van destacar Lantier i Gordon Childe.[354] De fet, i en un marc d'autocomplaença, la memòria dels deu primers anys d'existència de l'Instituto Diego Velázquez de Arte y Arqueología afirmava:

[...] acaso pueda parecer suficiente a quien juzgue nuestra labor en relación con el brillante esfuerzo creacional que realizó el Centro de Estudios Históricos y aún más si tiene en cuenta su punto de partida, cuando los años de guerra habían paralizado la investigación arqueológica y artística de España, pero quien conozca de cerca al Instituto, quien esté en contacto con nuestras secciones de provincias y quien sepa las constantes ofertas de originales valiosos que el Instituto recibe comprenderá que el fruto de este decenio sólo son los primeros brotes de una planta llamada a lograr extraordinario desarrollo.

354 BC. Llegat Lluís Pericot. Carta Taracena-Pericot del 22-03-1947.

El 3 de març de 1951, en la sessió de clausura del II Congrés Arqueològic Nacional, el ministre Ibáñez Martín, emparat també en la seva condició de president del CSIC, anuncià la creació d'un Institut d'Arqueologia dins del Patronat Menéndez y Pelayo. Aquesta idea cristal·litzà poc després, el 5 de maig de 1951, quan el CSIC, a proposta del seu secretari general, José María Albareda, donà forma a la creació d'un organisme independent dedicat a la recerca arqueològica sota el nom d'Instituto Rodrigo Caro de Arqueología, que es preferí al d'Ambrosio de Morales. García y Bellido va ser nomenat director amb Almagro inicialment en funcions de vicedirector i secretari[355] a proposta del primer; a més, es va proposar, com hem indicat més amunt, que Tarradell fos nomenat secretari científic de la seu de Madrid,[356] o, en cas que no pogués ser, que ho fos Palol, dues persones de la confiança d'Almagro, però proposades directament per García y Bellido. Malgrat tot, i per sobre de l'actuació decisiva de Lozoya i del ministre Ibáñez Martín en la creació de l'Institut, el fet és que les esperances de García y Bellido toparen ja d'inici amb diferents problemes derivats de les trames de relacions i d'influències personals: «hemos empezado a navegar. Dios quiera que todos mis proyectos se cumplan. Estoy animado de un entusiasmo lleno de esperanzas y no pienso escatimar esfuerzo alguno hasta ver creado el Instituto a mi gusto».[357] Dins la nova organització s'havia d'integrar l'Institut de Prehistòria Mediterrània. Això volia dir encaixar una figura preeminent i a la qual no es podia deixar de banda, pel seu prestigi internacional, com era Pericot, i també els conservadors del Museu de Barcelona, especialment Serra Ràfols. García y Bellido proposà que aquest últim es vinculés, tenint en compte el seu camp de treball, a la seu de Madrid, com a mínim per als projectes de recerca; respecte a Pericot, però, la qüestió era més difícil de resoldre per la seva estreta vinculació amb Albareda, i s'optà per encarregar-li funcions de caire representatiu però sense un càrrec específic. Els problemes importants, amb tot, venien d'una altra banda.

Tant Ibáñez Martín com Lozoya creien, amb bon criteri, que l'exclusió de Martínez Santa Olalla del nou organisme podia desembocar en una lluita entre faccions que n'amenacés l'existència des de l'inici. Almagro va creure que es tractava d'una maniobra per apartar-lo a ell en benefici del seu rival, en un mo-

---

355 Arxiu MAC-Barcelona. Correspondència Almagro 1951. Carta García y Bellido-Almagro del 16-05-1951.

356 Arxiu MAC-Barcelona. Correspondència Almagro 1951. Carta García y Bellido-Almagro del 05-04-1951.

357 Arxiu MAC-Barcelona. Correspondència Almagro 1951. Carta García y Bellido-Almagro del 09-05-1951.

ment en què, a més, considerava que Pericot donava suport a Martínez Santa Olalla, especialment davant dels organismes internacionals:

> [...] Pericot parece que está huido [...] se marcha a París y allí va a acabar de cocer la cosa yo creo, aunque no opino, que en Bosch Gimpera y Breuil encuentre mucha ayuda para empujar a Santa Olalla. Por otra parte Vogt me dijo que fuera no le quieren sino pocas personas. Todo será luego mejor cuando vaya cuajando poco a poco y cuando llegue la hora irá saliendo lo que salga. Yo me contento con todo con tal de que haya armonía y no sirva esto para nuevas complicaciones personales.[358]

Almagro veia com Lozoya havia exercit la seva influència sobre Beltrán perquè Martínez Santa Olalla, Joaquín Sánchez Jiménez i Luis Diego Cuscoy fossin inclosos en la comissió organitzadora del II Congrés Arqueològic Nacional que s'havia de celebrar setmanes més tard a Madrid.[359]

Però Almagro no era del tot sincer. Li importava, i molt, ser relegat en benefici de Martínez Santa Olalla, i així ho va comunicar a Albareda,[360] segons les seves paraules, «en actitud hostil y descarada», i també a Ibáñez Martín, prova de la seva proximitat amb el ministre:

> [...] permítame que le recuerde el que al crear el Instituto me haga Ud. caso y no incluya Ud. más nombres que el de Bellido como director y el mío como vice-director en funciones de secretario. Luego nosotros propondremos al patronato el ingreso de otras personas, entre ellas la que Ud. desea que no quede aislada, aunque no tengo ninguna esperanza de que su convivencia sea fructífera, pero no quedará por mi parte el no hacer todo lo posible para que la cordialidad vuelva a regir nuestras relaciones. De todas maneras su ingreso debe ser posterior a la creación del Instituto y no antes, pues al dar sus primeros pasos uno de los cuales es el de proponer la gente que lo han de formar, conviene haya una atmósfera completamente tranquila.[361]

Com advertí al seu amic,

358 Arxiu MAC-Barcelona. Correspondència Almagro 1951. Carta Almagro-García y Bellido del 12-05-1951.
359 Arxiu MAC-Barcelona. Correspondència Almagro 1951. Carta Beltrán-Almagro del 14-02-1951.
360 Arxiu MAC-Barcelona. Correspondència Almagro 1951. Carta Almagro-Albareda del 18-06-1951.
361 Arxiu MAC-Barcelona. Correspondència Almagro 1951. Carta Almagro-Ibáñez Martín del 25-04-1951.

[...] volverán a la carga tal vez y no vaya a suceder que en lugar de que tú cerques a ellos ayudado por las personas que contigo pueden colaborar, yo y mis alumnos, pueda ocurrir que te encuentres tú cercado entre mansos y miuras.[362]

I era així perquè veia un horitzó molt clar: ell controlaria des de la seu de Barcelona tota la recerca en prehistòria, mentre García y Bellido centralitzava a Madrid els estudis d'arqueologia clàssica; a més, es repartirien, segons els projectes, els treballs en el camp de la protohistòria i les colonitzacions, terreny en què Almagro duia avantatge com a director de les excavacions d'Empúries. La col·laboració implicava també l'especialització de les revistes, de manera que es reservaven per a *Archivo Español de Arqueología* —de la qual va ser nomenat secretari científic Augusto Fernández de Avilés, que exercí el càrrec entre 1951 i 1968— els treballs referits al món clàssic, mentre que *Ampurias* centralitzaria els de prehistòria. A la fi, i no sense dificultats, van aconseguir aturar els moviments en favor de Martínez Santa Olalla amb el raonament que era preferible fer avançar l'Institut i, un cop en marxa, s'hi podrien afegir nous investigadors, argument de dilació que va funcionar.

Val a dir que, en gran part, els temors d'Almagro eren infundats, perquè la seva animadversió cap a Martínez Santa Olalla era compartida, i fins i tot superada, per la de García y Bellido, que, en el moment d'explicar els objectius del nou institut, no es va estar de carregar implícitament contra el comissari general d'excavacions arqueològiques fent un resum de la recerca arqueològica a Espanya:

[...] el signo que —con rarísimas excepciones— presidió hasta ahora nuestras actividades arqueológicas ha sido el del «provincianismo» científico, con toda la limitación de horizontes y pobreza de espíritu que en sí lleva el concepto. Nos interesaba sólo «lo nuestro» [...] aparte de la carencia de medios, una medida de elemental prudencia aconsejaba, antes de barrer la casa ajena, procurar tener bien barrida la nuestra propia [...] admitido esto y sentado que, por fortuna, en los estudios arqueológicos trabaja ya una falange corta, pero bien preparada, de investigadores jóvenes, impuestos en los problemas científicos y técnicos, y puesto que estas actividades tienen ya también en el nuevo Instituto de Arqueología recién fundado un órgano adecuado y bien dotado para sus estudios, creemos ha llegado el momento de empezar a cultivar una Arqueología que no sea sólo «la nuestra», la «provinciana», sino la Arqueología patrimonial del Occidente entero,

362 Arxiu MAC-Barcelona. Correspondència Almagro 1951. Carta Almagro-García y Bellido del 12-05-1951.

del cual y de la cual España es no sólo una parte, sino, además, una de las más importantes. Debemos, pues, cortar amarras, dejar la navegación costera y lanzarnos a la alta mar de una Arqueología sin adjetivos posesivos. Este es ahora uno de los fines primordiales del nuevo Instituto con el que, sin abandonar lo «nuestro», se ha de procurar entrar en campos investigatorios hasta ahora intactos para nosotros.[363]

Les crítiques, força dures per l'època i en un moment en què Martínez Santa Olalla estava encara ben instal·lat al capdavant de l'arqueologia oficial, eren però força significatives perquè denunciaven el provincianisme d'una recerca arqueològica basada essencialment en la distribució territorial provincial i en l'assignació dels llocs de responsabilitat en gran mesura a estudiosos i afeccionats externs als centres universitaris i de recerca que duien a terme una tasca essencialment «localista».

Almagro i García y Bellido van començar a quadrar pressupostos la tardor de 1951, i així, a partir del projecte d'assignacions de l'Instituto Diego Velázquez de Arte y Arqueología per a l'any 1951, que pujava a 640.234,90 pessetes, acordaren una primera distribució per a l'any 1952 en els termes següents:[364]

Concepte	Quantitat (ptes.)
Nòmines (personal directiu, col·laboradors, becaris, personal administratiu, subaltern i de neteja)	90.000,00
Archivo Español de Arqueología	90.000,00
Llibres (compra, enquadernació, fotografies)	50.000,00
Material d'oficina	10.000,00
Secció de Barcelona (segons assignació de 1950)	50.000,00
Secció de València (segons assignació de 1950)	25.000,00

Aquesta distribució pujava a 316.000 pessetes, centrada especialment en la seu de Madrid; Barcelona es mantenia com una secció, però no al nivell de paritat, fet que no va agradar a Almagro, que començà a parlar a García y Bellido de «tu instituto». La tensió, soterrada, es va mantenir al llarg de 1952; en la correspondència Almagro mostrava un cert cansament per la marxa admi-

363 GARCÍA Y BELLIDO, 1951, pàg. 164-165.
364 Arxiu MAC-Barcelona. Correspondència Almagro 1951. *Instituto de Arqueología y Prehistoria Rodrigo Caro. Avance de presupuesto para el año 1952.*

nistrativa de l'organisme i la dificultat per obtenir recursos, i demanava, fins i tot, un retorn a la situació de 1951. Tots dos, amb l'ajut de Pericot, membre del comitè executiu del Patronat del CSIC, establiren la distribució de fons per al bienni 1954-1955, un cop la secció de Barcelona assolí la categoria de departament el febrer de 1953.[365] La proposta, redactada per García y Bellido,[366] pujava a 730.500 pessetes, dividides en els conceptes següents, que Almagro acceptà sense introduir-hi cap modificació:[367]

Concepte	Quantitat (ptes.)
Nòmines (personal directiu, col·laboradors, becaris, personal administratiu, subaltern i de neteja)	100.000,00
Archivo Español de Arqueología	110.000,00
Llibres (compra i enquadernació); fotografies (compra i maquetació)	80.000,00
Material d'oficina	10.000,00
Departament, amb les dues seccions de l'Institut a Barcelona	250.000,00
Secció de l'Institut a València	50.000,00
Secció de l'Institut a Salamanca	25.000,00
Secció de l'Institut a Saragossa	25.000,00
Assistència a congressos nacionals, viatges d'estudi, intercanvi de professors, etc.	50.000,00
Subvenció per a la publicació del Corpus Vasorum	13.500,00
Subvenció per a l'augment del «Mapa Romano»	17.000,00

De fet, i en bona mesura, els problemes de manca d'entesa no eren sinó el resultat de la visió que García y Bellido tenia de l'Institut Rodrigo Caro com a eix central de la recerca arqueològica a Espanya, al qual s'havien d'afegir la resta d'institucions de l'Estat, com mostren les seves paraules sobre la delegació de Barcelona:

[...] sus fines primordiales son los estudios prehistóricos y protohistóricos. Con plena autonomía, pero integrando la Sección, figura también el Instituto Inter-

365 Arxiu MAC-Barcelona. Correspondència Almagro 1953. Carta Almagro-García y Bellido del 05-02-1953.

366 Arxiu MAC-Barcelona. Correspondència Almagro 1953. Carta García y Bellido-Almagro del 16-02-1953.

367 Arxiu MAC-Barcelona. Correspondència Almagro 1953. Carta Almagro-García y Bellido del 20-02-1953.

nacional de Estudios Mediterráneos, dirigido por los profesores Pericot y Alma-
gro, e indirectamente, como Institutos y Servicios paralelos, pero colaboradores
con el «Rodrigo Caro», los Seminarios de Prehistoria e Historia Antigua de la
Universidad de Barcelona, el Museo Arqueológico y el Servicio de Investigaciones
Arqueológicas de la Excma. Diputación Provincial de Barcelona, del que depen-
den las excavaciones de las ruinas de Emporion. La Sección de Barcelona publica
anualmente, como órgano colector de sus labores científicas, la revista *Ampurias*.

Val a dir que aquesta supeditació de tots els organismes de recerca a una
sola institució central tenia un precedent interessant: les funcions que Martí-
nez Santa Olalla va voler atribuir l'any 1938 al nonat Instituto Arqueológico
Nacional e Imperial, en què destacava la subordinació a l'Institut de les càte-
dres universitàries i els museus arqueològics nacionals i provincials. García y
Bellido, com mostra en el text, aprofita la coincidència de personal entre les
diferents institucions per vincular-les orgànicament, com també va fer amb la
revista. No és d'estranyar, doncs, que Almagro lluités per mantenir un gran
marge d'actuació i d'independència en un moment en què no podia permetre
que la seva projecció internacional, basada en les funcions que desenvolupava
a Barcelona, hagués de passar a dependre d'un organisme superior.

Els problemes amb les seccions van finalitzar arran del trasllat d'Almagro a
Madrid un cop guanyada la càtedra de prehistòria. El seu trasllat va significar
també el del departament de Prehistòria del CSIC de Barcelona a Madrid, que
s'instal·là primer als locals de l'Instituto Rodrigo Caro,[368] i l'any 1956 es tras-
lladà de nou al Museu Arqueològic Nacional, quan Almagro va obtenir la plaça
de conservador de la secció de Prehistòria. La secció es convertí ràpidament en
l'Instituto Español de Prehistoria, que dirigí fins que es va jubilar l'any 1981.
Dins de l'organisme reorganitzat va crear la col·lecció de monografies «Biblio-
theca Praehistorica Hispana» l'any 1958 i posteriorment la sèrie «Trabajos de
Prehistoria» el 1960, convertida en revista el 1969.

Dins dels CICPP, Almagro dedicà els esforços a l'estudi sobre l'art rupestre,
conscient que a Espanya, llevat de Pericot, no hi havia cap investigador que
pogués presentar un volum més gran de treballs sobre aquest tema. En la reu-
nió del III Congrés de Ciències Prehistòriques i Protohistòriques de Zuric,
l'any 1950, s'establí la creació del Comitè Internacional per a l'estudi de l'art
prehistòric, dependent dels CICPP, amb l'encàrrec d'estudiar i publicar les
grans sèries del repertori de l'art rupestre. Almagro, present a la reunió, acon-

---

368 CRUZ *et al.*, 2005, pàg. 32-33.

seguí ser nomenat representant d'Espanya en el comitè, i inicià de seguida la tasca amb el suport d'Albareda, a través de qui va obtenir del CSIC els fons necessaris que, segons l'acord assolit a Zuric, s'havien de lliurar anualment a l'Institut Internacional d'Art Prehistòric de Mainz dirigit per Herbert Kühn, encarregat de la coordinació del projecte.[369] Però Almagro, avalat per la concessió del nomenament com a acadèmic corresponent de la Deutsche Akademie der Wissenschften und der Literatur[370] en detriment del francès Vaufrey, manejà molt bé els termes de la participació espanyola: va demanar l'endarreriment del pagament de les aportacions espanyoles fins que no es fessin efectives les quantitats per part d'altres estats representats al comitè, com la Gran Bretanya, Suècia o Itàlia. La raó de la seva petició[371] no era, però, d'estalvi econòmic, sinó estratègica:

[...] yo espero que estos trabajos se concreten en realidad tangible internacional y entre tanto no debemos de momento entregar ese dinero que piden, pero sí animar la empresa, ya que estamos ante la posibilidad de que cualquier día un Instituto americano a los que ya se ha dirigido el citado Comité entregue dólares y en este caso yo creo que nos conviene estar presentes en el reparto de los trabajos para que lo nuestro sea hecho por españoles y además salga publicado con la dignidad que le pertenece. En torno a este problema yo vengo ya trabajando con pocos medios y poco tiempo en la preparación de un Corpus del Arte Rupestre Levantino y dentro de unos años tendré preparado este Corpus que espero poder presentar a un premio del Consejo. Pienso que sería conveniente publicar luego a gran formato conforme el Comité Internacional quiere, todo el Arte Levantino Español. Antes del próximo año 1954 en que se celebrará el Congreso, yo espero tener esta importante labor realizada si Dios me da salud y tiempo y entre tanto he podido decir en el Comité Internacional que esta empresa se hará gracias a la ayuda del Consejo y como mis copias y trabajos eran conocidos por dos miembros del Comité, ha aparecido en muy primer plano la actividad española en la reunión que hemos tenido.

Dit d'una altra manera, Almagro aspirava a obtenir el reconeixement del CSIC com a màxim responsable i interlocutor de la recerca en l'àmbit de l'art rupestre a Espanya.

Almagro havia reprès la seva relació amb Herbert Kühn, professor a la Johannes Gutenberg Universität de Mainz, la primavera de 1950. Convidat per

---

369 Arxiu MAC-Barcelona. Correspondència Almagro 1951. Carta Albareda-Almagro del 16-05-1951.
370 Arxiu MAC-Barcelona. Correspondència Almagro 1951. Carta Kühn-Almagro del 05-03-1951.
371 Arxiu MAC-Barcelona. Correspondència Almagro 1951. Carta Almagro-Albareda del 15-06-1951.

aquest, participà a les sessions del congrés de prehistòria que va tenir lloc a Mainz[372] entre els dies 7 i 12 d'agost, abans de la reunió de Zuric; va presentar una comunicació sobre les relacions entre l'art paleolític i l'art rupestre del llevant,[373] un dels seus principals temes d'estudi,[374] que va assolir un gran èxit.[375] Per a Almagro, la invitació significà reprendre els contactes amb els investigadors que romangueren a Alemanya després de la guerra:

[...] tengo muchas ganas de visitar de nuevo Alemania y a los amigos y colegas de ahí, ya que realmente quiero a ese país y al pueblo alemán y será para mí una satisfacción poder pasar unos días en tierras renanas.[376]

Sense intenció, Kühn acabava d'obrir la porta que Almagro desitjava travessar per situar-se en el context de la prehistòria europea de la mateixa manera que ja ho havia fet en el món de l'arqueologia clàssica amb les excavacions i els cursos d'Empúries:

[...] como he realizado descubrimientos de nuevas pinturas y hecho excavaciones en los yacimientos, puedo presentar con el primer conjunto arqueológico que acompaña a esta industria algo semejante a lo que hizo Vaufrey con el arte rupestre levantino norteafricano, lo cual aunque no sea definitivo es un elemento muy ilustrador para la cronología del arte levantino.

I la porta ja no es tancaria. A més, Kühn, en contrapartida, trobà en Almagro el corresponsal ideal per desenvolupar projectes i viatges d'estudi a Espanya;[377] en va proposar un per al mateix any 1950 per visitar els conjunts rupestres dels barrancs de la Valltorta i la Gasulla (Castelló), i els de Tormón, Albarracín, Cariñena i Alacón a l'Aragó. Almagro aprofità les relacions excel·lents amb els governadors civils de Castelló i Terol per facilitar el desplaçament i reduir les despeses d'un periple en què es va comprometre personalment com a guia, perquè, de fet, es tractava d'explicar en bona mesura les seves pròpies recerques. El viatge, en què també van participar Bernabò Brea i Romain Robert,

---

372 Arxiu MAC-Barcelona. Correspondència Almagro 1950. Carta Kühn-Almagro del 02-05-1950.

373 Arxiu MAC-Barcelona. Correspondència Almagro 1950. Carta Kühn-Almagro del 10-05-1950.

374 ALMAGRO BASCH, 1953, pàg. 142-149.

375 PERICOT, 1950b, pàg. 264-265.

376 Arxiu MAC-Barcelona. Correspondència Almagro 1950. Carta Almagro-Kühn del 25-05-1950.

377 Arxiu MAC-Barcelona. Correspondència Almagro 1950. Carta Kühn-Almagro del 20-06-1950; Carta Kühn-Almagro del 13-06-1950; Carta Montañola-Kühn del 23-06-1950.

es va fer la darrera setmana de setembre de 1950[378] i serví per refermar uns lligams sòlids aprofundits els mesos anteriors,[379] especialment en relació amb una de les obsessions d'Almagro: la cronologia de l'art rupestre llevantí, que, segons la crònica de la visita, «todos los presentes estuvieron de acuerdo en rebajar las fechas dadas para estos conjuntos artísticos, que no pueden ser considerados como cuaternarios, a pesar de la insistencia con que algunos especialistas, como el Abate Breuil, quieren insistir en tal datación». Dit d'una altra manera, Almagro havia aconseguit convèncer tres dels especialistes principals en l'estudi de l'art rupestre, i aquest fet tindria conseqüències.[380]

Arran d'aquests contactes s'organitzà l'intercanvi d'estudiants entre el seminari de la Universitat de Mainz i el Museu Arqueològic, així com la compra de publicacions alemanyes per al fons de la biblioteca. Com hem indicat, la relació fructificà al principi de l'any 1951 amb el nomenament concedit a Almagro i la seva inclusió en el comitè dirigit per Kühn. Així, Almagro va fer una nova estada a Alemanya el mateix any per treballar a les biblioteques de Frankfurt i Marburg en la preparació de l'edició de la seva monografia *La invasión céltica en Espanya*, aprofitant el viatge per desplaçar-se fins a Mainz per participar en la reunió del Comitè Internacional.[381] Al principi de 1952 la situació canvià. A París, durant la reunió següent del Comitè, Almagro conegué la dimissió de Kühn, que comunicà ràpidament a Pericot, aleshores president del Congrés dels CICPP.[382] Els membres del Comitè elegiren Almagro com a president provisional, però aquest va veure molt clar que un nomenament d'aquesta mena podia provocar recels entre els membres del comitè permanent dels CICPP, al qual aspirava a entrar el mateix any, i els vots dels quals necessitava. Els motius del recel es basaren en el fet que la designació d'Almagro no s'havia produït en una reunió del CICPP, sinó en una del comitè d'art que no havia estat ratificada pel plenari de l'organització. Per això, el mes de març envià una carta a Pericot en què s'oferia per exercir la presidència només a títol provisional i fins a la reunió del Congrés a Madrid l'any 1954, moment en què presentaria la dimissió després d'explicar detalladament la tasca duta a terme. Però els esdeveniments es van precipitar i a la reunió del comitè permanent dels CICPP que tingué lloc poc després a Namur, tot i agrair les gestions fetes per Almagro,

378 Arxiu MAC-Barcelona. Correspondència Almagro 1950. Carta Almagro-Kühn del 24-08-1950.
379 Arxiu MAC-Barcelona. Correspondència Almagro 1950. Carta Almagro-Kühn del 06-10-1950.
380 LLUBIÁ, 1950, pàg. 275.
381 Arxiu MAC-Barcelona. Correspondència Almagro 1951. Carta Almagro-President del CSIC del 04-04-1951.
382 BC. Llegat Lluís Pericot. Carta Almagro-Pericot de l'01-01-1952.

s'imposà l'opinió de Breuil i Balout, en el sentit de revisar els acords de la reunió de Zuric, nomenar un nou comitè o comissió i traslladar al plenari de Madrid la resolució definitiva de la constitució final d'una Comissió per a l'Estudi de l'Art Prehistòric.[383]

Per formar part de la nova comissió van ser designats Breuil i Vaufrey (França), Graziosi i Blanc (Itàlia), Hans-Georg Bandi i Marc R. Sauter (Suïssa), Hélène Danthine i Twiesselmann (Bèlgica), Glob (Dinamarca), Carl-Axel Althin (Suècia), Maurice Reygasse i Balout (Àfrica del nord), Louis Leakey (Àfrica oriental), Rudolf E. Scherz i Stry —Clarence van Riet Lowe segons altres fonts— (Àfrica del sud), Grahame Clark i Hawkes (la Gran Bretanya), S. A. Huzayyin (Egipte), Hallam L. Movius Jr. i Gutorem Gjessing (Estats Units), Georges Mortelmans (el Congo Belga), Joaquim Rodrigues dos Santos Junior i Alfonço do Paço (Portugal i colònies africanes portugueses), Moshé Stekelis (Israel), Jan Filip (Txecoslovàquia), Mihovil Abramic (Iugoslàvia), Böe (Noruega) i Almagro i Pericot (Espanya).[384] Almagro acceptà bé la seva relegació temporal perquè era conscient que no podia oposar-se a la decisió. Tanmateix no es va estar d'explicar a Pericot que la solució acordada significava en realitat l'escapçament del Comitè, atès que sense una direcció ferma no es podia treballar ni organitzar la recerca coordinadament i que tot quedava a les mans dels diferents representants dels països per treballar plegats.

Per assentar la seva posició com a representant d'Espanya en el Comitè, Almagro intensificà la recerca sobre l'art rupestre abans de la reunió de Madrid dels CICPP el 1954; en diverses ocasions va demanar ajuts econòmics a la Junta de Relacions Culturals del Ministeri d'Afers Exteriors per poder endegar actuacions amb la finalitat de «dar sensación de actividad», fons que aconseguí.[385] En darrer terme, Almagro va aconseguir la direcció de la sessió sobre art llevantí al congrés de Madrid en la reunió del comitè espanyol el 9 de desembre de 1952,[386] i també l'organització d'una exposició monogràfica sobre el mateix tema, i així en les sessions del congrés pogué controlar totes les actuacions sobre el període que més li interessava.

A finals de 1956, Almagro va ser designat cap d'una delegació espanyola per estudiar l'autenticitat de les pintures rupestres de Rouffignac (Saint-Cernin-

383 BC. Llegat Lluís Pericot. Carta Almagro-Pericot del 07-10-1952.

384 RIPOLL, 1952, pàg. 232.

385 Arxiu MAC-Barcelona. Correspondència Almagro 1953. Carta Almagro-Director general de la Junta de Relaciones Culturales del 27-03-1953; Carta director general-Almagro del 15-04-1953.

386 Arxiu MAC-Barcelona. Correspondència Almagro 1952. *IV Congreso Internacional de Ciencias Prehistóricas y Protohistóricas. Comité español. Acta de la III sesión celebrada en Madrid el día 9 de diciembre de 1952.*

1967. Martín Almagro Basch es dirigeix als participants en la reunió del Comitè Permanent de la Unió Internacional de Ciències Prehistòriques i Protohistòriques (UICPP) a Saragossa. Fotografia: Arxiu Família Fullola-Pericot.

de-Reilhac, Dordonya),[387] a proposta de Louis René Nougier i Romain Robert, que volien presentar als principals estudiosos de l'art rupestre les conclusions de l'estudi efectuat per Breuil i Graziosi,[388] un problema que recordà molt l'*affaire Glozel* de finals de la dècada de 1920, però amb un resultat ben diferent, perquè en aquest cas es determinà l'autenticitat[389] de les pintures. El viatge, en què participaren Antonio Beltrán i Francisco Jordá, serví per promocionar Eduard Ripoll com a deixeble i mà dreta d'Almagro,[390] una posició que es refermà poc després arran de la reunió sobre art rupestre de Burg-Wartenstein el 1960, on es discutí, entre altres temes, la cronologia de l'art rupestre llevantí, que Almagro defensà encertadament com a postpaleolítica enfront de les opinions de Bosch i Breuil, entre d'altres, que les consideraven més antigues.[391]

387 ALMAGRO BASCH, M. (1956): «Fortuna y escándalo del arte cuaternario. Roffignac: más pintura prehistórica». *Gaceta Ilustrada*, edició del 08-10-1956.

388 Arxiu MAC-Barcelona. Correspondència Almagro 1956. Carta Nougier-Robert-Almagro del 22-08-1956.

389 «Prehistoriadores españoles, a Francia». *La Vanguardia Española*, edició del 13-09-1956, pàg. 7.

390 «Un problema palpitante». *La Vanguardia Española*, edició del 20-12-1958, pàg. 31.

391 ALMAGRO BASCH, 1964b, pàg. 103-111.

Almagro impulsà en el CSIC la realització d'una obra monumental, el Corpus de l'Art Rupestre Llevantí, que desenvolupà entre els anys 1971 i 1976 amb l'ajut del fotògraf Fernando Gil Carles, però tot i culminar-se el treball, la manca de recursos econòmics n'impedí la publicació.[392]

Però el gran èxit internacional d'Almagro arribà amb la petició d'ajut feta a la Unesco pel govern egipci arran de la construcció de la presa d'Assuan. Aquesta obra, imprescindible per al desenvolupament econòmic del país, havia de cobrir una gran part dels monuments d'època faraònica a l'Alt Egipte i Núbia, i els governs occidentals veieren en la possibilitat d'intervenir en la protecció del patrimoni una fórmula per contrarestar la influència de l'URSS a Egipte i, per extensió, al món àrab. A Espanya es creà el Comitè Espanyol per al Salvament de Núbia, dirigit per l'antic ministre d'Afers Exteriors i representant de l'Estat davant la Unesco, Alberto Martín Artajo.[393] Fernando Maria Castiella, responsable de la diplomàcia espanyola, pensà d'encarregar la direcció de les intervencions a un dels arqueòlegs amb trajectòria africanista; inicialment es decantà per Pericot, representant espanyol en els Congressos Panafricans de Prehistòria des de 1947, quan una decisió política del CSIC i el Ministeri d'Educació Nacional arraconà en favor seu Martínez Santa Olalla, a qui es negà reiteradament el visat de sortida per a aquest fi. Però l'edat de Pericot, l'interès demostrat per Almagro per aconseguir la direcció de la missió i les relacions d'Almagro amb Castiella des de l'època de les expedicions al Sàhara n'afavoriren el nomenament, recolzat per Pericot i Navascués.[394]

Almagro dirigí, amb l'ajut de Blanco Freijerio, Navascués i Francisco José Presedo Velo,[395] diverses campanyes d'excavació entre els anys 1960 —inici efectiu el 1961— i 1966, ben airejades per la premsa, que aprofità el ressò per remarcar la importància de la ciència espanyola en el context internacional i per refermar les bones relacions del govern amb els països àrabs; es tractava d'un dels elements de referència de la política exterior franquista, que aconseguí protagonisme en acollir a Madrid el setembre de 1966 la reunió del Comitè Internacional de la Unesco per al salvament dels monuments de Núbia, fita que tant el president espanyol del comitè, José Antonio Sangróniz y Castro, com el director general de Relacions Culturals del Ministeri d'Afers Exteriors,

392 La documentació gràfica i textual del CARL va ser digitalitzada anys després pel CSIC i actualment pot consultar-se a Internet: www.prehistoria.ih.csic.es-AAR-.

393 «Regresa a Madrid el señor Martín Artajo». *La Vanguardia Española*, edició del 10-11-1960, pàg. 20.

394 «La salvaguardia de los monumentos arqueológicos de Nubia. La expedición de los investigadores españolas». *La Vanguardia Española*, edició del 13-10-1960, pàg. 9.

395 «Arqueólogos españoles a Nubia». *La Vanguardia Española*, edició de l'11-12-1960, pàg. 11.

Alfonso de la Serna y Gutiérrez-Repide, van qualificar d'extraordinària.[396] I estrictament la missió era molt important perquè posicionà Espanya al mateix nivell d'alguns dels centres de recerca més importants del món, com va fer veure clarament el mateix Almagro en la introducció del volum dedicat a la necròpolis meroítica de Nag Gamus, quan indicà que la concessió espanyola limitava amb la de les universitats de Yale i Pensilvània.[397]

L'èxit de la missió, que disposà d'una dotació anual d'1.950.000 pessetes, a més de 270.000 dòlars com a ajut a les tasques de trasllat del temple d'Abu Simbel, es plasmà en el lliurament per part del govern egipci del temple de Debod,[398] traslladat a Madrid i instal·lat al solar que ocupà el Cuartel de la Montaña, focus de l'aixecament militar a la capital el 1936. Es tractava d'un regal excepcional, per tal com només els Estats Units obtingueren un premi similar amb el lliurament del temple de Dendur, ubicat al Metropolitan Museum de Nova York. La tasca científica dirigida per Almagro es concretà en la publicació d'onze monografies amb els resultats de les intervencions, de les quals ell redactà les dedicades a Masmas, la necròpolis meroítica de Nag Gasmus i l'art rupestre de la riba oriental del Nil, entre Nag Kolorodna y Kars Ibrim. En una conferència a l'Institut d'Estudis Africans el 9 de desembre de 1966, Almagro pogué presentar un balanç triomfal de la seva gestió:[399]

> [...] España ha intervenido eficazmente en la llamada «Campaña de Nubia» en tres direcciones distintas. Primero aportando la cuota que la Unesco le asignó, como a los demás países, para financiar el salvamento de los grandes y famosos templos. En una segunda dirección, nuestro país ha intervenido directamente en excavaciones y estudios de poblados, necrópolis, conjuntos de arte rupestre y otros documentos de valor inestimable desde la Prehistoria hasta los tiempos actuales. También ha colaborado España eficazmente en lo que podríamos llamar acción política de la campaña, formando parte en reuniones técnicas, y desde su constitución, tiene un puesto en el Comité Ejecutivo que gobierna la campaña en Nubia [...] España ha tenido la satisfacción moral de recibir el trato y la dignidad que le correspondía por su rango de gran potencia en el campo de la cultura humana, lo cual no siempre ocurre. Por su amistad con los países árabes ha mostrado su afecto y se ha esforzado en sostener en esta ocasión las buenas relaciones

---

396 «El Comité de la Unesco para el salvamento de los monumentos de Nubia se reunirá en Madrid». *La Vanguardia Española*, edició del 17-09-1966, pàg. 7.

397 ALMAGRO BASCH, 1965, pàg. 7.

398 «El Cairo: Nasser y Kosygin, en Asuan». *La Vanguardia Española*, edició del 12-05-1966.

399 «Participación española en la labor arqueológico-cultural de la Unesco». *La Vanguardia Española*, edició del 10-12-1966.

con Egipto y el Sudán. Hemos recibido la mitad de todo cuanto hallábamos pero el Gobierno egipcio nos ha dado en muchos repartos todas las antigüedades recuperadas. Por primera vez podremos organizar una sala con ricos vasos cerámicos, esculturas, inscripciones, alhajas, sarcófagos de momias y otros valiosos objetos de la región. Además Egipto tiene prometido entregar antigüedades faraónicas de sus ricos museos.

Almagro aconseguí també el permís d'intervenció al jaciment d'Herakléo-polis Magna (Gnasia el-Medina), en el qual treballà a partir de 1966. Aquesta tasca va tenir continuïtat, atès que el 2012 el jaciment és encara objecte d'estudi per part d'un equip arqueològic espanyol dirigit per Carmen Pérez Die. Fracassà, però, en el projecte de creació d'un Institut Espanyol d'Estudis Egipcis que disposés d'un museu monogràfic. Els materials procedents de les excavacions a Núbia s'exhibeixen al Museu Arqueològic Nacional de Madrid.[400]

10.3. La Fundació Bryant i els amics americans

Tot i no fer gires de conferències pels Estats Units com les que va fer Lluís Pericot, ni tenir la fiabilitat dels contactes que va mantenir Bosch Gimpera, Almagro tingué també una vinculació interessant amb investigadors nord-americans, especialment a partir de finals de la dècada de 1940, que van facilitar la difusió de la seva obra en el món anglosaxó, a més de la dels seus corresponsals britànics, com ara Piggott, Gordon Childe o Hawkes.

Arran de les estades de Tarradell i Joan Ainaud de Lasarte a Nova York com a becaris, inicià els contactes amb Walter William Spencer Cook, membre de l'Institute of Fine Arts de la New York University. Cook era, de fet, un hispanista apassionat que ja havia mantingut contactes amb Josep Gudiol abans de la guerra civil per fer reportatges fotogràfics sobre l'art romànic català, encàrrecs que va mantenir un cop Gudiol va marxar a l'exili.[401] Cook va ser també el contacte que havia de permetre que Bosch Gimpera s'instal·lés com a professor a la Universitat de Nova York un cop presa la decisió d'abandonar el Regne Unit el juny de 1940, però un greu accident de trànsit i la llarga recuperació posterior de l'investigador nord-americà van frustrar l'operació i Bosch faria estada a Panamà i a Colòmbia abans d'instal·lar-se definitivament a Mèxic.[402] La rela-

400 Lucas Pellicer, 2002.
401 Gracia Alonso i Munilla, 2011.
402 Gracia Alonso, 2011a.

1960. Jardins de Belvedere (Viena), reunió del Comitè de la UISPP. D'esquerra a dreta: Francisco Jordá Cerdá, Pere Bosch Gimpera, Lluís Pericot, Lionel Balout, personatge sense identificar, Clotilde Gorbea de Urquijo, Raymond Lantier, Martín Almagro Basch y Henri Lothe. Fotografia: Arxiu Família Fullola-Pericot.

ció entre Cook i Almagro, però, la va facilitar la publicació d'un article de Bosch Gimpera sobre la cronologia de l'art rupestre llevantí a la revista que dirigia, *Art Butlletin*,[403] atès que Cook coneixia perfectament les diferències d'opinió entre els dos investigadors espanyols en relació amb aquest tema.[404] El mateix Almagro li va fer veure aquest fet, i a més hi va afegir que considerava correcta la seva posició i no la de Bosch.[405] I era així atès que les posicions eren antagòniques: Bosch ja sabia que el seu text provocaria una crítica del director del Museu de Barcelona abans de publicar-lo, perquè havia discutit els seus punts de vista amb Pericot i Graziosi[406] i havia indicat que «creuria paleolític fins a Cogul, amb una primera etapa de tipus franco-cantàbric representada (a més de la Pileta) per les figures grans d'animals semblants als aurinyacians del N. A Minateda recoberta per les figures plenes de roig; una segona etapa és la de les figures roges (que datarien les plaques amb pintura roja del Parpalló) i a la qual pertanyen les grans escenes de les pintures de Llevant, desenvolupades sobre-

403 Bosch Gimpera, 1950.
404 Arxiu MAC-Barcelona. Correspondència Almagro 1950. Carta Cook-Almagro del 15-05-1950.
405 Arxiu MAC-Barcelona. Correspondència Almagro 1950. Carta Almagro-Cook del 30-05-1950.
406 BC. Llegat Lluís Pericot. Carta Bosch-Pericot del 03-01-1949.

tot durant el Magdalenià. Al final d'aquest caldria posar Cogul amb l'assaig de policromia. Com que la policromia al N d'Espanya i a França no passa del Paleolític i l'art llevantí a penes té manifestacions sembla una influència esporàdica a la fi del Paleolític. Mesolítiques podrien ser pintures naturalistes encara però amb l'estil degenerant i les seminaturalistes que s'estenen molt cap a l'oest».[407] Cook li facilità l'esmentat article, que refermà les opinions d'Almagro, enfrontat científicament a Bosch pel tema de la cronologia de l'art llevantí al llarg de dues dècades, i que ni tan sols reunions específiques com la de Burg-Wartenstein van aconseguir unificar, de manera que van continuar mantenint posicions molt allunyades.[408]

Cook va venir a Espanya al final de la primavera del mateix any 1950 i va tenir ocasió de trobar-se amb Almagro per establir lligams definitius. Cook li facilità el contacte amb Alice Wilson Frothingham, membre de la Hispanic Society of America i autora d'un llibre sobre la ceràmica popular aragonesa que havia interessat molt Almagro, un apassionat defensor de la cultura i les tradicions de la seva terra natal. Pocs mesos després, el gener de 1951, Almagro va ser nomenat membre de la Hispanic Society.[409] La relació amb Cook es va mantenir ferma al llarg dels anys; Almagro l'ajudà en les seves visites de treball a Espanya facilitant-li la infraestructura tècnica i el suport d'algun dels seus col·laboradors, com Carlos Cid Priego. També Almagro i el personal del Museu de Barcelona van ajudar els deixebles de Cook quan van fer estades a la Península, com en els casos d'Eileen Lord[410] i Dan Woods.[411] Woods va fer dues estades de recerca a Barcelona els estius de 1953[412] i 1954[413] per fer estudis sobre el desenvolupament de l'arquitectura grecoromana a Catalunya sota la direcció d'Almagro, en els quals va dedicar-se especialment als jaciments d'Empúries, Barcelona i Tarragona, i posteriorment es va convertir en un nou corresponsal als Estats Units per a Almagro i també per a Palol.

L'art rupestre va ser també la base de la col·laboració d'Almagro amb Lauriston Ward[414] i, especialment, amb Hallam L. Movius Jr., investigador del Pea-

---

407 BC. Llegat Lluís Pericot. Carta Bosch-Pericot de l'01-11-1948.

408 BC. Llegat Lluís Pericot. Carta Bosch-Pericot del 05-02-1960.

409 Arxiu MAC-Barcelona. Correspondència Almagro 1951. Carta Adelaide Meyer-Almagro de l'11-01-1951.

410 Arxiu MAC-Barcelona. Correspondència Almagro 1954. Carta Almagro-Cook del 14-06-1954.

411 Arxiu MAC-Barcelona. Correspondència Almagro 1954. Carta Cook-Almagro del 20-03-1954.

412 Arxiu MAC-Barcelona. Correspondència Almagro 1953. Carta Woods-Almagro del 03-06-1953.

413 Arxiu MAC-Barcelona. Correspondència Almagro 1954. Carta Woods-Almagro del 02-03-1954.

414 Arxiu MAC-Barcelona. Correspondència Almagro 1954. Carta Ward-Almagro del 19-09-1954; Carta Ward-Almagro del 18-11-1954.

body Museum de la Universitat de Harvard. Membre, com Almagro, de la comissió per a l'estudi de l'art rupestre establerta a Zuric dins dels CICPP, la seva intenció era desplaçar-se a Espanya per assistir al congrés de Madrid[415] i fer una estada per completar el seu inventari sobre art mobiliari, però no hi arribà a anar[416] i Almagro li explicà el resultat de la reunió, així com la seva impressió sobre les dificultats per dur a terme treballs en el futur:

> [...] no se acordó nada, ciertamente como no hay dinero y cada uno tira por su lado, no hay posibilidad de llegar a un acuerdo y, además, yo ví que allí había planteado el problema de Malvesin-Faber y Nugier contra Vaufrey y Breuil. Además, dieron por no acordado lo que convinimos en Zurich, y en medio de elogios a mi persona y a la Srta. Banthine, se consideró como firme el acuerdo de Namur por el que Ud. es representante de los EE.UU. y yo de España, pero al mismo tiempo con tal Comité no se podrá hacer nada, porque no hay ni Presidente.[417]

Movius intentà, malgrat tot, desenvolupar la seva proposta d'un registre central de documentació per a l'art rupestre,[418] però la manca de recursos li va impedir continuar la publicació del repertori de bibliografia sobre art paleolític que editava el Peabody Museum. Almagro i Ripoll li van oferir la possibilitat de continuar aquesta tasca com un annex de la revista *Ampurias*,[419] però la proposta no arribà a fer-se realitat.

Però sens dubte la referència principal de les relacions amb els investigadors nord-americans va ser la col·laboració amb William Junior Bryant i amb la fundació que aquest establí per potenciar la recerca arqueològica a Espanya. Bryant havia visitat Espanya el novembre de 1933, i quedà impressionat per la riquesa arqueològica de Tarragona, al mateix temps que preocupat per la degradació que patien els monuments romans per la seva utilització contemporània. Decidí aleshores ajudar al salvament del llegat històric de la ciutat, però els seus plans es veieren frustrats primer per la guerra civil i posteriorment per la Segona Guerra Mundial. L'any 1944 reprengué la correspondència amb el director del Museu Arqueològic, Samuel Ventura i Solsona, a qui havia conegut en el transcurs de la seva estada a la ciutat, i li va proposar ajut econòmic per fer excavacions. Ventura oferí intervenir en la vil·la romana i el mausoleu

---

415 Arxiu MAC-Barcelona. Correspondència Almagro 1954. Carta Movius-Almagro del 02-03-1954.
416 Arxiu MAC-Barcelona. Correspondència Almagro 1954. Carta Almagro-Movius del 15-03-1954.
417 Arxiu MAC-Barcelona. Correspondència Almagro 1954. Carta Almagro-Movius del 20-05-1954.
418 Arxiu MAC-Barcelona. Correspondència Almagro 1954. Carta Movius-Almagro del 07-06-1954.
419 Arxiu MAC-Barcelona. Correspondència Almagro 1955. Carta Almagro-Movius de l'01-06-1955.

de Centcelles (Constantí) o bé en l'amfiteatre, objecte de l'atenció de Bryant el 1933. Després de diverses negociacions, Bryant lliurà una primera provisió de fons per valor de cent mil pessetes que permeteren a Ventura dur a terme una gran campanya a l'amfiteatre entre desembre de 1948 i novembre de 1949. Tot i que les excavacions no es van reprendre fins al novembre de 1951, Bryant decidí crear una fundació per donar suport a la recerca arqueològica a Espanya, que es constituí el 26 de desembre de 1950 amb l'ajut de la seva esposa, Frances Hazelton Bryant, i que va prendre el nom del seu pare, William Leroy Bryant, traspassat l'any 1931.[420]

Les excavacions a Tarragona van continuar ininterrompudament fins a l'any 1957, però el treball de Ventura es va veure compromès per la supervisió de Joaquín María de Navascués en exercici del seu càrrec d'inspector general dels museus arqueològics que, ja l'any 1949, començà a dubtar de la idoneïtat de Ventura per dirigir les intervencions en una estructura tan important com l'amfiteatre. A les crítiques s'hi va afegir també Almagro, amic de Navascués i molt interessat a aconseguir la direcció dels treballs per al seu deixeble Palol, fet que va comentar directament amb Bryant.[421] Aquesta substitució no s'arribà a produir, però Bryant va convèncer llavors a un antic conegut seu, José González Guijarro, amb qui mantenia correspondència des de 1947 i havia arribat a convertir-se en una de les persones de confiança del marquès de Lozoya a la Direcció General de Belles Arts, i, després d'obtenir el trasllat a Tarragona com a delegat del Ministeri d'Educació Nacional, González Guijarro es trobà en una posició excel·lent per continuar la tasca de supervisió de les intervencions.

Bryant s'havia interessat també per subvencionar les intervencions arqueològiques a l'illa de Mallorca, però els primers contactes i relacions amb Rafael Isasi van constituir un fracàs. L'any 1950, però, Walter Cook sojornà a Mallorca i contactà amb Luis Amorós, comissari insular d'excavacions arqueològiques a les Balears, que li indicà l'interès per intervenir a la ciutat romana de Pollentia. Paral·lelament, Tarradell va iniciar els contactes amb Bryant durant la seva estada com a becari a Nova York, i li va explicar els treballs d'excavació que es desenvolupaven a Espanya, amb especial referència a les intervencions d'Almagro a Empúries, detalls que impressionaren Bryant: «I had a very great plessure last Sunday in spending several hours with Dr. Miguel Tarradell of Tetuan. I judge that he had worked with you and Barcelona is his native city [...] I was extremely interested to hear at first hand about the excavation work being

420 Doenges, 2005, pàg. 24-26.
421 Arxiu MAC-Barcelona. Correspondència Almagro 1950. Carta Bryant-Almagro del 15-07-1950.

done in Spain».[422] Almagro potencia la relació fent arribar a Bryant diverses publicacions per conducte oficial a través del seu amic José González Guijarro i la Direcció General de Belles Arts,[423] que es convertí cap al final de 1952 en el representant oficial de la Fundació Bryant a Espanya fins a la seva mort a causa d'una hepatitis l'any 1957. Almagro, que ja havia treballat a la muralla romana de Pollentia l'estiu de 1950,[424] inicià la col·laboració a partir de l'interès demostrat per Bryant en les excavacions del teatre d'Alcúdia (Mallorca),[425] que endegà amb el suport d'Amorós i d'Arribas a la tardor de 1952. Com sempre, Almagro posà en marxa els treballs i delegà l'execució efectiva de les intervencions en un dels seus col·laboradors, en aquest cas Arribas, que tingué l'ajut de Samuel Vilaire Turull i Jaime Ques. Almagro tingué el suport de Bernabò Brea que, en el curs de la seva visita a l'illa el 1951, convidat per Almagro, establí que el teatre era de tipus grec i que constituïa un dels exemples principals de planta d'aquest tipus a la Mediterrània occidental.[426] Bryant visità les excavacions el novembre de 1952 i decidí potenciar les intervencions. Almagro s'oferí també per donar suport als treballs a la vil·la romana dels Munts (Altafulla),[427] especialment en la protecció dels mosaics que passaren a engrossir les col·leccions del Museu Nacional d'Arqueologia de Tarragona, i també a les excavacions d'Empúries.

Almagro invità Bryant a reunir-se amb ell a Barcelona i a Empúries el 1952, però no van coincidir. Malgrat això, l'hispanista americà visità el jaciment amb Woods[428] i va quedar impressionat per la tasca feta, cosa que el va dur a interessar-se per la possibilitat de subvencionar excavacions futures a la colònia grega de Rhode (Roses),[429] i també per fer-se càrrec de la publicació als Estats Units dels treballs d'Almagro sobre Alcúdia[430] que aquest duia a terme amb l'ajut d'Amorós,[431] i que esperava presentar en les sessions del Congrés Nacional d'Arqueologia que s'havia de celebrar a Galícia. Almagro volia aprofitar l'ocasió per expressar públicament el seu reconeixement a la tasca desenvolupada per la Fundació i explicar els plans de futur comuns.[432] Entre aquests, i

422 Arxiu MAC-Barcelona. Correspondència Almagro 1950. Carta Bryant-Almagro del 15-07-1950.
423 Arxiu MAC-Barcelona. Correspondència Almagro 1950. Carta Bryant-Almagro del 15-07-1950.
424 BC. Llegat Lluís Pericot. Carta Almagro-Pericot del 31-07-1950.
425 Arxiu MAC-Barcelona. Correspondència Almagro 1952. Carta Bryant-Almagro (sense data).
426 BERNABÒ BREA, 1950 i 1951.
427 Arxiu MAC-Barcelona. Correspondència Almagro 1952. Carta Almagro-Bryant (sense data).
428 Arxiu MAC-Barcelona. Correspondència Almagro 1952. Carta Bryant-Almagro (sense data).
429 Arxiu MAC-Barcelona. Correspondència Almagro 1952. Carta Almagro-Bryant del 21-11-1952.
430 Arxiu MAC-Barcelona. Correspondència Almagro 1952. Carta Almagro-Bryant del 17-12-1952.
431 Arxiu MAC-Barcelona. Correspondència Almagro 1951. Carta Almagro-González Guijarro (sense data).
432 ALMAGRO, AMORÓS, 1955.

per suggeriment de Bryant, va figurar durant uns mesos la possibilitat d'intervenir a gran escala sobre el poblament ibèric de l'àrea de la Laietània, atès que els americans van proposar a Almagro que es fes càrrec —o bé que indiqués qui se'n podia ocupar— d'esbrinar les possibilitats d'excavar en els jaciments de Cabrera de Mataró, Montcabrer, Turó del Vent, Guardiola, Castell de Martorelles, Montornès i Òrrius.[433] Amb tot, els treballs de camp es van continuar centrant en el teatre d'Alcúdia,[434] que Almagro publicà a *Archivo Español de Arqueología*,[435] i en la preparació d'una gran intervenció a Roses, per a la qual la Fundació va aconseguir mobilitzar fins i tot l'exèrcit de l'aire per obtenir fotografies aèries, una tècnica en què els membres de la Fundació —com també va passar amb l'arqueologia submarina— es van considerar pioners i introductors a Espanya. Almagro tenia confiança de poder intervenir en la colònia grega i gestionà els pressupostos i els permisos dels propietaris dels terrenys; va fer demanar a Bryant on volia que fossin dipositats els materials obtinguts a les intervencions, si al museu de Figueres o al de Girona, que va ser en darrer terme l'escollit. És evident que la possibilitat de poder treballar alhora en els dos centres colonials del golf de Roses era atractiva per a Almagro, però les demandes toparen amb Martínez Santa Olalla,[436] que endarrerí la concessió dels permisos i, finalment, el projecte fou abandonat.

En poc temps, les publicacions d'Almagro i els informes rebuts de Woods van aconseguir que Bryant reconegués en Almagro —i més després del resultat de les oposicions a la càtedra de Madrid— l'encarnació del futur científic de l'arqueologia espanyola:

> [...] through your published works, the excavation of Ampurias and the type of training you have given younger men in the field I have had the opportunity to observe the beneficial influence you haved had on Spanish Archaeology. I feel that from your new postition in Madrid you will apply this influence on a wider horizon for which. I am grateful for I can see a great future for the contibutions to be made to the general prehistorical and classical knowledge by the excavation and study of Spanish sites.[437]

433 Arxiu MAC-Barcelona. Correspondència Almagro 1951. Carta González Guijarro-Almagro del 04-12-1951.

434 Arxiu MAC-Barcelona. Correspondència Almagro 1953. Carta Almagro-González Guijarro del 31-01-1953.

435 Amorós, Almagro i Arribas, 1951.

436 Arxiu MAC-Barcelona. Correspondència Almagro 1953. Carta González Guijarro-Almagro del 12-0671953.

437 Arxiu MAC-Barcelona. Correspondència Almagro 1955. Carta Bryant-Almagro del 25-01-1955.

Unes paraules que van complaure Almagro, encantat de poder reblar un cop més el clau en contra de la manera d'actuar de Martínez Santa Olalla al capdavant de la Comissaria General d'Excavacions Arqueològiques, i fer-ho amb un investigador estranger amb interessos i influència a Espanya:

[...] es desde luego mi intención que este éxito represente algo eficaz para la mejor ordenación de la Arqueología Española. Todos mis colegas así lo esperan, pues Ud. sabe ya algo de las dificultades que sufrimos en cuanto se refiere a nuestra investigación de campo, publicaciones e incluso falta de cordialidad en la investigación científica que es lo principal para trabajar en cualquier género de labor de tipo espiritual. Mi mayor satisfacción sería el que pudiera ser instrumento para esta mejora, pero de momento hay que esperar a ver como se presenta el horizonte de Madrid.[438]

Almagro obtingué l'ajut de la Fundació Bryant per a la continuïtat dels estudis de Gloria Trías sobre les ceràmiques gregues a la península Ibèrica, i de María Ángeles Mezquíriz sobre la terra sigil·lada, un ajut que no dubtà a agrair apassionadament: «yo como arqueólogo y maestro de arqueólogos le agradezco muchísimo todo lo que hace, y sólo desearía poderle manifestar mi satisfacción». Tots dos treballs van ser publicats per la Fundació els anys 1962[439] i 1968.[440] La relació entre Bryant i Almagro, al cap de tres anys d'iniciar els contactes epistolars i quan encara no s'havien pogut conèixer personalment,[441] era molt fluida. Tant és així que el juny de 1956, quan Bryant va desenvolupar el projecte de crear un Centre Arqueològic Hispano-Americà a Alcúdia després de comprar una casa senyorial en què projectava instal·lar un museu local, una biblioteca, sales d'estudi i una residència per a investigadors, proposà a Almagro ocupar el càrrec de director.[442] Organitzat amb l'ajut de Luis Amorós i de Joan Pons Marquès, els objectius del projecte de Bryant eren: «the Foundation will use this building as headquartes for the excavation of Pollentia with Dr. Tarradell as active technical director with Prof. Dan Woods as collaborating technical director when the official permission already given to the "ayuntamiento" has been delegated to yourself and Dr. Tarradell wich perhaps has already been accomplished according to word I have received».

438 Arxiu MAC-Barcelona. Correspondència Almagro 1955. Carta Almagro-Bryant (sense data).
439 MEZQUÍRIZ, 1962.
440 TRÍAS, 1967-1968.
441 Arxiu MAC-Barcelona. Correspondència Almagro 1955. Carta Almagro-Bryant del 25-04-1955.
442 Arxiu MAC-Barcelona. Correspondència Almagro 1955. Carta Bryant-Almagro del 09-06-1956.

1962. Martín Almagro Basch (centre) a l'excavació de la Palaia Polis d'Empúries a l'interior de l'antiga església de Sant Martí d'Empúries, en aplicació del projecte patrocinat per la William Layton Bryant Foundation. Fotografia: MAC-Barcelona.

La proposta inicial del programa cercava convertir el jaciment en un camp de treball i estudi per a estudiants espanyols i nord-americans, al mateix temps que es preveien altres actuacions com ara estudis sobre l'impacte de la colonització grega a la Mediterrània occidental, amb la col·laboració de García y Bellido, i la prospecció del territori entre Peníscola i Alacant. El centre quedà constituït el 24 d'agost de 1957, i entre els membres que el formaven hi havia Bryant com a patró i mecenes; Pericot com a president; Almagro com a vicepresident; Cook, Sterling Dow —de la Universitat de Harvard— i Woods com a vocals; Luis Amorós com a tresorer, i Joan Pons, director de l'Arxiu Històric de Mallorca, com a secretari. Posteriorment Miquel Tarradell, Guillem Rosselló Bordoy, director del Museu Arqueològic de Mallorca, i Cristóbal Veny Meliá es van integrar també a la comissió rectora del centre.

Interessat per altres projectes, Almagro abandonà la direcció dels treballs a Alcúdia un cop finalitzada la primera fase. Però quan la Fundació Bryant decidí finalitzar-los el 1962, Almagro insistí reiteradament per aconseguir suport econòmic a fi d'intensificar la recerca de la Palaia Polis d'Empúries per intentar fixar la data del primer establiment colonial grec a l'indret ocupat actualment pel poble de Sant Martí d'Empúries. Amb l'ajut econòmic de la Fundació, Almagro dirigí dues campanyes d'excavació els anys 1962 i 1963 en el sector de l'antiga església i el cementiri, que li van permetre fixar la cronologia inicial cap al 575 aC.[443]

Tot i que va mantenir una correspondència esporàdica amb la Fundació fins al 1976, de fet la col·laboració científica va finalitzar en aquest moment. Bryant i els investigadors nord-americans es van decantar per treballar amb Tarradell i Arribas, que van conduir les tasques de recerca a Pollentia i a les necròpolis de Son Real i l'Illa dels Porros entre els anys 1951 i 1971. Tarradell treballà també amb fons de la Fundació Bryant a la ciutat romana de Sagunt (1960), al poblat ibèric de La Serreta a Alcoi (1968) i a Cullera-València (1955). Val a dir que l'àrea d'actuació va depassar amb escreix l'eix Tarragona-Mallorca i així, per exemple, Norman A. Doenges excavà un sector del camp triangular del poblat ibèric del Puig de Sant Andreu (Ullastret) entre els anys 1964 i 1965, gràcies al suport de Pericot, però no sense problemes, car ni a Miquel Oliva, responsable del jaciment, ni a qui aleshores era el seu protector, Joan Maluquer de Motes, els va agradar la idea de veure treballar un equip estranger en un jaciment que consideraven seu. Finalment, Woods, amb l'ajut d'investigadors espanyols com Concepción Fernández Chicarro i Antonio Garrido, treballà entre els anys 1965 i 1970 als jaciments de Saltés (Huelva), als nivells preromans de la ciutat de Cadis, i a Carteia, dins d'un projecte relacionat amb la recerca del mític regne de Tartessos.

---

443 Almagro Basch, 1964.

Després de la marxa el 1939 d'Hugo Obermaier, la càtedra d'història primitiva de l'home de la Universidad Central de Madrid quedà vacant. Per designació directa del ministre Ibáñez Martín, Martínez Santa Olalla l'ocupà interinament, però no aconseguí estabilitzar-se tot i les seves queixes reiterades al llarg dels anys següents a les jerarquies del partit, com el seu amic el ministre José Luis Arrese.[1] Tot i continuar exercint la docència, legalment la càtedra es va amortitzar, atès que l'11 de juny de 1946 el Ministeri d'Educació va decidir retirar-li la dotació i traspassar els seus fons a una nova càtedra d'història d'Espanya de l'edat mitjana. Passaren els anys, i el 12 d'abril de 1951 Martínez Santa Olalla insistí de nou a Ibáñez Martín per la provisió de la plaça, mentre li recordava els propis mèrits polítics: «yo fui uno de los contadísimos falangistas de antes de la Victoria, y que no deja de tener esto su significación al verse en la Facultad como precisamente mi signo político me sirve para no ser nada dentro de esa misma Facultad», i la seva especial relació amb Franco: «me imagino que es posible haya contribuido a demorar la concesión de lo que la Facultad de Filosofía y Letras de Madrid pidió hace tres años, mi condición de antiguo falangista e hijo de militar (condición que hace pocos días S. E. el Jefe del Estado me decía que era "razón de más para una solución inmediata a mi favor") para no parecer que se trataba de un favoritismo político, que no existe en realidad».[2] Intentà resoldre el tema[3] amb el suport de la Facultat de Filosofia i Lletres, però tot i el que ell creia que eren bones relacions amb el ministre,[4] van haver de passar dos anys més, i fins al nomenament de Joaquín Ruiz-Giménez com a nou responsable d'Educació no se solucionà el tema. El 7 d'agost de 1953 es convocà una oposició per proveir la plaça,[5] tot i l'interès de Martínez Santa Olalla perquè la plaça es resolgués per concurs de mèrits, com tantes al-

1 MSI-MO. ASO. 12-13. Carta Martínez Santa Olalla-Arrese del 03-06-1944.

2 MSI-MO. ASO. 40-2. Carta Martínez Santa Olalla-Ibáñez Martín del 12-04-1951.

3 MSI-MO. ASO. 40-3. Informe sense títol i data.

4 MSI-MO. ASO. 40-8. Carta Martínez Santa Olalla-Ibáñez Martín del 24-12-1953.

5 AGA-AGE. Secció d'Educació. Lligall 15.121. *Expediente de oposiciones a la cátedra de Historia Primitiva del Hombre (Prehistoria) de la Facultad de Filosofía y Letras de la Universidad de Madrid.*

tres en acabar la guerra, i les gestions que en aquest sentit va fer Pericot.[6] Malgrat que Maluquer de Motes, aleshores catedràtic d'arqueologia a Salamanca, signà l'oposició, no es presentà, i tot quedà, un cop més, entre Martínez Santa Olalla i Almagro.

A diferència del que succeí en les places de Barcelona al principi de la dècada de 1940, les coses havien canviat, i molt. Almagro, després de la seva actuació a Catalunya, i amb el prestigi obtingut a les excavacions d'Empúries, tenia el currículum més sòlid. El tribunal, designat pel MEN el 10 de juny de 1954, era format per Francisco Javier Sánchez Cantón, Lluís Pericot Garcia, José Camón Aznar, Alberto del Castillo Yurrita i Santiago Montero Díaz. Casualitat o no, els dos col·legues d'Almagro a la Universitat de Barcelona formaven part del tribunal, un clar —i gens amagat— avantatge. Martínez Santa Olalla s'ensumà el resultat i intentà fer xantatge a Pericot esgrimint consideracions relatives a l'època de la República i la guerra civil:

> La mejor demostración de cuál era el concepto que yo tenía de Vd. personalmente, es el hecho único de que, recién liberada Barcelona, me presentara yo en su casa (donde produje el mayor susto) a tratar de adquirir noticias suyas, para ver si me necesitaba y podría serle útil. Fui a su casa, a pesar de que conocía su actuación en los años rojos-separatistas, de que conocía todas sus firmas en manifiestos (que tengo) y que poseía abundante correspondencia de aquel piso de la calle de las Cortes en que estaba Navarro Tomás etc. Yo interpreté siempre su asidua colaboración a los manifiestos etc. como un fallo temperamental y de carácter, hasta que el tiempo —y la experiencia en propia carne— me hicieron salir de mi error. Con el tiempo (no mucho) Vd. orilló y superó las dificultades (ninguna de ellas la causé yo). Se consolidó la eminencia gris, Ferrandis, y comenzó Vd. a hacer la guerra por medios propios, en lo que era uno de los objetivos más caros, el de ver de dar al traste conmigo, cosa que desde el poder era muy fácil.[7]

Es tractava d'una llarguíssima llista de retrets en què resumia tota la trajectòria dels darrers quinze anys. Pericot respongué reclamant la seva independència de criteri i mostrant la seva adhesió al règim franquista: «Fui tratado por el Movimiento Nacional con generosidad que agradezco de todo corazón y a la que he correspondido con fidelidad, que para no mentirle, creo tan es-

6 MSI-ASO. 1974-1-8295 (3) (ASO 23-165). Carta Pericot-Martínez Santa Olalla del 08-09-1953.
7 BC. Llegat Lluís Pericot. Carta Martínez Santa Olalla-Pericot del 25-06-1954. Detalls a GRACIA ALONSO, 2009a.

tricta o más que otros que de aquel recibieron grandes dones»,[8] però es negà a dimitir com a membre del tribunal.

Conegut el tribunal, Almagro va creure que no hi tenia res a fer; el va qualificar de «desastre», perquè tenia molt clar quin seria el sentit del vot de Sánchez Cantón i Montero Díaz i, sens dubte, era coneixedor de les pressions a què estava sotmès Pericot[9] i de la possibilitat que tenia Martínez Santa Olalla de moure recursos polítics a favor seu. Però no tots ho veien així. El concurs per la càtedra de Madrid era molt més que l'assignació d'una plaça docent, i es va entendre com la disputa entre dues concepcions de l'organització de la recerca arqueològica i, també, entre dues de les faccions polítiques que donaven suport al règim de Franco: els falangistes i els monàrquics col·laboradors. Tarradell expressà a Almagro les seves impressions després d'una estada a Barcelona i Madrid i de diverses converses a tots els nivells:

[...] darle mi impresión sobre un asunto que creo le debe preocupar en estos momentos, y que preocupa también a todos los que trabajamos de buena fe en la arqueología del país: las oposiciones de Madrid. He sondeado a unos y a otros y he deducido que sus oportunidades están muchísimo mejor de lo que pudiera parecer a primera vista. Creo que, en principio, cuenta Ud. con los votos de Pericot y Castillo. Esto, creo es la clave del asunto, me parece que está resuelto. He querido escribírselo porque en estas cuestiones es posible que yo pueda ver el panorama más objetivamente que Ud. mismo. Creo que van viendo lo que yo no me canso de insistir ante todos: lo que representaría para la arqueología española Santa Olalla plenamente reforzado con la cátedra de Madrid. Nos haría la vida imposible a todos, infinitamente más que ahora, que ya es bastante [...] la gran oportunidad se presenta para Ud. francamente favorable. No dudo que la cátedra de Madrid, una vez conseguida, ha de darle sus quebraderos de cabeza. Pero sabe Ud. que cuenta con su equipo, sin duda el único equipo real existente en España, y si bien es cierto que alguno de los que Ud. ha ayudado puede fallarle a la hora de la verdad, también es cierto que otros puede estar seguro que no le fallaremos. Ya sabe que, como siempre, puede contar conmigo entre los seguros.[10]

En un ambient molt enrarit, el 30 de setembre de 1954 s'iniciaren les proves. Maluquer de Motes no hi va assistir, ja que amb tota probabilitat considerà que tal com havien anat les coses tenia poques possibilitats d'obtenir la plaça, i deduí encertadament que, si Almagro obtenia la vacant, podria tenir

8 BC. Llegat Lluís Pericot. Carta Pericot-Martínez Santa Olalla del 26-06-1954.

9 Arxiu MAC-Barcelona. Correspondència Almagro 1954. Carta Almagro-Tarradell del 14-07-1954.

10 Arxiu MAC-Barcelona. Correspondència Almagro 1954. Carta Tarradell-Almagro del 16-09-1954.

l'ocasió de retornar a Barcelona, com de fet va succeir pocs anys després. Tanmateix d'una carta de Pericot a Bosch datada el novembre de 1954 pot deduir-se que la veritable raó va ser el traspàs poques setmanes abans del concurs d'un dels fills petits del catedràtic d'arqueologia de Salamanca.[11]

El tribunal cità els opositors el 15 d'octubre, i estudià la documentació al llarg de deu sessions entre els dies 2 i 14. Les hostilitats entre els dos signants es desencadenaren ja en el decurs del primer exercici, dedicat a l'explicació del currículum; tots dos van fer ús del dret de rèplica i contrarèplica respecte dels mèrits al·legats pel seu oponent, un dret que Almagro utilitzà també en la segona prova. I, de fet, criticar Martínez Santa Olalla era molt fàcil, per tal com aquest divagà contínuament en la seva exposició, unint prehistòria i política sense cap sentit amb frases com ara: «la articulación regional del neolítico y bronce hispanos hecha por mi maestro Bosch Gimpera, con su cultura pirenaica, portuguesa, etc. desembocan en los estatutos que a veces pueden tener mil años de antigüedad [...] no olvidemos que en el cientifismo moderno se ha llegado a fuerza de Historia primitiva a crear estados en tubo de ensayo: la liquidada Checoeslovaquia, o la gran iniquidad de Israel».[12]

La tercera prova consistí en l'explicació d'un tema entre els preparats pels opositors; Almagro va dissertar sobre «Las áreas geográfico-culturales del sur de Francia durante el Neolítico. El conocimiento actual del Mesolítico Final en esta región. La secuencia cultural de la Provenza en el Languedoc y Rosellón durante el Neolítico, según las últimas investigaciones. La Cultura megalítica en el sur de Francia. La personalidad cultural de la Aquitania prehistórica. Su secuencia cultural. El problema del iberismo en estas regiones del Midi francés en relación con las culturas prehistóricas», i Martínez Santa Olalla sobre «La cultura de los ganaderos y cultivadores de Canarias».

En la quarta prova, coneguda com «la encerrona» a causa del sorteig de boles-temes i la posterior preparació a porta tancada, a Almagro li tocà el tema «La cultura solutrense; tipología y divisiones de este período; el problema de su origen y desarrollo; su dispersión geográfica y yacimientos más importantes de Europa; el Solutrense en España; hallazgos más importantes: la cueva de El Parpalló; tipología del Solutrense hispánico; el problema de su relación con África del Norte», és a dir, un tema lligat directament als treballs de Pericot a Gandia i als que ell mateix havia desenvolupat al Marroc amb el mateix Pericot arran de les propostes fetes per Tarradell; Martínez Santa Olalla, per la seva

---

11   BC. Llegat Lluís Pericot. Carta Bosch-Pericot del 10-11-1954.
12   ACCHS-CSIC. Caixa 1126. Notes manuscrites de Martín Almagro Basch.

banda, es va haver d'enfrontar amb el tema «El legado de los primitivos a los pueblos con historia escrita».

Fins en aquest moment, l'actuació del tribunal havia estat —almenys de cara al públic— absolutament neutral, sense deliberacions complexes i acordat per unanimitat el pas de tots dos opositors a les proves següents, tot i que de cada exercici es redactava individualment un informe d'actuació del concursant que romania secret. El 20 d'octubre tingué lloc la primera part del cinquè exercici, que va consistir en un comentari, per sorteig, dels articles d'Alberto Carlo Blanc, «Nuova manifestazione di arte paleolitica superiore nella Grotta Romanelli in Terra d'Otranto», i de J. G. D. Clark, «Die Mittlere Steinzeit». La segona part de l'exercici, feta l'endemà, va consistir, d'una banda, en l'anàlisi d'un lot de sílex de la col·lecció Siret, una fíbula de la col·lecció Vives i un vas d'El Roquizal; i, de l'altra, en l'estudi d'una fotografia del barranc de Calapatà, una maqueta de la Cova de Menga i una peça de la col·lecció Siret. Fos quin fos el sistema que el tribunal escollí per determinar els materials de la prova pràctica, és evident que afavorien Almagro, que la tardor de 1954 ja havia treballat a la cova de Finale Ligure i al jaciment de Los Millares i havia estudiat l'art rupestre del Baix Aragó i Terol. Ni fet exprés.

En darrer terme, el sisè exercici va consistir en el desenvolupament de dos dels temes proposats pel tribunal, triats també per sorteig, sobre els temes «Secuencias de las culturas prehistóricas en el Valle del Nilo» i «El arte céltico en la orfebrería», que es van redactar i llegir en sessió pública el dia 22, amb la qual cosa, un cop finalitzat l'acte, el president del tribunal donava per tancades les proves.

Almagro actuà amb correcció, segur ara de tenir la plaça guanyada, mentre que Martínez Santa Olalla derivà les seves intervencions vers una barreja de dades etnogràfiques i febles anàlisis científiques que facilitaren molt la tasca del tribunal. En la deliberació final, Sánchez Cantón i Montero Díaz votaren Martínez Santa Olalla, i Pericot, Del Castillo i Camón Aznar votaren Almagro, que guanyà la plaça. Afeblit Martínez Santa Olalla en les seves relacions polítiques, era el moment per a molts, com Pericot i Del Castillo, per passar comptes respecte de la seva actuació al capdavant de la Comissaria General d'Excavacions Arqueològiques, i per les insídies que en determinades ocasions havia llançat contra Bosch un cop acabada la guerra.

El tribunal es reuní el dia 23 per deliberar i lliurar els informes finals; a la tarda es va fer la votació pública en què Sánchez Cantón i Montero Díaz votaren Martínez Santa Olalla, i Pericot, Del Castillo i Camón Aznar donaren el seu vot a Almagro, que quedava, doncs, proposat per cobrir la vacant. Els informes particulars dels membres del tribunal demostren que Camón es decantà per Almagro des del primer exercici: reconeixia la seva preparació, els seus coneixements bibliogràfics i fins i tot «una erudición asombrosa» en la seva dissertació sobre la prehistòria de la vall del Nil.

Alberto del Castillo opinà el mateix, i féu una referència notable als *curricula* de tots dos introduint elements de reflexió sobre alguns dels aspectes més importants i conflictius, com ara la continuïtat de l'Escola de Barcelona o la tasca desenvolupada per Martínez Santa Olalla al capdavant de la Comissaria General d'Excavacions:

> [...] como docente ha continuado el Sr. Almagro la escuela de Prehistoria ya existente a su llegada a Barcelona, habiendo formado varios de los jóvenes prehistoriadores españoles actuales, magníficamente preparados [...] como excavador se apunta el Sr. Almagro una labor en Alto y Bajo Aragón, África Occidental, Ensérune, Riviera italiana y sobre todo Ampurias, es más extensa que la del Sr. Martínez, a cuyo cometido como Comisario de Excavaciones tendríamos que poner reparos en diversos lugares, especialmente en tierras burgalesas, alrededores de Madrid y norte de África y Canarias. También aventaja el Sr. Almagro al Sr. Martínez en las tareas museísticas. Si el Sr. Martínez ha creado el notable museo que es el Seminario de Historia Primitiva del Hombre en la Facultad de Filosofía y Letras de la Universidad de Madrid, la actividad desplegada por el Sr. Almagro en la dirección del Museo Arqueológico de Barcelona es de la mayor envergadura. En cuanto a publicaciones, el Sr. Martínez no ha publicado ninguna de volumen, sino una serie de pequeños trabajos, todos ellos enjundiosos pero que son constante rectificación de las ideas por él mismo expuestas anteriormente [...] no puede regatearse el mérito de la labor científica de este investigador y su visión sistematizadora de la Prehistoria española. Pero el Sr. Almagro aporta mayor número de publicaciones importantes y de tema más variado. Sus estudios sobre el Paleolítico, la Edad del Hierro y las referentes a Ampurias pesan en la bibliografía prehistórica nacional e internacional mucho más que los referidos y meritorios trabajos del Sr. Martínez Santa Olalla.

La posició de Del Castillo era, doncs, molt clara també des del principi, ja que va reconèixer davant dels fets innegables la superioritat d'Almagro sobre el seu oponent en els camps de la docència, la recerca arqueològica, el treball de camp i la museografia. I per fer encara més evident aquesta diferència, qüestionà en el seu escrit els pilars essencials del currículum de Martínez Santa Olalla: la tasca duta a terme al capdavant de la CGEA, especialment en les zones que s'havia reservat per a la seva recerca personal; la reduïda extensió de la seva bibliografia; els seus minsos treballs museogràfics —féu notar que la presentació didàctica del Seminari d'Història Primitiva no podia rivalitzar amb la installació del Museu Arqueològic de Barcelona i del Museu Monogràfic d'Empúries—, i la projecció internacional dels candidats, clarament decantada a favor d'Almagro arran de la reunió de Namur i de la seva admissió en el comitè del CICPP en detriment de Martínez Santa Olalla. És molt interessant la referència que Del Castillo va fer de la continuïtat donada per Almagro a l'Escola de Barcelona arran del seu nomenament al capdavant del museu i després a la Universitat el 1939. Sense anomenar-lo, el relacionava amb Bosch Gimpera, un reconeixement important si es té en compte que Pericot i ell eren deixebles de Bosch, i que tots dos havien estat incorporats pel seu mestre al claustre de professors de la Universitat Autònoma al llarg del mandat de Bosch com a degà de la Facultat de Filosofia i Lletres (1931-1933) i rector (1933-1939), i se'n reconeixien integrants. En el darrer moment aquesta referència servia per compensar els moviments desesperats fets al llarg dels mesos anteriors per Martínez Santa Olalla per atreure el suport de Bosch Gimpera i que aquest, des de Mèxic, influís en l'opinió dels seus alumnes, cosa que mai no tingué intenció de fer.

En el seu text, Del Castillo va incloure repetits elogis a Almagro en tots els exercicis i consideracions teòricament positives a les presentacions de Martínez Santa Olalla, en un interessant exercici de «sí però no», propi de l'àmbit acadèmic. Per exemple, al tercer exercici escrigué: «la del Sr. Martínez Santa Olalla sobre la cultura de los ganaderos y cultivadores de las Canarias ha sido desarrollada con expresión más serena, aunque con menor seguridad. Si la exposición de los distintos elementos de las islas que componen el archipiélago canario ha sido notable, en cambio le ha faltado una visión de conjunto, habiendo demostrado además no estar al corriente de la más moderna bibliografía respecto a aspectos importantes de la Arqueología y la Antropología del norte de África, del mayor significado para las islas Canarias», una crítica demolidora en relació amb els treballs duts a terme per Martínez Santa Olalla a les Canàries i al Sàhara espanyol des de principi de la dècada de 1940. Pel que fa al quart exercici, comentà:

[...] ha sido desarrollada por el opositor con la palabra elegante que le caracteriza, más no ha entregado bibliografía ni apenas la ha citado en el curso de la exposición. Ha tenido el defecto —gran defecto, ciertamente— de no corresponder al enunciado. La disertación, de contenido vago y escurridizo, ha sido en sí misma amena, si bien con abundantes anécdotas y referencias extracientíficas. Se ha referido a la perduración de ciertos aspectos de la espiritualidad neolítica en nuestra civilización moderna. Tal debería haber sido en último término el enunciado de su lección. Con el que tiene en el programa, la labor del candidato —notable en cuanto a conferencia de divulgación— no puede ser enjuiciada favorablemente como ejercicio de oposición, es decir, en calidad de lección de un programa universitario de Historia Primitiva del Hombre.

Es tractava d'unes crítiques que van deixar de ser difuses quan va qualificar directament d'incompetència l'actuació del candidat en el cinquè exercici:

[...] el Sr. Martínez Santa Olalla se acercó mucho en las dos puntas solutrenses. En el vaso exciso no logró localización, siendo vaga la clasificación. Tampoco en la fíbula consiguió la debida precisión clasificatoria [...] no supo ver que los grabados del conjunto de Calapatá son falsos, cual es sabido desde hace muchos años. Tampoco identificó ni localizó los objetos del Jantón. Todavía resulta más grave e incomprensible en un arqueólogo de su prestigio que no se atreviese a clasificar con seguridad la Cueva de Menga, monumento inconfundible de la arquitectura sepulcral megalítica española.

Finalment, en el sisè exercici, va anotar la falta de rigor de Martínez Santa Olalla:

[...] ha demostrado en la exposición conocer a fondo el asunto, que ha expuesto con expresión segura, si bien con las frases despectivas que desde el primer ejercicio ha venido empleando para los arqueólogos puros y la Arqueología en el más estricto y riguroso sentido de esta Ciencia.

L'informe de Pericot, molt més ponderat en la forma que el de Del Castillo, no va ser per això menys clar des del principi en la seva valoració dels mèrits dels dos opositors:

[...] en la labor de investigación hay varios hechos indudables. Ambos han mostrado vocación temprana e innegable pasión por la ciencia. Ambos han realizado estudios renovadores en la ciencia española, ambos han sustentado teorías originales. Ninguno de los dos es un prehistoriador de campo. Pero en este sentido aventaja el prof. Almagro a su contrincante pues su dedicación a las excavaciones ha sido más intensa, aun dejando aparte la tarea capital de las excavaciones de Ampurias. Produce el efecto de que el profesor Santa Olalla, tras unos pocos años de relativa actividad, hubiera disminuido sus impulsos. Ello se refleja en las publicaciones presentadas, en las que hay manifiesta superioridad por parte del profesor Almagro. La calidad es buena en ambos por lo general y ambos acusan una intransigencia con las opiniones ajenas poco científica y mal avenida con su expresión oral en el ejercicio que juzgamos, en que se presentaron como respetuosos con los restantes investigadores, defecto que observamos más acusado en las publicaciones del profesor Santa Olalla. Pero en número e importancia, y en re-sonancia internacional, los trabajos del profesor Almagro quedan por encima y no hace falta que examinemos este punto con más detalle. El argumento de que esta debilidad de labor que notamos se deba a escasez de ayuda y medios econó-micos no es válido pues ambos han gozado de toda clase de medios a su gusto. El profesor Santa Olalla, por su cargo de Comisario General de Excavaciones Ar-queológicas ha controlado no sólo la investigación prehistórica en España, sino también la administración de todos los recursos que el Estado ha concedido para su excavación y publicación. La labor de la Comisaría General de Excavaciones Arqueológicas, en cuanto a sus aspectos de organización de la Prehistoria españo-la y de administración, no la juzgamos aquí y la ponemos paralelamente a otras actividades de este tipo del profesor Almagro. El concepto que nos merezca la labor del profesor Santa Olalla como Comisario General en lo que afecta a la vida de la Prehistoria española, no creemos afecte de manera directa a esta oposición pero habrá de ser tenido en cuenta en la valoración final de las personalidades que disputan esta cátedra. Queda el último punto, el de la irradiación de la cultura es-pañola en el extranjero. También aquí notamos, de lo que exponen y de lo que sa-bemos de los opositores, que el profesor Santa Olalla tuvo años de activo contacto en el extranjero, que luego ha ido disminuyendo, sin asistencia a congresos cientí-ficos. No es válido el argumento dado por el profesor Santa Olalla de falta de me-dios o inasistencia oficial pues su cargo de Comisario General le coloca en mejores condiciones que a ningún otro arqueólogo español para haber tomado parte en las reuniones que hubiese querido. El profesor Almagro, por su parte, ha intensifica-do su contacto con los círculos científicos extranjeros y a esto se deben sus cargos en comités internacionales, su cooperación en excavaciones en el extranjero, etc.

Evidentment, era l'ocasió de Pericot de saldar vells enfrontaments. Davant del seu escrit no només es comprèn el contingut de les cartes creuades amb Martínez Santa Olalla durant el mes de juny, sinó que s'especifica el seu males-tar —podríem dir que també de la resta de catedràtics d'universitat— amb l'opositor per la manera com havia gestionat el càrrec de comissari general d'ex-cavacions, un plantejament que no feia sinó avançar l'ofensiva en contra seva que tindria lloc pocs mesos després.

En el context internacional —i també per a la política espanyola del 1954— la referència internacional tenia importància pels forts contactes de Martínez Santa Olalla amb les organitzacions alemanyes al llarg de la Segona Guerra Mundial, mentre que després aquesta posició s'havia perdut en benefici espe-cialment d'Almagro. Pericot, en darrer lloc, criticà durament l'intent de Mar-tínez Santa Olalla de presentar-se com a deixeble i continuador de la tasca de Bosch Gimpera:

[...] quisiéramos saber por qué deformó la verdad al presentarse como un discípulo predilecto del profesor Bosch Gimpera, cuando en sus publicaciones hemos leído toda clase de ataques a su doctrina, y aún a su escuela. Si no podemos ni queremos valorar esta falta de sinceridad en lo que atañe al resultado de esta oposición, sí hemos de hacerla notar. Y no fue esta sola deformación de la verdad la que observamos en sus palabras.

El desesperat intent de Martínez Santa Olalla per congraciar-se amb els dos deixebles de Bosch —Pericot i Del Castillo— en el tribunal havia fracassat de ple. A partir d'aquest punt, tots els judicis de Pericot sobre les intervencions de Martínez Santa Olalla van ser clars i negatius: com a valoració del segon tema va escriure que «la exposición del profesor Santa Olalla ha sido aún más pobre e incompleta, reflejando el contenido de su memoria, francamente insuficiente. En cuanto a su programa, reducido a 35 temas, de los que se da únicamente el epígrafe y que aparecen sin hilación ni estructura, es del todo inaceptable». Com a judici del tercer exercici va fer notar que

[...] la lección dada por el profesor Santa Olalla, la única concreta de su incomprensible programa, pues trata de las culturas de ganaderos y cultivadores en las Canarias, habiendo un solo tema para ganaderos y cultivadores de todo el Mundo, ha sido incompletamente desarrollada. Además de falta de información reciente, ha prescindido de toda la biodinámica de la población prehistórica de Canarias y ha dejado sin interpretar las conexiones arqueológicas señaladas. Por tratarse de una lección libremente escogida y preparada, estos vacíos son inexplicables.

I una altra de les seves valoracions va ser que «a nuestro juicio, el valor de su exposición es nulo pues la ha reducido a una vaga y dispersa disertación sobre el primitivismo en la sociedad moderna, lo que evidentemente no corresponde al tema, haciendo aparecer en ella las cosas más dispares. Si a esto se agrega la frecuente cita de frases despectivas para los métodos y técnicas indispensables en la Prehistoria y sus cultivadores, [...] nos llevó a plantear una propuesta de exclusión que sólo el no tratarse de un opositor novel nos impide presentar».

Pericot afirmava ja en acabar la redacció d'aquesta part de l'informe que l'oposició estava virtualment decidida a favor d'Almagro, un judici que no només es referia a la seva opinió, sinó a la de tot el tribunal i que, en tot cas, refermà en el seu judici dels exercicis pràctics: «el profesor Santa Olalla ha cometido fallos incomprensibles pues sólo como posibilidad ha indicado que la fotografía de una maqueta era de la Cueva de Menga y tampoco ha acertado a identificar otras dos fotografías; en la del Barranc dels Gascons ha pasado por alto la falsedad de los grabados de la parte inferior». En l'informe final, Pericot destacava la superioritat demostrada per Almagro al llarg de tot el concurs, i afegia una clara afirmació que demostrava com el seu vot ja estava decidit: «este resultado no hace sino ratificar la decisión que con solo el análisis de la labor científica realizada durante los últimos quince años por ambos opositores y con la mira puesta en el provecho y prestigio de la Ciencia española habría tomado el que suscribe si esta cátedra —que representa el cetro de la Prehistoria española— hubiera sido otorgada por concurso, con su intervención».

Com és lògic, les apreciacions de Montero Díaz i Sánchez Cantón, tots dos favorables a Martínez Santa Olalla, eren totalment diferents. Així, Montero valorà en Martínez Santa Olalla la influència de Bosch Gimpera, Menghin i Rostovtzeff, i també la pròpia:

> [...] organización en gran escala, a través del Seminario de Historia Primitiva de la Universidad de Madrid y la Comisaría General de Excavaciones Artísticas [*sic*].

Sobre les proves opinà:

> Martínez Santa Olalla nos ofrece una memoria de cátedra que tiende más bien a precisar los resultados de una larga experiencia, que a formular normas y promesas sobre su actuación futura [...] su exposición fue didácticamente perfecta; originales las conclusiones, y el tema abordado en todos los aspectos que pueden integrar el tema del hombre primitivo: arqueológico, étnico, sociológico. Revistieron interés especialísimo sus conclusiones sobre cronología, niveles culturales y estructura social [...] el tema, de enormes dificultades, es vencido espléndidamente por el opositor, que se desenvuelve —en un orden modernísimo de problemas— planteando lo que existe de común entre el primitivo y el hombre moderno (Jaspers, Bleuler, Kretschmer, etc.), y muy en especial ejemplificando su tesis mediante el análisis de elementos prehistóricos subsistentes en los cuentos, tradiciones populares y mitos.

Diferències que van assolir la màxima expressió en els judicis de valoració de l'exercici pràctic:

> [...] identifica las piezas, estableciendo sobre ello una discusión de los diversos puntos de vista clasificatorios. Muy completo en el comentario. [...] con perfecto tecnicismo en la descripción —al igual que en el resto de este ejercicio— formula después un comentario arqueológico y una crítica del material que reputamos irreprochable.

La conclusió de la seva anàlisi era que Martínez Santa Olalla «en conjunto posee una mayor madurez, información más meditada y sistematismo más riguroso, como se desprende de sus actuaciones, tanto orales como escritas, y de su obra».

Sánchez Cantón, el president del tribunal, intentà ajudar Martínez Santa Olalla afirmant que «la història primitiva de l'home» no es podia confondre amb «l'arqueologia prehistòrica». És evident que la visió de Martínez Santa Olalla tenia un component més etnogràfic i antropològic que la d'Almagro, molt més lligada al treball de camp i a l'anàlisi tecnològica i de les seqüències culturals. Sánchez Cantón expressà també la seva disconformitat amb el desenvolupament de la convocatòria i, en especial, amb el fet que el factor essencial per al resultat de l'oposició fos la successió de les proves; ell defensava que el principal valor per ser jutjat havia de ser la trajectòria, la formació i la visió filosòfica de l'especialitat, més que la demostració de coneixements tècnics, i a partir d'aquí afirmà la superioritat de Martínez Santa Olalla:

> [...] con forma más precisa, refirió su formación y, sin pormenorizar, reseñó sus escritos; indicó los métodos aprendidos en Alemania y en Austria y expresó su aspiración de estudiar al hombre primitivo en su unidad; no sin escatimar frases hirientes contra los que recortan aspectos humanos importantísimos y se detienen en la arqueología descriptiva.

En el resum final, Sánchez Cantón expressà el seu desconeixement del tema jutjat: «la producción científica de ambos opositores excede de mi competencia», i criticà tots dos opositors:

> [...] los ejercicios carecieron de la brillantez que cabía esperar; que por ser los opositores catedráticos experimentados han de atribuirse faltas y equivocaciones a la tensión ocasionada por las pruebas; que si los dos se desviaron del concepto estricto de la asignatura hay, sin embargo a este respecto una diferencia ventajosa en la actuación del Sr. Santa Olalla; que en el manejo memorista de la bibliografía y de los objetos muestra facultades más juveniles el Sr. Almagro.

Sense raons científiques clares per basar la seva decisió, el jutge va recórrer a arguments de tipus personals basats en els anys de servei prestats per Martínez Santa Olalla a la Universitat de Madrid:

> [...] su servicio ejemplar a la Facultad como Catedrático de Historia primitiva del Hombre durante los años posteriores a la guerra; la creación e incremento notabilísimo de su Seminario y de su Museo que honran a nuestra Facultad; la publicación de libros y de los «Cuadernos»; la formación de discípulos; y lo que singulariza a esta institución modelo: el calor y la colaboración material cuantiosa, conseguida de personas ajenas a la Facultad que frecuentan el Seminario, con regularidad y constancia que asombran a cuantos deploramos, a diario, la indife-

rencia ambiente de la sociedad a las actividades universitarias. Y, aunque pudiera parecer motivo minúsculo y no alegable, debo agregar por ser Decano de la Facultad de Madrid, el absoluto desinterés del profesor Santa Olalla en labor tan dilatada y eficaz, puesto que ni ha percibido su retribución como catedrático ni los derechos obvencionales.

En definitiva, molt poc per compensar la força dels arguments de Camón, Pericot i Del Castillo.

El 23 d'octubre, el president del tribunal, Sánchez Cantón, va remetre la proposta favorable a Almagro al director general d'Ensenyament Universitari.

L'endemà, el diari monàrquic *ABC* —en què col·laborava assíduament Camón Aznar— publicà una notícia que informava del resultat de les oposicions i que destacava el currículum d'Almagro: «esta destacada labor, conocida y respetada ya en todo el mundo, ha sido ahora avalada por este señalado triunfo universitario, que viene a consagrar una vida dedicada a la ciencia de manera honesta, seria y eficaz»,[13] fet força infreqüent i que per la redacció, amb inclusió dels títols de les publicacions principals del guanyador, fa la sensació que ja era preparada. Més enllà de la felicitació al nou catedràtic, era l'acta de la derrota de Martínez Santa Olalla o, dit d'una altra manera, de Falange davant un representant del sector monàrquic del règim. Un cop resolta l'oposició, Pericot explicà a Bosch l'entramat, especialment la defensa que el perdedor havia fet de la suposada relació amb el prehistoriador exiliat, el qual respongué:

[...] lo de las oposiciones es fantástico. Y sobre todo que Santa Olalla y la Clarisa (Millán) hagan uso de mi nombre sin ningún derecho. Realmente creo que tiene razón en la apreciación del carácter y la respectiva valía científica de los dos contrincantes [...] ya puede suponer que no tengo razones para inmiscuirme en una cuestión interna de España. Yo, aunque algunos no se lo crean, soy «mexicano».[14]

Però ningú no s'enganyava, i tots, com expressà Tarradell, sabien el que significava el resultat de les oposicions: «el principio del hundimiento de un hombre nefasto para la arqueología española».[15] I Almagro estava decidit a convertir el triomf en definitiu, com indicà al seu amic Agustín Gómez Iglesias, arxiver de la Villa de Madrid: «he deshecho un muñeco de trapo que parecía una estatua de bronce. Espero que todo el mundo se enterará científica-

13   «Nuevo catedrático de la Central». *ABC*, edició del 24-10-1954, pàg. 56.
14   BC. Llegat Lluís Pericot. Carta Bosch-Pericot del 10-11-1954.
15   Arxiu MAC-Barcelona. Correspondència Almagro 1954. Carta Tarradell-Almagro del 26-10-1954.

mente. No había nada de lo que la gente se figuraba, pues las oposiciones del Sr. Santa Olalla fueron muy endebles»;[16] d'aquesta manera preparava de fet el seu desembarcament a Madrid, on ja tenia una idea clara de la recerca que pensava fer: treballar als jaciments paleolítics del riu Manzanares seguint les discussions mantingudes a les sessions del IV Congrés Internacional de Ciències Prehistòriques i Protohistòriques celebrat l'abril anterior a Madrid, on va aconseguir bloquejar una resolució de suport al treball del seu rival:

> [...] es ciertamente de gran interés internacional esta cuestión. En consecuencia, es conveniente aclarar con inisistencia que tal estudio no puede ser realizado de manera personalista y menos no se puede alabar lo hecho hasta el presente desde que terminó nuestra guerra. Me pareció que entre personas poco especializadas en estos problemas de la Ciencia Prehistórica, no se captó bien la diferencia entre el interés que todos los prehistoriadores tenemos por esta cuestión y lo mucho que lamentamos lo mal planteado que está para su digna y acertada solución. Las investigaciones están exacatamente donde el Prof. Obermaier y J. Pérez de Barradas las dejaron y todo el mundo científico lamenta el que ambos fueran apartados de esta misión que sólo con el asesoramiento de buenos geólogos especializados en cuaternario podrá resolverse [...] este no es sólo mi criterio, sino el acuerdo de todo el Comité Permanente del Congreso que ante una proposición redactada por H. Breuil y C. Blanc, hizo hincapié en fijar estas diferencias e hizo suprimir de la misma toda alusión o aprobación que representara elogio a como se realizan los trabajos que nos presentaron.[17]

Però no li resultà gens fàcil, ja que va subestimar els suports que encara tenia Martínez Santa Olalla a l'Ajuntament de Madrid, com no trigà a descobrir: «¿Conseguiré todo esto? ¿Tendré medios para realizarlo? ¿Llegará España a quitarse de encima la vergüenza de ver lo que pasa en el Manzanares?».[18] Tot i així ho intentà, i cap a finals de 1955 ja havia aconseguit fer uns quants estudis, presentar la problemàtica a personalitats com Albareda, Hernández Pacheco, Meléndez Amor i Gómez Moreno, i havia planejat que tant el Museu Arqueològic Nacional com el Museu de Ciències Naturals tinguessin àrees de recerca a la zona. Aquestes recerques es podrien fer amb la supervisió d'una comissió internacional de què volia que formessin part François Bordes, Da Terra i Pe-

---

16 Arxiu MAC-Barcelona. Correspondència Almagro 1954. Carta Almagro-Gómez Iglesias del 28-10-1954.

17 Arxiu MAC-Barcelona. Corespondència Almagro 1954. Carta Almagro-Gómez Iglesias (sense data).

18 BC. Llegat Lluís Pericot. Carta Almagro-Pericot del 15-11-1955.

ricot. No va ser l'únic que veié clara l'ocasió de fer caure Martínez Santa Olalla, perquè Pericot i Tarradell eren de la mateixa opinió: «té raó en dir que cal aprofitar el moment psicològic per posar ordre a la Comissaria d'Excavacions. O ara o mai, penso. I és una cosa que ens interessa a tots. Potser, donades les circumstàncies, no seria difícil, però no s'ha de deixar passar el moment».[19] Els enemics del comissari general certament tocaven a sometent.

La premsa de Barcelona recollí també el triomf d'Almagro en les oposicions i lloà els seus mèrits:

> [...] desde hace catorce años el doctor Almagro, a cuyo desvelo personal se debe buena parte del auge de los estudios arqueológicos entre nosotros, capitaneaba un grupo de investigaciones y trabajos y estaba directamente compenetrado con las iniciativas desarrolladas en nuestra región dentro de su especialidad. Dotado de clara vocación de magisterio, el nuevo catedrático de Madrid había fomentado entre nosotros, mediante cursos, viajes, congresos y reuniones e interés por los temas arqueológicos, de suerte que su figura y la actividad barcelonesa en la materia estaban ya indisolublemente unidas. A base de temas de nuestra región se compusieron muchos de sus trabajos más memorables y en ella deja el doctor Almagro un tesoro de afectos y recuerdos.[20]

Però tot i els desitjos de la premsa, el dinar d'homenatge al restaurant El Oro del Rin[21] ofert pels seus companys de la Universitat i l'acord de la Junta de Govern de la Universitat felicitant-lo pel seu èxit, Almagro no tenia cap intenció de deixar Barcelona després de prendre possessió de la seva càtedra a Madrid el 29 de novembre de 1954. Durant aquest acte d'homenatge les autoritats acadèmiques demostraren —almenys en aparença— la seva complaença envers el nou catedràtic i, de retruc, l'allunyament de Martínez Santa Olalla. En aquest context, no és d'estranyar que Almagro recordés en el seu parlament la figura del seu mestre Hugo Obermaier, no només com un referent de gratitud, sinó també com una més que clara menció al període del seu rival al capdavant d'una càtedra que no li corresponia i a la qual havia arribat de forma irregular en acabar la guerra.[22]

19 BC. Llegat Lluís Pericot. Carta Tarradell-Pericot de l'01-11-1954.

20 «El doctor Almagro, catedrático de la Universidad Central». *La Vanguardia Española*, edició del 27-10-1954, pàg. 19.

21 «Homenaje al profesor Almagro». *La Vanguardia Española*, edició del 05-11-1954, pàg. 12.

22 «El profesor Almagro Basch se posesiona de su cátedra». *La Vanguardia Española*, edició del 30-11-1954, pàg. 8.

Almagro deixà ben clara la seva opinió als amics quan els va fer saber el resultat de les oposicions: «he estado ocupado con las oposiciones a la Cátedra de Prehistoria de Madrid que fue del prof. Obermaier y que detentaba sin derecho alguno provisionalmente durante los últimos catorce años el Sr. Santa Olalla. Con un Tribunal totalmente favorable a él puesto que estaba en una situación política más firme que yo, le he derrotado, pues yo he hecho los ejercicios mucho mejores que los suyos. En el Tribunal estaba Pericot que se ha portado como un hombre de bien, también Castillo, Camón, y luego dos Catedráticos más ajenos a nuestra materia».[23] No dubtà a definir la seva victòria, amb tota justícia, de «ruidoso triunfo».[24]

Les felicitacions que va rebre no van ser únicament les del seu grup de collaboradors i amics com Vegas Latapié[25] o els germans Juan i Jorge Vigón, sinó que significativament van incloure persones molt properes anys abans a Martínez Santa Olalla, com Pérez de Barradas,[26] personalitats polítiques com Alfredo Sánchez Bella, director de l'Instituto de Cultura Hispánica,[27] i fins i tot càrrecs acadèmics de la Universitat de Madrid.[28] Entre tots aquests destacaren, òbviament, el seus amics dels cercles monàrquics, que feren una lectura política de les oposicions, com Vigón o Vegas Latapié:

[...] es cosa muy insólita en estos tiempos salir victorioso frente al candidato oficial. Los tres votos que te dieron la cátedra valen por trescientos y constituyen un precioso reconocimiento del intenso trabajo que has venido realizando [...] al margen de toda politiquería.[29]

No és estrany, doncs, que els homenatges i els banquets en honor seu se succeïssin a Madrid, fins i tot va arribar a ser un problema:

[...] anduve por Madrid recibiendo banquetes espontáneos de amigos, alumnos y colegas y recelos mil de políticos y madrugadores. Yo ya estoy un poco cansado

---

23 Arxiu MAC-Barcelona. Correspondència Almagro 1954. Carta Almagro-Menghin del 23-10-1954.

24 Arxiu MAC-Barcelona. Correspondència Almagro 1954. Carta Almagro-Lamboglia del 29-10-1954.

25 Arxiu MAC-Barcelona. Correspondència Almagro 1954. Carta Almagro-Vegas Latapié del 29-10-1954.

26 Arxiu MAC-Barcelona. Correspondència Almagro 1954. Carta Almagro-Pérez de Barradas del 04-11-1954.

27 Arxiu MAC-Barcelona. Correspondència Almagro 1954. Carta Almagro-Sánchez Bella del 18-12-1954.

28 Arxiu MAC-Barcelona. Correspondència Almagro 1954. Carta Almagro-Cayetano Alcázar del 03-11-1954.

29 Arxiu MAC-Barcelona. Correspondència Almagro 1954. Carta Vegas Latapié-Almagro del 15-11-1954.

de tanto banquete y tanta monserga, puesto que lo que a mí me interesa es publicar mis libros y no la política, sobre todo en estos tiempos en que todo es basura podríamos decir, y ésta aparece en cuanto se rasca un poco.[30]

Però Almagro no ho va tenir gens fàcil, a Madrid. Martínez Santa Olalla impugnà el resultat de les oposicions i va dur la Facultat als tribunals, tot i que va perdre, i el degà de la Facultat de Filosofia i Lletres, Francisco Javier Sánchez Cantón, que havia donat suport a Martínez Santa Olalla a l'oposició, es negà a lliurar a Almagro les instal·lacions del Seminari d'història primitiva de l'home,[31] que continuà utilitzant Santa Olalla durant un temps. Martínez Santa Olalla intentà fins i tot vincular el Seminari al CSIC en una maniobra desesperada,[32] fins que no li va ser possible mantenir per més temps la seva política obstruccionista i acabà traslladant-se a la càtedra d'història de l'art de la Universitat de Saragossa. El degà Sánchez Cantón[33] va fer tot el possible per impedir el trasllat definitiu d'Almagro a Madrid, tot i les reiterades peticions d'Almagro per ocupar allò que justament li corresponia[34] i a la qual cosa no renuncià: «por más dificultades y peros que ponga no conseguirà ni irritarme ni impedir que yo ocupe aquélla. En fin, no cabe duda que mi llegada a Madrid va a dar mucha miga y me van a emberrenchinar todo lo que puedan, pero espero que todo acabará a mi favor».[35] L'assumpte va polaritzar les opinions dels professors de la Facultat i acabà passant factura al degà, que obtingué un fort vot de càstig en les eleccions per renovar el seu mandat el mes de febrer; una de les causes va ser justament la seva posició en l'assumpte de la càtedra.[36]

Fins el mes de març de 1955, i després d'una dura reunió de la junta de la Facultat, el degà no va cedir definitivament, tot i que l'endemà un grup de treballadors van buidar les instal·lacions i se'n van endur tots els llibres i el material; a Almagro li van deixar només les parets,[37] fins al punt que va haver de demanar als seus amics exemplars de les seves publicacions per poder disposar

30 Arxiu MAC-Barcelona. Correspondència Almagro 1954. Carta Almagro-Vegas Latapié (sense data).

31 Arxiu MAC-Barcelona. Correspondència Almagro 1955. Carta Almagro-Sánchez Cantón del 15-01-1955.

32 Arxiu MAC-Barcelona. Correspondència Almagro 1954. Carta Arribas-Almagro del 10-11-1954.

33 Arxiu MAC-Barcelona. Correspondència Almagro 1954. Carta Almagro-Juan Vigón del 22-12-1954.

34 Arxiu MAC-Barcelona. Correspondència Almagro 1955. Carta Almagro-Alcázar de l'11-01-1955.

35 Arxiu MAC-Barcelona. Correspondència Almagro 1955. Carta Almagro-Íñiguez Almech (sense data).

36 BC. Llegat Lluís Pericot. Carta Almagro-Pericot de l'11-02-1955.

37 Arxiu MAC-Barcelona. Correspondència Almagro 1956. Carta Almagro-Beltrán del 10-03-1955.

dels materials de treball indispensables.[38] Tampoc no va poder controlar la revista *Cuadernos de Historia Primitiva del Hombre*, que Santa Olalla s'emportà al Servei d'Arqueologia de l'Ajuntament de Madrid amb el seus corresponents intercanvis amb altres publicacions. En suma, Almagro es trobà sol i sense mitjans. I també sense alumnes, atès que Martínez Santa Olalla no va admetre estudiants per al curs 1954-1955 i quan Almagro pogué començar a fer la seva tasca es trobà sense docència;[39] per tant, no va poder exercir plenament les seves funcions fins a l'octubre de 1955, en què va impartir tres hores setmanals de classe sobre prehistòria i tres sobre etnologia, a més de proposar al deganat fer dos seminaris específics, un sobre l'estructura cronològica de la protohistòria espanyola i un de segon sobre els problemes de l'eneolític a la Mediterrània occidental. Per completar la seva docència, Almagro vinculà també a la Universitat de Madrid els Cursos Internacionals de Prehistòria i Arqueologia d'Empúries, que també continuarien lligats a la Universitat de Barcelona per la participació de Pericot com a codirector.[40] Que aconseguís convertir el departament de Prehistòria de la Universitat Complutense en el més influent d'Espanya en pocs anys, és exclusivament mèrit seu.

Passats els enuigs de les oposicions i les batusses per ocupar realment la càtedra, Almagro expressà els seus sentiments a l'*abbé* Breuil, a qui considerava un amic, a més d'un mestre. Figura de prestigi internacional i antic conegut de Martínez Santa Olalla, a qui havia avalat per ajudar-lo a sortir del camp de concentració en què estava retingut a França el 1938, ningú millor a qui poder explicar en les reunions internacionals la realitat i el rerefons de les oposicions. Almagro li féu saber sense embuts com a les proves s'havien barrejat tres elements: l'enfrontament personal entre tots dos candidats, l'animadversió de bona part de l'estament acadèmic per la gestió de Martínez Santa Olalla al capdavant de la Comissaria General d'Excavacions Arqueològiques i les lluites polítiques entre falangistes i monàrquics:

> [...] no sabe de mí seguramente porque he estado envuelto en una lucha titànica y desgradable para ganar la càtedra que fue del Prof. Obermaier, maestro mío y amigo suyo y que estuvo en manos del Prof. Martínez Santa Olalla de la manera que Ud., ya conoce. Científicamente gané la oposición y ya soy catedrático de la

---

38 BC. LLegat Lluís Pericot. Carta Almagro-Pericot del 17-01-1957.

39 Arxiu MAC-Barcelona. Correspondència Almagro 1955. Carta Almagro-Aznar Embid de l'01-02-1955.

40 Arxiu MAC-Barcelona. Correspondència Almagro 1955. Ofici Almagro-Rector de la Universitat de Madrid del 06-06-1955.

Universidad de Madrid [...] tras haber ganado la oposición las actitudes políticas en torno a la misma han envenenado bastante la cuestión y ésta se ha resuelto con mucha lentitud.[41]

El sacerdot francès va demanar més explicacions i Almagro afegí:

[...] las oposiciones fueron un éxito científico para mí y una derrota científica para Santa Olalla. Él ha trasladado todos los fondos que tenía en la Universidad diciendo que son suyos o del Ministerio. No ha quedado nada en pie de lo que en estos años había organizado la ciudad universitaria. Ello es muy lamentable pero no es culpa mía porque ofrecí que todo quedara allí, incluso en las condiciones que él quisiera. Ahora está pendiente la reorganización de la Comisión de Excavaciones que esperemos será este año. Con todo ello la situación de Santa Olalla no sé como quedará. Yo si he ambicionado Madrid, ha sido sólo para defenderme de su carácter, pues ni en Barcelona estábamos seguros, y como Ud. sabe tiene mucha fuerza en la Falange y aún creo se defenderá, pero el panorama general de la prehistoria española se aclarará y tendrá un desarrollo normal en los años próximos; yo pondré al servicio de este ideal todo mi esfuerzo y voluntad.[42]

Tot un resum amb regust d'epitafi.

Al principi de 1955, Almagro podia fer balanç del camí recorregut des del moment en què va rebre el nomenament de director del Museu Arqueològic de Barcelona la primavera de 1939. En quinze anys, un temps relativament curt amb referència a les trajectòries professionals de l'època, havia assolit, a més de la direcció citada, la de les excavacions d'Empúries i del Servei d'Arqueologia de la Diputació de Barcelona, les càtedres successives de Santiago i Barcelona, culminada ara amb la d'història primitiva de l'home a la Universitat de Madrid; era director de la Secció de Prehistòria del CSIC i de l'Institut de Prehistòria Mediterrània a Barcelona; era comissari de la quarta zona de l'SDPAN amb exercici sobre Catalunya, València i les Balears; era membre del comitè permanent dels CICPP, i les seves relacions personals el vinculaven amb la major part dels investigadors principals i més influents de la Gran Bretanya, França, Alemanya i Itàlia. Un currículum impressionant, i més per a algú sense gaire experiència quan rebé el primer nomenament de mans de Pedro Sainz Rodríguez. No era encara la figura més important de la prehistòria i l'arqueologia a Espanya, però s'hi acostava.

41 Arxiu MAC-Barcelona. Correspondència Almagro 1955. Carta Almagro-Breuil del 30-04-1955.
42 Arxiu MAC-Barcelona. Correspondència Almagro 1955. Carta Almagro-Breuil del 25-05-1955.

Mentrestant, era evident que no podia deixar el Museu Arqueològic de Barcelona ni la direcció de les excavacions d'Empúries si volia continuar progressant en la seva carrera professional. Aconseguí, amb el suport del ministre Joaquín Ruiz-Giménez, fer compatible la càtedra de Madrid amb el Museu de Barcelona:

> [...] fue por orden verbal del ministro saliente, dada al Presidente de la Diputación, que nuestro hombre sigue tranquilamente en Madrid y en Barcelona. La cosa fue en esta forma: ustedes le autorizan a dejar el lugar tantas veces como le convenga para cumplir sus deberes [¿] en Madrid, y yo le autorizaré para ausentarse de Madrid, tantas veces como le convenga para cumplir [¿] sus deberes [¿] en Barcelona. Creo es el momento, por poco que la coyuntura sea favorable, para ponerle en el caso de escoger entre uno y otro lugar.[43]

Aquesta solució sobtà —i també desenganyà— els qui, com Tarradell, havien pensat en la marxa immediata d'Almagro i fins i tot havien fet plans per substituir-lo:

> [...] no s'ha d'oblidar la qüestió de Barcelona, és indispensable que el Museu i sobretot la biblioteca no es deturi. No veig que al «Cuerpo» hi hagi ningú amb prou empenta, i potser seria el moment de pensar en una solució Diputació (encara que això deu anar per llarg, ja que suposo que de moment l'Almagro no deixarà res). Però s'ha d'anar pensant.[44]

Malgrat això, els plans de futur d'Almagro el juny de 1955 passaven per abandonar el Museu de Barcelona i obtenir la direcció de la secció de Prehistòria del Museu Arqueològic Nacional de Madrid, així com pel trasllat de la secció de Prehistòria del CSIC que dirigia de Barcelona a Madrid, tot i que aquestes decisions encara van trigar a cristal·litzar. En conseqüència, exercí durant uns quants anys la doble funció professional a Barcelona i Madrid, una solució que lògicament comportà la pèrdua progressiva d'atenció sobre els assumptes del museu i de Catalunya; això no va ser benvist per part de la societat civil, fins a l'extrem que algunes canyes es van tornar llances respecte de la seva gestió amb el pas del temps.

A tall d'exemple, Josep Pla, corifeu de l'actuació d'Almagro al principi dels anys quaranta, no se'n va estar de criticar-lo en escriure sobre ell a *Destino* el

---

43 MSI-MO. ASO. s-t. Particular D. Julio 1956.Carta Serra Ràfols-Martínez Santa Olalla del 16-02-1956.

44 BC. Llegat Lluís Pericot. Carta Tarradell-Pericot de l'01-11-1954.

1973 en relació amb la seva actuació al monestir de Sant Pere de Rodes i la constitució de l'associació Amigos de Sant Pere de Rodes.[45] Un detall força significatiu.

Cada cop més vinculat a Madrid, Almagro necessitava assegurar el control sobre el seu feu a Barcelona mitjançant la promoció professional del seus deixebles i col·laboradors més fidels. La convocatòria el 1957 de dues places de conservador al Museu Arqueològic desfermà un escàndol a causa del resultat del concurs. Les vacants van ser atribuïdes el 28 de gener de 1958 a Eduard Ripoll Perelló i Carlos Cid Priego; el tribunal estava format per Emilio Martínez de la Guardia com a president; Luis Sentís Anfruns, secretari, i els vocals Francisco de la Fuente Hita, José V. Amorós Barra, Martín Almagro Basch i Emilio Villanueva Pogonoski. Tant Ripoll com Cid estaven directament relacionats amb Almagro, el primer com a tècnic al Museu Arqueològic i el segon com a comissari de zona de l'SDPAN. El problema va ser que per fer la proposta de provisió, el tribunal va desestimar la candidatura de Joan Maluquer de Motes, catedràtic d'arqueologia de la Universitat de Salamanca des de 1949 i tècnic-conservador del Museu Arqueològic entre 1939 i 1948, que reunia, sens dubte, la millor experiència professional i currículum de recerca de tots els candidats.

Fins i tot en un sistema propens a les tupinades, alguns membres del tribunal van arribar a reflectir a l'acta la seva disconformitat:

> Dr. D. Juan Maluquer de Motes, por cuanto los méritos que en el mismo concurren, según resulta de la documentación presentada, cargos y funciones que ha desempeñado en el campo de la Arqueología, son superiores a los de los restantes señores concursantes mencionados [...] en ninguno de los señores participantes a este Concurso es tan concreta y específica aquella especialización como en el Dr. Don Juan Maluquer de Motes, entre otras razones, por la Cátedra de Arqueología, Numismática y Epigrafía que desempeña en propiedad en la Universidad de Salamanca.[46]

Però Almagro va fer prevaler a les discussions la idea que els anys de servei al Museu havien de ser considerats un mèrit preferent per davant dels altres, de manera que els quatre concursants, Maluquer de Motes, Ripoll, Cid i Antoni Arribas Palau, quedaven igualats, i van passar a la votació final. Només els vo-

---

45 PLA, J. (1973): «Calendario sin fecha. Algo más sobre Sant Pere de Rodes». *Destino*, 1850, edició del 17-03-1973, pàg. 7.

46 AHDB. Lligall Q-811. Exp. 95-17. Expedient personal Juan Maluquer de Motes Nicolau.

cals Amorós i Sentís van defensar la candidatura de Maluquer, que, a la vo-
tació, va obtenir dos vots, igual que Arribas; Cid en va obtenir tres i Ripoll
cinc. El cas va acabar als tribunals, perquè Maluquer de Motes impugnà la
decisió. La sentència s'endarrerí més de dos anys, fins al 4 de maig de 1960,
quan els integrants del Tribunal Provincial Contenciós-Administratiu —Juan
Ríos Sarmiento, president; Manuel Pino Chico i Rafael Mirabete Oms, ma-
gistrats, i Francisco Fernández de Villavicencio i Francisco Santos Coco, vo-
cals catedràtics— reconeixien en la sentència la superioritat dels mèrits de
Maluquer de Motes, però estimaven que no procedia alterar el resultat de la
prova a causa del temps transcorregut i del fet que el tribunal havia resolt
d'avançada la qüestió que tots els candidats reunien les condicions demana-
des per accedir a les places. Evidentment, la força d'Almagro a la Diputació
s'havia fet sentir.[47]

Les raons d'Almagro eren senzilles d'entendre. Maluquer de Motes havia
demanat —i finalment va obtenir— el trasllat a la càtedra d'arqueologia de la
Universitat de Barcelona. Si també aconseguia plaça en el museu, i arribava,
gràcies al seu prestigi i mèrits, a reemplaçar Almagro quan aquest hagués de
cessar com a director, tindria concentrat a les seves mans una gran part del
poder que Bosch Gimpera ja havia assolit l'any 1935 i que Almagro havia reco-
llit després de la guerra. I això, sumat als problemes al Servei d'Investigacions
Arqueològiques de la Diputació, podia fer trontollar la influència d'Alma-
gro a Catalunya que necessitava per continuar al capdavant de les excavacions
d'Empúries, en la data un dels puntals principals del seu prestigi. Val a dir que
Almagro, com expressà en el seu discurs de comiat als membres del departa-
ment de Prehistòria de la Universitat Complutense arran de la seva jubilació
el 1981, no estava en contra de la concentració de poder, sempre que fos ell el
responsable dels càrrecs acumulats.[48] Com no podia ser de cap altra manera,
el resultat del concurs i el greuge fet a Maluquer de Motes tingueren conse-
qüències en l'organització de la recerca arqueològica. La Universitat de Barce-
lona trencà la seva col·laboració amb el Museu Arqueològic, i els seus investi-
gadors no van formar part del nou Institut de Prehistòria i Arqueologia que
substituí —amb seu als locals del museu— el Servei d'Investigacions Arqueo-
lògiques. El nou institut es nodrí del personal propi del museu i d'un grup
d'afeccionats a l'arqueologia organitzats en l'anomenat Grup de Col·labora-
dors del Museu Arqueològic.

47 AHDB. Lligall Q-811. GRACIA ALONSO, 2001a, pàg. 16-24.
48 MEDEROS MARTÍN (en premsa).

Per la seva banda, la Universitat patí més, en principi, per la ruptura, atès que perdé els seus fons bibliogràfics, traslladats ininterrompudament des de 1935 al museu, seu a la vegada del Seminari de Prehistòria a proposta de Bosch Gimpera i amb l'acord de la Junta de la Facultat de Filosofia i Lletres, i es quedà sense locals, ni biblioteca, ni materials de pràctiques. Organitzativament, però, es creà un nou centre de recerca, l'Institut d'Arqueologia i Prehistòria de la Universitat, que es declarà immediatament continuador de la tasca de Bosch Gimpera, nomenat director honorífic, en un intent de marcar les distàncies amb Almagro i els seus deixebles. Pericot intentà establir un pont d'unió amb Ripoll, director del museu i de l'institut de la Diputació, i l'intentà afegir al consell directiu de l'organisme patrocinat per la Universitat, però topà amb l'oposició frontal de Maluquer de Motes, que per acceptar exigí la dissolució de l'Institut de Prehistòria de la Diputació. L'acord, òbviament, no va ser possible, tot i que Pericot va mantenir una bona relació amb Ripoll.[49] Una batalla interna —una més— entre els professionals d'una ciència minoritària, que no va portar res de bo perquè s'havien de duplicar els esforços amb els mateixos i ja migrats recursos disponibles. Val a dir també que la Universitat de Barcelona, tot i els precs de Maluquer de Motes i Pericot, no va fer mai les gestions necessàries per recuperar els llibres i els materials que formaven part del seu patrimoni i que encara romanen —amb els segells corresponents— a la biblioteca del Museu d'Arqueologia de Catalunya. Només el 2008, essent director del MAC Pere Izquierdo Tugas, es col·locà una petita placa a la nova biblioteca del museu que recorda el fet d'haver estat fundada per Bosch Gimpera amb els fons del Seminari de Prehistòria. Un rescabalament insuficient per a uns llibres i materials que Antonio de la Torre sí que va saber salvar el 1939.

Però l'oposició a la gestió d'Almagro havia tingut, com hem indicat, un pas previ en el Servei d'Investigacions Arqueològiques. Almagro havia acaparat els recursos disponibles per destinar-los a les excavacions d'Empúries; cap a finals de la dècada de 1940 disposava ja d'imports anuals de vora dues-centes mil pessetes, si se sumaven les diverses partides, una quantitat molt elevada per l'època que significava més de les tres quartes parts dels fons que la CGEA podia dedicar en les mateixes dates a les intervencions incloses al Plan Nacional.[50] La proporció, o més aviat desproporció, de fons dedicats pel Servei d'Investigacions Arqueològiques a les excavacions d'Empúries es reflecteix en el quadre següent:

49 BC. Llegat Lluís Pericot. Carta Maluquer de Motes-Pericot del 22-08-1963.
50 GRACIA ALONSO, 2009a.

Any	Pressupost SIA	Museus d'Empúries i Tossa de Mar	Exc. Empúries	Viatges i prospeccions	Referència
1940	51.500	6.500	10.000	2.000	R-8567
1941	51.500	6.500	10.000	2.000	MA-34
1942[1]	87.000	15.750	27.000	9.000	R-8568
1943	–	–	–	–	J.994
1944	128.000	23.000	48.000	–	R-8569
1945	128.000	23.000	48.000	–	R-8570
1946	103.000	27.000	48.000	–	R-8571
1947	103.000	27.000	48.000	–	R-8572
1948	190.000	27.000	80.000	–	R-8573
1949	178.000	28.000	80.000	–	R-8574
1950 (1S)	94.500	14.000	40.000	–	FE-118
1950 (2S)	125.875	25.000	50.000	–	R-8575
1951[2]	264.250	62.500	100.000	–	FE-120
1952	135.000	10.000	100.000	–	R-8576
1953	160.100	10.000	125.100	–	FE-122
1954	215.000	15.000	155.000	–	FE-123
1955	215.000	15.000	155.000	–	R-8577
1956	545.000	15.000	275.000	150.000	R-8578

1 Les informacions corresponen als pressupostos del 2n, 3r i 4t trimestres.
2 Les informacions corresponen a la liquidació del 2n semestre.

Es tracta d'unes disponibilitats que, comparades amb els migrats fons disponibles per a altres intervencions, despertaven no poques enveges, com indicà Serra Ràfols el 1947: «no todo el mundo dispone de aquella delicia de los arqueólogos que se llama Ampurias, con excelente casa y playa maravillosa al pie de los trabajos, donde se veranea y de paso se dice que se excava»,[51] i, també el 1949, per citar-ne només dos exemples:

A propósito de excavaciones, lo mejor que puede pasar, desde el punto de vista de la arqueología, es que las necesidades personales de nuestro pequeño virrey le

51 MSI-MO. ASO. 18.421.1. Carta Serra Ràfols-Martínez Santa Olalla del 16-06-1947.

obliguen a quedarse todas las pesetas y no pueda destinar ni una sola a excavar, pues la forma como se llevan a cabo los trabajos es tal, que es muchísimo mejor que no haga nada y se quede con el dinero, pues a lo menos se evita que un yacimiento de la importancia de Emporion sea destrozado de la manera más vergonzosa. Un amigo mío, D. Manuel Passa, estuvo en Ampurias en septiembre pasado y pudo observar cómo los soldados allí destacados, sin ninguna vigilancia, procedían a excavar la muralla de la ciudad que llamamos romana. El enorme yacimiento que queda al pie de la misma, en el que se observaban capas de arena que se interponían entre otras con fragmentos cerámicos, era destruido sin el menor cuidado. Visitó después la escombrera donde vertían las vagonetas y en unos momentos pudo recoger los fragmentos de cerámica de los que le acompaño fotografía: hay uno de cerámica griega de figuras negras, otro de figuras rojas y dos de terra sigillata, interesantes como podrá apreciar. Naturalmente no debían proceder del mismo nivel, pero claro, recogidos en el vertedero es ya imposible saber nada como no sea la procedencia emporitana. Y para esto se fundan «Institutos de Prehistoria», se crean cátedras y se hace virreyes. Yo naturalmente no puedo hacer nada, ya que soy un funcionario a las órdenes de un director, pero creo vale la pena recoger documentos con vistas a la posteridad, pues todo lo que este señor ha dicho de estratigrafía emporitana no hay motivo para tomarlo en serio.[52]

Les afirmacions de Serra Ràfols queden demostrades en la relació de les quantitats rebudes per altres investigadors catalans per dur a terme intervencions al llarg del mateix període, un cas especialment sagnant pel que fa a les comissaries provincials de Girona i Barcelona, dirigides per Pericot i el baró d'Esponellà, que disposaren gairebé exclusivament dels ajuts de la Comissaria General d'Excavacions Arqueològiques:

Any	Comissaria Provincial de Girona (Pericot)	Comissaria Provincial de Barcelona	Altres intervencions	Total
1939	–	6.000 (Empúries. No lliurades)	–	6.000
1940	–	6.000 (Empúries. No lliurades)	–	6.000
1941	–	10.000 (Empúries. Almagro i Pericot. No lliurades)	5.000 (Tivissa) (Salvador Vilaseca)	15.000

(Continua a la pàgina següent)

(Continua a la pàgina següent)

52 MSI-MO. ASO. 18-3873. Carta Serra Ràfols-Martínez Santa Olalla del 15-04-1949.

Any	Comissaria Provincial de Girona (Pericot)	Comissaria Provincial de Barcelona	Altres intervencions	Total
1942	9.000. La Yecla (Burgos). Pericot i Saturio González.	–	5.000 (Tivissa)	14.000 (per a Catalunya, 5.000)
1943	–	–	5.000 (Tivissa)	5.000
1944	La Creueta i Sant Julià de Ramis: 10.000; Castell de Begur i Porqueres: 4.000	–	–	14.000
1945	Girona: 15.000	Sabadell: 15.000 (Serra Ràfols i Colominas)	–	30.000
1946	Banyoles: 5.000; Begur i Roses: 10.000	Sabadell i nord de la província de Barcelona: 10.000 (Colominas i baró d'Esponellà); Barcelona i Badalona: 10.000 (Serra Ràfols i baró d'Esponellà)	–	35.000
1947	Empúries: 10.000 (Almagro)	Barcelona: 20.000 (baró d'Esponellà)	–	30.000
1948	Empúries: 10.000 (Almagro); Girona-província: 6.000 (Pericot i Colominas)	Barcelona: 15.000 (baró d'Esponellà i Serra Ràfols)	–	31.000
1949	Empúries: 10.000 (Almagro); Girona-província: 6.000 (Pericot i Colominas)	Barcelona: 10.000 (baró d'Esponellà i Serra Ràfols)	–	26.000
1950	–	Barcelona: 10.000 (baró d'Esponellà i Serra Ràfols)	–	10.000
1951	–	–	–	–

(Continua a la pàgina següent)

Any	Comissaria Provincial de Girona (Pericot)	Comissaria Provincial de Barcelona	Altres intervencions	Total
1952	Girona-província: 10.000 (Colominas, Pericot i Oliva Prat)[1]	Barcelona: 25.000 (baró d'Esponellà, Serra Ràfols)	Tarragona-província: 7.000 (Salvador Vilaseca; Luisa Vilaseca)	42.000
1953[2]	Girona-província: 10.000 (Pericot, Colominas, Oliva)	Barcelona: 10.000 (baró d'Esponellà, Serra Ràfols)	–	10.000
1954[3]	Girona i Ullastret: 10.000 (Pericot i Oliva); Banyoles: 9.000 (Colominas)	–	Excavacions submarines a Tarragona, Barcelona i les Balears: 20.000 (Serra Ràfols)	39.000
1955[4]	Girona-província: 20.000 (Pericot i Oliva)	Barcelona: 25.000 (baró d'Esponellà i Serra Ràfols)	Excavacions submarines a Tarragona, Barcelona i les Balears: 23.000 (Serra Ràfols, Juan José Jáuregui i Gil Delgado)	68.000

1 S'han d'afegir 30.000 ptes. concedides a Pericot, Almagro i Juan Cuadrado Ruiz per a l'excavació de Los Millares de Santa Fe (Almeria).
2 S'han d'afegir 25.000 ptes. concedides a Almagro i Antoni Arribas Palau per a l'excavació de Los Millares.
3 S'han d'afegir 20.000 ptes. concedides a Almagro i Arribas per a l'excavació de Los Millares.
4 S'han d'afegir 15.000 ptes. concedides a Almagro i Arribas per a l'excavació de Los Millares.

Les xifres són un exemple prou clar de les disponibilitats econòmiques i dels poders i relacions personals en joc. De les 486.000 ptes. que la Comissaria General d'Excavacions assignà entre els anys 1939 i 1955 als arqueòlegs esmentats, Pericot i els seus col·laboradors de la Comissaria Provincial de Girona en van rebre 124.000; el baró d'Esponellà, comissari provincial de Barcelona, i Serra Ràfols, comissari local de Barcelona, van obtenir 155.000 pessetes, mentre que per a la resta de les intervencions a Catalunya se'n van destinar 65.000. Tot i les diferències amb Almagro, la pressió de la Diputació de Barcelona i del marquès de Lozoya va aconseguir que es destinessin 52.000 pessetes a les intervencions d'Empúries, a les quals Almagro i Arribas n'afegirien 92.000 més per a les excavacions de Los Millares (Almería). Així, Almagro va obtenir en total 142.000 de l'organisme controlat pel seu rival Martínez Santa Olalla, més que les subvencions a Pericot i quasi la mateixa quantitat que la lliurada al seu amic Serra Ràfols i al baró d'Esponellà. És evident que les dades, afegides a les aportacions de la Diputació, mostren com la part essencial dels fons per a recerca arqueològica destinats a Catalunya fins al 1956 eren controlats per Almagro.

Els problemes en el Servei d'Investigacions Arqueològiques derivaven tant de la comparació de recursos disponibles amb altres organismes oficials com de la inactivitat que Almagro imposà, amb excepció de les excavacions d'Empúries. Així, a mitjan 1949, Serra Ràfols es planyia de nou a Martínez Santa Olalla per la manca de diners per a la Comissaria Provincial de Barcelona, que abocava a la paràlisi tota activitat; aquest fet, a més, comportà una pèrdua de l'interès del baró d'Esponellà per la recerca. Tan greu era la situació, que Serra demanà al comissari general que decidís si era possible dotar amb els fons necessaris el nucli barceloní, o bé que, en cas contrari, optés per suprimir la comissaria provincial. I de diners n'hi havia, perquè tant l'Ajuntament de la ciutat com el Govern Civil disposaven de fons que haurien pogut dedicar a pagar intervencions arqueològiques. Però en el primer cas els recursos els controlava Duran i Sanpere per a les pròpies intervencions —científicament defensades per Serra Ràfols—, i en el segon era clar que la influència social d'Almagro pesava, i molt. Pel que fa a la Diputació i al SIA, no calia ni comptar-hi: «no hablo de la Diputación pues esta disfruta de un Servicio de Investigaciones Arqueológicas, que fue el primero de España en el tiempo y en la valía, pero que ahora sólo existe sobre el papel. Pero a la Corporación le cuesta sus 300.000 ptas. al año [...] pero en la Provincia no toca una piedra, y fuera sería mucho mejor no tocase ninguna».[53]

Tot i que Almagro havia publicat la *Carta Arqueológica de Barcelona* l'any 1945 amb Colominas i Serra Ràfols[54] i havia endegat uns quants projectes d'estudi sobre art rupestre, no havia prestat atenció al SIA i n'havia paralitzat l'activitat, com ho demostra el fet que la memòria d'activitats corresponent a 1946 indiqui: «a parte de las excavaciones de Emporion, a las que han sido consagradas la casi totalidad de las limitadas disponibilidades del Servicio, se han efectuado numerosos viajes de estudio de cuanto hay de interesante en la Provincia

---

53 MSI-MO. ASO. 18.384. Carta Serra Ràfols-Martínez Santa Olalla de 20-06-1949.

54 ALMAGRO BASCH, M.; COLOMINAS, J.; SERRA RÀFOLS, J. de C. (1945): *Carta arqueológica de España. Barcelona*. Instituto Diego Velázquez. CSIC. Madrid.

y fuera de ella».⁵⁵ És a dir, cap excavació, i els desplaçaments corresponien a la recerca personal d'Almagro. Res en comparació amb la tasca feta pel Servei en l'època de l'IEC i la Generalitat. Un informe lliurat el 9 d'abril de 1957 a Emilio Martínez de la Guardia, diputat president de la comissió d'Educació de la Diputació, per Josep Maria Pons Guri, Lluís Pericot, Alberto del Castillo, Eduard Ripoll i Antoni Arribas, mostra l'escassa feina feta a la província: l'any abans, 1956, només s'havien dut a terme intervencions als jaciments romans de Badalona (subvenció de l'Ajuntament de Badalona), a les termes romanes de Sant Boi de Llobregat (subvenció de l'Ajuntament i del Ministeri de Governació), a la cova del Toll de Moià (subvenció particular), diferents intervencions a la Barcelona romana (subvenció de l'Ajuntament) i unes petites campanyes als poblats ibèrics de Darró (Vilanova i la Geltrú) i de l'Abric Romaní (Capellades), dirigides respectivament per Arribas i Ripoll amb l'ajut de petites subvencions de la Diputació.⁵⁶

A partir de l'informe citat, la Diputació va aprovar un pla d'intervencions per a l'any 1957 que, amb independència de les excavacions d'Empúries, va incloure els poblats ibèrics de Puig Castellar (Santa Coloma de Gramenet) i La Torre dels Encantats (Arenys de Mar); les coves prehistòriques de la comarca del Penedès i l'Abric Romaní; dòlmens i sepulcres megalítics a diferents indrets de la província, i els jaciments romans de la plaça del Fossar Xic (Mataró) i de Granollers, amb una inversió global de 104.000 pessetes, que si bé en conjunt no suposava desplaçar Empúries del seu lloc de privilegi, sí que constituïa un avenç notable. Quan Pericot va ser nomenat director del SIA l'any 1959 es va continuar el redreçament de la situació i es van iniciar intervencions fora de Catalunya, especialment a les pintures rupestres de les comarques de Castelló, i a Cueva Ambrosio (Almería).⁵⁷ Però el canvi durà molt poc i les dificultats amb els rectors polítics de la Diputació forçaren Pericot a dimitir.

Amb tot, Pericot va tenir temps de publicar l'any 1961 a *Ampurias*⁵⁸ una crònica de les actuacions desenvolupades l'any 1960 com a reafirmació de la nova línia d'actuació que volia emprendre el Servei, la primera que es publicava a la revista —que en teoria servia com a vehicle de difusió de la seva activitat des de 1940—, i també l'última en molts anys. En aquest article, més enllà de les referències a les intervencions puntuals endegades, exemple de la proposta

55 AHDB. *Extracto de la Memoria Anual del Servicio de Investigaciones Arqueológicas de la Diputación de Barcelona de 1945.*
56 AHDB. Lligall R-467. Exp. 24.
57 AHDB. Lligalls R-481 i R-482.
58 PERICOT, 1960, pàg. 369-370.

feta per la comissió de queixa a la Diputació, és interessant veure com Pericot no va voler enfrontar-se amb Almagro i assumí la tasca realitzada per aquest; va validar les afirmacions fetes per l'anterior director vint anys abans, i va afegir en clau política que els treballs del Servei eren la continuació de l'organisme creat per la mateixa Diputació quaranta-cinc anys abans, és a dir, el 1915, cosa que negava la tasca feta tant per l'Institut d'Estudis Catalans i la Mancomunitat com per la Generalitat republicana. Probablement Bosch Gimpera no es mostrà gaire conforme amb el seu deixeble quan va llegir el text, recordant com el comte del Montseny va fer tot el possible des de la Diputació per acabar amb el Servei d'Arqueologia al llarg del període de la dictadura de Primo de Rivera. Amb tot, Pericot no s'estigué de reclamar una projecció de les tasques del Servei més enllà de la circumscripció territorial de Barcelona i va propugnar la possibilitat de fer intervencions en diverses àrees de Catalunya i fins i tot de l'Estat. Però el text mostrava també com el concepte d'organització de la recerca arqueològica que Pericot defensava, tot i ser delegat de zona del Servei Nacional d'Excavacions Arqueològiques, no havia progressat gaire cap a la professionalització de la recerca, perquè validava la tasca dels organismes i els aficionats locals de la província com a base del coneixement; fins i tot havia arribat a promoure una exposició dels materials recuperats per aquesta via a la seu del Museu Arqueològic, que s'inaugurà l'1 de febrer de 1961. Les promeses de renovació de la recerca airejades en la lluita per descavalcar Martínez Santa Olalla deu anys abans havien quedat en no res i les bases del sistema —amb un cert regust de caire feudal— encara romanien inalterables.

El punt d'inflexió final arribà arran del nomenament d'Almagro com a director dels treballs arqueològics encomanats a Espanya per la Unesco dins del projecte internacional per a la salvació dels monuments de Núbia i el Sudan. Almagro hagué de desatendre progressivament les seves funcions al museu i això disgustà la Diputació, que ja havia transigit amb les anades i vingudes d'Almagro entre Madrid i Barcelona per atendre les seves responsabilitats. Però les absències arran de la missió internacional no foren gaire ben rebudes. La petició per absentar-se del museu, cursada el 31 de gener de 1961, hagué de tenir el suport del ministre d'Afers Exteriors, Alberto Martín Artajo, que es dirigí en termes admonitoris a la corporació provincial el 3 de febrer perquè atenguessin la demanda, com també ho féu el ministre d'Educació Nacional, Jesús Rubio y García-Mina. La Diputació accedí i concedí llicència ordinària a Almagro, però en funció del temps necessari per dur a terme els treballs tornà a la primera decisió i el 19 de desembre del mateix any acordà concedir una nova llicència sense sou a Almagro per espai de sis mesos fins al 30 de juny de 1962. Les tasques de la direcció del Museu s'encarregaren a Eduard Ripoll Perelló i, en el cas que aquest s'hagués d'absentar, a Lluís Pericot Garcia, com a director del Servei d'Investigacions Arqueològiques. L'1 de juliol, Almagro va deixar les funcions de director del Museu Arqueològic de Barcelona i va passar a exercir provisionalment les de conservador al Museu d'Empúries. Va ser refermat en aquest càrrec de director de les excavacions l'1 de novembre de 1964 i el va mantenir fins a l'1 d'agost de 1966, quan demanà una excedència en funció «de sus ineludibles y cada vez mayores responsabilidades científicas y docentes, no puede atender con la devoción e intensidad de labor como siempre lo hizo las funcione propias de su cargo»; la demanda va ser acceptada per la Diputació el 4 d'octubre de 1966, en què va ser inclòs en la categoria d'excedent voluntari. Es tancaven així vint-i-set anys de relació amb la Diputació Provincial de Barcelona.

Almagro va desenvolupar plenament la seva activitat professional a Catalunya entre els anys 1939 i 1955, quan es traslladà a Madrid per ocupar la càtedra d'història primitiva de l'home que havia guanyat l'any anterior. Va mantenir, però, una vinculació amb Barcelona: gràcies a un acord entre la Diputació de Barcelona i el Ministeri d'Educació Nacional conservà el càrrec de director del Museu Arqueològic i, en conseqüència, els de director del Servei d'Investigacions Arqueològiques i de les excavacions d'Empúries, els dos primers fins al 1962 i l'últim fins que va ser substituït per Ripoll a mitjan dècada. Si sumem a les funcions indicades les de catedràtic de la Universitat de Barcelona (1940-1954), comissari provincial d'excavacions arqueològiques (1941-1945) i comissari de zona de l'SDPAN a partir de 1947, es pot concloure que ningú abans d'ell, ni tampoc després, va acumular tant de poder organitzatiu i executiu en la recerca, docència i difusió de l'arqueologia a Catalunya. Ni Bosch Gimpera, de qui es declarà successor i alumne quan li va convenir, havia pogut arribar a exercir una suma de responsabilitats semblant després de vint anys de feina per bastir les estructures necessàries, a causa de l'esclat de la guerra civil.

Així, doncs, Almagro disposà de capacitat de gestió, i també —tot i que amb moltes dificultats— de recursos per desenvolupar la recerca. Cal reflexionar, però, sobre quina és la petjada que deixà a Catalunya. Quines van ser les línies mestres de la seva actuació professional, política i personal al llarg del primer franquisme i, en definitiva, l'abast de la seva obra.

Quan Pedro Sainz Rodríguez, ministre d'Educació Nacional, nomenà Almagro director del rebatejat Museu Arqueològic Provincial de Barcelona la primavera de 1939 era evident que li estava oferint una oportunitat professional que sense el conflicte bèl·lic difícilment hauria pogut somiar un jove de vint-i-vuit anys amb escassa trajectòria acadèmica. Almagro arribà a una ciutat vençuda en què es trobà amb els membres de l'Escola de Barcelona que romangueren a la ciutat després de la marxa a l'exili del seu fundador, Bosch Gimpera. La primera tasca d'Almagro va ser, doncs, guanyar-se la confiança —o més aviat el respecte atemorit— del personal del museu, encapçalat per Serra Ràfols i Colominas, i apropar-se als catedràtics de la Universitat, Pericot i Alberto del Castillo, en el primer cas per poder enllestir la tasca de recuperació i reorganització del museu, i en el segon per accedir a la docència i, posteriorment, aprofitant les relacions personals amb el marquès de Lozoya i el nou ministre d'Educació, José Ibáñez Martín, fer front comú un cop superats els processos de depuració i obtenir la consolidació de les respectives places docents a través dels concursos d'accés organitzats i resolts directament pel Ministeri.

Probablement un altre tipus de persona s'hauria enfonsat davant la tasca ingent que tenia al davant, o bé s'hauria refugiat en les dependències del museu per enllestir una activitat grisa sense fer gaire soroll. Almagro va fer tot el contrari. Amb molt esforç, recorrent als seus contactes i amistats polítiques a Barcelona i Madrid, no només aconseguí posar en peu i obrir el museu en poc més de tres mesos aprofitant el mateix discurs expositiu que Bosch havia organitzat per a la inauguració de 1935, sinó que també endegà de nou les excavacions d'Empúries amb l'ajut dels recursos proporcionats per la Diputació i bona part de l'alta burgesia barcelonina, i de la mà d'obra forçada cedida per la Capitania General de la IV Regió Militar. La presència constant en els mitjans de comunicació, la participació en actes públics de tota mena i la seva activitat com a conferenciant, el mantingueren en primera línia dels nous intel·lectuals franquistes a Barcelona. Això va fer que Almagro fos vist pels seus col·legues catalans com un home del règim, una persona disposada a tot per assolir els seus objectius personals i professionals, i amb qui era millor col·laborar, de grat o per necessitat, abans que enfrontar-s'hi. I així va ser, si tenim en compte que al llarg de quinze anys només Serra Ràfols va remugar en contra seu en la correspondència amb Martínez Santa Olalla, i Duran i Sanpere gosà discutir-li a la ciutat de Barcelona el seu domini absolut sobre les intervencions arqueològiques.

Almagro va ser en els primers anys de la postguerra un propagandista ferotge no només del nou estat franquista, sinó molt especialment d'una concepció integrista de la història d'Espanya i del seu paper dins el context internacional, que resumí en idees com l'antiliberalisme, l'atac al significat de la il·lustració i als sistemes democràtics de França i la Gran Bretanya, el suport als postulats de la Itàlia feixista, la defensa de la unitat d'Espanya i de la religió catòlica com a pedres angulars del sistema de creences i valors que cohesionaven la pàtria, i la lluita pels valors suprems de la llengua castellana i de la idea imperial, postulats que enllacen amb els que defensaven amics seus com Antonio Tovar i Eugenio Vegas Latapié en les mateixes dates, però que en el cas d'Almagro es van mantenir com a base del seu pensament ideològic al llarg de la seva vida, com ho mostra, per exemple, la intervenció en la necrològica del seu gran amic —i seguidor de la política de Mussolini— Nino Lamboglia l'any 1977.

Això no vol dir que Almagro no fes gala d'un pragmatisme ideològic i polític impressionant per apropar-se a les realitats del present i posicionar-se envers el futur. En un període de convulsions com l'Espanya de les dècades de 1930 i 1940, marcat pels canvis de règim, la inestabilitat social i el conflicte civil, els canvis de postura i orientació polítiques eren freqüents i fins i tot lògics per raons d'interès o de supervivència. Amb tot, el camí d'Almagro sobresurt per les seves alternances: provenint d'una família de tradició carlina d'Albarracín (Terol), abraçà en la data primerenca de 1931 els ideals de les JONS per passar posteriorment a les idees anarcocomunistes de les quals va fer gala durant la seva participació en el creuer universitari per la Mediterrània l'any 1933; poc temps després va flirtejar breument amb algunes teories nazis arran de la seva estada a Àustria i Alemanya els anys 1935 i 1936 —que abandonà ben aviat sense perdre, però, la seva gemanofília—; un cop esclatada la guerra civil va ingressar a Falange i va arribar a assolir un paper destacat dins de l'organització fins a la caiguda d'Hedilla arran del procés d'unificació de l'any 1937; més endavant es va declarar fidel al procés d'unificació impulsat per Franco i s'hi va mantenir fins a final de 1939, i, finalment, va donar un últim viratge a la seva trajectòria quan va abraçar la fe monàrquica en la figura de Joan de Borbó fins a formar part dels cenacles madrilenys que postulaven la restauració com a millor sortida política del règim establert per la guerra. Una trajectòria sens dubte espectacular en què va saber fer bons i fidels amics que li servirien de gran ajut al llarg de la seva carrera professional.

Almagro jugà com un mestre les seves opcions i en poc temps ja era la figura de referència de l'arqueologia a Catalunya. La seva actuació va tenir a partir de llavors un clara orientació dirigida a promocionar-se en el context, primer nacional i posteriorment internacional, de la recerca en prehistòria i arqueologia. Les excavacions d'Empúries van ser al mateix temps el fi i l'eina per aconseguir-ho i potencià sense descans aquestes intervencions. Però per fer-ho reduí l'activitat del Servei d'Investigacions Arqueològiques al mínim i no dugué a terme ni donà suport a altres intervencions arqueològiques, fins al punt que l'organisme creat per l'Institut d'Estudis Catalans el 1915 i dirigit per Bosch Gimpera fins al 1939 va perdre la seva posició de prestigi capdavanter entre els de les mateixes característiques a tot l'Estat, entre els quals havia estat model de referència, com ara el Servicio de Investigaciones Prehistóricas de la Diputació de València, creat per Ballester i Pericot, o el Servicio Arqueológico Municipal de Madrid.

De fet, el Servei no tornà a desenvolupar una tasca coherent amb les seves funcions fins que un grup d'investigadors encapçalat per Pericot va presentar una queixa per inoperància a la Diputació l'any 1957. Però ja era massa tard, i la reconversió en Institut de Prehistòria i Arqueologia no va fer possible el retorn a la situació anterior. Les excavacions d'Empúries, que havien conviscut sense problemes amb la resta de les intervencions en l'època en què van ser sota la responsabilitat de Puig i Cadafalch, Gandia i Bosch Gimpera, acabaren fagocitant la resta de la recerca arqueològica a Catalunya. Només la tasca de Duran i Sanpere a Barcelona i la posterior del baró d'Esponellà i Serra Ràfols a la Comissaria Provincial d'Excavacions Arqueològiques de Barcelona van trencar la dinàmica, tot i que la manca de mitjans els va impedir consolidar una organització forta que, a més, es va veure llastrada pels enfrontaments personals i científics entre Almagro i Martínez Santa Olalla.

Però Almagro sí que va treure profit, i molt, del seu treball a Empúries. En primer lloc, els articles i els volums de la sèrie *Monografías Ampuritanas* li van permetre donar a conèixer la seva tasca i convertir el jaciment en un centre de referència. En segon lloc, la creació amb Pericot l'any 1947 dels Cursos Internacionals d'Arqueologia —un llegat que encara es manté en l'actualitat— li van servir per contactar i facilitar la vinguda a Espanya d'investigadors de diversos països, i assolí així un doble èxit: el reconeixement de la tasca feta i el seu posicionament en l'àmbit internacional i, cosa encara més important com a moneda de canvi de futur, demostrar a les autoritats del règim franquista, i molt especialment als responsables del Ministeri d'Educació Nacional, de la Direcció General de Belles Arts i del CSIC, que l'arqueologia —i la seva tasca personal en especial— eren capaços de trencar l'aïllament polític d'Espanya després de la Segona Guerra Mundial. Almagro aconseguí posicionar-se emprant les vinculacions amb l'Institut Internacional d'Estudis Lígurs per introduir-se en els cercles de la recerca arqueològica italiana i aconseguir, primer amb l'ajut de Lamboglia, i després d'Íñiguez Almech i l'Escola Espanyola d'Arqueologia a Roma, les concessions d'excavació en els jaciments de la cova de I Pipistrelli i Gabii. Aquests contactes també li van facilitar la represa de les relacions amb els investigadors alemanys l'any 1950, cosa que li va permetre continuar així la vinculació personal amb la ciència alemanya, que el marcà en la seva etapa postdoctoral els anys 1935 i 1936. El suport dels investigadors alemanys va ser decisiu perquè aconseguís refermar-se dins dels Congressos Internacionals de Ciències Prehistòriques i Protohistòriques —especialment en el camp dels estudis sobre l'art rupestre, amb l'ajut de Herbert Kühn— i posteriorment per arribar a formar part del seu Comitè Permanent l'any 1952, moment a partir del qual la seva projecció internacional no va parar de créixer, i va assolir fites com la direcció de la missió espanyola en el salvament dels tresors de Núbia promoguda per la Unesco.

Analitzada en perspectiva, tota la trajectòria d'Almagro tenia una única finalitat: arribar al cim de la recerca prehistòrica espanyola, una posició de prestigi que simbolitzava la càtedra d'història primitiva de l'home de la Universitat de Madrid, la plaça que es creà al principi de la dècada de 1920 per al seu mestre Hugo Obermaier i que aquest ocupà fins que l'any 1939 va ser obligat a marxar a l'exili per les pressions de les noves autoritats franquistes, que no li van perdonar la tebior davant l'Alzamiento Nacional. Aquesta obsessió —que deixà traslluir en la correspondència posterior al seu triomf a les oposicions del 1954— i el tracte conferit al seu mestre, li van permetre tenir suports com els de García y Bellido, Ferrándiz Torres, Pérez de Barradas o Taracena Aguirre, tots enemistats frontalment amb el comissari general d'investigacions arqueològiques, Martínez Santa Olalla. Almagro va ser, sens dubte, un dels més actius en contra de la política de Martínez Santa Olalla; va utilitzar tots els recursos disponibles per atacar la posició i les actuacions del comissari fins a convertir-se en l'ariet que aconseguí descavalcar-lo de la càtedra de Madrid i ser a continuació un dels catedràtics més actius en la campanya per posar fi al seu mandat omnímode a la Comissaria General d'Excavacions Arqueològiques. Un cop establert a Madrid, desmantellà bona part de les infraestructures que creà a Barcelona; va rebaixar la seva implicació en la secció de Barcelona de l'Institut d'Estudis Lígurs i va traslladar a Madrid la secció de prehistòria de l'Instituto Diego Velázquez de Arte y Arqueología, fet que suposà el final de l'Institut de Prehistòria Mediterrània; a més, va anar diluint la seva participació en les intervencions d'Empúries.

Però, amb tot, el pas d'Almagro per Barcelona, tant pel que fa a la tasca docent com de gestió, s'havia perllongat el temps suficient per poder establir uns lligams i unes estructures duradores. S'ha indicat que Almagro va ser el continuador principal de l'Escola de Barcelona «acogiendo a cuantos quisieron colaborar con él»,[1] i efectivament va aglutinar entorn seu un nombre considerable de deixebles com ara Maluquer de Motes, Arribas, Tarradell, Ripoll, Cid Priego o Trías, que es van proclamar en la seva correspondència seguidors del seu mestratge, però que tan bon punt van poder es van deslliurar del que consideraven una situació imposada en un moment de manca de llibertats, van negar la relació d'escola, mestratge o equip de treball en relació amb Almagro, i van proclamar la tasca feta com a obligada.[2]

De l'estudi de la documentació cal deduir, però, una realitat molt diferent. Com s'ha dit, Almagro va acumular un gran prestigi i influència al llarg de les dècades de 1940 i 1950 i era força evident que les possibilitats de promoció passaven ineludiblement per situar-se al seu costat. Pericot, per les raons que fos

---

1   ALMAGRO GORBEA, 2010, pàg. 32
2   Gisela Ripoll López. Comunicació personal. Barcelona, 23-02-2012.

—gestió acadèmica continuada a la Universitat de Barcelona, dispersió en els projectes de recerca de camp, desenvolupament d'activitats de representació i difusió de la recerca a l'estranger—, no va voler, saber o poder estructurar un equip de recerca permanent amb continuïtat de deixebles a la Universitat de Barcelona ni en l'època en què Almagro va ocupar la càtedra de prehistòria —fet que no constituïa en si mateix un obstacle, perquè podia perfectament vincular alumnes al seu treball—, ni tampoc quan va aconseguir succeir-lo després que Almagro marxés a Madrid. És lògic, doncs, davant d'aquesta renúncia per no provocar enfrontaments entre tots dos, que fos Almagro qui dirigís les tesis dels prehistoriadors i els arqueòlegs sortits de la Universitat de Barcelona que es doctoraren a Madrid en el temps indicat per les restriccions imposades pel sistema acadèmic espanyol. També és lògic que fos Almagro qui ajudés els seus deixebles a assolir la consolidació professional, tant en estructures de recerca com en càtedres universitàries. I ho féu amb èxit, si tenim en compte que dels primers quatre catedràtics d'arqueologia per oposició després de la guerra civil —i això significa un període tan llarg com el de 1939-1956—, tres d'ells, Maluquer, Palol i Tarradell, eren deixebles d'Almagro, tot i que el primer hagués estudiat encara amb Bosch Gimpera i de manera privada els tres cerquessin la complicitat acadèmica, institucional i fins i tot personal de Pericot. Però de l'arrelament de les relacions esmentades també és força significatiu que, un cop assolida la tan anhelada estabilització i malgrat les protestes de pertinença a un grup de treball encapçalat per Almagro com les que va fer Tarradell al llarg de la seva etapa marroquina o Maluquer des de la càtedra de Salamanca, tots es van distanciar del mestre per crear les seves pròpies estructures de recerca i van mirar de trobar la fórmula per vincular-se a Barcelona i a Pericot. I no es pot concloure que aquest distanciament fos el resultat d'un reflex freudià de superar el pare acadèmic o simplement un interès legítim per convertir-se en caps d'estructures autònomes. Hi va haver quelcom més.

La marxa d'Almagro a Madrid, unida a l'evolució lenta de la situació política del règim franquista i a la progressiva revalorització de la figura de Bosch Gimpera entre la societat catalana,[3] va suposar un progressiu distanciament de la figura d'Almagro d'aquells que havien estat els seus col·laboradors al museu, incloent-hi Ripoll, que treballà amb Almagro per necessitat i, tot i haver de demostrar en públic la seva dependència personal,[4] sempre es declarà deixeble de Pericot[5] —i encara més de Breuil—, i també a la Universitat. Com hem

3 Gracia Alonso, 2011a, pàg. 525-546.
4 Ripoll, 1984a, pàg. 8.
5 Gisela Ripoll López. Comunicació personal. Barcelona, 23-02-2012.

C. 1950. Carlos Cid Priego, Clotilde Gorbea de Urquijo, Lluís Pericot i Maria Lluïsa Peri-
cot a Empúries amb els quatre fills del matrimoni Almagro-Gorbea: María José, Concep-
ción, Antonio i Martín. Fotografia: MAC-Barcelona.

indicat, quan Tarradell molts anys després va haver de referir-se a la recerca en
arqueologia clàssica a Catalunya va esmentar Almagro en la seva condició de
prehistoriador, com si la tasca duta a terme a Empúries al llarg de més de dues
dècades no hagués existit, i va referenciar els orígens de la recerca sobre el món
romà a Catalunya a les intervencions de Serra Ràfols i Puig i Cadafalch.

D'aquesta manera negava clarament una evidència innegable, perquè Al-
magro no només va fer del jaciment un referent incontestable en el camp de
l'arqueologia clàssica al qual dedicà la major part de les seves publicacions fins
al 1956, inclosos els primers estudis de síntesi, que Puig i Cadafalch no va saber
fer i Bosch no tingué temps d'enllestir, sinó que també contribuí decisivament
a la renovació de la metodologia de la recerca arqueològica gràcies als projectes
desenvolupats conjuntament amb Lamboglia i a la promoció de l'estada dels
seus deixebles com a becaris a la seu de l'Institut d'Estudis Lígurs a Ventimiglia.

Però, per sobre de tot, i analitzant-ho amb perspectiva, la negació més im-
pactant de l'estada i la influència d'Almagro a Catalunya correspon a Pericot,
amb qui va compartir no només tasques de gestió, sinó també lligams de caràc-
ter familiar, car Pericot era el padrí d'un dels fills d'Almagro, Martín Almagro

Gorbea Un cop substituí Almagro en l'anhelada —i merescuda— càtedra de prehistòria, treballà per crear un lligam entre ell i els seus deixebles que connectés directament amb Bosch Gimpera, com si l'anomenat «mestre absent» no fos a l'exili, i com si l'Escola de Barcelona hagués mantingut una línia ininterrompuda sense cap ruptura tot i la guerra civil. Es tractava d'una missió força difícil: fer veure que l'etapa d'Almagro no havia tingut lloc i que entre 1939 i 1962 no havia estat la figura més influent de la recerca arqueològica a Catalunya. Pericot es va esmerçar a fons en aquesta empresa, i val a dir que amb constància i èxit, segons es desprèn dels seus textos.

El 9 de desembre de 1956, en el discurs que Pericot pronuncià a la Reial Acadèmia de Bones Lletres de Barcelona per respondre al d'ingrés de Jaume Vicens i Vives, va indicar que el nou membre numerari era deixeble «de otro gran maestro de cuya ausencia difícilmente podemos consolarnos, el Prof. Pedro Bosch Gimpera»;[6] amb això reivindicava la línia de connexió de la recerca catalana amb l'esperit de la Universitat Autònoma republicana, atès que Vicens havia estat alumne i directe col·laborador de Bosch precisament en aquell període. Però va anar més enllà en les seves referències velades quan explicà la importància del treball de l'historiador i féu referència a les diferències estructurals entre les diverses regions d'Espanya: va indicar que aquesta tasca s'havia desenvolupat anteriorment en el camp de la prehistòria, i va admetre, això sí, que aquesta només podia proporcionar informacions vagues. La mateixa menció era ja una reivindicació de la línia de treball marcada per Bosch en els seus treballs anteriors a la guerra i, especialment, del seu discurs de l'any 1937 a la Universitat de València i, per rèplica lògica tot i que no verbalitzada, una crítica als models uniformitzadors sobre la història d'Espanya defensats per Menéndez Pidal i, especialment, per Almagro.

Unes idees que tornà a fer servir, encara més ampliades, l'any 1964 en el discurs inaugural del curs acadèmic 1964-1965 a la Universitat de Barcelona,[7] en què intentà resumir cinquanta anys de recerca arqueològica a Espanya. Per a Pericot, la intervenció solemne en el marc del paranimf, pròxim ja a la jubilació, era l'ocasió de fer balanç d'una vida dedicada a l'acadèmia i a la recerca. Era evident que en aquesta ocasió, i tenint en compte tant la situació política com les seves pròpies conviccions ideològiques, no podia presentar un discurs revisionista ni autonomista de la Història, però no és menys cert que les seves paraules tornaven a remetre a les tesis de Bosch: «mirado así el remoto pasado,

6 PERICOT, 1956, pàg. 67.
7 PERICOT, 1964.

sentimos tan próximos a nosotros a gravetienses como a solutrenses o magdalenienses, a los pastores pirenaicos como a los agricultores almerienses, a los tartesios taurófilos y danzarines como a los orfebres atlánticos, a los celtas como a los iberos y tan españoles a esos viejos abuelos nuestros como a quienes fueron ya cristianos o adquirieron conciencia de que eran españoles», i en la intervenció el cità explícitament:

> [...] la presencia del profesor Bosch Gimpera, pues a él me refiero, fue decisiva. Pronto tuvo un grupo de discípulos fervorosos y gracias a la creación del Servicio de Excavaciones de la Diputación provincial, pudo realizar la obra que hoy admiramos [...] pronto nuestra prehistoria contó con un esquema básico que la situaba entre las mejor conocidas de Europa y con manuales que han tenido validez hasta hace poco.

Cometent l'error voluntari d'atribuir la fundació del SIA a la Diputació en comptes de l'IEC —una falta impròpia del rigor d'un científic, però lògica en un polític expert que sabia fins on podia arribar en tot moment—, distanciava les referències a Bosch del seu significat polític, i així era factible fer al·lusions freqüents als seus treballs al llarg del discurs. ¿I Almagro? Cal recordar que havia estat catedràtic de la Universitat durant quinze anys, el predecessor del mateix Pericot en la càtedra, que tots dos havien col·laborat estretament, i que el tema del discurs era un repàs als darrers cinquanta anys de la recerca arqueològica a Espanya. I tot i així, una única menció, menor, en el moment d'esmentar els participants en el congrés de Burg Wartestein l'any 1960, i ni tan sols una minsa referència quan cità les excavacions d'Empúries i els estudis sobre les colonitzacions mediterrànies, en què sí que va esmentar els treballs de Schulten i García y Bellido, o quan parlà de les migracions cèltiques cap a la península Ibèrica, en què tornà a fer esment dels treballs de Bosch Gimpera, «cuyas hipótesis propuestas hace más de cuarenta años, hoy vemos todavía que contenían agudas observaciones y resultan todavía aceptables»; de nou una desaprovació en tota regla d'un treball, el d'Almagro, que Pericot coneixia a la perfecció.

Per què aquest oblit volgut i deliberat de la figura d'Almagro? Tal vegada la resposta es troba en una frase relativament críptica: «diversas circunstancias extracientíficas enturbiaron el panorama y hacen difícil historiar objetivamente la evolución de nuestras organizaciones de trabajo. Mi intervención en toda la última etapa me impide detallaros dicha evolución por temor a caer en excesivos personalismos», en la qual no és difícil entendre les referències a les lluites entre Almagro i Martínez Santa Olalla pel control dels organismes directors de la recerca arqueològica a Espanya, enfrontament que l'any 1962 quedà definitivament decantat en favor d'Almagro, nomenat comissari general d'excavacions arqueològiques, càrrec que va mantenir fins al 1973. D'altra banda, és clar, Pericot havia participat en les lluites entre Almagro i Santa Olalla: en l'oposició a la càtedra de Madrid l'any 1954, en què era evident que Pericot tenia decidit el sentit del seu vot abans d'iniciar-se el concurs per afavorir la marxa d'Almagro i obtenir els rèdits acadèmics que aquest fet havia de comportar, tot i que amb Beltrán difonguessin la petita història que l'oposició es va decidir a darrera hora quan els membres del tribunal no van veure comparèixer el famós «motorista de El Pardo» amb instruccions sobre el que havien de fer.

I els personalismes —i els retrets més o menys clars— tampoc no van ser absents en el discurs de recepció a la Real Academia de la Historia el 10 de desembre de 1972,[8] quan Pericot tornà a insistir en el mestratge de Bosch i en la importància de l'escola arqueològica que fundà a la Universitat de Barcelona. En el decurs de la seva extensa exposició sobre l'evolució de la prehistòria a Espanya —una ampliació del discurs de Barcelona del 1964— només cità en una ocasió Almagro, i ho va fer per enfrontar-lo a les tesis de Bosch Gimpera relatives a les fases de les invasions indoeuropees; va decantar-se en benefici del seu mestre indicant com l'esquema de dues —i posteriorment quatre— onades de Bosch era més ampli —i per tant més creïble— que l'única migració proposada per Almagro. El text conté també una altra dada significativa: Pericot no va citar Almagro quan explicà la problemàtica de la cronologia de l'art rupestre llevantí, però esmentà, en canvi, Breuil, Obermaier, Bosch, Lantier, Hernández Pacheco i fins i tot Duran i Sanpere, abans d'afirmar que la posició de Beltrán podia ser la més encertada. Un nou silenci en la mateixa línia que ja es prolongava per espai de setze anys. I en relació amb la cronologia de l'art rupestre llevantí, no era la primera vegada que els treballs d'Almagro sobre aquest tema i les seves tesis sobre la cronologia postpaleolítica de l'art rupestre llevantí quedaven subsumits en un context més ampli; per exemple, en fer la necrològica que Pericot dedicà a Breuil l'any 1965 i recordar l'exposició que sobre aquest tema es presentà en el marc del IV Congrés Internacional de Ciències Prehistòriques a Madrid l'any 1954, no cità Almagro com a organitzador, o bé quan va parlar del procés de classificació cronològica de l'exposició va donar més rellevància als treballs d'Eduardo Hernández Pacheco que als d'Almagro.[9]

8 Pericot, 1972.
9 Pericot, 1965, pàg. 278.

Però no es tractà només de Pericot. Quan Ripoll escriví el 1979 precisament la necrològica de Pericot[10] va tractar alguns dels aspectes principals de la seva trajectòria científica en els quals la figura d'Almagro hauria d'haver estat esmentada i valorada si de fet hagués existit una voluntat de fer-ho. Com hem vist, els investigadors que es llicenciaren a la Universitat de Barcelona després de la guerra es consideraven —de portes enfora i fins al 1956— deixebles d'Almagro; malgrat això, Ripoll escriví: «el doctor Pericot fou mestre de l'actual generació adulta d'arqueòlegs catalans: Joan Maluquer de Motes, Miquel Tarradell, Pere de Palol, August Panyella, J. Tomàs Maigi, A. Arribas, Alberto Balil i el que firma, entre d'altres», però és difícil trobar projectes de recerca i publicacions conjuntes dels citats amb Pericot per entendre que el mestratge hagués superat el nivell de la docència universitària.

Ripoll, d'altra banda, presentà la fundació de les reunions d'Empúries des d'una perspectiva si més no curiosa: «vam continuar els Cursos Internacionals d'Empúries que ell [Pericot] havia iniciat amb el professor Martín Almagro l'any 1947 [el XXXIX s'ha celebrat l'any 1980], i ambdós somiàvem que fossin el nucli inicial d'una Universitat Catalana d'Estiu en el marc incomparable de la Costa Brava», i, molt especialment, va refer de manera dràstica el devenir de la recerca arqueològica a la Diputació de Barcelona: «vam reorganitzar el Servei d'Investigacions Arqueològiques que havia fundat, el 1915, el doctor Bosch Gimpera, i que, quan el doctor Pericot ho deixà —després d'una encoratjadora tasca els anys 1957 i 1958—, es va convertir, el 1959, en l'Institut de Prehistòria i Arqueologia de la corporació provincial barcelonina que té la seva seu al Museu Arqueològic». Cap menció, cap citació, cap referència, a la direcció d'Almagro del Servei entre els anys 1939 i 1957 per part de qui era el seu successor en la direcció dels museus de Barcelona i d'Empúries.

Un vel espès, un oblit de la memòria gens casual s'estengué sobre la figura d'Almagro. Tot i així, sense atrevir-se a dir-ho explícitament, ja que en el moment de redactar-se tots els textos indicats Almagro era, sens dubte, l'home fort de la prehistòria espanyola —el «führer» i «cacic», com el batejà Bosch Gimpera en les seves converses epistolars amb Rafael Olivar Bertrand—,[11] i calia ser reservat. El que és cert és la fortalesa de la idea d'assimilar el període d'Al-

---

10 RIPOLL, 1979-1980b.

11 BOSCH GIMPERA i OLIVAR BETRAND, 1978, pàg. 32 i 59. Un Rafael Olivar Bertrand que no es va estar de demanar-li ajut l'any 1954 quan volia concursar a una càtedra de la Universitat de Barcelona (Arxiu MAC-Barcelona. Correspondència Almagro 1954. Carta Olivar Bertand-Almagro del 23-09-1954). Anys més tard el va criticar asprament en la correspondència amb Bosch Gimpera.

magro amb la derrota en la guerra, la imposició de la seva presència a Catalunya, que significà el trencament en la línia de l'Escola de Barcelona, i el recordatori explícit de l'exili de Bosch Gimpera amb el qual tots es volien relacionar. Lloant la figura de Pericot es podia enllaçar directament amb el mestre Bosch i creure que els arqueòlegs de finals de la dècada de 1980, o almenys aquells que ocupaven els càrrecs més importants a la Universitat i als museus, eren les darreres denes d'una forta cadena establerta l'any 1915 i que mai s'havia trencat. Un bonic exemple d'història reescrita.

I no era només en els textos, sinó també en els actes públics on es feia notar aquest distanciament. El 23 d'abril de 1972, la Diputació de Barcelona concedí les seves medalles d'or al mèrit cultural a Pericot, Ripoll i Felipe Mateu Llopis en atenció als mèrits i serveis prestats a la corporació provincial,[12] que van rebre l'any següent[13] de mans del seu president Josep Maria de Muller i d'Abadal, amb qui Ripoll mantenia una relació cordial.[14] Entre la llarga llista de títols i honors que Almagro rebé com a reconeixement de la seva trajectòria professional no hi figura aquest guardó, fet sorprenent si tenim en compte que va treballar per la Diputació entre 1939 i 1966 en càrrecs de prestigi i que la seva activitat va ser oportunament lloada i emprada per la corporació com a exponent de les activitats culturals que patrocinava. Amb independència dels indubtables mèrits dels dos prehistoriadors guardonats, cal recordar que Pericot només va exercir un càrrec a la Diputació durant dos anys, i que Ripoll feia poc més d'una dècada que era al capdavant del Museu Arqueològic.

Aquesta dura visió d'Almagro que li negava qualsevol protagonisme en la recerca a Catalunya ha arribat fins a l'actualitat. Josep Maria Fullola, en tractar l'any 2004 un cop més el tema de l'existència d'una Escola Catalana d'arqueologia[15] negà també un paper destacat a Almagro en aquesta estructura: «a partir de 1939 la continuïtat de la tasca de Bosch l'asseguren deixebles seus que poden continuar exercint a la Universitat, com Lluís Pericot, ja catedràtic des del 1925, o Joan Maluquer de Motes, acabat de llicenciar, de fet el darrer deixeble directe de Bosch a casa nostra. Grans arqueòlegs sorgeixen de la foscor dels anys quaranta, com Tarradell o Palol, que serviran de pont a l'Escola per arribar al floriment universitari dels anys setanta».

12 «La festivitat de San Jorge en el palacio de la Diputación». *La Vanguardia Española*, edició del 25-04-1972, pàg. 31.

13 «La festividad de San Jorge, patrón de Cataluña». *La Vanguardia Española*, edició del 24-04-1973, pàg. 38.

14 Gisela Ripoll López. Comunicació personal. Barcelona, 23-02-2012.

15 FULLOLA, 2004.

Respecte d'aquesta afirmació, caldria demanar d'on van sorgir i amb qui es van formar Maluquer, Tarradell i Palol. Però no va ser l'única afirmació, atès que també incideix a considerar l'etapa Almagro com un parèntesi: «no va ser fins que Almagro marxà a Madrid, el 1954, que Pericot assolí la càtedra de prehistòria de Bosch, i s'abocà a tasques de gestió universitària com la secretaria i el deganat de la facultat de Filosofia i Lletres; se seguí projectant internacionalment i a casa nostra impulsà treballs a Serinyà i a d'altres indrets amb restes prehistòriques [...] creiem que sorgeix [la necessitat de la continuïtat de l'escola] dels nous professors universitaris dedicats al món de l'arqueologia durant els anys quaranta i cinquanta tenien de buscar unes arrels en el floriment cultural dels anys vint i trenta». Una afirmació que pot ser certa, però que a la llum de l'acumulació d'indicis més aviat sembla un moviment per desfer-se de l'ombra d'algú que es veia com un representant de la dictadura.

I les idees en aquest sentit continuen actualment en la mateixa direcció. En el seu recent i interessant treball de síntesi sobre les recerques de l'Escola de Barcelona sobre la cultura ibèrica, J. Sanmartí esmenta només Almagro un cop quan l'ajunta amb Martínez Santa Olalla com a «investigadors molt afins al règim franquista» en relació amb la negació que tots dos van fer de l'existència dels ibers com una unitat ètnica diferenciada poc després de la guerra, quan la situació geopolítica internacional aconsellava donar una major rellevància a l'etnicitat cèltica. Ben al contrari, el fil de l'Escola de Barcelona de Sanmartí —tot i plantejar perfectament els dubtes i les reticències que diversos investigadors han esgrimit sobre la seva existència mes enllà de l'etapa controlada directament per Bosch— segueix l'esquema clàssic, és a dir: Bosch Gimpera, Pericot, Serra Ràfols, Maluquer de Motes i Tarradell.[16]

I no es tracta només del registre historiogràfic que es pot resseguir. Quan, l'any 2008, Pere Izquierdo i Montserrat Tudela van endegar la preparació de l'obra col·lectiva *La nissaga catalana del món clàssic*[17] i enllestien la relació definitiva dels arqueòlegs, historiadors i erudits que havien de figurar en el text des del segle X fins a l'actualitat, van rebre fortes pressions per eliminar precisament Almagro de la llista, adduint les seves vinculacions amb el règim franquista.[18] Potser per aquest motiu es tracta precisament de l'únic d'entre els gairebé dos-cents personatges biografiats que és esmentat expressament en la introducció del volum, amb una citació que sembla més aviat una excusa, exemple de la controvèrsia que encara ara genera: «un cas extrem és el de Martín Almagro,

16 Sanmartí Grego, 2011b, pàg. 29.
17 Tudela i Izquierdo, 2011, pàg. 15-16.
18 Montserrat Tudela. Comunicació personal, 15-11-2011.

algú que, sense ser català ni pertànyer a la tradició catalana, també hi va deixar deixebles i va ser capaç de defensar la col·lecció del Museu d'Arqueologia de Catalunya quan el règim la volia portar a Madrid», dos fets aquests últims que, com hem demostrat, són erronis. El primer perquè els deixebles no es van reconèixer en el mestre més enllà d'obtenir el suport necessari per al desenvolupament de les seves carreres, i el segon perquè amb les col·leccions a Ginebra el 1939, qui impedí la sortida dels materials de treball i estudi requisats al museu per Martínez Santa Olalla va ser Antonio de la Torre y del Cerro.

Quin atractiu, quina petjada deixà, doncs, Almagro a Catalunya? Sens dubte dues i incontestables: la potenciació de la recerca i la difusió del jaciment d'Empúries, i la reobertura i consolidació del Museu Arqueològic amb el suport de la Diputació Provincial. Negar aquests extrems és negar una realitat tossuda i caure en la reinvenció de la història per establir un paisatge idíl·lic en què tothom pugui acoblar-s'hi sense problemes de consciència.

Almagro va ser, en un principi, un clar exemple de la política cultural que el govern franquista va voler imposar a Catalunya, unint una ferma ideologia doctrinària amb capacitat de gestió, però en el decurs dels anys, i sense perdre el compromís polític, el seu pragmatisme innat va fer prevaldre els aspectes professionals en la seva gestió. No es pot entendre l'arqueologia a Catalunya durant la segona meitat del segle xx sense assumir la figura de Martín Almagro.

APÈNDIXS

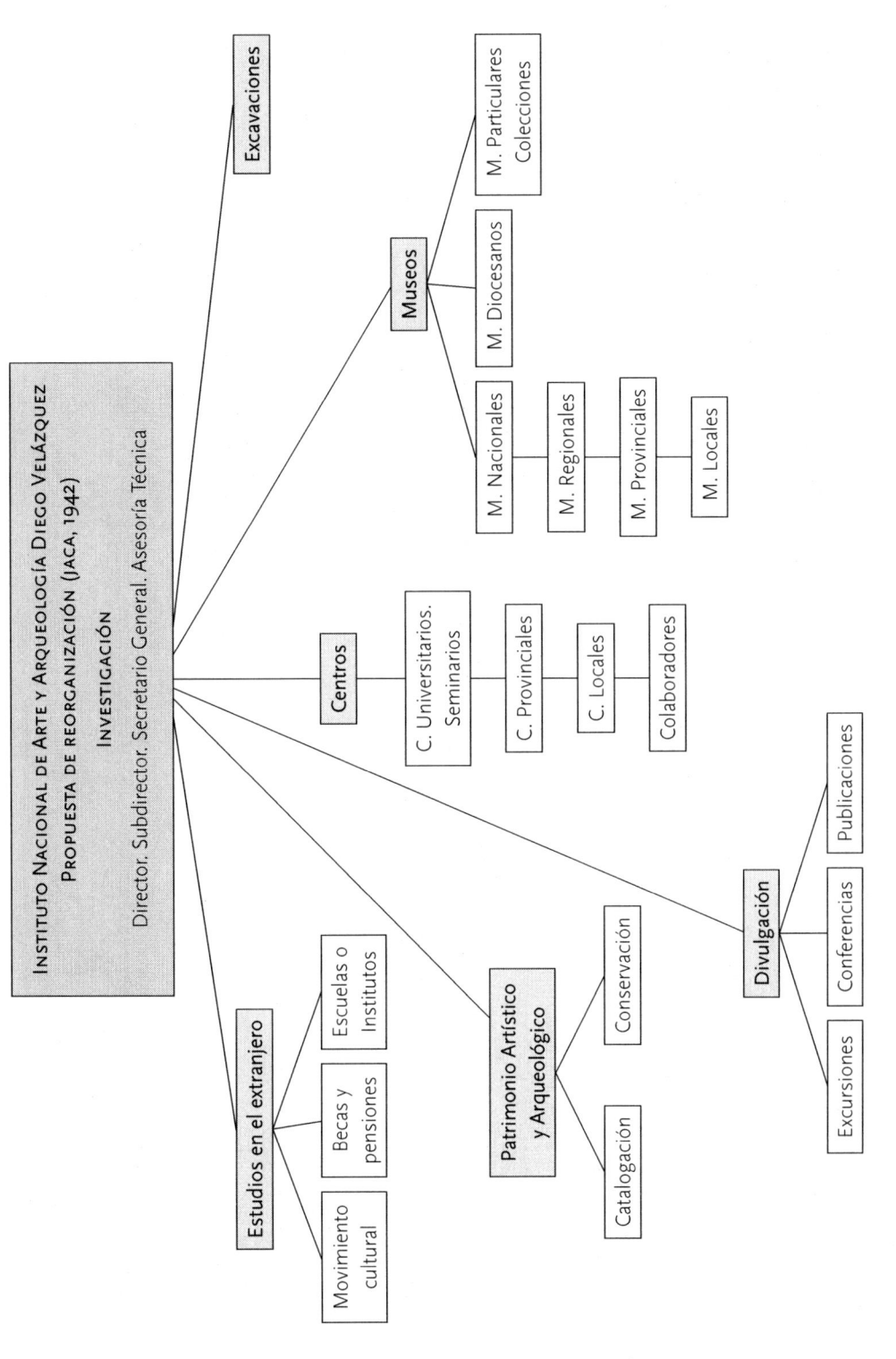

Instituto Nacional de Arte y Arqueología Diego Velázquez
Propuesta de reorganización (Jaca, 1942)
Investigación

Director. Subdirector. Secretario General. Asesoría Técnica

Excavaciones

Museos
- M. Particulares Colecciones
- M. Diocesanos
- M. Nacionales
- M. Regionales
- M. Provinciales
- M. Locales

Centros
- C. Universitarios. Seminarios
- C. Provinciales
- C. Locales
- Colaboradores

Estudios en el extranjero
- Movimiento cultural
- Becas y pensiones
- Escuelas o Institutos

Patrimonio Artístico y Arqueológico
- Catalogación
- Conservación

Divulgación
- Excursiones
- Conferencias
- Publicaciones

Articles i contribucions a la revista *Ampurias* des de 1939 fins a 1965. Personal vinculat al Museu Arqueològic

Autor	1939	1940	1941	1942	1943	1944	1945-46	1947-48	1949	1950	1951	1952	1953-54	1955-56	1957-58	1959	1960-61	1962	1963	1964-65	Articles Varia
Almagro Basch, M.	1	1	1	1		1	1	1	1	1		4	1	1	1	1	1				2
Arribas Palau, A.			5	2	3	2	1	4	1	1	2	4	1	2	2	3	1	1		2	
Cid Priego, C.										1	1	3	3	1		1					
Colominas i Roca, J.		1	2	1		1	1	1	1	1		1				1	2				
Maluquer de Motes i Nicolau, J.			1	1		1	1	4	1			1	1								
Panyella, A.				1	1	1	1		2		1										
Pericot i Garcia, L.	1		1		1	4	2				1										
Ripoll i Perelló, E.			1	1	7	10	6	7	5	4	5		1	1	1	1	1	4	1	1	
Serra Ràfols, J. de C.	1		1	1	1		1	1	1		1	5	2	4	2	4	6	4	2	3	
Tarradell, M.					1	2		1				1	1		1					1	

Bibliografia

AUTORS DIVERSOS (1954): *4e Congrès International des Sciences Préhistoriques et Protohistoriques. Programme Officiel*. Tipografía La Academia. Saragossa.

AUTORS DIVERSOS (1994): *Diccionario histórico de la antropología española*. CSIC. Madrid.

AUTORS DIVERSOS (1994): *Viatge a Olot. La salvaguarda del patrimoni artístic durant la Guerra Civil*. Ajuntament de Barcelona. Barcelona.

AUTORS DIVERSOS (2003): *Arte protegido. Memoria de la Junta del Tesoro Artístico durante la Guerra Civil*. Ministerio de Educación, Cultura y Deporte-IPCE. Madrid.

ALMAGRO BASCH, M. (1941): «Algunas falsificaciones visigodas». *Ampurias*, 3, pàg. 3-14.

ALMAGRO BASCH, M. (1943a): *Ampurias. Guía de las excavaciones*. Servicio de Investigaciones Arqueológicas de la Diputación Provincial. Barcelona.

ALMAGRO BASCH, M. (1943b): *Breve guía para la visita de las excavaciones de Ampurias*. Servicio de Investigaciones Arqueológicas de la Diputación Provincial. Barcelona.

ALMAGRO BASCH, M. (1944): «El arte prehistórico del Sáhara español». *Ampurias*, 6, pàg. 273-284.

ALMAGRO BASCH, M. (1945): «Un yacimiento del neolítico de tradición Capsiense del Sahara español». *Ampurias*, 7-8, pàg. 69-81.

ALMAGRO BASCH, M. (1946): *Prehistoria del Norte de África y del Sáhara Español*. Instituto de Estudios Africanos. CSIC. Madrid.

ALMAGRO BASCH, M. (1947): «El paleolítico español». A: AUTORS DIVERSOS. *Historia de España dirigida por Ramón Menéndez Pidal*. Vol. 1. Espasa-Calpe. Madrid, pàg. 245-485.

ALMAGRO BASCH, M. (1947-1948): «Sobre la fijación de las invasiones indoeuropeas en España». *Ampurias*, 9-10, pàg. 326-330.

ALMAGRO BASCH, M. (1948): «Ampurias». *Cahiers d'Histoire et Archéologie*, XI, pàg. 38-45.

ALMAGRO BASCH, M. (1949): «Cerámica griega de los siglos VI y V a. de J. C. en Ampurias». *Rivista di Studi Liguri*, XV, pàg. 63-122.

ALMAGRO BASCH, M. (1950a): «Nuevas cuestiones científicas sobre la unidad de España». *Arbor*, 16, pàg. 39-45.

ALMAGRO BASCH, M. (1950b): «Ligures en España. Las hipótesis de los filólogos». *Rivista di Studi Liguri*, XVI, pàg. 37-56.

ALMAGRO BASCH, M. (1951): *Ampurias. Historia de la ciudad y guía de las excavaciones*. Instituto Rodrigo Caro del CSIC / Servicio de Investigaciones Arqueológicas de la Diputación Provincial. Barcelona.

ALMAGRO BASCH, M. (1952): «La invasión céltica en España». A: AUTORS DIVERSOS. *Historia de España de Ramón Menéndez Pidal*. Vol II. Espasa Calpe. Madrid, pàg. 1-278.

ALMAGRO BASCH, M. (1953a): «Das Alte Nordafrika». *Historia Mundi*, II. Berna, pàg. 101-127.

ALMAGRO BASCH, M. (1953b): «La cronología del arte levantino en España». *III Congrès International des Sciences Préhistoriques et Protohistoriques*. CICPP, Zuric, pàg. 142-149.

ALMAGRO BASCH, M. (1955): «Excavaciones de 1954 en la Caverna dei Pipistrelli (Finale Ligure)». *Rivista di Studi Liguri*, 20, pàg. 5-31.

ALMAGRO BASCH, M. (1957a): «La historia como sustentación espiritual del hombre». *Arbor*, 36, pàg. 163-175.

ALMAGRO BASCH, M. (1957b): *El hombre ante la historia*. Biblioteca del Pensamiento Actual. Madrid.

ALMAGRO BASCH, M. (1957-1958): «Nueva etapa de la investigación arqueológica en la provincia de Granada». *Ampurias*, 19-20, pàg. 195-197.

ALMAGRO BASCH, M. (1958a): *Origen y formación del pueblo hispano*. Vergara. Barcelona.

ALMAGRO BASCH, M. (1958b): «Excavaciones españolas en Gabii». *Cuadernos de Trabajos de la Escuela Española de Historia y Arqueología en Roma*, x, pàg. 5-27.

ALMAGRO BASCH, M. (1961): «Las excavaciones españolas en Gabii (Roma)». *Atti dell Settimo Congresso Internazionale di Archeologia Classica*. Roma, pàg. 237-248.

ALMAGRO BASCH, M. (1964a): «Excavaciones en la Palaiápolis de Ampurias». *Excavaciones Arqueológicas en España*, 27. Madrid.

ALMAGRO BASCH, M. (1964b): «El problema de la cronología del arte rupestre levantino español». A: PERICOT, L. i RIPOLL, E. (ed.). *Prehistoric Art of the Western Mediterranean and the Sahara*. Viking Fund Publications in Antrhopology, 39. Nova York, pàg. 103-111.

ALMAGRO BASCH, M. (1965): *La necrópolis meroítica de Nag Gamus: Masmas, Nubia Egipcia*. Dirección General de Relaciones Culturales. Madrid.

ALMAGRO BASCH, M. (1977): «El recuerdo desde España del Profesor Nino Lamboglia». *Rivista di Studi Liguri*, 43-1, pàg. 17-23.

ALMAGRO BASCH, M.; AMORÓS, L. (1955): «El teatro romano de Pollentia (Mallorca)». *III Congreso Nacional de Arqueología*. Saragossa, pàg. 187-195.

ALMAGRO BASCH, M.; LAMBOGLIA, N. (1959): «La estratigrafía del decumano A de Ampurias». *Ampurias*, 21, pàg. 1-28.

ALMAGRO BASCH, M.; RIPOLL PERELLÓ, E.; MUÑOZ, A. M.ª (1957): «Excavaciones en la Caverna dei Pipistrelli (Finale Ligure, Italia)». *Cuadernos de Trabajo de la Escuela Española de Historia y Arqueología en Roma*, 9, pàg. 167-222.

ALMAGRO GORBEA, M. (1982a): *El santuario de Juno en Gabii. Excavaciones dirigidas por Martín Almagro Basch (1956-1966) y Alberto Balil Illana (1967-1969). Análisis de los hallazgos por los miembros de la Escuela Española de Historia y Arqueología de Roma*. Biblioteca Itálica. CSCIC. Madrid.

ALMAGRO GORBEA, M. (1982b): «Historia de las excavaciones». A: *El santuario de Juno en Gabii. Excavaciones dirigidas por Martín Almagro Basch (1956-1966) y Alberto Balil Illana (1967-1969). Análisis de los hallazgos por los miembros de la Escuela Española de Historia y Arqueología de Roma*. Biblioteca Itálica. CSCIC. Madrid, pàg. 21-32.

ALMAGRO GORBEA, M. (2006): «Eduardo Ripoll Perelló, 1923-2006». *Complutum*, 17, pàg. 257-261.

ALMAGRO GORBEA, M. (2010): «Almagro Basch, Martín». A: AUTORS DIVERSOS. *Diccionario Biográfico Español*, III. Real Academia de la Historia. Madrid, pàg. 31-35.

ALTED VIGIL, A. (2003): «Recuperación y protección de los bienes patrimoniales en la zona insurgente: el Servicio de Defensa del Patrimonio Artístico Nacional». A: AUTORS DIVERSOS. *Arte protegido. Memoria de la Junta del Tesoro Artístico durante la Guerra Civil*. Ministerio de Educación, Cultura y Deporte-IPHE. Madrid, pàg. 96-123.

ÁLVAREZ LOPERA, J. (1984): *La política de bienes culturales del gobierno republicano durante la Guerra Civil española*. Ministerio de Cultura. Madrid.

ÁLVAREZ LOPERA, J. (2003): «La Junta del Tesoro Artístico de Madrid y la protección del Patrimonio en la Guerra Civil». A: *Arte protegido. Memoria de la Junta del Tesoro Artístico durante la Guerra Civil*. Ministerio de Educación, Cultura y Deporte-IPCE. Madrid, pàg. 27-61.

AMORÓS, L. R.; ALMAGRO, M.; ARRIBAS, A. (1951): «El teatro romano de Pollentia (Mallorca)». *Archivo Español de Arqueología*, 28, pàg. 261-294.

AMORÓS, L. R.; ALMAGRO, M.; ARRIBAS, A. (1954): *Excavación del teatro romano de Pollentia, 1953*. W. L. Bryant Foundation. Palma.

ARANEGUI, C. (2000): «El profesor Miquel Tarradell y su contribución a la investigación sobre la cultura ibérica». A: BLÁNQUEZ, J. i ROLDÁN, L. (ed.). *La cultura ibérica a través de la fotografía de principios de siglo: el litoral mediterráneo*. Madrid, pàg. 163-168.

ARANEGUI, C. (2008): «Tarradell y la historiografía de la Arqueología del norte de Marruecos». A: BELTRÁN, J. i HABIBI, M. (ed.). *Historia de la Arqueología en el norte de Marruecos durante el período del Protectorado y sus referentes en España*. Universidad Internacional de Andalucía / Universidad de Sevilla. Sevilla, pàg. 121-134.

ARANEGUI, C. (2011): «Miquel Tarradell, en el centenari de Jaume Vicens Vives: Tarradell a la Universitat de València». *Butlletí de la Societat Catalana d'Estudis Històrics*, XXII, pàg. 337-348.

ARCE, J. (1994): «García y Bellido y el Instituto Rodrigo Caro». *Archivo Español de Arqueología*, 67, pàg. 297-301.

ARRIBAS, A. (1952): «Viaje arqueológico por el Marruecos español». *Ampurias*, 14, pàg. 239-243.

ATRIÁN, P. (1984): «In Memoriam Martín Almagro Basch». *Teruel*, 72, s.p.

BALCELLS, A.; PUJOL, E. (2002): *Història de l'Institut d'Estudis Catalans*. Vol. 1: 1907-1942. Institut d'Estudis Catalans. Barcelona.

BENET, J. (2005): *El president Companys, afusellat*. Edicions 62. Barcelona.

BERNABÒ BREA, L. (1950): «Il teatro antico di Pollentia». *Boletín de la Sociedad Arqueológica Luliana*, 30, pàg. 471-477.

BERNABÒ BREA, L. (1951): «Il teatro antico di Pollentia, nell'isola di Mallorca». *Rivista di Studi Liguri*, XVII, 1, pàg. 18-29.

BOSCH GIMPERA, P. (1950): «The chronology of Rock-paintings in Spain and North-Africa». *The Art Butlletin*, XXXII, pàg. 71-76.

BOSCH GIMPERA, P. (1978): *Espanya*. Edicions 62. Barcelona.

BOSCH GIMPERA, P. (1980): *Memòries*. Edicions 62. Barcelona.

BOSCH GIMPERA, P.; OLIVAR BETRAND, R. (1978): *Correspondència 1969-1974*. Proa. Barcelona.

BOSCH ROMEU, T. (1999): *Conversaciones en torno a don Pedro Bosch-Gimpera*. Conaculta / INAH. Mèxic.

BRUGUERA, R. (2010) (coord.): «Emili Gandia. Diari de les excavacions 1936-1937». *Camí de Ronda*, 1, pàg. 30-68.

BRUGUÉS, A. (1963): «XXV años de la revista Ampurias». *Ampurias*, 25, pàg. V-VII.

BRYANT, W. J. (1972): *Adventures in Spanish Archaeology*. Meetingwaters Publications. Nova York.

CARVALHO, A. (1989): «Para a História da Arqueologia em Portugal. O livro de visitantes da Junta de Turismo de Cascais». *Arquivo de Cascais*, 8, pàg. 75-150.

CASTELO-RUANO, R. (1995): *Julio Martínez Santa-Olalla: crónicas de la cultura arqueológica española*. Madrid.

COLORADO CASTELLARY, A. (2008): *Éxodo y exilio del arte. La odisea del Museo del Prado durante la Guerra Civil*. Cátedra. Madrid.

COLORADO CASTELLARY, A. (2010): «Evacuación y salvamento del Museo del Prado durante la Guerra Civil». A: COLORADO CASTELLARY, A. (ed.). *Arte salvado*. Ministerio de Cultura. Madrid, pàg. 50-53.

CORBETO, A. (2011): «Eduard Ripoll i Perelló, 1923-2006». A: AUTORS DIVERSOS. *La nissaga catalana del món clàssic*. Auriga. Barcelona, pàg. 473-474.

CORBÍ, J. F. (2009): «El franquismo en la arqueología. El pasado prehistórico y antiguo para la España una, grande y libre». *Arqueoweb*, 11. www.ucm.es-info-arqueoweb-numero11-corbi.htm.

CORTADELLA, J. (1988): «Martín Almagro Basch y la idea de la unidad de España». *Studia Historica*, 6, pàg. 17-25.

CORTADELLA, J. (1999): «El profesor Nino Lamboglia (1912-1977) y la Arqueología Clásica Española». A: MORA, G. i DÍAZ-ANDREU, M. (ed.). *La cristalización del pasado. Génesis y desarrollo del marco institucional de la arqueología en España*. Ministerio de Cultura / Universidad de Málaga. Madrid, pàg. 553-566.

CORTADELLA, J. (2003a): «Notas sobre el franquismo y la historia antigua en Cataluña». A: WULFF, F. i ÁLVAREZ, M. (ed.). *Antigüedad y franquismo (1936-1975)*. Universidad de Málaga. Màlaga, pàg. 241-261.

CORTADELLA, J. (2003b) (ed.): *Pere Bosch Gimpera. Etnología de la Península Ibérica*. Urgoiti. Pamplona.

CORTADELLA, J. (2003b): «Notas sobre el franquismo y la Historia Antigua en Cataluña». A: AUTORS DIVERSOS. *Antigüedad y franquismo (1936-1975)*. Diputación Provincial de Málaga. Màlaga, pàg. 241-261.

CRUZ BERROCAL, M. *et al.* (2005): «Martín Almagro Basch, Fernando Gil Carles y el Corpus de Arte Rupestre Levantino». *Trabajos de Prehistoria*, 62, 1, pàg. 26-45.

CUADRADO, E. (1984): «Martín Almagro Basch». *Boletín de la Asociación Española de Amigos de la Arqueología*, 20, pàg. 30.

Delibes de Castro, G. (2010): «Alberto Balil Illana (Barcelona, 1928 / Valladolid, 1989)». A: Autors diversos. *Repensar la Escuela del CSIC en Roma. Cien años de memoria.* CSIC. Madrid, pàg. 455-460.

Díaz-Andreu, M. (1993): «Theory and ideology in archaeology: Spanish archaeology under the Franco régime». *Antiquity,* 67, pàg. 74-82.

Díaz-Andreu, M. (1996): «Arqueólogos españoles en Alemania en el primer tercio del siglo xx. Los becarios de la Junta de Ampliación de Estudios: Bosch Gimpera». *Madrider Mitteilungen,* 37, pàg. 205-224.

Díaz-Andreu, M. (1997): «Prehistoria y franquismo». A: Autors diversos. *La cristalización del pasado: Génesis y desarrollo del marco institucional de la arqueología en España.* CSIC. Màlaga, pàg. 547-552.

Díaz-Andreu, M. (1998): «Gordon Childe and Iberian Archaeology». *Trabalhos de Arqueologia,* 10, pàg. 52-64.

Díaz-Andreu, M. (2002): *Historia de la Arqueología. Estudios.* Ediciones Clásicas. Madrid.

Díaz-Andreu, M. (2003): «Arqueología y dictaduras: Italia, Alemania y España». A: Autors diversos. *Antigüedad y franquismo (1936-1975).* Diputación Provincial de Málaga. Màlaga, pàg. 33-74.

Díaz-Andreu, M. (2007a): «Internationalism in the invisible college: Political ideologies and friendships in archaeology». *Journal of Social Archaeology,* 7, pàg. 29-48.

Díaz-Andreu, M. (2007b): «Christopher Hawkes and the International Summer Courses of Ampurias». *Bulletin of the History of Archaeology,* 17-1, pàg. 19-34.

Díaz-Andreu, M. (2007c): «V. Gordon Childe i Espanya: notes d'arxiu». *Cota Zero,* 22, pàg. 84-98.

Díaz-Andreu, M. (2008): «Las relaciones entre la arqueología española y británica (1920s-1970s)». A: Autors diversos. *Documentos inéditos para la Historia de la Arqueología.* Ediciones Clásicas, Madrid.

Díaz-Andreu, M. (2009): «Martín Almagro Basch». A: Díaz-Andreu, M.; Mora, G.; Cortadella, J. *Diccionario Histórico de la Arqueología en España.* Madrid, pàg. 73-75.

Díaz-Andreu, M.; Cortadella, J. (2006): «Success and Failure: alternatives in the Institutionalisation of pre and protohistory in Spain (Hernández-Pacheco, Obermaier, Bosch Gimpera)». A: Autors diversos. *The Beginnings of Academic Pre- and Protohistoric Archaeology (1830-1930) in a European Perspective.* Berliner Archäologische Forschungen, 2. Berlín, pàg. 295-305.

Díaz-Andreu, M.; Mora, G. (1995): «Arqueología y política: el desarrollo de la arqueología española en su contexto histórico». *Trabajos de Prehistoria,* 52-1, pàg. 25-38.

Díaz-Andreu, M.; Ramírez, M. E. (2001): «La Comisaría General de Excavaciones Arqueológicas (1939-1955). La administración del Patrimonio Arqueológico en España durante la primera etapa de la dictadura franquista». *Complutum,* 12, pàg. 325-343.

Díaz-Andreu, M.; Ramírez Sánchez, M. (2004): «Archaeological Reosurce Management under Franco's Spain: the Comisaría General de Excavaciones Arqueológicas». A: Autors diversos. *Archaeology Under Dictatorship.* Kluver-Plenum. Hingham, pàg. 109-130.

DOENGES, N. A. (2005): *The William L. Bryant Foundation. A brief history*. Darmouth College. Hannover.

DUPLÁ, A. (1997): «Semana Augústea de Zaragoza (30 de mayo-4 de junio de 1940)». A: MORA, G. i DÍAZ-ANDREU, M. (ed.). *La cristalización del pasado: génesis y desarrollo del marco institucional de la Arqueología en España*. Universidad de Málaga. Màlaga, pàg. 565-572.

ESTRADA I CAMPMANY, C. (2008): *Contra els «Hombres de la Horda». La depuració franquista dels caps del Patrimoni Històric, Artístic i Científic de la Generalitat republicana*. Ploion. Barcelona.

FABRE, J. (2003): *Els que es van quedar. 1939: Barcelona, ciutat ocupada*. Publicacions de l'Abadia de Montserrat. Barcelona.

FERRÉ, X. (1995): «Miquel Tarradell: valencianitat (1956-1970)». *Revista de Catalunya*, 92, pàg. 21-50.

FREY, O. H. (2002): «In memoriam Wolfgang Dehn». *Madrider Mitteilungen*, 43, pàg. 376-380.

FULLOLA, J. M. (2004): «L'Escola catalana d'Arqueologia». A: BALCELLS, A. (ed.). *Història de la Historiografia Catalana*. Institut d'Estudis Catalans. Barcelona, pàg. 229-247.

GANDÍA, E. (2010): «Diari de les excavacions de l'any 1936-1937». *Camí de Ronda*, 1, pàg. 30-66.

GARCÍA, A. *et al.* (2008): *Cent anys de la Junta de Museus de Catalunya 1907-2007*. Publicacions de l'Abadia de Montserrat. Barcelona.

GARCÍA Y BELLIDO, A. (1951): «El Instituto de Arqueología y Prehistoria "Rodrigo Caro"». *Archivo Español de Arqueología*, 24, pàg. 161-168.

GARCÍA SANTOS, J. C. (2008): «Una encrucijada en el mundo de la prehistoria española. La oposición a la Cátedra de Historia Primitiva del Hombre de 1954». *Revista de Historiografía*, 9, pàg. 146-166.

GASSOL, O. (2011): *De la utopia mediterrània a la realitat provincial. El projecte cultural de la Diputació de Barcelona durant el primer franquisme*. Fundació Carles Pi i Sunyer. Barcelona.

GONZÁLEZ VILALTA, A. (2009): *Cataluña bajo vigilancia. El consulado italiano y el fascio de Barcelona (1930-1943)*. Publicacions de la Universitat de València. València.

GORDON CHILDE, V. (1944): «La cueva del Parpalló y el paleolítico superior en el sudeste de España». *Ampurias*, 6, pàg. 340-346.

GORDON CHILDE, V. (1951): «La última Edad del Bronce en el Próximo Oriente y en la Europa Central». *Ampurias*, 13, pàg. 5-34.

GRACIA ALONSO, F. (2001a): «L'ombra d'una absència. La recerca arqueològica a Catalunya durant la postguerra». *L'Avenç*, 261, pàg. 16-24.

GRACIA ALONSO, F. (2001b): «Pere Bosch Gimpera-Josep Pla. Una polémica sobre el valor de la prehistoria como ciencia en 1923». *Revista de Arqueología*, 247, pàg. 12-19.

GRACIA ALONSO, F. (2002): «Arqueología de la memoria. Batallones disciplinarios de soldados-trabajadores y tropas del ejército en las excavaciones de Ampurias (1940-1943)». A: AUTORS DIVERSOS. *Los campos de concentración y el mundo penitenciario en España durante la Guerra Civil y el franquismo*. Museu d'Història de Catalunya. Barcelona, pàg. 209-245.

GRACIA ALONSO, F. (2002-2003): «La depuración del personal del Museo Arqueológico de Barcelona y del Servicio de Investigaciones Arqueológicas después de la Guerra Civil (1939-1941)». *Pyrenae*, 33-34, pàg. 303-343.

GRACIA ALONSO, F. (2003a): «Pere Bosch Gimpera i la formació de l'Escola de Barcelona (1917-1939)». A: AUTORS DIVERSOS. *L'arqueologia a Catalunya durant la República i el franquisme (1931-1975)*. Museu de Mataró. Mataró, pàg. 31-92.

GRACIA ALONSO, F. (2003b): «Arqueología de la memoria». A: AUTORS DIVERSOS. *Una inmensa prisión*. Crítica. Barcelona, pàg. 57-82 i 277-287.

GRACIA ALONSO, F. (2007a): «Pere Bosch Gimpera. Un républicain espagnol à l'Unesco (1948-1952)». A: AUTORS DIVERSOS. *60 ans d'histoire de l'Unesco*. Unesco. París, pàg. 149-153.

GRACIA ALONSO, F. (2007b): «Eduardo Ripoll Perelló, 1923-2006». *Antiquity*, 81

GRACIA ALONSO, F. (2008a): «Pere Bosch Gimpera y la Escuela arqueológica de Barcelona (1916-1939) a partir de las fuentes documentales de correspondencia». A: AUTORS DIVERSOS. *S'écrire et écrire sur l'Antiquité. L'apport des correspondances à l'histoire des travaux scientifiques*. Grenoble, pàg. 341-362.

GRACIA ALONSO, F. (2008b): «Las relaciones de la Ahnenerbe en España (1938-1945)». A: AUTORS DIVERSOS. *Documentos inéditos para la historia de la arqueología*. Madrid.

GRACIA ALONSO, F. (2009a): *La arqueología durante el primer franquismo (1939-1956)*. Bellaterra. Barcelona.

GRACIA ALONSO, F. (2009b): «Pere de Palol i Salellas». A: AUTORS DIVERSOS. *Diccionario histórico de la Arqueología en España*. Marcial Pons. Madrid, pàg. 504-505.

GRACIA ALONSO, F. (2009c): «Las investigaciones de Leo Frobenius y el Forschunginstitut für Kulturmorphologie (FK) sobre el arte rupestre en España (1934-1936)». *Pyrenae*, 40, 1, pàg. 33-78.

GRACIA ALONSO, F. (2011a): *Pere Bosch Gimpera. Universidad, política, exilio*. Marcial Pons. Madrid.

GRACIA ALONSO, F. (2011b): «Martín Almagro Basch 1911-1984». A: AUTORS DIVERSOS. *La nissaga catalana del món clàssic*. Auriga. Barcelona, pàg. 388-391.

GRACIA ALONSO, F.; FULLOLA, J. M. (2006): *El sueño de una generación. El crucero universitario por el Mediterráneo de 1933*. Universitat de Barcelona. Barcelona.

GRACIA ALONSO, F.; FULLOLA, J. M.; VILANOVA, F. (2002): *58 anys i 7 dies. Correspondència de Pere Bosch Gimpera a Lluís Pericot (1919-1974)*. Universitat de Barcelona / Fundació Bosch i Gimpera. Barcelona.

GRACIA ALONSO, F.; MUNILLA, G. (1999): «La Universidad de Barcelona y la investigación sobre la Cultura Ibérica. De Bosch Gimpera a Maluquer de Motes (1916-1988)». A: AUTORS DIVERSOS. *La cultura ibérica a través de la fotografía de principios de siglo. Vol. 3, El litoral mediterráneo*. Universidad Autónoma de Madrid / Caja de Ahorros del Mediterráneo. Madrid, pàg. 169-208.

GRACIA ALONSO, F.; MUNILLA, G. (2010): «El Instituto Arqueológico Nacional e Imperial. Un intento fallido de reorganización de la protección y estudio del patrimonio arqueológico en 1938». A: AUTORS DIVERSOS. *Patrimonio, Guerra Civil y posguerra*. Universidad Complutense / Ministerio de Cultura. Madrid, pàg. 171-182.

GRACIA ALONSO, F.; MUNILLA, G. (2011): *Salvem l'Art! La protecció del patrimoni cultural català durant la guerra civil*. La Magrana. Barcelona.

GUDIOL COROMINAS, E. (1997): *Josep Gudiol Ricart*. Patronat d'Estudis Osonencs. Vic.

GURT, J. M. (2002): «Pere de Palol. Una semblanza particular». A: *Premi d'Arqueologia catalana. Pàtera d'Honor*. Museu d'Arqueologia de Catalunya. Barcelona, pàg. 6-18.

HAWKES, C. F. C. (1947-1948): «Ensayo de cronología hallstáttica: Italia y Europa central y occidental». *Ampurias*, 9-10, pàg. 21-33.

HAWKES, C. F. C. (1952): «Las relaciones en el bronce final, entre la península Ibérica y las Islas Británicas con respecto a Francia y la Europa Central y Mediterránea». *Ampurias*, 14, pàg. 81-119.

JANKUHN, H. (1974): «Oswald Menghin». *Almanach der Österreichischen Akademie der Wissenschaften 1974*, pàg. 540-546.

JERNEJ, R. (2007): «Dr. Prof. Oswald Menghin». A: AUTORS DIVERSOS. *L'archéologie nazie en Europe de l'Ouest*. Infolio. París, pàg. 454.

JIMÉNEZ DÍAZ, P. (2010): «Francisco Iñiguez Almech (Madrid, 1901-Pamplona, 1982)». A: AUTORS DIVERSOS. *Repensar la escuela del CSIC en Roma. Cien años de Historia*. CSIC. Madrid, pàg. 375-377.

LLUBIÁ, L. M.ª (1950): «Viaje de estudios de universitarios alemanes a las pinturas rupestres del Levante español». *Ampurias*, 12, pàg. 275.

LUCAS PELLICER, M.ª R. (2002): «Experiencia española en la campaña de la Unesco para el salvamento de los restos arqueológicos de Nubia». A: LÓPEZ GRANDE, M.ª J. (ed.). *Culturas del Valle del Nilo. Su historia, relaciones externas e investigación*. Museu Egipci. Barcelona, pàg. 189-204.

MACDONOCH, G. (2010): *Hitler 1938. El año de las grandes decisiones*. Crítica. Barcelona.

MALUQUER DE MOTES, J. (1947a): «Curso Internacional de Estudios Ligures en Bordighera». *Ampurias*, 9-10, pàg. 370-371.

MALUQUER DE MOTES, J. (1947b): «XI Convenio Internacional de Estudios Ligures en Francia y en España». *Ampurias*, 9-10, pàg. 374-375.

MALUQUER DE MOTES, J. (1947-1948a): «Constitución de la Sección española del Istituto di Studi Liguri». *Ampurias*, 9-10, pàg. 375-376.

MALUQUER DE MOTES, J. (1947-1948b): «La creación del Instituto de Prehistoria Mediterránea en Barcelona». *Ampurias*, 9-10, pàg. 377-378.

MARCH, E. (2008): «IV. La Junta de Museus durant la Dictadura de Primo de Rivera (1923-1930)». A: AUTORS DIVERSOS. *Cent anys de la Junta de Museus de Catalunya 1907-2007*. Publicacions de l'Abadia de Montserrat. Barcelona, pàg. 83-103.

MARC-7 (1986): «L'Arqueologia catalana II. De la posguerra als anys setanta». *L'Avenç*, 91, pàg. 64-70.

MASSÓ CARBALLIDO, J. (2003): «L'Arqueologia a Tarragona durant el franquisme (1939-1979)». *Tàrraco en la fotografia del segle XX: 1939-1979*. Museu Nacional Arqueològic de Tarragona. Tarragona, pàg. 10-23.

MASSÓ CARBALLIDO, J. (2010): *Notes sobre el salvament republicà del patrimoni cultural català (1938)*. Fundació Carles Pi i Sunyer d'Estudis Autonòmics i Locals. Barcelona.

MATEU, J. (1947): «Grabados rupestres de los alrededores de Smara (Sahara español)». *Ampurias*, 9-10, pàg. 301-317.

MEDEROS MARTÍN, A. (2003): «Julio Martínez Santa Olalla y la interpretación aria de la Prehistoria de España (1939-1945)». *Boletín del Seminario de Arte y Arqueología*, 69, pàg. 13-56.

MEDEROS MARTÍN, A. (en premsa): «Martín Almagro Basch y la consolidación de la Prehistoria en España (1938-1981)». A: QUERO, S. (ed.). *Historiografía de la Arqueología Española II. Precursores y maestros*. Museo de los Orígenes. Madrid, pàg. 235-267.

MEZQUÍRIZ, M. A. (1962): *Terra Sigillata Hispánica*. W. L. Bryant Foundation. València.

MONREAL, L. (1999): *Arte y Guerra Civil*. La Val de Onsera. Angüés.

MUÑOZ, A. M. (1957): «Crónica de las campaña de excavaciones realizadas por la Escuela Española de Histoira y Arqueología en Roma en las cuevas dei Pipistrelli y dell'Olivo (Finale Ligure y Toirano, Italia) en los años 1956 y 1957». *Ampurias*, 19-20, pàg. 291-292.

MUÑOZ, A. M. (1958): «Prospecciones y excavaciones arqueológicas en la región de Toirano: la grotta dell'Olivo (Savona, Italia)». *Cuadernos de Trabajos de la Escuela Española de Historia y Arqueología en Roma*, x, pàg. 171-201.

MUÑOZ, J. M. (2012): «Eulàlia Duran. La historia i els perdedors». *L'Avenç*, 376, pàg. 12-23.

NAVARRO, R. (2011): «Pere de Palol i Salellas, 1923-2005». A: AUTORS DIVERSOS. *La nissaga catalana del món clàssic*. Auriga. Barcelona, pàg. 468-472.

OLIVIER, L. (2007): «Wolfgang Dehn». A: AUTORS DIVERSOS. *L'archéologie nazie en Europe de l'Ouest*. Infolio. París, pàg. 440-441.

OLMOS, R. (1994): «Antonio García y Bellido y su época: una posible lectura». *Archivo Español de Arqueología*, 67, pàg. 293-296.

ORFILA, M. (2011): «Antoni Arribas i Palau, 1926-2002». A: AUTORS DIVERSOS. *La nissaga catalana del món clàssic*. Auriga. Barcelona, pàg. 490-494.

ORTEGA, A. I.; QUERO, S. (2002): «Julio Martínez Santa Olalla». A: AUTORS DIVERSOS. *Bifaces y Elefantes. La investigación del Paleolítico Inferior en Madrid. Zona Arqueológica*, 1, pàg. 194-213.

PALOL, P. (2002): «Una vida dedicada a la arqueología». *Premi d'Arqueologia catalana. Pàtera d'Honor*. Museu d'Arqueologia de Catalunya. Barcelona, pàg. 19-32.

PANYELLA, A. (1949a): «Expedición científica a los territorios españoles del Golfo de Guinea». *Ampurias*, 11, pàg. 208-209.

PANYELLA, A. (1949b): «La creación del Museo Etnológico y Colonial en Barcelona». *Ampurias*, 11, pàg. 209-210.

PANYELLA, A. (1951): «Expediciones españolas a África». *Zephyrus*, 11, pàg. 111-114.

PASAMAR ALZURIA, G.; PEIRÓ MARTÍN, I. (2002): «Almagro Basch, Martín». *Diccionario Akal de historiadores españoles contemporáneos (1840-1980)*. Akal. Madrid, pàg. 70-72.

PÉREZ VALLVERDÚ, E. (2009) (ed.): *Fantasmones rojos. La venjança falangista contra Catalunya (1939-1940)*. Acontravent. Barcelona.

PERICOT, L. (1949): «El Curso del Instituto Internacional de Estudios Ligures». *Ampurias*, 11, pàg. 210-212.

PERICOT, L. (1950a): «El I Congreso Internacional de Estudios Ligures». *Ampurias*, 12, pàg. 264-265.

Pericot, L. (1950b): «El Congreso de Prehistoriadores alemanes de Maguncia». *Ampurias*, 12, pàg. 266-267.

Pericot, L. (1950c): «El III Congreso Internacional de Ciencias Prehistóricas y Protohistóricas». *Ampurias*, 12, pàg. 267-270.

Pericot, L. (1951): «El I Congreso Internacional de Prehistoria Mediterránea». *Ampurias*, 13, pàg. 256-258.

Pericot, L. (1956): «Discurso de contestación». A: Vicens Vives, J. *Cataluña a mediados del siglo xv. Discurso leído el día 9 de diciembre de 1956 en la recepción pública del Dr. D. Jaime Vicens Vives en la Real Academia de Buenas Letras de Barcelona*. Reial Acadèmia de Bones Lletres de Barcelona. Barcelona, pàg. 67-74.

Pericot, L. (1960): «Memoria de las actividades del Servicio de Investigaciones Arqueológicas en el año 1960». *Ampurias*, 22-23, pàg. 369-375.

Pericot, L. (1964): *Medio siglo de Prehistoria hispánica*. Universitat de Barcelona. Barcelona.

Pericot, L. (1965): «El abate Breuil y España: algunos recuerdos personales». A: Autors diversos. *Miscelánea en homenaje al abate Henri Breuil*. Universitat de Barcelona. Barcelona, pàg. 273-280.

Pericot, L. (1972): *Reflexiones sobre la Prehistoria hispánica*. Real Academia de la Historia. Madrid.

Pericot, L. (1976): «Algunos de mis recuerdos de Bosch Gimpera». A: *In memoriam Pedro Bosch Gimpera, 1891-1974*. Universidad Nacional Autónoma de México. Mèxic, pàg. 23-37.

Pi i Sunyer, C. (2000): *1939. Memòries del primer exili*. Fundació Carles Pi i Sunyer d'Estudis Autonòmics i Locals. Barcelona.

Pittioni, R. (1974): «Oswald Menghin, 1888-1973». *Archaeologia Austriaca*, 55, pàg. 1-5.

Pla, J. (2004): «El profesor Doctor Pere Bosch Gimpera». A: *Obra completa*, vol. xvi, *Homenots. Segona Sèrie*. Destino. Barcelona.

Pons Pujol, L. (2010): «Manuel Cazurro Ruiz». A: Autors diversos. *Diccionario biográfico español*, vol. xiii. Real Academia de la Historia. Madrid, pàg. 20-21.

Prevosti, M. (2011): «Miquel Tarradell, arrelat i transgressor». *Butlletí de la Societat Catalana d'Estudis Històrics*, xxii, pàg. 349-386.

Rafel Fontanals, N. (2003): «Les arrels... i el seu autor». *Cota Zero*, 18, pàg. 11-17.

Rafel Fontanals, N. (2006-2007): «Esculapi, l'errant. Els béns del Museu d'Arqueologia de Catalunya durant la guerra de 1936-1939». *Revista d'Arqueologia de Ponent*, 16-17, pàg. 193-202.

Ridruejo, D. (1976): *Casi unas memorias*. Planeta. Barcelona.

Ripoll, E. (1952): «El Congreso Internacional de Ciencias Prehistóricas y Protohistóricas». *Ampurias*, 14, pàg. 231-233.

Ripoll, E. (1955-1956a): «El Museo Arqueológico de Barcelona y sus nuevas salas». *Ampurias*, 17-18, pàg. 299-305.

Ripoll, E. (1955-1956b): «El IV Congreso Internacional de Ciencias Prehistóricas y Protohistóricas (Madrid, abril de 1954)». *Ampurias*, 17-18, pàg. 395-398.

Ripoll, E. (1955-1956c): «XVII Reunión del Instituto de Estudios Ligures». *Ampurias*, 17-18, pàg. 313-314.

RIPOLL, E. (1960-1961): «Inauguración del Museo Monográfico de Ampurias». *Ampurias*, 22-23, pàg. 382-383.

RIPOLL, E. (1971-1972): «Profesor Josep de C. Serra-Ràfols (1902-1971)». *Ampurias*, 33-34, pàg. 425-431.

RIPOLL, E. (1974): «Crónica de los Cursos Internacionales de Prehistoria y Arqueología en Ampurias». A: *Miscelánea Arqueológica. XXV Aniversario de los Cursos Internacionales de Prehistoria y Arqueología en Ampurias (1947-1971)*. Diputació Provincial de Barcelona. Barcelona, pàg. IX-XXIV.

RIPOLL, E. (1979-1980a): «Professor Alberto del Castillo Yurrita (1899-1976)». *Ampurias*, 41-42, pàg. 495-505.

RIPOLL, E. (1979-1980b): «Professor Lluís Pericot Garcia (1899-1978)». *Ampurias*, 41-42, pàg. 507-517.

RIPOLL, E. (1984a): «Martín Almagro Basch (Tramacastilla, 1911 – Madrid, 1984)». *Trabajos de Prehistoria*, 41, pàg. 11-16.

RIPOLL, E. (1984b): *Homenaje. Prof. Dr. Martín Almagro Basch (1911-1984)*. Museo Arqueológico Nacional. Madrid.

RIPOLL, E. (1993): «J. Puig i Cadafalch y Emilio Gandía Ortega: Orígenes de las excavaciones de Ampurias». A: MANGAS, J. i ALVAR, J. (ed.). *Homenaje a José María Blázquez*. Ediciones Clásicas. Madrid, pàg. 493-507.

RIPOLL, E. (1996): «Pere de Palol i Salellas. L'home i la seva obra». A: AUTORS DIVERSOS. *Spania. Estudis d'Antiguitat Tardana oferts en homenatge al professor Pere de Palol i Salellas*. Publicacions de l'Abadia de Montserrat. Barcelona, pàg. 7-11.

RIPOLL LÓPEZ, S. (2006): «Una conversación imaginaria con mi padre, Eduardo Ripoll Perelló, 1923-2006». *Trabajos de Prehistoria*, 63-2, pàg. 7-11.

RISQUES, M.; VILANOVA VILA-ABADAL, F.; VINYES, R. (2000): *Les ruptures de l'any 1939*. Publicacions de l'Abadia de Montserrat. Barcelona.

RODÀ DE LLANZA, I. (2011): «Alberto Balil Illana, 1928-1989». A: AUTORS DIVERSOS. *La nissaga catalana del món clàssic*. Auriga. Barcelona, pàg. 498-500.

ROVIRA, J. (1986): «El museu arqueològic o la història d'un anhel». A: AUTORS DIVERSOS. *Pere Bosch Gimpera i el Museu Arqueològic de Barcelona. 50è aniversari*. Diputació de Barcelona. Barcelona, pàg. 30-25.

ROVIRA, J. (2010): «La prefiguració del Museu d'Arqueologia a Barcelona: unes arrels, un símbol». A: AUTORS DIVERSOS. *Museu d'Arqueologia de Catalunya. Anys 1935-2010. Miscel·lània commemorativa*. Museu d'Arqueologia de Catalunya. Barcelona, pàg. 13-26.

ROVIRA, J.; CASANOVAS, A.; SANMARTÍ, E. (2010) (coord.): *Museu d'Arqueologia de Catalunya. Anys 1935-2010. Miscel·lània commemorativa*. Museu d'Arqueologia de Catalunya. Barcelona.

ROVIRA, J.; SANMARTÍ, E. (2010): «Emili Gandia, Bosch Gimpera i sis mesos del 1936. El patrimoni arqueològic emporità en temps de guerra segons un cronista d'excepció». A: ROVIRA, J. (coord.). *Museu d'Arqueologia de Catalunya. Anys 1935-2010. Miscel·lània commemorativa*. Generalitat de Catalunya, Departament de Cultura. Barcelona, pàg. 135-168.

RUIZ, A.; SÁNCHEZ, A.; BELLÓN, J. P. (2006): *Los archivos de la arqueología ibérica: una arqueología para dos Españas*. Universidad de Jaén. Jaén.

RUIZ DE ARBULO, J. (1991): «Excavaciones en Ampurias 1908-1936». A: AUTORS DIVERSOS. *Historia de la arqueología y de la historia antigua en España (siglos XVIII-XX)*. Ministerio de Cultura. Madrid, pàg. 167-172.

RUIZ ZAPATERO, G. (2010): «Martín Almagro Basch (Tramacastilla, Teruel, 1911 – Madrid, 1984)». A: OLMOS, R.; TORTOSA, T.; BELLÓN, J. P. (ed.). *Repensar la Escuela del CSIC en Roma. Cien años de memoria*. CSIC. Madrid, pàg. 447-454.

SAINZ RODRÍGUEZ, P. (1981): *Un reinado en la sombra*. Planeta. Barcelona.

SALA TUBERT, L. (2008): «La Junta de Museus entre 1940 i 1981». A: GARCÍA, A. *et al. Cent anys de la Junta de Museus de Catalunya 1907-2007*. Publicacions de l'Abadia de Montserrat. Barcelona, pàg. 173-217.

SANMARTÍ GREGO, E. (2010): «El darrer escrit del Sr. Emili Gandia i l'apropiació dels diaris d'excavació d'Empúries per part de la nova direcció del Museo Arqueológico de Barcelona l'any 1939». A: ROVIRA, J. (coord.). *Museu d'Arqueologia de Catalunya. Anys 1935-2010. Miscel·lània commemorativa*. Barcelona, pàg. 169-176.

SANMARTÍ GREGO, J. (2011a): «Miquel Tarradell i Mateu, 1920-1995». A: AUTORS DIVERSOS. *La nissaga catalana del món clàssic*. Auriga. Barcelona, pàg. 440-443.

SANMARTÍ GREGO, J. (2011b): *L'Escola Catalana d'Arqueologia i l'estudi dels ibers*. Institut d'Estudis Catalans. Barcelona.

SERRA RÀFOLS, J. de C. (1949): «Reunión del Consejo Permanente del Congreso Internacional de Ciencias Prehistóricas y Protohistóricas». *Ampurias*, 11, pàg. 206-207.

SERRA RÀFOLS, J. de C. (1959): «José Colominas Roca (1883-1858)». *Ampurias*, 21, pàg. 338-340.

TARRADELL, M. (1947-1948): «Investigaciones arqueológicas en la provincia de Granada». *Ampurias*, 9-10, pàg. 223-236.

TARRADELL, M. (1950): «Hipogeos de tipo púnico en Lixus (Marruecos)». *Ampurias*, 12, pàg. 250-256.

TARRADELL, M. (1951): «Las excavaciones de Lixus (Marruecos)». *Ampurias*, 13, pàg. 186-190.

TARRADELL, M. (1953-1954): «El I Congreso Arqueológico del Marruecos español». *Ampurias*, 15-16, pàg. 377-378.

THOMÀS, J. M. (1992): *Falange, Guerra Civil, Franquisme. F.E.T. y de las J.O.N.S. de Barcelona en els primers anys de règim franquista*. Publicacions de l'Abadia de Montserrat. Barcelona.

TORTOSA, T. (2010): «Las primeras intervenciones arqueológicas de la EEHAR en Italia». A: AUTORS DIVERSOS. *Repensar la Escuela del CSIC en Roma. Cien años de memoria*. CSIC. Madrid, pàg. 441-446.

TOVAR, A. (1937-1941): *El Imperio de España*. Afrodisio Aguado. Madrid.

TOVAR, A. (1946-1947): «Notas sobre la fijación de las invasiones indoeuropeas en España». *Boletín del Seminario de Arte y Arqueología de la Universidad de Valladolid*, XIII, pàg. 21-35.

TRÍAS, G. (1967-1968): *Cerámicas griegas de la Península Ibérica*. W. L. Bryant Foundation. València.

TUDELA, M.; IZQUIERDO, P. (2011) (ed.): *La nissaga catalana del món clàssic*. Auriga. Barcelona.

VEGAS LATAPIÉ, E. (1987): *Los caminos del desengaño, memorias políticas 1936-1938*. Tebas. Madrid.

VEGAS LATAPIÉ, E. (1995): *La frustración de la Victoria. Memorias políticas 1938-1942*. Actas. Madrid.

VILANOVA VILA-ABADAL, F. (2004) (ed.): *Viure el primer exili: cartes britàniques de Pere Bosch Gimpera i Carles Pi i Sunyer, 1939-1940*. Fundació Carles Pi i Sunyer d'Estudis Autonòmics i Locals. Barcelona.

VILANOVA VILA-ABADAL, F. (2005): *La Barcelona franquista i l'Europa totalitària (1939-1946)*. Empúries. Barcelona.

VILANOVA VILA-ABADAL, F. (2010): *Una burgesia sense ànima. El franquisme i la traïció catalana*. Empúries. Barcelona.

WULFF, F. (2004) (ed.): *Adolf Schulten. Historia de Numancia*. Urgoiti. Pamplona.

Índex onomàstic